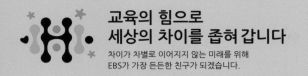

교육의 힘으로
세상의 차이를 좁혀 갑니다

차이가 차별로 이어지지 않는 미래를 위해
EBS가 가장 든든한 친구가 되겠습니다.

모든 교재 정보와 다양한 이벤트가 가득!
EBS 교재사이트 book.ebs.co.kr

본 교재는 EBS 교재사이트에서
eBook으로도 구입하실 수 있습니다.

2025학년도
수능 연계교재
수능완성

사회탐구영역
윤리와 사상

기획 및 개발

박빛나리
김은미
박 민
여운성

감수

한국교육과정평가원

책임 편집

강수연

본 교재의 강의는 TV와 모바일 APP, EBSi 사이트(www.ebsi.co.kr)에서 무료로 제공됩니다.

발행일 2024. 5. 20. 1쇄 인쇄일 2024. 5. 13. 신고번호 제2017-000193호 펴낸곳 한국교육방송공사 경기도 고양시 일산동구 한류월드로 281
표지디자인 ㈜무닉 내지디자인 다우 내지조판 ㈜글사랑 인쇄 팩컴코리아㈜
인쇄 과정 중 잘못된 교재는 구입하신 곳에서 교환하여 드립니다. 신규 사업 및 교재 광고 문의 pub@ebs.co.kr

정답과 해설 PDF 파일은 EBSi 사이트(www.ebsi.co.kr)에서 내려받으실 수 있습니다.

교재 내용 문의	교재 정오표 공지	교재 정정 신청
교재 및 강의 내용 문의는 EBSi 사이트(www.ebsi.co.kr)의 학습 Q&A 서비스를 활용하시기 바랍니다.	발행 이후 발견된 정오 사항을 EBSi 사이트 정오표 코너에서 알려 드립니다. 교재 → 교재 자료실 → 교재 정오표	공지된 정오 내용 외에 발견된 정오 사항이 있다면 EBSi 사이트를 통해 알려 주세요. 교재 → 교재 정정 신청

대한민국을 대표하는 경남의 **국가거점국립대학교**

경상국립대학교

글로컬 대학 사업 선정

국가거점국립대 1위
2023 라이덴 랭킹
상위 **10% 논문비율**

재학생 1인당 연간 장학금
2,911천원
(2023년도 공시기준)

단과대학 및 학과 신설
우주항공대학
IT 공과대학
미디어커뮤니케이션학과
수산생명의학과

Gyeongsang National University

2025학년도
수능 연계교재
수능완성

✦✦✦

사회탐구영역
윤리와 사상

이 책의 **차례** CONTENTS

이 책의 **구성과 특징** STRUCTURE

테마별 교과 내용 정리

주제별 핵심 개념을 쉽게 이해할 수 있도록 표, 그림, 모식도 등을 활용하여 체계적이고 일목요연하게 정리하였습니다.

수능 실전 문제

수능에 대비할 수 있는 다양한 유형의 문항들로 구성하여 응용력과 탐구력 및 문제 해결 능력을 향상시킬 수 있도록 하였습니다.

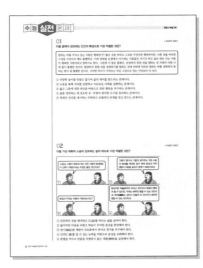

실전 모의고사

학습 내용을 최종 점검하여 실력을 테스트하고, 수능에 대한 실전 감각을 기를 수 있도록 수능 시험 형태로 구성하였습니다.

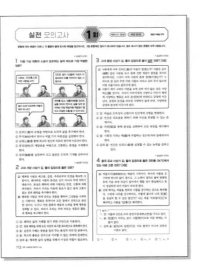

정답과 해설

정답의 도출 과정과 교과의 내용을 연결하여 설명하고, 오답을 찾아 분석함으로써 유사 문제 및 응용 문제에 대한 대비가 가능하도록 하였습니다.

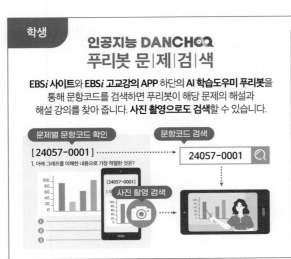

학생

인공지능 DANCHOQ
푸리봇 문|제|검|색

EBS*i* **사이트와 EBS***i* **고교강의 APP** 하단의 **AI 학습도우미 푸리봇**을 통해 문항코드를 검색하면 푸리봇이 해당 문제의 해설과 해설 강의를 찾아 줍니다. **사진 촬영으로도 검색**할 수 있습니다.

문제별 문항코드 확인

[24057-0001]
1. 아래 그래프를 이해한 내용으로 가장 적절한 것은?

문항코드 검색

24057-0001

선생님

EBS 교사지원센터
교재 관련 자|료|제|공

교재의 문항 한글(HWP) 파일과 교재이미지, 강의자료를 무료로 제공합니다.

⬇ 한글다운로드   🖼 교재이미지   ☰ 강의자료

- 교사지원센터(teacher.ebsi.co.kr)에서 '교사인증' 이후 이용하실 수 있습니다.
- 교사지원센터에서 제공하는 자료는 교재별로 다를 수 있습니다.

① 인간에 대한 다양한 관점

(1) 인간의 특성

① 이성적 존재: 이성을 통해 자신과 세계를 이해하고 개선해 나갈 수 있음

② 도구적 존재: 생활에 필요한 여러 가지 도구를 만들어 사용함

③ 사회적 존재: 사회 안에서 다른 사람들과 더불어 살아감

④ 유희적 존재: 삶의 과정에서 재미와 즐거움을 추구하는 놀이 활동을 함

⑤ 문화적 존재: 언어, 지식, 기술, 예술 등 다양한 문화를 창조하고 계승함

⑥ 종교적 존재: 초월적 존재를 믿거나 절대적 진리에 대한 깨달음을 추구함

⑦ 서사적 존재: 공동체의 이야기를 통해 자신의 정체성과 삶의 목적을 만들어 감

⑧ 윤리적 존재: 옳고 그름을 판단하고 도덕규범을 만들어 지키며 자신의 삶을 성찰함

(2) 인간의 본성

관점	내용	대표자
성선설	• 인간은 선한 성품을 가지고 태어남 • 욕망이나 환경에 의해 악행을 저지를 수도 있음	맹자
성악설	• 인간은 이기적이거나 악한 성품을 지니고 태어남 • 인간이 선한 것은 인위적·후천적 노력의 결과임	순자
성무선악설	선과 악은 인간의 본성이 아니라, 인간 자신의 선택이나 판단, 환경에 달려 있음	고자

(3) 인간다움의 실현

① 인간다움의 핵심: 도덕성(道德性)

② 인간다움을 실현하기 위한 조건: 개인과 사회 모두의 노력이 필요함 → 윤리 사상과 사회사상이 구체적인 지침을 제공할 수 있음

② 윤리 사상과 사회사상의 의미와 중요성

(1) 윤리 사상의 의미와 중요성

의미	인간의 도덕적 삶과 행위에 대한 체계적인 생각
예시	동양의 유교·불교·도가 사상, 서양의 의무론과 공리주의 등
중요성	• 자아를 발견하고 성찰하는 데 도움을 줌 • 바람직한 삶의 목적과 방향을 정하는 데 도움을 줌 • 도덕 문제를 해결하는 데 도움을 줌

(2) 사회사상의 의미와 중요성

의미	사회 현상을 설명하고 해석하여 바람직한 사회의 모습과 그것을 실현하는 방법을 제시하는 체계적인 생각
예시	자유주의, 공화주의, 민본주의, 민주주의, 자본주의, 사회주의 등
중요성	• 사회 현상을 체계적으로 이해하고 분석하는 틀이 됨 • 바람직한 사회의 모습을 제시함 • 사회 문제를 비판하고 해결하는 기준을 제공함

(3) 윤리 사상과 사회사상의 관계

① 차이점: 윤리 사상은 주로 바람직한 인간의 모습을 탐구하고, 사회사상은 주로 바람직한 사회의 모습을 탐구함

② 공통점: 궁극적으로 인간다움과 행복을 실현하고자 함

③ 상호 관련성

• 개인의 삶과 사회와 국가 구성원으로서의 삶을 분리해서 생각할 수 없음

자료와 친해지기 '사유하지 않음'의 위험성

아이히만은 리처드 3세처럼 '악인임을 입증하기로' 결심하는 사람이 아니다. 그는 단지 자신의 개인적 발전을 도모하는 데 열심이었을 뿐이다. 개인적 발전을 열심히 추구하는 것 자체는 결코 죄악이 아니다. 아이히만은 상관의 자리를 차지하기 위해 살인을 범하지는 않았을 것이다. 그는 단지 자기가 무엇을 하고 있는지 결코 깨닫지 못한 것이다. 그는 심문을 담당한 독일계 유대인에게 어떻게 자기가 친위대의 중령 계급밖에 오르지 못했고, 또 자기가 진급하지 못한 것이 자기의 잘못이 아니라는 것을 4개월 동안 끊임없이 설명하였다. 그가 그렇게 할 수 있었던 것은 바로 상상력의 결여 때문이었다. 기본적으로 그는 모든 일의 의미에 대해 잘 알고 있었다. 그래서 법정에서 있었던 최후 진술에서 그는 "정부가 처방한 가치의 재평가"에 대해 말한 것이다. 그는 어리석지 않았다. 그가 그 시대의 엄청난 범죄자 중 한 사람이 된 것은 그의 순전한 무사유(thoughtlessness) 때문이다.

– 아렌트, 『예루살렘의 아이히만』 –

유대인 학살(홀로코스트)에 참여한 전쟁 범죄자 아돌프 아이히만은 나치 독일의 패배 이후에 아르헨티나에서 숨어 살다가 이스라엘 비밀 요원에게 체포되었다. 이스라엘에서 열린 재판에서 아이히만은 칸트의 사상을 언급하며 자신을 변명하였다. 재판을 참관했던 유대인 철학자 한나 아렌트는 아이히만에게서 '사유의 진정한 불능'을 목격하였다. 아렌트는 아이히만이 타인의 관점에서 생각할 능력이 없었기 때문에 자신의 악행에 대한 후회나 죄책감을 보이지 않았다고 평가하였다.

- 도덕적인 사람이 모일 때 정의로운 사회가 될 가능성이 크고, 사회나 국가가 정의로워야 그 구성원이 도덕적인 사람이 될 가능성이 큼 → 윤리 사상과 사회사상은 상호 의존적이고 보완적인 관계임

③ 윤리 사상의 역할

(1) 윤리 사상이 우리 삶에 주는 영향

① 삶에 대한 반성과 성찰의 토대 제공: 바람직한 가치관을 세우고 자신의 삶을 성찰하게 함

② 개인적 판단과 행동에 영향: 우리의 일상적인 생활 태도에 큰 영향을 줌

(2) 한국 및 동양 윤리 사상

특징	• 세계를 개체의 단순한 집합이 아니라 유기적 관계로 맺어진 통합된 전체로 봄 → 인간과 인간, 인간과 자연 사이의 구별과 차이보다 상호 연관성과 조화를 중시함 • 개인의 가치를 경시하지 않지만, 개인도 공동체 안에 있을 때 의미가 있다고 봄 → 공동체 의식 속에서 개인의 인격 수양과 개인과 집단 간의 조화를 추구하고, 계약과 규율로 유지되기보다는 정감이 오가는 공동체를 지향함
현대적 의의	• 현대 사회의 지나친 개인주의와 이기주의의 문제를 해결하는 데 기여할 수 있음 • 환경 문제의 근본적인 해결책을 제시할 수 있음

(3) 서양 윤리 사상

특징	• 인간이 구현해야 하는 보편적 가치를 추구함 → 때와 장소에 따라 강조되는 구체적인 도덕규범에는 차이가 있을지라도 인간이 추구해야 하는 보편적 가치가 있고, 그 가치를 인식할 수 있다고 봄 • 인간의 이성과 이성에 바탕을 둔 윤리적 탐구를 중시함 → 인간의 감각적 경험, 감정, 욕망 등에 바탕을 둔 윤리적 탐구도 큰 영향력을 발휘했으나, 이러한 탐구 과정에서도 합리적인 태도와 방법이 토대가 됨
현대적 의의	• 인간의 존엄성, 자유, 평등, 인권 등의 보편적 가치를 구현하는 데 기여함 • 도덕적 삶과 행복, 바람직한 공동체를 합리적으로 논의하는 다양한 틀을 제공함

④ 사회사상의 역할

(1) 사회사상이 우리 삶에 주는 영향

① 공적 사안에 대한 판단 기준 제공: 공동체의 중요한 일을 판단하고 결정할 때에 큰 영향을 줌

　예 개인의 자율성을 중시하는 사회사상은 자유 시장 경제 정책 확대를 중시하고, 공동체의 연대성을 중시하는 사회사상은 사회 복지 정책 확대를 중시함

② 사회의 제도, 정책, 관습 등에 영향: 사회 구성원 사이에 지배적인 사회사상이 무엇이냐에 따라 사회의 모습이 크게 달라짐

　예 민본주의는 민심을 존중하는 도덕적 정치가 실현되게 하고, 자유주의는 사람들이 자유와 권리를 누리는 데 바탕이 됨

③ 보다 나은 사회로 발전하는 데 크게 기여함

　예 현대 복지 자본주의는 인류의 보다 행복한 삶을 위해 노력함

④ 주요 사회사상의 특징과 영향

사회사상	특징	우리 삶에 주는 영향
자유주의	개인의 자유 실현과 인격의 자유로운 표현을 중시함	개인의 자유 신장
민주주의	정치권력은 국민으로부터 나오므로, 국민의 의사에 따라 국가를 운영해야 한다고 봄	정치 참여 기회의 확대
자본주의	자유로운 경쟁과 생산 수단의 사적 소유를 기반으로 함	경제 활동의 활성화로 풍요로운 삶 추구
사회주의	생산 수단의 공동 소유와 계획 경제를 주장함	경제적 불평등을 완화하고자 노력

(2) 사회사상에 대한 올바른 자세

① 어떤 사회사상을 추구하느냐에 따라 사회의 모습과 사람들의 삶이 달라질 수 있음을 인식해야 함

　예 나치즘과 같은 극단적인 민족주의는 인류에게 큰 해악을 끼치므로 추구해서는 안 됨

② 사회사상을 비판적으로 평가할 수 있는 안목을 길러야 함 → 어떤 사회사상을 바라볼 때 인간다움과 행복의 실현에 기여하는지를 판단해야 함

자료와 친해지기 **사회사상이 지켜야 할 가치**

돈으로 살 수 있는 것과 살 수 없는 것이 무엇인지 결정하기 위해서는 사회적 삶과 시민 생활을 구성하는 다양한 영역을 어떤 가치로 지배해야 하는지 판단해야 한다. 특정 재화를 사고팔아도 무방하다고 결정할 때, 우리는 최소한 은연중이라도 그것을 상품으로, 즉 이윤을 추구하고 사용하기 위한 도구로서 다루는 것이 적절하다고 판단한 것이다. 하지만 이러한 방식으로 모든 재화의 가치를 적절하게 평가할 수는 없다. 가장 분명한 예로 인간을 들 수 있다. 노예 제도는 인간을 경매에서 사고팔 수 있는 상품으로 다루었기 때문에 끔찍했다. 이는 적절한 방식으로 인간의 가치를 인정하지 않는 태도이다. 다시 말해 인간을 존엄하고 존중받을 가치가 있는 존재로 인정하지 않고 이익을 얻기 위한 도구와 사용 대상으로 여긴 것이다. 다른 귀중한 재화와 관행에 대해서도 마찬가지이다. 아동을 시장에서 거래하는 행위는 허용되지 않는다. 설사 구매한 아동을 학대하지 않더라도 아동 시장은 아동의 가치를 올바르지 않게 평가하는 방식을 반영하고 그렇게 하도록 부추길 것이다.

　　 – 샌델, 「돈으로 살 수 없는 것들」 –

샌델은 시장 논리만으로 모든 것을 평가하면 각 개인이 만족하는 선택에 대한 가치 판단을 내리지 않게 된다고 지적하였다. 시장은 장기 매매 같은 문제에 대해 훌륭한 선택과 저급한 선택을 구별하지 않고 교환 대상이 '얼마'인지에 대해서만 관심을 둔다는 것이다. 샌델은 시장의 도덕적 한계에 대해 논의하는 과정에서 좋은 삶에 관한 대립되는 개념들을 다룰 수 있으며, 이러한 공적 담론은 정치에 활력을 줄 수 있다고 보았다.

01

▶ 24057-0001

다음 글에서 강조하는 인간의 특성으로 가장 적절한 것은?

> 원하는 바를 가지고 있는 사람은 행복한가? 좋은 것을 바라고 그것을 가진다면 행복하지만, 나쁜 것을 바라면 그것을 가진다고 해도 불행하다. 이와 관련된 논쟁에서 이기려는 사람들은 자기가 하고 싶은 대로 사는 사람이 행복한 사람이라고 말하기도 한다. 그런데 이 말은 틀렸다. 온당하지 못한 것을 원하는 것 자체가 더할 나위 없이 불행한 짓이며, 합당하지 못한 것을 성취하기를 원하는 짓에 비하면 차라리 원하는 바를 성취하지 못하는 편이 덜 불행한 일이다. 사악한 의지가 가져오는 악은 그것으로 얻는 이익보다 더 크다.

① 다양한 놀이를 만들고 즐기며 삶의 재미를 찾으려는 존재이다.
② 노동을 통해 자아를 실현하고 자유로운 사회를 실현하는 존재이다.
③ 옳고 그름에 대한 판단을 바탕으로 참된 행복을 추구하는 존재이다.
④ 삶을 영위하는 데 필요한 유·무형의 편리한 도구를 창조하는 존재이다.
⑤ 세계의 진리를 계시하는 무한하고 초월적인 존재를 믿고 받드는 존재이다.

02

▶ 24057-0002

다음 가상 대화의 스승이 강조하는 삶의 태도로 가장 적절한 것은?

① 인위적인 것을 배격하고 도(道)를 따르는 삶을 살아야 한다.
② 잃어버린 마음을 되찾고 하늘이 부여한 본성을 함양해야 한다.
③ 연기(緣起)를 깨달아 괴로움에서 벗어난 경지를 추구해야 한다.
④ 인의(仁義)를 알 수 있는 능력을 바탕으로 본성을 교화해야 한다.
⑤ 분별을 버리고 만물을 차별하지 않는 제물(齊物)을 실천해야 한다.

03

▶ 24057-0003

다음 가상 편지를 쓴 현대 서양 사상가가 강조하는 삶의 태도로 가장 적절한 것은?

○○에게

어떻게 살아가는 것이 바람직한 삶인지에 대해 고민하고 있다는 소식을 전해 듣고 이렇게 편지를 쓰게 되었습니다. 인간은 결코 선택하는 일을 피할 수 없습니다. 어떤 선택을 하든 상관없이 인간은 자신이 선택한 문제에 대해서 전적으로 책임져야 합니다. 그림을 그릴 때 누구도 미래의 그림이 어떤 것이 될지 말할 수 없습니다. 그려진 다음에야 비로소 그림을 판단할 수 있는 것입니다. 그런데 이런 그림 이야기가 도덕과 무슨 관계가 있는 걸까요? 왜냐하면 우리는 도덕의 차원에서도 동일한 창조적 상황 속에서 존재하기 때문입니다. 우리가 해야 할 것을 미리 결정해 줄 신은 없습니다. 인간은 스스로 만들어 가는 존재이지, 이미 다 만들어진 존재가 아닙니다. 인간은 자신의 도덕을 스스로 선택하는 존재입니다.

① 자연의 법칙에 따라 주어진 운명에 순응하며 살아가야 한다.
② 실존에 앞서 미리 결정되어 있는 인간의 본질을 파악해야 한다.
③ 주체적 선택으로 자기 삶을 스스로 만들고 결과에 책임져야 한다.
④ 지성적 탐구를 통해 삶을 개선하는 유용한 지식을 추구해야 한다.
⑤ 세상을 창조하고 미래에 인간을 구원하는 초월자에게 귀의해야 한다.

04

▶ 24057-0004

다음을 주장한 한국 불교 사상가가 강조하는 삶의 태도로 가장 적절한 것은?

일문(一門)이란 무엇인가? 일심(一心) 가운데 하나가 되는 생각이 움직여, 하나가 되는 진실을 따라, 하나가 되는 체득을 하여, 하나가 되는 가르침에 들고, 하나가 되는 길에 머물러, 하나가 되는 깨달음을 얻어야 한다. 이문(二門)은 무엇인가? 생사와 열반에 머무르지 않아 범부와 성문의 무리에서 벗어나고, 자아와 존재에 집착하지 않아 '항상 있다는 견해와 아주 없다는 견해'를 여의며, 자아와 존재의 공성(空性)에 통달하여 성문과 연각의 소승에 떨어지지 않으며, 세간 진리와 출세간 진리를 함께 융합하여 깨달아야 한다.

① 겸허와 부쟁의 덕을 바탕으로 무지(無知)에 머물러야 한다.
② 수행을 통해 번뇌를 버리고 무명(無明)의 경지에 이르러야 한다.
③ 의로운 일을 꾸준히 실천하여 호연지기(浩然之氣)를 갖추어야 한다.
④ 악한 본성으로 인해 나타나는 욕구를 예(禮)를 통해 조절해야 한다.
⑤ 부처와 중생(衆生)은 본래 둘이 아님을 깨닫고 생명을 소중히 여겨야 한다.

05

▶ 24057-0005

다음을 주장한 중세 서양 사상가가 강조하는 삶의 태도로 가장 적절한 것은?

> 실정법의 목적은 인간을 단계적으로 갑작스럽지 않게 덕으로 인도하는 것이다. 따라서 실정법은 모든 악을 피하라는 것과 같이 이미 유덕한 사람에게 있는 것을 급작스럽게 불완전한 사람의 무리에 요구하지는 않는다. 그렇지 않으면 불완전한 사람들은 이러한 계명을 기꺼이 따를 수 없어서 더 나쁜 악으로 치달을 것이다. 자연법은 우리 안에 있는 영원법에 참여하는 것이다. 반면에 실정법은 영원법보다 부족한 것이다. 따라서 실정법이 자연법이 금지하는 모든 것을 다 금지할 수 있는 것은 아니다.

① 인간의 본성에 바탕을 둔 자연법에 따라 도덕적 의무를 실천한다.
② 자연의 모든 개별 사물들이 유일한 실체인 신의 양태임을 인식한다.
③ 실정법이 제재하지 않는 행위는 도덕적으로 허용된 행위로 간주한다.
④ 실정법의 철저한 준수를 통해 현세의 삶에서 완전한 행복을 획득한다.
⑤ 완전한 신은 인간의 참된 행복 실현에 영향을 미칠 수 없음을 이해한다.

06

▶ 24057-0006

다음은 고대 동양 사상가 갑, 을의 가상 대화이다. 갑, 을의 입장으로 옳은 것만을 〈보기〉에서 있는 대로 고른 것은?

> 다른 나라의 나이 많은 사람도 연장자로 공경하고 내 집 안의 나이 많은 어른도 연장자로 공경합니다. 이것은 나이 많음을 기준으로 한 것이므로 의로움[義]은 마음 바깥에 있는 것입니다. 의로움이 아니라 음식을 먹고 이성을 그리워하는 욕구[食色]가 인간의 본성[性]입니다.

갑

> 다른 나라의 사람이 요리한 고기를 좋아하는 것과 나 자신이 요리한 고기를 좋아하는 것은 다르지 않습니다. 그러면 고기를 좋아하는 욕구도 마음 바깥에 있는 것입니까? 사람은 누구나 타고난 정(情)을 따른다면 선하게 될 수 있습니다. 이는 인간의 본성이 선하기 때문입니다.

을

┌─ 보기 ┐
ㄱ. 갑: 올바른 행위는 생득적 본성을 그대로 발현한 결과이다.
ㄴ. 을: 욕구를 줄이고[寡欲] 타고난 선한 마음을 확충해야 한다.
ㄷ. 을: 신분이 낮은 사람도 수양을 통해 성인(聖人)이 될 수 있다.
ㄹ. 갑과 을: 인간이 악한 행위를 하는 이유가 본성 때문인 것은 아니다.
└────┘

① ㄱ, ㄴ　　　　② ㄱ, ㄷ　　　　③ ㄷ, ㄹ
④ ㄱ, ㄴ, ㄹ　　　⑤ ㄴ, ㄷ, ㄹ

07

그림의 강연자가 지지할 주장으로 옳지 <u>않은</u> 것은?

> 우리는 운이 지배하는 데에서는 그 운이 국가의 건설에 잘 맞기를 바라며 기도합니다. 그러나 국가가 훌륭해지는 것은 운의 소관이 아니라 앎과 합리적 선택의 산물입니다. 훌륭한 국가가 되려면 국정에 참여하는 시민들이 훌륭해야 합니다. 그런데 우리의 시민들은 모두 국정에 참여하고 있으므로 우리는 어떻게 해야 한 사람이 훌륭해질 수 있는지 고찰해 봐야 합니다. 시민 각자가 훌륭하지 않아도 시민 전체가 훌륭할 수 있겠지만, 시민 각자가 훌륭한 것이 더 바람직합니다. 각자가 훌륭하면 전체도 훌륭할 것이기 때문입니다. 사람은 세 가지로써 선하고 훌륭해집니다. 그 세 가지는 본성, 습관, 이성이며, 이것들은 서로 조화를 이루어야 합니다. 사람만이 이성을 지니므로 이성에 따라 달리 행위 하는 것이 더 낫다고 설득한다면, 사람은 자신의 습관과 본성에 어긋나는 행동을 할 수 있습니다. 따라서 교육이 필요합니다. 사람은 어떤 것은 습관에 의해 배우고, 어떤 것은 들어서 배우기 때문입니다.

① 사람은 이성을 가지고 있다는 점에서 동물과 구분되는 존재이다.
② 훌륭하지 않은 사람을 훌륭하게 만들 수 있는 방법을 찾을 수 있다.
③ 훌륭한 국가는 사람의 노력으로 실현할 수 없는 우연의 결과물이다.
④ 사람은 어떤 것은 습관에 의해서 배우고 다른 것은 경청함으로써 배운다.
⑤ 국가의 구성원들이 뛰어난 품성을 가지고 있을 때 좋은 국가가 될 수 있다.

08

다음을 주장한 사상가가 긍정의 대답을 할 질문으로 적절한 것만을 〈보기〉에서 있는 대로 고른 것은?

> 정의는 사회 제도의 제1덕목이다. 법이나 제도가 아무리 효율적이고 정연하다 할지라도 그것이 정당하지 못하면 개선되거나 폐기되어야 한다. 모든 사람은 전체 사회의 복지라는 명목으로도 유린될 수 없는 정의에 입각한 불가침성을 가진다. 그러므로 정의는 타인들이 갖게 될 보다 큰 선을 위하여 소수의 자유를 뺏는 것이 정당화될 수 없다고 본다. 다수가 누릴 보다 큰 이득을 위해서 소수에게 희생을 강요해도 좋다는 것을 정의는 용납할 수 없다. 그러므로 정의로운 사회에서는 정의의 원칙에 따라 평등한 시민적 자유가 보장된다.

┌─ 보기 ┐
ㄱ. 사회사상은 정의에 대한 설명을 바탕으로 정의를 실현할 방법을 제시해야 하는가?
ㄴ. 사회사상은 기본적 자유를 제한 없이 보장하는 사회를 정의롭다고 규정해야 하는가?
ㄷ. 사회사상은 전체의 유용성을 근거로 개인의 권리를 침해하는 사회 제도를 방지해야 하는가?
└─────────────┘

① ㄱ   ② ㄴ   ③ ㄱ, ㄷ   ④ ㄴ, ㄷ   ⑤ ㄱ, ㄴ, ㄷ

① **도덕의 성립 근거: 공자, 맹자, 순자의 사상**

(1) 유교의 등장

① 춘추 전국 시대에 제자백가(諸子百家)가 등장함

② 공자: 춘추 시대에 하·은·주 삼대(三代)의 문화를 종합하여 유교 사상을 정립함

(2) 공자의 사상: 유교의 토대 정립

① 인(仁)

• 사랑의 정신이자 사회적 존재로 완성된 인격체의 인간다움

• 효제(孝悌), 충서(忠恕) 등을 통해 표현되는 도덕적인 마음

② 예(禮)

• 인의 정신을 담고 있는 외면적 사회 규범

• 극기복례위인(克己復禮爲仁): 사욕을 극복하고 예를 회복해야 인을 실현할 수 있음 → 예는 인을 실현하기 위해 반드시 필요한 규범

③ 정명(正名)

• 명분을 바로잡는 것

• 군군신신부부자자(君君臣臣父父子子): 임금은 임금답고 신하는 신하답고 부모는 부모답고 자식은 자식다운 것 → 사회 구성원 각자가 자신의 신분과 지위에 알맞은 역할을 다해야 함

④ 덕치(德治)

• 통치자의 덕성과 예의에 의한 교화를 추구하는 정치

• 수기치인(修己治人): 통치자가 먼저 군자다운 인격을 닦은 후 백성을 다스려야 함

⑤ 분배의 형평성 강조: 통치자는 재화의 적음보다 분배가 고르지 못함을 걱정해야 함

⑥ 이상적 인간과 사회

군자	• 자신을 수양하여 타인과 백성을 편안하게 해 주고자 힘쓰는 사람 • 인의 구현을 삶의 궁극적인 목표로 삼는 사람
대동 사회	인륜이 구현되고 인재가 중용되며 재화가 고르게 분배되고 사회적 약자가 보살핌을 받는 평화롭고 도덕적인 공동체

(3) **맹자의 사상: 도덕적 마음 강조**

① 성선설(性善說)

• 사람은 태어날 때부터 사단(四端), 양지(良知), 양능(良能)을 부여받음

• 사단: 누구나 선천적으로 지니고 있는 네 가지 선한 마음

측은지심(惻隱之心)	불쌍하고 가엾게 여기는 마음 ← 인(仁)의 단
수오지심(羞惡之心)	불의를 부끄러워하고 미워하는 마음 ← 의(義)의 단
사양지심(辭讓之心)	양보하고 공경하는 마음 ← 예(禮)의 단
시비지심(是非之心)	옳고 그름을 분별하는 마음 ← 지(智)의 단

• 양지: 선천적 도덕 자각 능력 → 생각하지 않고도 알 수 있는 것

• 양능: 선천적 도덕 실천 능력 → 배우지 않고도 할 수 있는 것

② 수양 방법

• 구방심(求放心): 잃어버린 본심을 되찾음

• 과욕(寡欲): 욕심을 적게 가짐

• 존심양성(存心養性): 선한 본심을 보존하고 착한 본성을 기름

③ 정치사상

• 왕도(王道) 정치: 통치자가 백성을 힘으로 다스리는 것[霸道(패도)]이 아니라 인의(仁義)의 덕으로 다스림

• 역성혁명(易姓革命): 백성을 고통에 빠뜨리고 나라를 위태롭게 하는 통치자는 바꿀 수 있음

자료와 친해지기 공자의 인(仁)

• 공자께서 말씀하셨다. "부유함과 귀함은 사람들이 바라는 것이지만, 정당한 방법으로 얻은 것이 아니라면 그것을 누려서는 안 된다. 가난함과 천함은 사람들이 싫어하는 것이지만 부당하게 그렇게 되었더라도 억지로 벗어나려 해서는 안 된다. 군자가 인을 버리고 어찌 군자로서의 명성을 이루겠는가? 군자는 밥 먹는 순간에도 인을 어기지 않고, 아무리 급한 때라도 반드시 인에 근거해야 하며, 위태로운 순간일지라도 반드시 인에 근거해야 한다."

• 유자가 말했다. "사람됨이 효성스럽고 형제간에 우애로우면서 윗사람 범하기를 좋아하는 사람은 드물다. 윗사람 범하기를 좋아하지 않으면서 어지러운 일을 만들기를 좋아하는 사람은 있지 않다. 군자는 근본에 힘써야 하니 근본이 서면 도가 생겨난다. 효와 제는 인을 실천하는 근본이다."

• 자공이 말했다. "만약에 사람들에게 널리 은덕을 베풀고, 대중을 구제할 수 있는 사람이 있다고 한다면 어떻겠습니까? 인하다고 할 수 있겠습니까?" 공자께서 말씀하셨다. "어찌 인에 그치는 일이겠느냐. 틀림없이 성(聖)이라 하겠다. 요임금, 순임금조차도 그렇게 하지 못함을 걱정하셨다. 대저 인한 사람이란 자기가 서고자 하면 남도 서게 하고, 자기가 이루고자 하면 남도 이루게 하는 것이다. 가까이 자기를 미루어 보아 남의 처지를 아는 것이 바로 인을 실천하는 방도라 할 수 있다."

– 『논어』 –

공자는 도덕적 가치의 근원이 인이라고 보았고 모든 행동의 근본은 가족 관계의 윤리인 효와 제에 있다고 주장하였다. 공자에 따르면, 효는 일방적인 것이 아니라 부모의 사랑에 대한 자식의 보답이며 인간관계에서 상호 요구되는 인의 실천이다. 형제간의 관계도 마찬가지로 일방적인 관계가 아니라 형은 우애로, 아우는 공경하는 마음으로 서로를 대해야 하는 관계이다.

- 유항산 유항심(有恒産有恒心): 백성들은 일정한 생업이 있어야만 변치 않는 도덕심을 지닐 수 있음
④ 이상적 인간: 대인(大人) 또는 대장부(大丈夫) → 집의(集義)를 통해 길러지는 호연지기(浩然之氣)를 갖춘 인간
  - 집의: 옳은 일을 반복적으로 실천함
  - 호연지기: 지극히 크고 굳세며 올곧은 도덕적 기개

(4) 순자의 사상: 인위적 규범 강조
① 성악설(性惡說)
  - 인간은 본래 이익과 쾌락을 좋아하고 남을 질투하고 미워하는 존재임
  - 사람이 선하게 되는 것은 인위적인 노력[僞(위)]의 결과임
② 예(禮)
  - 고대의 성왕(聖王)이 제정한 외면적인 사회 규범
  - 도덕 생활과 통치의 표준 → 사람들의 악한 성정을 교화하고[化性起僞(화성기위)], 재화를 공정하게 분배하기 위한 사회 규범
③ 정치사상
  - 예치(禮治): 고대의 성왕이 제정한 예로써 다스려야 함
  - 덕을 헤아려서 지위를 정하고, 능력을 헤아려서 관직을 맡겨야 함

④ 자연관: 공자, 맹자와 달리 하늘을 물리적인 자연 현상으로 여겼고, 자연 현상과 인간의 일은 구분된다[天人分二(천인분이)]고 봄

② 도덕 법칙의 탐구 방법: 성리학과 양명학 사상

(1) 유교 사상의 전개

진(秦)나라 시대	법가의 부국강병책이 중시되었고, 분서갱유(焚書坑儒)가 발생함
한(漢)나라 시대	유학이 국가의 이념으로 채택되면서 다시 발전의 계기를 맞이하였고, 분서갱유로 인해 소실된 유교 경서를 복원하는 경학과 그 내용을 주석하는 훈고학이 발달함
송(宋)나라 시대	공자와 맹자의 유교 사상을 재해석하고 불교와 도가 사상을 비판적으로 수용한 성리학이 등장함

(2) 주희의 성리학: 사물의 이치[理] 규명 강조
① 특징: 성리학을 집대성함
② 이기론
  - 만물은 이(理)와 기(氣)가 결합함으로써 이루어짐
  - 이는 만물을 낳는 근본 원리이고, 기는 만물을 이루는 재료임
  - 이기불상잡(理氣不相雜), 이기불상리(理氣不相離): 이와 기는 논리적으로는 분명하게 구분되지만, 사물에서는 별개로 분리될 수 없음

 자료와 친해지기 맹자와 순자의 인성론

- 만약 어떤 사람이 어린아이가 우물 속으로 빠지게 되는 것을 보게 된다면, 누구나 깜짝 놀라며 측은하게 여기는 마음을 가지게 된다. 그렇게 되는 것은 어린아이의 부모와 교분을 맺기 위해서가 아니고, 마을 사람들과 친구들로부터 어린아이를 구했다는 칭찬을 듣기 위해서도 아니며, 구하지 않으면 듣게 될 비난의 소리가 싫어서 그렇게 한 것도 아니다. 이를 통해서 볼 때 측은하게 여기는 마음[惻隱之心(측은지심)]이 없다면 사람이 아니고, 부끄러워하고 미워하는 마음[羞惡之心(수오지심)]이 없다면 사람이 아니며, 사양하는 마음[辭讓之心(사양지심)]이 없다면 사람이 아니고, 옳고 그름을 판단하는 마음[是非之心(시비지심)]이 없다면 사람이 아니다. 측은하게 여기는 마음은 인(仁)의 단(端)이고, 부끄러워하는 마음은 의(義)의 단이며, 사양하는 마음은 예(禮)의 단이고, 옳고 그름을 판단하는 마음은 지(智)의 단이다. 사람이 사단을 가지고 있는 것은 그가 사지를 가지고 있는 것과 같다.
                                - 『맹자』 -

- 공손추가 물었다. "선생님은 어떤 점에서 뛰어나십니까?" 맹자가 대답했다. "나는 남의 말을 잘 이해하며 나의 호연지기를 잘 기른다." 공손추가 물었다. "호연지기란 무엇인지요?" 맹자가 대답했다. "말하기가 어렵다. 그 기의 됨됨이는 지극히 크고 지극히 강한데, 올곧음으로써 기르고 해치지 않는다면 하늘과 땅 사이를 가득 채우게 된다. 그 기의 됨됨이는 의(義)와 도(道)를 짝으로 삼기에 이것들이 없으면 위축되고 만다. 그것은 의가 쌓여서 생겨나는 것이지 우연히 한 번 나의 어떤 행위가 의에 부합되었다고 해서 호연지기를 지니게 되는 것이 아니다. 행동하면서 마음에 흡족하지 않은 데가 있다면 이 호연지기는 위축되고 만다. 내가 고자는 아직 의에 대해서 모른다고 한 것은 그가 의를 외재적인 것으로 여기기 때문이다.   - 『맹자』 -

- 타고나는 본성은 우리가 어찌할 수가 없지만 교화시킬 수는 있다. 노력을 쌓아 가는 일은 우리가 본시 지니고 있는 버릇은 아니지만 노력할 수는 있다. 노력으로 습속을 바로잡아 가노라면 본성을 교화시키게 된다. 한결같이 뜻을 오로지하고 바꾸지 않는 것이 노력을 쌓아 가는 방법이다. 습속은 사람의 뜻을 바꿔 놓아 오랫동안 그렇게 지나면 사람의 바탕도 바뀌어진다. 한결같이 뜻을 오로지하고 바꾸지 않는다면, 신명함에 통하게 되고 천지의 변화와 함께하게 된다.
                                         - 『순자』 -

- 구부러진 나무는 반드시 도지개를 대고 불에 쬐어 바로잡아야 곧게 되고, 무딘 칼은 반드시 숫돌에 갈아야 날카로워지는 것처럼, 사람의 본성은 악한지라 반드시 스승이 있어야 바로잡히고 예의를 얻어야 다스려질 것이다. 만일 스승이 없으면 편벽한 데로 기울어져 부정해질 것이요, 예의가 없으면 난폭해져서 다스려지지 못할 것이다. 그러므로 성왕이 이를 위하여 법도를 세워 성정을 교정하고 훈련한 것이다.   - 『순자』 -

맹자는 인간에게는 선천적으로 선한 도덕심인 사단이 갖추어져 있다고 보았고, 사단을 확충하여 사덕에 이르러야 하며 의로운 일을 꾸준히 실천하여 호연지기를 갖춰야 한다고 주장하였다. 반면에 순자는 인간이 본래 이익을 좋아하고 남을 질투하며 미워하는 존재라고 보았고, 인위적인 노력을 통해 성정을 교화해야 한다고 주장하였다.

③ 심성론
- 성즉리(性卽理): 인간의 본성은 하늘이 부여한 이치이며, 성에는 인의예지(仁義禮智)가 모두 갖추어져 있음
- 본연지성(本然之性)과 기질지성(氣質之性): 본연지성은 순선하나 기질지성은 기질의 맑고 흐린 정도에 따라 천차만별임 → 올바른 사람이 되려면 기질을 맑게 변화시켜야 함

④ 수양론

거경 궁리(居敬窮理)	경건한 자세를 유지하면서 사물의 이치를 탐구함
격물치지(格物致知)	사물의 이치를 탐구하여 앎을 지극히 함
존양성찰(存養省察)	양심을 보존하고 본성을 함양하며 반성하고 살핌
존천리거인욕 (存天理去人欲)	천리를 보존하고 인욕을 제거함

⑤ 경세론: 수기안인(修己安人)의 원리에 근거하여 정치와 사회 문제의 해결을 추구함

(3) 왕수인의 양명학: 주체의 도덕성 회복 강조
① 특징
- 주희의 성즉리설, 격물치지설 등을 비판하고 유교 경전을 새롭게 해석함
- 도덕 주체인 인간의 마음을 중심으로 도덕 원리의 인식과 실천의 문제를 이해하고자 함

② 핵심 사상

심즉리설 (心卽理說)	• 인간의 마음[心]이 곧 하늘의 이치[理]임 • 마음 밖에는 이치가 없고, 마음 밖에는 사물도 없음
치양지설 (致良知說)	• 사람은 누구나 천리(天理)로서의 양지를 지니고 있으며, 이 양지를 자각하고 실천할 수 있음 • 사욕을 극복하고 양지를 적극적이고 구체적으로 발휘하면[致良知] 이론적 학습 과정을 거치지 않아도 누구나 성인(聖人)이 될 수 있음
지행합일설 (知行合一說)	• 앎[知]은 행함[行]의 시작이고, 행함은 앎의 완성임 • 인식으로서의 지와 실천으로서의 행은 본래 하나임

③ 격물치지에 대한 주희의 성리학과 왕수인의 양명학 입장

주희의 성리학	왕수인의 양명학
사물에 나아가 이치를 탐구하여 나의 앎을 극진히 함	양지를 구체적이고 적극적으로 발휘하여 일을 바로잡음

(4) 청대의 고증학

등장 배경	구체적인 현실 문제보다 인간의 도덕 문제에 치우친 경향을 보인 성리학과 양명학에 대한 반성과 비판의 분위기 대두
특징	• 경세치용(經世致用)의 학문을 추구함 • 실사구시(實事求是)의 방법론을 중시함 • 우리나라 실학의 성립과 발전에 영향을 미침

자료와 친해지기 주희와 왕수인의 심성론

- 만약 등불이 성(性)이라고 한다면 밝지 않음이 없다. 기질이 같지 않음은, 등갓에 두꺼운 종이를 바르면 불이 매우 밝지 못하고 얇은 종이를 발라도 그 등의 밝기가 두터운 종이를 바른 것과 비슷하다가 얇은 비단을 바르면 밝아지는 것과 같다. 등갓을 벗기면 등불 전체가 드러나 보이는데, 그 이치가 바로 이와 같다. － 『주자어류』 －
- 성(性)에 대하여 논의할 때는 반드시 먼저 성이 어떠한 것인지 알아야 한다. 정자(程子)가 "성이 곧 이치[理]이다."라고 했는데 이 설명이 가장 좋다. 우선 이치의 측면에서 말하면 틀림없이 형체와 그림자조차 없으며 단지 하나의 도리일 뿐이다. 사람에게서는 인(仁)·의(義)·예(禮)·지(智)가 성이다. 그러나 그 네 가지에 무슨 형상이 있겠는가? 역시 다만 이러한 도리가 있을 뿐이다. 이러한 도리가 있다면 곧 수많은 일들이 만들어져 나온다. 그래서 측은해하고 부끄러워하고 싫어하며, 겸손하고 양보하며, 옳고 그름을 가릴 수 있게 된다. 비유하면 약의 본성을 말할 때 '성질이 뜨겁다.' '성질이 차갑다.' 등으로 말할 수 있지만, 약에서 그러한 형상을 찾을 수 없는 것과 같다. 단지 약을 복용한 뒤에 몸을 차갑거나 뜨겁게 하는 것이 바로 성이니, 곧 인의예지이다. － 『주자어류』 －
- 인·의·예·지는 성(性)이요. 측은·수오·사양·시비는 정(情)이며, 인으로 사랑하고 의로 미워하고 예로 사양하고 지로 아는 것이 마음[心]이다. 성이란 마음의 이치요 정이란 마음의 작용[用(용)]이며 마음은 성과 정을 주재한다. － 『주자문집』 －
- 무릇 물(物)의 이치는 나의 마음을 벗어나지 않으니, 나의 마음을 벗어나 물의 이치를 구한다면 물의 이치는 없다. 물의 이치를 버리고 나의 마음을 구한다면 나의 마음은 또 어떤 것인가? 마음의 본체는 성이고, 성은 곧 이치이다. 그러므로 효도하려는 마음이 있으면 곧 효도의 이치가 있게 되고, 효도하려는 마음이 없으면 곧 효도의 이치도 없게 된다. 임금에게 충성하려는 마음이 있으면 곧 충성의 이치가 있게 되고, 임금에게 충성하려는 마음이 없으면 곧 충성의 이치도 없게 된다. 이치가 어찌 나의 마음을 벗어나겠는가? － 『전습록』 －
- 선생께서 말씀하셨다. "'하늘의 명(命)을 성이라 하고, 성에 따르는 것을 도(道)라 하며, 도를 닦는 것을 교(敎)라고 한다.'라고 했는데 명이 곧 성이고 성이 곧 도이고, 도가 곧 교이다." 내가 물었다. "왜 도를 교라고 합니까?" 선생께서 말씀하셨다. "도라는 것은 곧 양지(良知)인데, 양지는 원래 완전무결한 것으로서 옳은 것은 옳다고 하며 그른 것은 그르다고 한다. 옳고 그른 것은 오직 양지에 의해 판단해야 다시 과오를 범하지 않게 된다. 양지는 어느 때나 스승이다." － 『전습록』 －

주희는 인간에게 선천적으로 갖추어진 선한 본성이 곧 우주 만물의 보편적 법칙인 이치[性卽理]라고 보았고, 마음은 본성과 감정을 통괄한다고 주장하였다. 왕수인은 마음이 곧 이치[心卽理]라고 보았고, 마음 밖에는 이치도 없고 사물도 없다고 주장하였다. 또한 왕수인은 마음에 있는 양지를 자각하고 이를 따르는 치양지(致良知)를 강조하였다.

01

▶ 24057-0009

다음 대화의 '스승'은 고대 동양 사상가이다. ㉠에 들어갈 진술로 가장 적절한 것은?

제자: 인(仁)한 사람은 어떤 사람입니까?
스승: 인한 사람은 어려운 일에는 먼저 나서고 이익을 챙기는 데는 남보다 뒤에 서는 사람이라네.
제자: 만약 백성들에게 널리 은혜를 베풀고 많은 사람들을 구제할 수 있는 사람이 있다면 인하다고 할 수 있겠습니까?
스승: 어찌 인에 그치는 일이겠는가. 틀림없이 성(聖)이라 할 것이네. 요임금과 순임금조차도 그렇게 하지 못하는 것을 근심으로 여기셨네. 대저 인한 사람이란 자기가 서고자 하면 남도 서게 하고, 자기가 이루고자 하면 남도 이루게 한다네. 따라서 인을 실천하기 위해서는 _____㉠_____

① 자신의 마음을 미루어 보아 남의 처지를 헤아려야 한다네.
② 남을 미워해서는 안 되고 무조건적인 사랑을 베풀어야 한다네.
③ 존비친소(尊卑親疏)를 분별하지 않는 사랑을 실천해야 한다네.
④ 외면적인 사회 규범이 아니라 자연의 흐름을 따라야 한다네.
⑤ 자신의 인격 수양에 앞서 남을 편안하게 하는 데 힘써야 한다네.

02

▶ 24057-0010

고대 동양 사상가 갑, 을의 입장에 대한 설명으로 옳은 것은?

갑: 사욕(私欲)을 이기고 예(禮)로 돌아가는 것이 곧 인(仁)이다. 하루만이라도 사욕을 이기고 예로 돌아가면 천하가 모두 인으로 귀결될 것이다. 인을 실천하는 것은 자신에게 달린 것이지 다른 사람에게 달린 것이겠는가? 예가 아니면 보지 말고, 예가 아니면 듣지 말며, 예가 아니면 말하지 말고, 예가 아니면 움직이지도 말아야 한다.
을: 사람은 태어날 때부터 욕망이 있다. 바라면서도 얻지 못하면 구하지 않을 수 없고, 구하는 데 한계가 정해져 있지 않으면 다른 사람과 다투지 않을 수 없다. 다투면 혼란하게 되고, 혼란해지면 궁색해진다. 그리하여 선왕(先王)은 예를 제정하여 욕망에 한계를 짓고, 사람들의 욕망을 충족시켜 주었던 것이다.

① 갑은 인자(仁者)는 사람을 사랑할 수 있어도 미워할 수는 없다고 본다.
② 을은 타고난 욕망을 모두 없애기보다 예에 따라 충족해야 한다고 본다.
③ 갑은 을과 달리 예를 귀천(貴賤)과 장유(長幼)를 분별하는 규범으로 본다.
④ 을은 갑과 달리 군주가 예를 통해 나라를 다스려야 한다고 본다.
⑤ 갑과 을은 타고난 어진 마음의 정신을 예가 담고 있다고 본다.

03

▶ 24057-0011

고대 동양 사상가 갑, 을 모두가 긍정의 대답을 할 질문만을 〈보기〉에서 있는 대로 고른 것은?

> 갑: 덕(德)으로 정치하는 것은 북극성은 제자리에 있고 모든 별들이 그를 받들며 따르는 것과 같다. 백성을 정(政)으로 지도하고 형(刑)으로 다스리려 한다면 백성은 형벌을 피하고자 할 뿐 부끄러워하는 마음을 갖지 않게 된다. 덕으로 인도하고 예(禮)로써 다스리면 백성은 부끄러워할 줄도 알고 바르게 된다.
>
> 을: 선왕(先王)은 남에게 차마 하지 못하는 마음이 있었기 때문에, 남에게 차마 하지 못하는 정치를 하였던 것이다. 이처럼 남에게 차마 하지 못하는 마음을 가지고 남에게 차마 하지 못하는 정치를 행한다면, 천하를 다스리는 것은 마치 손바닥 위에 있는 물건을 움직이는 것처럼 쉬울 것이다.

> **보기**
>
> ㄱ. 명분(名分)을 버리고 예악을 중시해야 하는가?
> ㄴ. 백성을 강력한 형벌로 다스리기보다 덕으로 교화해야 하는가?
> ㄷ. 통치자의 인격 수양과 솔선수범은 이상적인 정치의 필수 조건인가?
> ㄹ. 통치자는 사회 혼란을 극복하기 위해 인위적 규범에서 벗어나야 하는가?

① ㄱ, ㄴ   ② ㄱ, ㄹ   ③ ㄴ, ㄷ
④ ㄱ, ㄷ, ㄹ   ⑤ ㄴ, ㄷ, ㄹ

04

▶ 24057-0012

고대 동양 사상가 갑, 을의 입장으로 옳은 것은?

> 갑: 배가 고파 밥을 얻어먹어야만 살 수 있을지라도, 혀를 차고 꾸짖으면서 밥을 주면 받아먹지 않을 것이다. 삶보다 간절하게 원하는 것이 있고 죽음보다 싫어하는 바가 있으니, 불의를 부끄러워하고 미워하는 마음은 어진 사람[仁者]만 가지는 것이 아니라 사람이라면 누구나 가지고 있다.
>
> 을: 배가 고파도 부모나 어른을 위해 사양하는 것, 자식이 부모를 위해 쉬지 않고 일하는 것은 모두 성정(性情)에 어긋난다. 사람이라면 누구나 성인(聖人)이 될 수 있는 까닭은 인의(仁義)와 법도(法度)를 배워 행할 수 있기 때문이다.

① 갑: 인간의 본성을 따르게 되면 사회가 혼란스러워진다.
② 갑: 도덕적 실천을 통해 수오지심(羞惡之心)을 형성해야 한다.
③ 을: 군자와 소인이 다른 것은 타고난 본성이 다르기 때문이다.
④ 을: 인간은 잃어버린 성정(性情)을 되찾기 위해 수양에 힘써야 한다.
⑤ 갑과 을: 인간은 인의와 법도를 실천할 수 있는 능력을 지니고 있다.

05

▶ 24057-0013

다음은 고대 동양 사상가 갑, 을의 가상 대화이다. 갑이 을에게 제기할 비판으로 가장 적절한 것은?

> 하늘을 알기 위해서는 자기 마음을 극진히 하여 자기의 본성을 알아야 합니다. 마음을 보존하여 본성을 기르는 것이 하늘을 섬기는 것이요, 몸을 닦고서 죽음을 기다리는 것이 명(命)을 세우는 것입니다.

> 하늘은 춘하추동의 변화를, 땅은 여러 가지 생산물을, 사람은 사물을 다스리는 방법을 가지고 있습니다. 사람이 인위적인 질서를 이루려 하지 않고 하늘만 생각한다면 만물의 실정을 깨닫지 못하게 됩니다.

갑   을

① 사람의 본성은 하늘에 의해 이루어진 것임을 모르고 있다.
② 하늘과 사람 간의 직분을 명확히 인식해야 함을 모르고 있다.
③ 하늘은 사람에게 인의예지를 부여한 도덕의 근원임을 모르고 있다.
④ 하늘은 사람에게 복을 주거나 벌을 주는 존재가 아님을 모르고 있다.
⑤ 사람의 수명은 하늘에, 나라의 운명은 예에 달려 있음을 모르고 있다.

06

▶ 24057-0014

(가)의 고대 동양 사상가 갑, 을의 입장을 (나) 그림으로 표현할 때, A~C에 해당하는 적절한 진술만을 〈보기〉에서 고른 것은?

(가)	갑: 인(仁)을 해친 자는 도적[賊]이라 하고 의(義)를 해친 자는 잔악[殘]하다고 한다. 인의를 해친 잔적(殘賊)한 자는 한 사내에 불과하다. 한 사내인 주(紂)를 죽였다는 말은 들어도 임금을 죽였다는 말은 듣지 못했다.
	을: 군주는 백성의 성정(性情)을 바꾸기 위해 예(禮)를 쌓아 가는 군자와 더불어 정치를 하면 왕자(王者)가 되고, 신의가 온전한 사람과 더불어 정치를 하면 패자(霸者)가 된다. 하지만 권모술수를 쓰고 못된 짓을 일삼는 사람과 더불어 정치를 하면 망하게 된다.
(나)	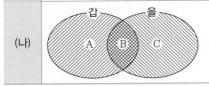 〈범례〉 A: 갑만의 입장 B: 갑, 을의 공통 입장 C: 을만의 입장

┌ 보기 ┐
ㄱ. A: 모든 사람은 항산(恒産)이 있어야 항심(恒心)을 지닐 수 있다.
ㄴ. B: 군주가 인의(仁義)를 해치면 역성혁명을 통해 바꾸어야 한다.
ㄷ. B: 성왕(聖王)의 도를 군주가 따라야 할 통치의 근간으로 보아야 한다.
ㄹ. C: 군주는 예를 통해 백성의 성정을 변화시키고 재화를 분배해야 한다.

① ㄱ, ㄴ   ② ㄱ, ㄷ   ③ ㄴ, ㄷ   ④ ㄴ, ㄹ   ⑤ ㄷ, ㄹ

07

▶ 24057-0015

(가)의 고대 동양 사상가 갑, 을, 병의 입장에서 서로에게 제기할 수 있는 비판을 (나) 그림으로 표현할 때, A~F에 해당하는 내용으로 가장 적절한 것은?

(가)	갑: 군자(君子)는 밥 한 끼를 먹는 짧은 시간이라도 인(仁)을 어기는 일이 없고, 다급한 상황에서도 반드시 인에 머물고, 곤경에 빠져서도 반드시 인에 머문다. 을: 구부러진 나무는 도지개를 대고 불에 쬐어야 곧게 되고, 무딘 칼은 숫돌에 갈아야 날카로워지는 것처럼, 사람의 본성은 반드시 스승이 있어야 바로잡히고 예의를 얻어야 다스려진다. 병: 진인(眞人)은 눈에 비치는 대로 사물을 보고 귀에 들리는 대로 들으며, 마음이 밧줄처럼 평탄하고 그 변화는 모두 자연을 따르고 있어서 사물에 거역하는 일이 없다.
(나)	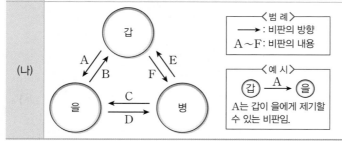 〈범 례〉 ——▶ : 비판의 방향 A~F: 비판의 내용 〈예 시〉 갑 —A→ 을 A는 갑이 을에게 제기할 수 있는 비판임.

① A와 F: 하늘의 명령을 알지 못해도 군자가 될 수 있음을 간과한다.
② B: 타고난 성정을 따르면 사람들이 서로 양보하게 됨을 간과한다.
③ C: 오감(五感)을 통해 사물의 미추(美醜)를 구별해야 함을 간과한다.
④ D: 본성의 교화를 위해 예의에 의한 다스림이 필요함을 간과한다.
⑤ E: 시비(是非)와 선악(善惡)을 분별하는 태도를 가져야 함을 간과한다.

08

▶ 24057-0016

다음을 주장한 중국 유교 사상가의 입장만을 〈보기〉에서 있는 대로 고른 것은?

- 천지(天地)는 만물을 낳는 것을 마음으로 삼고, 사람과 만물은 태어날 때 이 마음을 얻어 자신의 마음으로 삼는다. 성(性)은 다만 이치[理]일 뿐이다. 그런데 이치는 기질(氣質)에 자리 잡을 수밖에 없다. 청명한 기를 얻으면 이치가 순순히 드러난다.
- 이치에서 보면 설령 사물이 없다 하더라도 어떤 사물의 이치는 존재한다. 아직 임금과 신하가 없었을 때에도 군신(君臣)의 이치는 먼저 있었으며, 아직 부자(父子)가 없었을 때에도 부자의 이치는 먼저 있었다.

┌ 보기 ┐
ㄱ. 마음의 본체인 성은 천하의 이치를 모두 아우를 수 있다.
ㄴ. 마음은 모든 일[萬事]의 근원이며 이치는 모두 마음에만 존재한다.
ㄷ. 성인(聖人)에 이르려면 천리를 보존하고 인욕(人欲)을 제거해야 한다.
ㄹ. 사람에게 불선(不善)이 있는 것은 본연지성의 청탁(淸濁)이 다르기 때문이다.

① ㄱ, ㄴ   ② ㄱ, ㄷ   ③ ㄴ, ㄹ
④ ㄱ, ㄷ, ㄹ   ⑤ ㄴ, ㄷ, ㄹ

09

▶ 24057-0017

(가)의 중국 유교 사상가 갑, 을의 입장을 (나) 그림으로 탐구하고자 할 때, A~C에 들어갈 질문으로 옳은 것은?

(가)	갑: 성(性)은 마음의 이(理)이고 정(情)은 마음의 작용이다. 인의예지(仁義禮智)는 성이고 측은(惻隱), 수오(羞惡), 사양(辭讓), 시비(是非)는 정이다. 인으로 사랑하고 의로 미워하며 예로 사양하고 지로 아는 것은 마음이다. 을: 성은 마음의 본체이고, 하늘은 성의 근원이다. 어버이를 보면 자연히 효(孝)를 알고, 형을 보면 자연히 제(悌)를 알며, 어린아이가 우물로 기어가는 것을 보면 자연히 측은할 줄 아니 이것이 바로 양지(良知)이다.
(나)	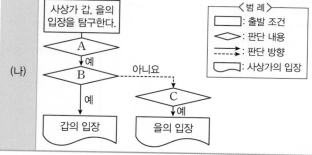

① A: 양지를 사물에 실현하면 사물이 이치를 얻게 되는가?
② B: 마음에는 인의예지가 모두 갖추어져 있는가?
③ B: 마음 가운데 드러나지 않은 성의 본체가 인의예지인가?
④ C: 마음을 벗어난 곳에서도 천리(天理)를 구할 수 있는가?
⑤ C: 양지는 마음의 본체이지만 스스로 밝게 깨닫는 게 불가능한가?

10

▶ 24057-0018

중국 유교 사상가 갑, 을의 입장으로 옳지 않은 것은?

> 갑: 사람의 본성이 선하다고 말하는 것은 사단(四端)을 보고 그 본성이 선함을 알 수 있기 때문이다. 사단은 정(情)이고 본성은 이(理)이다. 드러난 것은 정이고 그 근본은 본성이니, 이는 마치 그림자를 보고 형체를 알 수 있는 것과 같다.
> 을: 사람의 몸을 주재하는 것이 마음이고, 마음이 발현한 것이 의(意)이며, 의의 본체는 지(知)이고, 의가 있는 곳이 곧 물(物)이다. 이 마음이 사욕에 가려지지 않음이 곧 천리(天理)이니 조금이라도 밖에서 더할 필요가 없다.

① 갑: 성(性)의 본체는 인의예지이며 사단은 성에서 발한 정이다.
② 갑: 자신의 몸을 다스리려면 바르지 못한 마음을 바르게[正] 해야 한다.
③ 을: 양지(良知)는 사람이라면 누구나 지닌 시비지심(是非之心)을 의미한다.
④ 을: 마음을 떠나서는 인의(仁義)를 추구할 수 없고 이(理)도 추구할 수 없다.
⑤ 갑과 을: 마음은 영특하나 앎이 없으므로 궁리(窮理)에 힘써야 한다.

[11~12] 갑, 을은 중국 유교 사상가들이다. 물음에 답하시오.

> 갑: 치지격물(致知格物)이란 내 마음의 양지(良知)를 각각의 사물에서 온전하게 실현하는 것이다. 내 마음의 양지인 천리를 각각의 사물에서 온전히 실현하면 각각의 사물이 모두 그 이치를 얻게 된다. 내 마음의 양지를 온전하게 실현하는 것이 치지이며, 각각의 사물이 모두 그 이치를 얻는 것이 격물이다.
>
> 을: '치지는 격물에 있다.'라는 말은 '나의 앎을 극진하게 이루고자 한다면 사물에 나아가 그 이치를 궁구해야 한다.'라는 것이다. 대개 사람의 마음은 영명하여 모두 지(知)를 지니고 있고 천하의 사물은 모두 이(理)를 가지고 있다. 그런데 이치를 궁구하지 않음이 있기 때문에 우리의 앎이 극진하지 못한 것이다.

11

▶ 24057-0019

갑, 을의 입장으로 옳지 <u>않은</u> 것은?

① 갑: 격물은 의념[意]이 머무는 곳[事]을 바로잡는 것이다.
② 갑: 내 마음과 독립하여 마음 바깥에 존재하는 이치는 없다.
③ 을: 이(理)는 하나이지만 천하의 사물에 나뉘어져 있다.
④ 을: 어떤 사물이 없다 하더라도 그 사물의 이치는 존재한다.
⑤ 갑과 을: 성인(聖人)이 되려면 외부 사물의 이치를 탐구해야 한다.

12

▶ 24057-0020

갑, 을의 입장에서 다음 사례의 A에게 제시할 수 있는 조언으로 적절한 것만을 〈보기〉에서 있는 대로 고른 것은?

> 고등학생 A는 무엇이 도덕적으로 옳은 행동인지 알고는 있지만 종종 옳지 않은 행동을 하는 경우가 많다. 이 때문에 앎과 행동이 일치되도록 하기 위해서는 어떻게 해야 할지 고민하고 있다.

┌ 보기 ┐
ㄱ. 갑: 사욕을 멀리하고 마음의 본체를 구체적이고 적극적으로 발휘하세요.
ㄴ. 을: 도덕적 행동의 이치는 오직 마음에 있으므로 마음공부에만 전념하세요.
ㄷ. 을: 선후로 보면 앎이 우선이지만 경중으로 보면 행동이 더 중요함을 명심하세요.
ㄹ. 갑과 을: 도덕적 앎과 행동은 본래 하나가 아니므로 함께 발전시켜 나가도록 하세요.

① ㄱ, ㄴ   ② ㄱ, ㄷ   ③ ㄴ, ㄹ
④ ㄱ, ㄷ, ㄹ   ⑤ ㄴ, ㄷ, ㄹ

THEME 03 한국 유교와 인간의 도덕적 심성

1 한국 성리학과 도덕 감정: 이황과 이이의 사상

(1) 한국 유교의 전개와 특징

① 유교 사상의 수용과 전개
- 삼국 시대: 유교를 주체적으로 수용 → 정치와 생활 원리로서 폭넓게 활용됨
- 고려 말: 성리학 수용 → 정치적·사회적 개혁의 이론적 기초로 활용됨
- 조선 초·중기: 성리학의 발달

② 조선 성리학의 특징
- 국가의 통치 이념으로 자리 잡았고, 개인의 도덕적 완성과 이상 사회의 실현을 위한 실천적 방안을 제공함
- 중국 성리학의 심성론과 관련된 탐구를 심화시킴
- 사단 칠정(四端七情) 논쟁을 비롯한 다양한 이론적 논쟁을 전개함

(2) 이황의 성리학 사상: 순수한 도덕 본성의 발현을 강조

① 특징
- 주희의 이기론을 재해석하고 사단 칠정론을 체계화함
- 도덕적 본성인 이(理)의 순수성과 절대성을 강조하고 도덕적 실천을 중시함

② 이기론

이귀기천설 (理貴氣賤說)	순선(純善)한 원리적 개념인 이는 존귀하고 선악의 가능성을 함께 지니고 있는 현상적 개념인 기는 비천한 것임
이기호발설 (理氣互發說)	이와 기는 모두 발할 수 있음 → 기는 물론이고 이도 작용성을 지니고 있음

③ 사단 칠정론
- 주희의 "이와 기는 섞일 수 없다[理氣不相雜(이기불상잡)]."라는 주장에 주목하여 사단과 칠정의 연원이 각기 다르다고 봄 → 도덕적 원리인 이의 순수성과 절대성을 확보하려고 함
- 사단은 이가 발하고 기가 이를 따른 것[理發而氣隨之(이발이기수지)]이며, 칠정은 기가 발하고 이가 기를 탄 것[氣發而理乘之(기발이이승지)]이라고 주장함 → 사단과 칠정을 구분함으로써 도덕적 기준과 인간의 욕망을 혼동하는 오류를 방지하고자 함

④ 수양론
- 거경(居敬)과 궁리(窮理)의 병행을 강조함 → "거경과 궁리는 새의 두 날개와 같다."
- 경(敬)의 주된 실천 방법

주일무적(主一無適)	마음을 한군데 집중하여 잡념이 깃들지 않게 함
정제엄숙(整齊嚴肅)	몸가짐을 단정히 하고 엄숙한 태도를 유지함
상성성(常惺惺)	항상 깨어 있는 정신 상태를 유지함

(3) 이이의 성리학 사상: 일반 감정의 조절과 기질의 변화 강조

① 특징
- 이황의 입장에 대해 비판적인 자세를 취하면서 대안적인 이론을 제시함
- 인간의 도덕 문제와 함께 현실 개혁에도 깊은 관심을 기울임

② 이기론
- 이기지묘(理氣之妙): 이와 기는 사물에서 오묘하게 어우러져 있음

자료와 친해지기 이황과 이이의 이기론

- 정(情)에 사단과 칠정의 구분이 있는 것은 성(性)에 본성과 기품의 차이가 있는 것과 같다. 그러므로 성에 있어서 이미 이(理)와 기(氣)로 나누어 말할 수 있다면, 정에 있어서만 유독 이와 기로 나누어 말할 수 없겠는가? 측은·수오·사양·시비는 어디로부터 발하는가? 인의예지의 성으로부터 발하는 것이다. 칠정인 희·노·애·구·애·오·욕은 어디로부터 발하는가? 외물(外物)이 형기에 접촉하여 가운데서 움직여 상황에 따라 나오는 것이다. 사단의 발함을 맹자가 이미 마음이라고 하였으니, 마음은 본래 이와 기의 합이지만, 가리켜 말하는 바의 것이 이를 주로 함은 무슨 까닭이겠는가? 인의예지의 성이 순수하게 그 가운데 있고, 네 가지는 그 단서이기 때문이다. 칠정이 발하는 것을 정자(程子)는 '가운데서 움직이는 것'이라 하였고, 주자는 '각각 해당되는 바가 있다.'라고 하였으니, 본래 또한 이와 기를 겸한 것이지만, 가리켜 말하는 것이 기에 있는 것은 무슨 까닭이겠는가?
  – 「퇴계전서」 –

- 이는 기를 주재하는 것이요, 기는 이가 얹혀서 타는 바이다. 이가 아니면 기는 뿌리를 내릴 곳이 없고, 기가 아니면 이는 의지할 데가 없다. 대체로 발동하는 것은 기요, 발동하게 하는 소이(所以)는 이이다. 기가 아니면 발동할 수 없고, 이가 아니면 발동하게 하는 근거가 없다. 이 두 가지는 앞뒤가 없고 분리되거나 섞일 수도 없는 것이며, 서로 발동한다[互發]고 말할 수도 없다. 대저 이와 기는 이미 두 가지 물건이 아니요, 또한 한 가지 물건도 아니다. 한 가지 물건이 아니기 때문에 하나이면서 둘이요, 두 가지 물건이 아니기 때문에 둘이면서 하나이다.
  – 「율곡전서」 –

이황은 사회적 혼란을 극복하기 위해 천리와 인욕(人欲)을 판별하는 분명한 기준을 정립하여 전도된 가치관을 바로잡아야 한다고 보았다. 그래서 이황은 이는 귀하고 기는 천하다는 가치관을 바탕으로 이와 기가 모두 발할 수 있다는 이기호발설을 주장하였다. 반면에 이이는 이와 기를 동시에 긍정하여 이와 기가 이기지묘의 관계에 있다고 보았다. 그래서 이이는 사단과 칠정이 모두 기에서 발한 것이라는 기발일도(氣發一途)를 주장하였다.

- 이는 형태와 작용이 없고[無形無爲(무형무위)], 기는 형태와 작용이 있음[有形有爲(유형유위)]을 강조함
- 기발이승일도설(氣發理乘一途說): 이는 발하는 까닭이고, 기는 발하는 것이므로 "기가 발하고 이가 기를 탄다."라는 한 가지 길만이 옳음
- 이통기국론(理通氣局論): 형태가 없는 이는 통하고 형태가 있는 기는 국한됨
③ 사단 칠정론
- 주희의 "이와 기가 서로 떨어져 있을 수 없다[理氣不相離(이기불상리)]."라는 주장에 주목하여 사단과 칠정이 분리될 수 없다고 봄
- 사단과 칠정을 모두 기가 발하고 이가 탄 것으로 파악함
- 사단은 칠정을 포함할 수 없지만 칠정은 사단을 포함하는 것이며[七包四(칠포사)], 사단은 칠정 중 선한 것만을 별도로 지칭할 뿐이라고 주장함
④ 수양론
- 이의 본연인 선의 실현을 위해 기질을 바로잡을 것[矯氣質(교기질)]을 강조함
- 경(敬)을 통해 성(誠)에 이를 것을 강조함
⑤ 사회 경장론: 정치, 경제, 교육, 국방 등과 관련된 개혁을 주장함 → 실학사상의 형성에 영향을 줌

② 한국 실학과 도덕 본성: 정약용의 사상
(1) 실학의 등장
① 등장 배경
- 임진왜란과 병자호란을 거치면서 현실 문제의 해결에 도움을 줄 수 있는 학문을 해야 한다는 사회적 분위기가 대두함
- 청나라의 고증학과 서구 문물이 유입됨
② 특징
- 민생의 구제와 국부의 증대를 추구하는 사회 개혁론을 제시함

- 성리학과 구별되는 인간관과 도덕론을 제시함

(2) **정약용의 실학사상**: 이법적 실체에 대한 비판과 마음의 기호 강조
① 특징
- 인간의 본성을 이법(理法)적 실체인 이(理)로 보는 성리학을 비판하고 새로운 심성론과 덕론을 제시함
- 학문의 실용성을 강조하고 실학을 집대성함
② 심성론
- 성기호설(性嗜好說): 인간의 성은 선을 좋아하고 악을 싫어하는 마음의 기호임

형구(形軀)의 기호	단 것을 좋아하고 쓴 것을 싫어하며 향기를 좋아하고 악취를 싫어하는 것과 같은 육체의 기호 → 인간과 동물 모두가 가지고 있는 기호
영지(靈知)의 기호	선을 좋아하고 악을 싫어하는 마음의 기호 → 인간만이 가지고 있는 기호

- 인간의 도덕적 자율성 강조: 인간은 선이나 악을 스스로 선택할 수 있는 자주지권(自主之權)을 하늘로부터 부여받음
- 인간의 욕구[欲(욕)]가 지닌 긍정적 측면을 인정함: 욕구는 생존과 도덕적 삶을 위해서 필요한 것이기도 함
③ 덕론
- 인의예지(仁義禮智)라는 덕은 인간의 본성에 내재하는 것이 아니라 실천을 통해 형성되는 것임
- 인의예지는 일상생활에서 사단을 확충함으로써 형성되는 것임
- 성리학과 정약용의 사단, 사덕의 비교

구분	성리학	정약용
사단(四端)	선천적으로 지니는 선한 마음	
사덕(四德)	선천적으로 주어져 있음	사단의 확충을 통해 후천적으로 형성됨

 자료와 친해지기 정약용의 본성론

대개 사람의 성(性)은 도의(道義)와 기질 두 가지가 합하여 하나의 성이 된 것이고, 금수(禽獸)의 성은 순전히 기질의 성일 뿐이다. 지금 사람의 성을 논해 보건대, 사람에게는 항상 두 가지 의지가 상반되면서도 함께 일어나는 경우가 있다. 누가 준 선물이 의롭지 않을 경우에는 받고 싶기도 하지만 받지 않으려는 마음이 함께 일어나고, 환난에 처해 인(仁)을 이루어야 할 경우 피하고도 싶지만 피하지 않으려는 마음이 함께 일어난다. 선물을 받으려 하는 것과 환난을 피하려 하는 것은 기질이 하고자 하는 것이고, 선물을 받지 않으려 하는 것과 환난을 피하지 않으려는 것은 도의가 하고자 하는 것이다. 개와 소는 먹이를 던져 주면 먹고자 할 따름이고, 칼날로써 겁을 주면 피하고자 할 따름이니, 개와 소에게는 단지 기질의 성만 있음을 알 수 있다. 또 사람은 선악에 대해 모두 스스로 할 수 있어서 스스로의 뜻대로 처리할 수 있지만, 금수는 선악에 대해 스스로 할 수 없어서, 그 행동이 그렇지 않을 수 없게 된다. 사람의 성과 금수의 성이 이와 같이 다른데도, 고자(告子)는 다만 그 생각과 운동이 같다는 점에만 나아가 하나의 성이라고 말하였으니, 어찌 잘못이 아니겠는가?

– 정약용, 『맹자요의』 –

정약용은 동물과 달리 인간은 선을 좋아하고 악을 미워하는 마음의 기호를 지녔다고 보았다. 그는 또한 인간에게는 선하고자 하면 선을 행할 수 있고 악하고자 하면 악을 행할 수 있는 자주지권이 있다고 주장하였다.

01

▶ 24057-0021

다음을 주장한 한국 유교 사상가의 입장으로 옳은 것만을 〈보기〉에서 고른 것은?

맹자의 이른바 사단(四端)은 정(情)이 이(理)와 기(氣)를 겸하고 선과 악이 있는 데서 이에서 발(發)하여 선하지 않음이 없는 것을 떼어 내어 말한 것이다. 맹자는 성선(性善)의 이치를 드러내어 밝히면서 사단을 가지고 말하였으니, 사단이 이에서 발하여 선하지 않음이 없다는 것을 또한 알 수 있다. 또한 주자(朱子)는 "사단은 이의 발이고, 칠정(七情)은 기의 발이다."라고 하였다. 대개 사단은 이에서 발하여 선하지 않음이 없으므로 이의 발이라 한 것은 진실로 의심할 것이 없지만, 칠정은 이와 기를 겸하고 선과 악이 있으니 그 발하는 바가 오로지 기만은 아니지만 기질(氣質)의 섞임이 없지 않으므로 기의 발이라 이르는 것이다.

┌─ 보기 ┐
ㄱ. 이는 기의 주재자로서 명령할 뿐만 아니라 발할 수도 있다.
ㄴ. 이에 근원하여 사단이 드러나고 기에 근원하여 칠정이 드러난다.
ㄷ. 이가 발하면 기가 그 위에 타고, 기가 발하면 이가 그 위에 탄다.
ㄹ. 이는 기보다 귀하므로 개별 사물에 기 없이 독자적으로 존재할 수 있다.

① ㄱ, ㄴ   ② ㄱ, ㄷ   ③ ㄴ, ㄷ   ④ ㄴ, ㄹ   ⑤ ㄷ, ㄹ

02

▶ 24057-0022

다음을 주장한 한국 유교 사상가의 입장으로 옳은 것은?

이(理)와 기(氣)는 하나이면서 둘이요, 둘이면서 하나이다. 이와 기는 혼연(渾然)하여 사이가 없어서 원래 떨어지지 않는다. 그러므로 두 가지 물건이라고 할 수가 없다. 또한 두 가지가 비록 떨어지지 않을지라도 혼연한 가운데 실제로는 섞이지 않아서 한 가지 물건이라고도 말할 수가 없다. 그러므로 주자가 이는 스스로 이이고 기는 스스로 기이기 때문에[理自理氣自氣] 서로 섞이지 않는다고 하였다. 이 두 말씀을 합하여 깊이 생각해 보면 이기지묘(理氣之妙)를 알 수 있을 것이다.

① 칠정은 기가 발한 감정이지만 사단은 이가 발한 감정이다.
② 칠정이 선해지려면 수양을 통해 본연지성을 변화시켜야 한다.
③ 사단은 칠정을 포함하고 있으므로 절도에 맞지 않으면 불선함이 생긴다.
④ 사단은 이가 맑은 기를 타서 천리(天理)가 그대로 드러난 선한 감정이다.
⑤ 이와 기는 만물에 두루 통하지만[通] 사단과 칠정은 인간에게만 국한된다[局].

03

▶ 24057-0023

(가)의 중국 유교 사상가 갑, 한국 유교 사상가 을의 입장에서 서로에게 제기할 수 있는 비판을 (나) 그림으로 표현할 때, A, B에 해당하는 내용으로 옳은 것은?

(가)	갑: 지극한 선[至善]이란 오직 이 마음이 천리(天理)에 순일한 극치에 이르는 것이다. 그 밖에 사물에서 어찌 무엇을 구하겠는가? 부모에게 따뜻하고 시원하게 해 드릴 때에도 오직 이 마음이 천리에 순일한 극치에 이르도록 해야만 하며, 봉양을 드릴 때에도 오직 이 마음이 천리에 순일한 극치에 이르도록 해야만 하는 것이다. 을: 주자(朱子)가 "경(敬)을 위주[主]로 하여 근본을 세우고 이치[理]를 연구하여 지식을 지극히 한다."라고 하신 말씀을 듣지 못하였는가? 마음이 경을 위주로 하여 사물의 참되고 지극한 이치를 궁구하면, 마음이 이치와 의(義)를 깨달아 뜻을 성실하게 하고 마음을 바르게 하며 자신을 닦는다. 이를 집과 나라에 미루어 가고 천하에까지 도달시킴에 그 기운을 막을 수 없을 것이다.
(나)	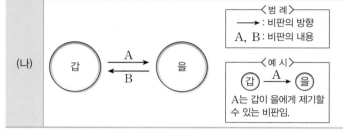

① A: 인간은 선천적으로 양지(良知)를 가지고 태어남을 간과한다.
② A: 격물은 사물에 나아가 도덕 법칙을 탐구하는 것임을 간과한다.
③ B: 천리(天理)를 보존하고 인욕(人欲)을 제거해야 함을 간과한다.
④ B: 앎과 행함은 본래 하나이며 선후(先後)가 있을 수 없음을 간과한다.
⑤ B: 사물에 내재된 이치를 부정하고 마음에 사물을 끌어들여 뒤섞어 말하고 있음을 간과한다.

04

▶ 24057-0024

그림의 강연자가 지지할 주장으로 옳지 않은 것은?

유형유위(有形有爲)하면서 움직임도 있고[有動] 고요함도 있는[有靜] 것은 기(氣)이고, 무형무위(無形無爲)하면서 움직임에도 있고[在動] 고요함에도 있는[在靜] 것은 이(理)입니다. 이는 비록 무형무위하지만, 기는 이가 아니면 근거할 데가 없습니다. 그래서 "무형무위하면서 유형유위한 것의 주재[主]가 되는 것은 이이고, 유형유위하면서 무형무위한 것의 그릇[器]이 되는 것은 기이다."라고 말하는 것입니다. 이런 까닭에 성(性)은 이이고 마음은 기이며, 정(情)은 마음의 움직임입니다. 앞선 현인들이 마음과 성에 대해 합쳐서 말한 것이 있으니, 맹자가 "인(仁)은 곧 사람의 마음이다."라고 한 것이 이것입니다. 나누어서 말한 것도 있으니 주자가 "성이란 마음의 이이다."라고 한 것이 이것입니다. 쪼개어도 그 뜻을 얻고 합쳐도 그 뜻을 얻은 뒤에라야 이와 기를 아는 것입니다.

① 이와 기 중에 능동적 운동성과 주재성을 동시에 지니는 것은 없다.
② 본연지성은 기질지성 안에 있는 순수한 천리(天理)만을 말한 것이다.
③ 기로 인해 나타난 어리석음은 기질을 교정[矯]하는 수양을 통해 없애야 한다.
④ 경(敬)으로써 바르지 못함을 제거하여 마음의 본체인 성(誠)에 이르러야 한다.
⑤ 사단은 본연지성이 발한 도덕 감정이고 칠정은 기질지성이 발한 일반 감정이다.

[05~06] 갑, 을은 한국 유교 사상가들이다. 물음에 답하시오.

갑: 성(性)이나 정(情)에 있어서도 이(理)가 기(氣) 속에 있고 성(性)이 기질 속에 있다 하더라도 어찌 분별하여 말할 수 없겠는가? 대개 사람의 한 몸은 이와 기가 합하여 생겨난 까닭에 두 가지가 서로 발하여[互發] 작용하고, 발할 적에 서로 소용[相須]되는 것이다. 서로 발하는 것이고 보면 각각 주가 되는 바가 있음을 알 수 있고, 서로 소용되는 것이고 보면 서로 그 속에 있는 것을 알 수 있다.

을: 이는 기를 주재하는 것이고, 기는 이가 얹혀서 타는 바이다. 이가 아니면 기는 뿌리를 내릴 곳이 없고, 기가 아니면 이는 의지할 데가 없다. 대체로 발하는 것은 기이고, 발하게 하는 소이(所以)는 이이다. 기가 아니면 발할 수 없고, 이가 아니면 발하게 하는 근거가 없다. 이 두 가지는 앞뒤가 없고 분리되거나 섞일 수도 없는 것이며 서로 발한다고 말할 수도 없다.

05

▶ 24057-0025

갑은 긍정, 을은 부정의 대답을 할 질문으로 가장 적절한 것은?

① 마음을 경건하게 하는[居敬] 수양을 통해 사단을 생성해야 하는가?
② 사단은 칠정 중의 선한 감정보다 더 높은 도덕적 가치를 지니는가?
③ 이는 순선(純善)한 도덕 법칙이므로 사람의 마음 안에만 존재하는가?
④ 기질지성은 이와 기를 함께 말한 것이고 본연지성은 이만을 말한 것인가?
⑤ 이와 기 중에 주재하는 것도 어느 한 가지이고 발하는 것도 어느 한 가지인가?

06

▶ 24057-0026

다음을 주장한 한국 유교 사상가가 갑, 을 모두에게 제기할 수 있는 비판으로 옳은 것만을 〈보기〉에서 있는 대로 고른 것은?

• 인간이 하늘로부터 받은 것은 영명(靈明)뿐이다. 사랑할 수 있고 의로울 수 있으며 예의 바를 수 있고 지혜로울 수 있는 능력이라면 인간이 타고난 것이지만 하늘이 인의예지라는 네 가지 알맹이를 인성(人性) 속에 부여하였다고 말하면 그것은 진실이 아니다.

• 하늘이 명령한 본성[天命之性]은 선을 즐거워하고 악을 부끄러워한다. 한 가지 일에 마주칠 때마다 그 선함과 악함이 바로 앞에 놓여 있으니, 이 성이 향하고자 하는 쪽을 한결같이 따른다면 아무런 잘못이나 어그러짐이 없을 것이다.

┌ 보기 ┐

ㄱ. 인(仁)이 우주의 근본 원리이자 도덕 법칙이며 본성[性]임을 간과한다.
ㄴ. 의(義)의 실천은 자유로운 선택[自主之權]이 전제되어야 함을 간과한다.
ㄷ. 예(禮)는 사양지심(辭讓之心)을 확충(擴充)하여 생겨나는 것임을 간과한다.
ㄹ. 지(智)가 마음에 내재한다는 실마리[緖]가 시비지심(是非之心)임을 간과한다.

① ㄱ, ㄴ   ② ㄱ, ㄹ   ③ ㄴ, ㄷ
④ ㄱ, ㄷ, ㄹ   ⑤ ㄴ, ㄷ, ㄹ

07

▶ 24057-0027

(가)의 한국 유교 사상가 갑, 을의 입장을 (나) 그림으로 표현할 때, A~C에 해당하는 적절한 진술만을 〈보기〉에서 있는 대로 고른 것은?

(가)	갑: 사단의 정은 이(理)가 발함에 기(氣)가 따르니, 본래 순선하고 악이 없지만, 반드시 이가 발한 것이 완수되지 못하고 기에 가리어지면 흘러서 불선(不善)으로 되는 것이다. 칠정은 기가 발함에 이가 타니, 역시 불선함이 없지만, 기가 발한 것이 중절(中節)하지 못하여 그 이를 멸하게 되면 방탕하여 악이 되는 것이다. 을: 기가 발함에 이가 탄다는 말은 옳다. 그러나 이는 단지 칠정만이 그러한 것이 아니라 사단 역시 기가 발함에 이가 타는 것이다. 우물에 빠진 아이를 보고 측은해하는 것은 기이니 이것이 이른바 기가 발한다는 것이다. 측은한 마음의 근본은 인이니 이것이 이른바 이가 탄다는 것이다.
(나)	(벤다이어그램: 갑, 을 / A, B, C) 〈범례〉 A: 갑만의 입장 B: 갑, 을의 공통 입장 C: 을만의 입장

┌ 보기 ┐
ㄱ. A: 기가 발한 감정뿐만 아니라 기가 뒤따르는 감정도 이가 주재한다.
ㄴ. B: 이는 본래 하나이지만 현상적으로는 나뉘어 다르다[理一分殊].
ㄷ. B: 사단은 선천적 본성[性]이고 칠정은 본성이 발현한 감정[情]이다.
ㄹ. C: 칠정 중의 순선한 감정은 인의예지(仁義禮智)의 단서[端]이다.

① ㄱ, ㄷ   ② ㄱ, ㄹ   ③ ㄴ, ㄷ
④ ㄱ, ㄴ, ㄹ   ⑤ ㄴ, ㄷ, ㄹ

08

▶ 24057-0028

다음을 주장한 한국 유교 사상가의 입장으로 옳은 것만을 〈보기〉에서 있는 대로 고른 것은?

본성[性]을 말하는 사람은 반드시 기호(嗜好)에 중점을 두고서 말해야 그 의미가 제대로 선다. 그렇지 않고 만약 "이것은 텅 비어 신령스러운 것으로 형체가 없는[虛靈無形] 것으로서 그 본체는 조금의 악도 없는 지극한 선이다."라고 말한다면, 어린아이가 갓 태어나 아는 것은 보채며 울고 젖을 찾고 안아 달라는 것뿐인데, 어떻게 억지로 이를 일러 순수한 선이라 말할 수 있겠는가? 만약 자주적인 권능(權能)을 가지고 말한다면, 그 형세는 선을 행할 수도 있고 악을 행할 수도 있다.

┌ 보기 ┐
ㄱ. 하늘을 두려워하고 몸과 마음을 함부로 하지 않는 공부[愼獨]를 해야 한다.
ㄴ. 인간이 사덕을 형성할 수 있는 것은 영지(靈知)의 기호를 지니기 때문이다.
ㄷ. 동물과 달리 인간은 천명지성(天命之性)을 지니므로 선을 행할 수밖에 없다.

① ㄱ   ② ㄷ   ③ ㄱ, ㄴ   ④ ㄴ, ㄷ   ⑤ ㄱ, ㄴ, ㄷ

09

▶ 24057-0029

한국 유교 사상가 갑, 을의 입장으로 옳은 것은?

> 갑: 본연지성(本然之性)은 오로지 이(理)만을 말하고 기(氣)에는 미치지 않은 것이며, 기질지성(氣質之性)은 기를 겸하여 말하였는데 이가 그 가운데에 포함되어 있는 것이니, 또한 주리(主理)와 주기(主氣)의 말로써 나눌 수 없다. 본연지성과 기질지성을 양변으로 나눈다면 진리를 모르는 자가 두 가지 성이 있다고 여기지 않겠는가? 또 사단을 주리라고 말하는 것은 옳으나 칠정을 주기라고 말하는 것은 옳지 않다. 칠정은 이와 기를 포함하여 말한 것으로 주기가 아니다.
>
> 을: 사람과 동물이 본연지성을 함께 얻었다는 주장에 대해 생각해 보건대, 본연지성은 원래 각각 다르다. 사람은 선을 좋아하고 악을 부끄럽게 여기며 자신을 수양하며 도를 지향하고자 하는 것이 그 본연이다. 개는 밤을 지키며 도둑을 보면 짖고 더러운 것을 먹으며 새를 쫓는 것이 그 본연이다. 각각 받은 천명은 바꿀 수 없다. 개가 억지로 사람이 하는 바를 할 수 없고, 사람이 억지로 개가 하는 바를 할 수 없다.

① 갑: 사단과 칠정을 주가 되는 것에 따라 나누어 이와 기로 구별할 수 있다.

② 갑: 측은지심은 칠정의 애(愛)에 속하고 수오지심은 칠정의 오(惡)에 속한다.

③ 을: 사덕과 사단을 형성시키려면 유덕한 행동을 지속적으로 실천해야 한다.

④ 을: 인간과 동물은 선을 행하면 자신의 공이 되고 악을 행하면 자신의 죄가 된다.

⑤ 갑과 을: 인간과 사물의 본연지성은 모두 이이며 도덕적 행위의 근원이다.

10

▶ 24057-0030

(가)의 중국 유교 사상가 갑, 한국 유교 사상가 을의 입장을 (나) 그림으로 탐구하고자 할 때, A∼C에 들어갈 질문으로 가장 적절한 것은?

(가)	갑: 측은(惻隱) · 수오(羞惡) · 사양(辭讓) · 시비(是非)는 정(情)이다. 인의예지(仁義禮智)는 성(性)이다. 마음은 성과 정을 거느리는 것이다. 단(端)은 실마리[緒]이다. 정의 발현으로 인하여 성의 본연을 볼 수 있는 것은 물건이 가운데 있어서 그 실마리가 밖으로 드러나 보이는 것과 같다.
	을: 사심(四心)을 미루어 밖에 있는 사덕(四德)을 이루는 것이지, 밖에 있는 사덕을 끌어당겨 안에 있는 사심을 발하게 하는 것은 아니다. 선한 사람이 참소를 당했을 때 시비를 따지더라도 변별하여 밝히지 못하면, 그 마음을 더듬어 보아도 지혜롭다고 할 수 없다.
(나)	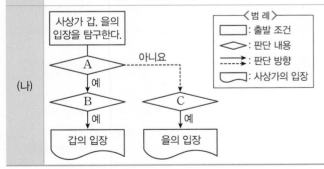

① A: 수오지심을 시작[始]으로 삼아 의로운 일을 실천할 때 의가 형성되는가?

② A: 인간이 존귀한 것은 선을 좋아하고 악을 미워하는 기호가 있기 때문인가?

③ B: 격물(格物) 공부는 인간의 바르지 못한 마음을 살피고 바로잡는 것인가?

④ C: 불효자가 효자라고 칭찬받을 때 기뻐하는 것은 본성이 선을 좋아하기 때문인가?

⑤ C: 인간은 형구(形軀)의 기호를 통해 선악을 선택할 수 있는 자유 의지를 획득하는가?

① 불교의 연원

(1) 불교의 성립

① 기원전 6세기경 고타마 싯다르타[석가모니]가 인도의 전통 사상을 비판적으로 수용하면서 창시함

② 석가모니가 자신의 깨달음[法(법)]을 전하기 시작하면서 출가자를 중심으로 불교 교단이 형성됨

(2) 불교의 특징

① 삼학(三學: 계정혜)을 통한 체계적인 수행을 강조함

계(戒)	몸과 마음을 다스리기 위해 계율을 지키는 것
정(定)	흐트러진 마음을 하나의 대상에 집중하여 고요한 상태에 머무는 것
혜(慧)	실상을 있는 그대로 꿰뚫어 아는 지혜[般若(반야)]를 얻는 것

② 석가모니는 자신의 깨달음을 바탕으로 중생이 고통에서 벗어날 수 있도록 가르침을 베풀었으며, 열반을 방해하는 삼독[貪·瞋·癡(탐·진·치)]을 제거하고 삼학을 수행할 것을 강조함

② 초기 불교의 가르침

(1) 연기설(緣起說): 모든 존재와 현상은 무수한 원인과 조건에 의해 생겨나며, 그 원인과 조건이 없으면 결과도 없다는 이론

① 연기의 법을 올바르게 이해할 때 윤회의 고통에서 벗어나 해탈에 이를 수 있음

② '나'와 '자연 만물'의 연계성과 상호 의존성을 자각하게 해 주고, 자비(慈悲)를 일깨워 줌

(2) 사성제(四聖諦)와 팔정도(八正道)

① 사성제: 석가모니가 깨달은 '네 가지 성스러운 진리'

고제(苦諦)	• 인간의 삶은 본질적으로 고통일 수밖에 없음 • 대표적인 괴로움: 생로병사(生老病死)
집제(集諦)	고통은 무명(無明)과 애욕으로 인해 생겨남
멸제(滅諦)	무명과 애욕을 없애면 열반(涅槃)에 이르게 됨
도제(道諦)	• 무명과 애욕을 없애기 위해 중도(中道)를 닦아야 함 • 중도의 내용: 여덟 가지 올바른 길[八正道]임

② 팔정도: 깨달음을 위해 실천해야 할 여덟 가지 바른 수행 방법

- 정견(正見) • 정사유(正思惟) • 정어(正語) • 정업(正業)
- 정명(正命) • 정정진(正精進) • 정념(正念) • 정정(正定)

(3) 사법인설(四法印說)

① 제행무상(諸行無常): 원인과 조건에 의해 형성된 모든 것은 끊임없이 생멸하고 변화함

② 제법무아(諸法無我): '나'라고 주장할 만한 불변하는 실체는 존재하지 않음

③ 일체개고(一切皆苦): 변화하는 모든 것은 고통일 수밖에 없음

④ 열반적정(涅槃寂靜): 열반은 절대적으로 평화롭고 고요한 경지임

③ 대승(大乘) 불교

(1) 부파 불교에서 강조된 교법의 체계화가 법의 실재성을 인정한 것이라고 비판하며, 법 또한 비유비무(非有非無)라는 공(空) 사상을 강조함

(2) 중생과 함께하는 대중적 측면과 육바라밀(六波羅蜜)의 실천을 강조하면서 이상적 인간상으로 보살을 제시함

(3) 중관(中觀) 사상

① 대표적 사상가인 용수는 공의 원리를 근거로 고정불변하는 독자적 성질의 의미를 갖는 자성(自性) 개념을 비판함

② 초기 불교의 연기설을 바탕으로 공 사상을 제시하면서 모든 현상은 일시적으로 존재한다고 봄

③ 중도(中道)를 강조: 유(有)에 집착하는 관점과 무(無)에 집착하는 관점에서 벗어나야 한다고 주장함

④ 중관: 중도에 따라 현상을 있는 그대로 관찰하는 것을 말함

(4) 유식(唯識) 사상

① 공의 원리에 따라 불변의 본질을 가진 실체의 존재를 부정하고, 모든 것은 마음 작용인 식(識)으로 존재한다고 봄

② 유식: 식을 떠나서는 어떠한 실재도 없음을 말함

③ 모든 것은 우리의 마음이 만들어 낸 것[一切唯心造]임을 강조함

④ 마음을 비우고 정신을 집중하는 요가 수행을 강조함

자료와 친해지기 초기 불교의 연기설과 사성제

어느 날 석가모니는 보리수 아래로 나아가 풀을 깔아 자리를 만들고 결가부좌로 앉았다. 단정히 앉아 바른 마음 챙김[正念]으로 십이연기에 대하여 관찰하였다. 이른바 '이것이 있기 때문에 저것이 있고, 이것이 일어나기 때문에 저것이 일어난다. 즉 무명(無明)을 인연하여 행이 있고 …(중략)… 태어남을 인연하여 늙음과 죽음이 있으며, 또 순전한 괴로움뿐인 큰 무더기가 발생한다.'라고 관찰하였다. 이렇게 하여 모든 법(法)은 생겨나니 수행자가 부지런히 고요하게 사유한다면 모든 의심과 미혹을 영원히 떠나 인(因)과 연(緣)으로 생기는 법에 대해 알게 된다. 인으로 생기는 괴로움을 알고 모든 느낌의 완전한 소멸을 알며 인연의 법이 다함을 알면 곧 모든 번뇌의 다함을 알게 된다. 즉 이것이 소멸하기 때문에 저것이 소멸하니, 즉 무명이 소멸하면 행이 소멸하고 …(중략)… 나아가 태어남·늙음·병듦·죽음·근심·슬픔·번민·괴로움이 소멸한다.   - 『잡아함경』 -

석가모니는 모든 것이 원인[因(인)]과 조건[緣(연)]에 의해서 생기고 소멸한다는 연기의 진리를 설하였다. 그는 연기법에 근거하여 괴로움이 어떻게 일어나고, 괴로움이 어떻게 소멸되는지 설명하였다. 석가모니가 강조한 깨달음의 근거는 연기법의 이해에 기반을 둔 것이라 할 수 있다.

④ **교종(教宗)과 선종(禪宗)**

(1) 교종

① 교종: 부처의 말씀인 경전을 수행의 근본으로 삼는 종파

② 여러 경전에 담긴 부처의 가르침[教(교)]을 체계적으로 분류하고 해석[判(판)]함. 교판을 완성한 불교 사상가들은 자신이 신봉하는 대승 불교 경전을 최고의 가르침으로 이해함

③ 교리에 대한 깊은 이해, 계율의 실천과 수행을 통한 성불(成佛)을 중시함

④ 교종의 다양한 종파

천태종	• 수나라의 천태 대사 지의(智顗)에 의해 체계화됨 • 마음의 집중인 지(止)와 통찰 수행인 관(觀)을 함께 닦을 것을 강조함
화엄종	• 수나라와 당나라 때 두순(杜順)을 시조로 성립하였으며, 지엄(智儼)과 법장(法藏)에 의해 발전함. 천태종과 함께 중국 교종의 대표적 종파임 • 모든 존재가 서로 원인이 되어 융합하고 있으므로, 분별과 대립이 극복되고 지양되어야 한다고 봄
정토종	아미타불의 도움으로 정토(淨土)에 태어나 성불하기를 바라는 종파임

(2) 선종

① 남북조 시대 달마 대사에 의해 성립되고 혜능에 의해 정립됨

② 우리가 본래 완성된 부처라는 것을 직관해야 한다는 돈오(頓悟)를 주장함

③ 직관적 종교 체험인 선(禪)의 수행을 강조함

④ 선종의 특징

• 불성(佛性)이 모든 사람의 마음속에 있다고 보고 주체적인 자아의 완성과 해탈을 강조함

• 자신의 마음을 직접 보고[直指人心(직지인심)], 자신의 본성을 깨달으면 부처가 될 수 있음[見性成佛(견성성불)]을 강조함

• 언어와 문자에 얽매이지 않고[不立文字(불립 문자)], 문자 밖에서 깨닫는 것[教外別傳(교외별전)]을 중시함

• 스승과 제자 사이에 마음으로 주고받는 가르침[以心傳心(이심전심)]을 중시함

⑤ **한국의 불교 사상: 조화 중시**

(1) 불교의 수용

① 삼국 시대에 왕권 강화 및 중앙 집권화, 민심 안정을 위해 국가적 차원에서 불교를 수용함

② 불교의 수용 과정

• 신라: 교종을 먼저 받아들인 후 통일 신라 시대에 선종을 수용함

• 고려: 교종과 선종 간의 조화와 균형을 이루기 위해 노력함

(2) 원효의 사상

① 종합적인 불교 이론의 전개: 어떤 경전을 중시하는가를 따지는 중국 불교와 달리 종합적으로 불교 사상을 이해하고자 함

② 일심(一心) 사상: 일심은 깨끗함과 더러움, 참과 거짓, 나와 너 등 일체의 이원적 대립을 초월하는 절대불이(絕對不二)한 것. 일심으로 돌아가면, 중생도 본래 깨달음의 경지에 있음을 알게 됨

③ 화쟁(和諍) 사상: 대립·갈등하는 여러 불교 종파의 주장들을 보다 높은 차원에서 하나로 아우르려는 사상임

④ 일심으로 돌아가면 이웃을 내 몸처럼 사랑하고 모든 생명을 이롭게 할 수 있다고 봄

⑤ 왕실 중심의 불교를 민중 불교로 전환하려고 노력하였음

(3) 의천의 사상

① 교종을 중심으로 선종과의 조화를 추구함

② 교관겸수(教觀兼修): 불교의 이론적 교리 체계인 '교(教)'에 대한 탐구와 실천적 수행인 '지관(止觀)'을 함께 닦아야 함

③ 내외겸전(內外兼全): 선종에서 강조하는 마음 공부[內]와 교종에서 강조하는 교리 공부[外]를 함께 온전히 해야 함

(4) 지눌의 사상

① 선종을 중심으로 교종과의 조화를 추구함

② 돈오점수(頓悟漸修): 단박에 진리를 깨친 뒤에도 나쁜 습기(習氣)를 차차 소멸시켜 나가는 수행이 필요함

③ 정혜쌍수(定慧雙修): 점수의 구체적인 실천 내용. 선정(禪定)과 지혜(智慧)를 함께 닦아 나가는 것

④ 선교일원(禪教一元): 부처가 입으로 설한 것이 '교(教)'이고 조사가 마음으로 전한 것이 '선(禪)'이므로 선종과 교종은 본래 하나임

⑤ 한국적인 선(禪) 체계 제시: 깨달음에 이르는 선 수행의 한 부분으로 교학을 받아들임으로써 선종과 교종의 공존을 추구함

자료와 친해지기 **원효의 일심 사상**

부처의 말씀은 큰 바다와 같아서 그 가르침을 헤아려 알기 어렵다. 넓고 넓어서 끝이 없으며, 깊고 깊어서 밑바닥을 모른다. 밑바닥을 모르기 때문에 다하지 않음이 없고, 끝이 없기 때문에 해당하지 않는 것이 없다. 여러 경전들의 부분을 통합하여 무수히 많은 설(說)들을 하나의 의미[一味(일미)]로 돌아가게 하니, 부처의 지극한 보편의 뜻을 펼치노라면 백가(百家)의 서로 옳고 그르다는 주장을 화합할 수 있다. 모든 경전의 말씀은 똑같이 일심(一心)인 것이다.

– 『열반종요』 –

원효의 일심은 마음이 모든 것의 바탕이고 근거라는 의미이다. 이는 세간의 현상적인 것과 출세간의 본체적인 것이 둘이 아님을 깨달은 데서 나온 것이었다. 이러한 일심은 화쟁의 근거가 된다. 화쟁이란 궁극적으로 일심으로 돌아가기 위한 것이며, 일심으로 원융하는 세계로 돌아감[歸一心源(귀일심원)]이 화쟁의 완성이다.

01

▶ 24057-0031

다음을 주장한 고대 동양 사상가의 입장으로 적절한 것만을 〈보기〉에서 있는 대로 고른 것은?

어리석은 범부들은 색(色)을 '나'라고 보니, 만일 그것을 '나'라고 보면 행(行)이라 한다. 행은 무엇이 원인[因]이고, 발생[集]시키며, 생기게[生] 하고, 변한[轉] 것인가? 무명(無明)을 접촉[觸]하여 애욕[愛]이 생기나니, 애욕을 인연하여 그 행을 일으킨다. 애욕은 무엇이 원인이고, 발생시키며, 생기게 하고, 변한 것인가? 애욕은 느낌[受]이 원인이고, 발생시키며, 생기게 하고, 변한 것이다. 느낌은 무엇이 원인이고, 발생시키며, 생기게 하고, 변한 것인가? 느낌은 접촉이 원인이고, 발생시키며, 생기게 하고, 변한 것이다. 접촉의 느낌과 행의 느낌은 무상(無常)하고, 만들어진 것이며[有爲], 마음이 인연하여 일어나는 법[心緣起法]인 것이다.

┌ 보기 ┐
ㄱ. 모든 존재와 현상은 원인과 조건에 의해 생겨나고 사라진다.
ㄴ. 인간은 오온으로 구성되어 있으므로 윤회에서 벗어날 수 없다.
ㄷ. 인간의 접촉과 느낌으로 인해 존재에 대한 애착과 욕망이 발생한다.
ㄹ. 오온은 만들어진 법이므로 정신 작용이 아닌 물질 현상에만 적용된다.

① ㄱ, ㄴ   ② ㄱ, ㄷ   ③ ㄴ, ㄹ
④ ㄱ, ㄷ, ㄹ   ⑤ ㄴ, ㄷ, ㄹ

02

▶ 24057-0032

고대 동양 사상가 갑, 을의 입장으로 옳지 않은 것은?

갑: 무엇을 무명(無明)이라 하는가? 과거와 미래를 알지 못하고 업(業)과 과보(果報)를 알지 못하며, 부처[佛]를 알지 못하고 법(法)을 알지 못하고 승가[僧]를 알지 못하며, 괴로움[苦]을 알지 못하고 그 발생[集]을 알지 못하고 그 소멸[滅]을 알지 못하고 괴로움에서 벗어나는 길[道]을 알지 못하며, 인(因)을 알지 못하고 인이 일으키는 법을 알지 못하고 착함과 착하지 않음을 알지 못하며, 죄가 있고 죄가 없음과 못나고 뛰어남과 더럽고 깨끗함과 연기에 대한 분별을 모두 알지 못하고 이러한 것을 알지 못하고 보지 못하며, 빈틈 없고 한결같음이 없어 어리석고 컴컴하며, 밝음이 없고 크게 어두우면 이것을 무명이라 한다.

을: 행동을 잘하는 사람은 자취를 남기지 않고 말을 잘하는 사람은 허물을 남기지 않으며 셈을 잘하는 사람은 계산 도구가 필요 없다. 성인(聖人)은 항상 사람을 잘 구하기에 버리는 사람이 없고 항상 사물을 잘 구하기에 버리는 물건이 없으니 이를 가리켜 '밝은 지혜[明]'를 간직하고 있다고 한다. 그러므로 선한 사람은 불선한 사람의 스승이고 불선한 사람은 선한 사람의 바탕이 된다. 그 스승을 귀하게 여기지 않고, 그 바탕을 사랑하지 않으니, 지혜가 있더라도 크게 미혹될 것이다. 이를 핵심적인 오묘한 이치[要妙]라 한다. 성인은 얻기 어려운 재화를 귀히 여기지 않고, 가르치지 않음을 가르친다. 만물의 저절로 그러함[自然]을 도울 뿐 감히 억지로 도모하지 않는다.

① 갑: 무명은 인과의 법칙을 벗어나 존재하는 근원적 번뇌이다.
② 갑: 극단에 치우치지 않고 중도를 실천하면 윤회에서 벗어날 수 있다.
③ 을: 도는 인간의 감각을 초월하는 것이므로 언어로 규정할 수 없다.
④ 을: 성인은 지식을 추구하기보다 버림으로써 백성의 삶을 이롭게 한다.
⑤ 갑과 을: 도에 기반한 수행으로 삶에 대한 밝은 지혜를 갖추어야 한다.

03

불교 사상 (가), (나)의 입장으로 적절한 것만을 〈보기〉에서 있는 대로 고른 것은?

(가) 사물과 현상에 변하지 않는 고유한 성질[自性]이 있다면 대체 무엇이 변화할 수 있겠는가? 같은 것이 변하는 것도, 다른 것이 변하는 것도 불합리하다. 왜냐하면 이미 연로한 노인이 나이를 먹어 늙는 일이 없고, 젊은이가 나이를 먹어 늙는 일도 없을 것이기 때문이다. 만일 같은 것이 변한다면 우유가 그대로 발효유가 되어 버리고 말 것이다. 한편 우유 이외에 무엇이 발효유라고 할 수 있겠는가? 만일 공(空)이 아닌 무엇인가 존재한다면, 공인 것도 무엇인가 존재할 것이다. 공이 아닌 것은 어떤 것도 존재하지 않는데 어떻게 공인 것이 존재하겠는가? 승리자[勝者, 붓다]들은 공성(空性)을 견해로 갖는 자는 구제받기 어렵다고도 하셨다.

(나) 일체는 오직 식(識)일 뿐이다. '오직'이라고 말하는 것은 식에서 떠나지 않는 법이라면 부정되지 않기 때문이다. 따라서 더하여 늘어나거나 덜어서 감소하는 두 극단을 멀리 떠나서 유식(唯識)의 뜻이 성립되고, 중도(中道)에 부합한다. 경전에서 말씀한 바와 같이 일체법은 모두 마음에서 떠나지 않는다고 한다. 또한 중생은 마음에 따라서 오염되거나 청정하다고 한다. 지혜를 성취한 보살은 일체는 오직 식뿐이고 식과 독립적 외부 대상은 존재하지 않는다는 이치를 깨달은 것이다.

┌─ 보기 ┐
ㄱ. (가): 법(法)의 공성은 유(有)가 아닌 무(無)에 있음을 깨달아야 한다.
ㄴ. (가): 모든 존재와 현상은 고정불변의 독자적인 실체를 지니지 않는다.
ㄷ. (나): 세상에 존재하는 모든 것은 결국 우리의 마음이 만들어 낸 것이다.
ㄹ. (가)와 (나): 모든 존재와 현상을 중도의 관점에서 통찰해야 한다.

① ㄱ, ㄴ   ② ㄱ, ㄷ   ③ ㄷ, ㄹ
④ ㄱ, ㄴ, ㄹ   ⑤ ㄴ, ㄷ, ㄹ

04

고대 동양 사상가 갑, 을의 입장으로 가장 적절한 것은?

갑: 인간의 본성은 태어나면서부터 이익을 좋아하고, 남을 질투하고 미워함이 있어, 이를 따름으로 남을 해치는 일이 생기고 충실함[忠]과 믿음[信]이 없어진다. 태어나면서부터 아름다운 소리와 아름다운 색을 좋아하는 귀와 눈의 감각적 욕망이 있어, 이를 따름으로 음란함이 생기고 예의와 아름다운 형식이 없어진다. 인간의 본성을 따르고 감정에 순응하면 반드시 다투고 빼앗게 되며 분수를 어기고 이치를 어지럽혀 난폭함으로 귀결될 것이다. 그러므로 반드시 스승과 법도에 의한 교화와 예의를 통한 교도가 있은 후에야 서로 사양하게 되고 아름다운 형식을 갖게 되어 다스림으로 귀결될 것이다.

을: 아직 깨닫지 못한 제자들아. 안식(眼識)으로 빛깔을 취하고 아름다운 형상을 취하지 마라. 이식(耳識)으로 소리를 취하고 아름다운 소리를 따라 집착하지 마라. 비식(鼻識)으로 냄새를 취하고 좋은 냄새를 따라 집착하지 마라. 설식(舌識)으로 맛을 취하고 좋은 맛을 따라 집착하지 마라. 신식(身識)으로 감촉을 취하고 좋은 감촉을 따라 집착하지는 마라. 이를 취하면 마치 무쇠 구슬이 물에 가라앉듯 나쁜 세계에 떨어지기 때문이다. 오늘부터 바르게 사유(思惟)하여, 눈은 무상(無常)한 것이고 마음을 인연하여 생긴 법이라고 관찰하라. 귀·코·혀·몸의 입처(入處)에 대해서도 마땅히 이와 같이 관찰하고 배워야 한다.

① 갑: 예의와 법도는 사람이 본성을 따름으로써 생겨남을 알아야 한다.
② 갑: 스승을 통한 교육이 없어도 지적 능력이 있다면 바르게 교화된다.
③ 을: 의식을 통해 인식된 대상도 고정된 실체가 아님을 깨달아야 한다.
④ 을: 사람은 애착과 욕망으로 인해 윤회와 열반을 계속 반복하게 된다.
⑤ 갑과 을: 학문과 교육을 통해 사람의 타고난 본성을 함양시켜야 한다.

05

▶ 24057-0035

다음을 주장한 한국 불교 사상가의 입장으로 적절한 것만을 〈보기〉에서 있는 대로 고른 것은?

화엄론에서는 '먼저 (스승의) 법문을 듣고 이해함으로써 믿음을 갖게 되고, 그다음에 아무 생각이 없는 경지에 들어감으로써 (부처와) 하나가 된다.'라고 하였다. 그러나 선문(禪門)에서 똑바로 가로질러 들어온 사람은 애당초부터 듣고, 알고, 느낄 만한 법(法)이나 의(義)라고 하는 것이 없으므로 곧장 화두 하나만 가지고 열심히 공부할 뿐이다. 홀연히 화두가 한번 크게 터지면 앞에서 교가의 이론으로 밝힌 바와 같은 일심(一心)의 법계가 아무런 걸림 없이 완전하게 밝아진다. 따라서 경전에 의지하는 사람들과 선문으로 한번 크게 터진 사람들을 비교하면 교리 안에서 공부하는 교가(敎家)와 교리 밖에서 공부하는 선가(禪家)는 공부를 성취하는 시간도 하나는 더디고 하나는 빠르다는 차이가 있음을 알 수 있다. 말이나 문자보다 마음에서 마음으로 전하는 가르침[敎外別傳]이 더 훌륭하다는 것이다.

┌ 보기 ┐
ㄱ. 돈오 이후에도 정(定)과 혜(慧)의 수행을 실천해야 한다.
ㄴ. 경전에 얽매이지 않되 경전에 적힌 부처의 가르침도 함께 공부해야 한다.
ㄷ. 습기(習氣)를 가진 중생은 돈오에 이를 수 없으므로 먼저 습기를 제거해야 한다.
ㄹ. 모든 중생에게 불성(佛性)이 있음을 깨달아 내 마음이 곧 부처임을 자각해야 한다.

① ㄱ, ㄴ   ② ㄱ, ㄷ   ③ ㄷ, ㄹ
④ ㄱ, ㄴ, ㄹ   ⑤ ㄴ, ㄷ, ㄹ

06

▶ 24057-0036

한국 불교 사상가 갑, 을의 입장으로 옳지 않은 것은?

갑: 대승(大乘)의 법에는 오직 일심(一心)만이 있을 뿐입니다. 다만 무명(無明)이 일심을 미혹시켜 끊임없이 육도(六道)를 떠돌게 됩니다. 하지만 이때에도 역시 일심을 벗어나는 것은 아닙니다. 이처럼 일심으로 말미암아 육도를 지어내기 때문에 널리 중생을 제도하겠다는 원(願)을 발할 수가 있습니다. 많은 가르침의 문이 있지만 처음 수행에 들어갈 때는 두 문을 벗어나지 않습니다. 진여문(眞如門)에 의하여 지행(止行)을 닦고 생멸문(生滅門)에 의하여 관행(觀行)을 일으키면 모든 수행이 이에 갖추어집니다. 이 두 문에 들어가면 모든 가르침의 문이 다 통하게 되고, 수행을 잘 일으킬 수 있습니다.
을: 선가(禪家)에서 경론의 언어와 문자를 빌리지 않고 마음에서 마음으로 전한다고 하는데, 이것은 최상의 소질과 능력의 지혜를 소유한 사람이나 가능한 일입니다. 간혹 소질과 능력이 낮은 사람이 천박한 공부로 하나의 도리를 터득하고서 스스로 족하다고 여기는 경우가 있는가 하면, 경전을 가리켜 짚으로 만든 개나 술 찌꺼기라고 하면서 또 볼 것이 뭐가 있느냐며 비웃고 있으니, 이 또한 잘못입니다. 능가경(楞伽經)이나 기신론(起信論) 등의 경론을 배워야 하며, 교(敎)와 관(觀)의 가르침 모두에 마음을 극진하게 해야 합니다.

① 갑: 종파마다 다른 이론을 하나의 경전을 통해 종합하고 해석해야 한다.
② 갑: 중생의 마음속 청정함과 때 묻음도 본래 다르지 않은 하나일 뿐이다.
③ 을: 선(禪)을 수행하는 것은 부처의 경지에 이르는 데 도움이 된다.
④ 을: 경전 공부[敎學]와 지관(止觀) 수행 중 한쪽에만 치우치면 안 된다.
⑤ 갑과 을: 중생의 깨달음을 돕는 것과 자신의 깨달음을 위한 수행은 분리될 수 없다.

07

▶ 24057-0037

(가)의 중국 불교 사상가 갑, 한국 불교 사상가 을의 입장을 (나) 그림으로 탐구하고자 할 때, A~C에 들어갈 옳은 질문만을 〈보기〉에서 있는 대로 고른 것은?

(가)	갑: 중생을 모두 제도하기를 바라고 다짐하는 것은 누군가에 의한 것이 아닙니다. 선지식(善知識)들의 마음속 중생이 각자 자기 몸에 있는 자기의 성품으로 스스로 제도하는 것[自性自度]입니다. 삿됨이 오면 바름으로 제도하고, 어리석음이 오면 지혜로 제도하고, 악이 오면 선으로 제도하며, 번뇌가 오면 보리(菩提)로 제도합니다. 깨닫는 지혜가 반야를 내어 미망을 없애 버리면, 곧 불도가 이루어지고 서원의 힘이 행하여졌음을 스스로 깨달을 것입니다. 어찌 자기의 마음에서 단박에 진여의 본성을 보지 못하겠습니까? 을: 깨달음 이후에 닦는 길은 단순히 오염되지 않은 닦음일 뿐 아니라 만 가지 행위를 겸하여 익혀서 자신과 타인이 함께 구제되는 길입니다. 오늘날 선(禪)을 하는 사람들은 하나같이 말하기를, 단지 불성을 밝혀 보이기만 하면 이타행과 원(願)이 저절로 성취된다고 합니다. 나 '목우자'는 그렇지 않다고 봅니다. 불성을 밝혀 보면 중생과 부처가 평등하고 부처와 내가 차별이 없은즉, 만약 자비의 원을 발하지 않으면 적정(寂靜)에 빠질까 두렵습니다.
(나)	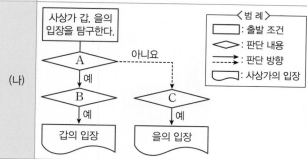

┌ 보기 ┐

ㄱ. A: 과거에 악한 업을 지은 중생도 부처가 될 수 있는 가능성을 지니고 있는가?
ㄴ. A: 누구나 자신의 성품이 청정함을 깨달으면 곧 부처의 경지에 이를 수 있는가?
ㄷ. B: 경전에 의한 공부가 깨달음에 이르는 데 도움을 주는 것은 불가능한가?
ㄹ. C: 무명에 의해 쌓여 온 습기는 돈오 이후의 점진적 수행으로 제거해야 하는가?

① ㄱ, ㄷ
② ㄱ, ㄹ
③ ㄴ, ㄹ
④ ㄱ, ㄴ, ㄷ
⑤ ㄴ, ㄷ, ㄹ

08

▶ 24057-0038

다음 동양 사상의 입장으로 옳지 <u>않은</u> 것은?

보살이 보시(布施)를 행할 때, 지계(持戒)를 행할 때, 인욕(忍辱)을 행할 때, 정진(精進)을 행할 때, 선정(禪定)을 행할 때 반야바라밀(般若波羅蜜)이 광명이 되어 주고 길잡이가 되어 주기에 보시바라밀, 지계바라밀, 인욕바라밀, 정진바라밀, 선정바라밀을 완전히 갖출 수 있다. 보살이 모든 법[諸法]을 관찰할 때에는 반야바라밀이 광명이 되어 주고 길잡이가 되어 주기에 반야바라밀을 완전히 갖출 수 있다. 이처럼 모든 법은 얻을 바가 없으며, 이른바 물질[色]로부터 일체종지(一切種智)까지이다. 마치 모든 나무에 갖가지의 잎과 꽃과 열매와 빛깔이 있지만 그 그늘에는 차별이 없는 것처럼, 모든 바라밀이 반야바라밀의 가운데 들어가 모든 법을 증득하는 지혜에 이르면 차별이 없는 것도 그와 같으니, 얻을 바가 없기 때문이다.

① 자기완성과 대중 구제는 결국 둘이 아님을 깨달아야 한다.
② 보시를 실천할 때는 베풀어 준다는 생각조차 버려야 한다.
③ 반야바라밀은 다섯 바라밀을 이끌어 주는 인도자 역할을 한다.
④ 열반에 이르기 위해 현상의 실상을 통찰하는 지혜를 갖춰야 한다.
⑤ 공(空)만이 변치 않는 실체임을 깨닫고 교법의 체계화에 힘써야 한다.

09

▶ 24057-0039

다음은 한국 불교 사상가 갑, 중국 불교 사상가 을의 가상 대화이다. 갑, 을의 입장에 대한 옳은 설명만을 〈보기〉에서 있는 대로 고른 것은?

일심이문(一心二門)의 큰 뜻은 다음과 같습니다. 생(生)이 곧 적멸이지만 멸(滅)을 고수하지 않으며, 멸이 곧 생이지만 생에 머무르지 않습니다. 이를 일심의 법이라 합니다. 생과 멸이 둘이 아니지만 그렇다고 하나를 지키는 것도 아니어서 전체가 연(緣)을 따라 일어나 움직이고 적멸함을 말합니다. 따라서 생이 곧 적멸이고 적멸이 곧 생이라서, 막힘도 걸림도 없으며 하나도 아니고 별개도 아닙니다. 이를 이름하여 성품이 공한 지혜의 바다라 합니다.

반야의 지혜는 크고 작음이 없지만 중생에게 아직 미혹한 마음이 있어서 밖으로 부처를 구하기 때문에 자기 성품을 깨닫지 못합니다. 낮은 근기의 중생이라도 단박에 깨치는 가르침[頓敎]을 듣고, 오직 자기 마음에서 자기 본성으로 하여금 항상 바른 견해[正見]를 일으키면 번뇌의 중생도 모두 깨달을 수 있습니다. 마치 큰 바다가 온갖 물의 흐름을 받아들여서 작은 물과 큰물이 합하여 한 몸이 되는 것과 같습니다. 이것이 곧 견성(見性)입니다.

갑

을

┌─ 보기 ┐
ㄱ. 갑은 경전에 담긴 부처의 가르침 사이의 우열을 명확히 구분해야 한다고 본다.
ㄴ. 을은 화두와 참선을 통해 마음 밖 진리를 찾아야 해탈의 경지에 이른다고 본다.
ㄷ. 갑과 을은 글을 모르는 백성들도 구제받아 성불할 수 있는 길이 있다고 본다.
ㄹ. 갑과 을은 악한 행동을 했던 사람도 청정한 마음의 본체를 지니고 있다고 본다.

① ㄱ, ㄴ   ② ㄱ, ㄷ   ③ ㄷ, ㄹ
④ ㄱ, ㄴ, ㄹ   ⑤ ㄴ, ㄷ, ㄹ

10

▶ 24057-0040

다음을 주장한 고대 동양 사상가의 입장으로 적절한 것만을 〈보기〉에서 있는 대로 고른 것은?

어떤 것을 애욕[愛]의 발생과 괴로움의 발생의 성스러운 진리라고 하는가? 중생에게는 애착하는 몸의 여섯 감관[六處]이 있다. 그중에 애욕, 더러움, 물듦, 집착이 있으면, 이것을 습(習)이라고 한다. 어떤 것을 애욕의 소멸과 괴로움 소멸의 성스러운 진리라고 하는가? 이른바 중생에게는 애착하는 몸의 여섯 감관이 있지만 그가 해탈하여 물들지 않고 집착하지 않으며, 끊어서 버리고 애욕을 없애면, 이것을 괴로움의 소멸[苦滅]이라고 한다. 거룩한 제자는 이와 같이 법을 알고 자세히 보고 깨닫는다. 이것을 애욕과 괴로움 소멸의 성스러운 진리라고 한다. 이와 같이 안다는 것은 어떻게 아는 것인가? 만일 노비·토지·가옥·이자가 불어나는 재물을 사랑하지 않고, 해탈하여 물들지도 않고 집착하지도 않으며, 끊어 버리고 다 뱉어서 애욕을 아주 없애 버리는 것을 안다면, 이것을 괴로움의 소멸이라고 한다.

┌─ 보기 ┐
ㄱ. 중생의 삶이 본질적으로 괴로움이라는 것은 진리라 할 수 없다.
ㄴ. 중생을 포함한 모든 존재는 원인과 조건에 따라 생겨나고 사라진다.
ㄷ. 중생이 애착하는 대상에는 물질에 해당하는 것만이 있음을 알아야 한다.
ㄹ. 중생은 자신과 현실 세계가 영원히 존속한다고 집착함으로써 고통에 빠진다.

① ㄱ, ㄴ   ② ㄴ, ㄹ   ③ ㄷ, ㄹ
④ ㄱ, ㄴ, ㄷ   ⑤ ㄱ, ㄷ, ㄹ

도가 사상과 무위자연의 윤리

1 도가 사상의 출현

춘추 전국 시대에 나타난 노자와 장자의 사상으로 '노장(老莊)사상'이라고도 함

(1) 노자의 윤리 사상

① 사회 혼란의 원인과 극복 방안

원인	• 인간의 그릇된 인식과 가치관 • 인위적인 규범과 사회 제도
극복 방안	• 소박하고 순수한 도(道)와 자연스러운 덕(德)을 실현함 • 억지로 하지 않고 의도적으로 조작하지 않는 무위(無爲)의 삶을 추구함. 인위가 없을 때 자연이 왜곡되거나 변형되지 않고 발휘될 수 있기에 오히려 모든 것이 이루어지게 됨[無不爲(무불위)]

② 도(道)의 의미와 특징

의미	우주 만물의 근원이자 변화의 법칙
특징	• 형체가 없고 인간의 감각 경험으로는 파악할 수 없음 • 인간의 언어로 한정하거나 이름 짓기 어려움 • 도가 자연스럽게 현실 속에서 드러난 것이 덕임

③ 이상적인 삶의 원리

• 무위자연(無爲自然): 인위가 더해지지 않은 자연 그대로의 상태
• 무위의 삶을 살기 위해 무지(無知), 무욕(無欲)의 덕을 갖추어야 함
• 상선약수(上善若水): '으뜸이 되는 선(善)은 물과 같다.' → 물은 낮은 곳에 머물면서 만물을 이롭게 하고 남들과 다투지 않기 때문에 도에 가장 가까운 것임 → 물이 갖고 있는 겸허(謙虛)와 부쟁(不爭)의 덕을 중시함
• 성인(聖人): 겸허와 부쟁 등의 덕을 지니고 무위자연의 삶을 사는 이상적 인간

④ 이상적인 사회와 정치

• 소국 과민(小國寡民): 영토가 작고 인구가 적은 나라로, 인위적 문명의 발달이 없고 자급자족을 지향하는 소규모의 이상적 공동체임
• 무위의 다스림[無爲之治(무위지치)]: 인위적인 다스림이 없는 정치로, 통치자의 인위적인 조작이 없으면 백성은 스스로 자신의 일을 잘해 나갈 수 있다고 봄

(2) 장자의 윤리 사상

① 특징: 도의 관점에서 만물의 평등함과 정신의 자유로움을 강조함
② 도: 천지 만물의 근원이며 천지 만물에 내재하는 것임
③ 이상적인 삶과 이상적 인간상

이상적인 삶	모든 분별과 차별에서 벗어나 만물을 평등한 것으로 보며, 주위 환경에 의해 본심을 어지럽히지 않고 도와 일치되어 살아가는 삶
수양 방법	• 좌망(坐忘): 조용히 앉아서 우리를 구속하는 일체의 것들을 잊어버림 • 심재(心齋): 허(虛)의 상태에 이르기 위해 감각과 지식을 모두 버리고 마음을 비워서 깨끗이 함
이상적 경지	• 소요유(逍遙遊): 세속을 초월하여 무엇에도 얽매이지 않는 정신적 자유의 경지. 일체의 분별과 차별을 없앰으로써 도달하게 되는 경지 • 제물(齊物): 도의 관점에서 바라봄으로써 선악, 미추, 시비의 분별에서 벗어나 만물을 평등하게 인식하는 경지 • 물아일체(物我一體): 세속의 모든 구속에서 해방되어 자연의 섭리에 자신을 맡기고, 자연과 내가 하나가 되는 경지
이상적 인간상	• 수양을 통해 절대적 자유의 경지에 오른 인간 • 지인(至人), 진인(眞人), 신인(神人), 천인(天人), 성인(聖人) 등

자료와 친해지기 노자와 장자의 도(道)

• 보려 해도 볼 수 없으니 '이(夷)'라 하고, 들으려 해도 들을 수 없으니 '희(希)'라 하며, 잡으려 해도 잡을 수 없으니 '미(微)'라 한다. 이 세 가지는 하나씩 따로 따질 수 있는 게 아니니 그냥 뭉뚱그려 '하나' 속으로 통합된다. 이 '하나'는 그 위라 해서 더 밝은 것도 아니고 그 아래라 해서 더 어두운 것도 아니다. 끊어질 듯 끊어질 듯 이어지니, 무어라 이름할 수 없다. 무물(無物), 즉 만물이 드러나기 이전 상태로 돌아갈 뿐이다. 이것은 모습 없는 모습이요 무물의 형상이니 미묘하여 헤아려 알기 어렵다고 말할 뿐이다. 따라서 맞으려 해도 그 머리를 볼 수 없고 따르고자 해도 그 꼬리를 볼 수 없다. 옛날의 도를 잡음으로써 현재의 일을 처리한다. 그러면 옛 시원[始(시)]을 파악할 수 있으니 이것을 '도의 실마리'라 한다. — 『도덕경』 —

• 만물의 근본은 추궁하여도 끝이 없는 것이다. 내가 추구해 보건대 만물의 종말은 오는 곳이 한정이 없는 것이다. 끝도 없고 한정도 없으니, 그것을 무(無)로써 표현할 때 비로소 만물의 이치와 합치되는 것이다. 주재자가 있다거나 없다거나 하는 것은 이론의 출발점으로 만물과 더불어 영원히 부침할 것이다. 도(道)란 있다고도 할 수 없고, 없다고도 할 수 없다. 도라는 이름은 가정적으로 그렇게 불리고 있는 것에 불과하다. 주재자가 있고 없다는 것은 만물의 일부분을 놓고서 얘기할 수 있는 일이지, 어찌 자연의 위대한 도를 놓고서 말할 수 있겠는가? 도를 말로써 충분히 나타낼 수 있다면 하루 종일 말하면 도를 형용해 낼 수가 있을 것이다. 도를 말로써 표현해 낼 수 없는 것이라면 하루 종일 말을 하더라도 사물에 대한 이야기에 그칠 것이다. 도란 물건의 극치이므로 말이나 침묵으로는 표현될 수 없는 것이다. 말도 아니고 침묵도 아닌 경지에서 그런 도의 극치는 논의되어야 할 것이다. — 『장자』 —

노자는 도가 천지 만물의 근원이자 변화 법칙으로서, 인간의 경험과 상식으로는 파악할 수 없는 절대적이고 근원적인 것이라고 보았다. 따라서 도는 언어로 한정할 수 없고 이름조차 붙일 수 없는 것이라고 보았다. 장자는 도가 만물의 근원이며 도를 아는 것이 앎의 최고 경지라고 하였다. 그는 만물이 도의 작용이거나 도에 기반하지만, 일상에서 드러나는 일부 현상만으로 도를 한정하거나 표현할 수 없다고 주장하였다.

② 도교 사상

(1) 도가와 도교의 비교

구분	도가	도교
공통점	도를 중심으로 그 이론과 실천 방법을 전개함	
차이점	• 노자와 장자를 대표로 하는 철학 사상 • 세속적 가치를 초월하는 삶의 자세를 강조한 철학 사상	• 도가 사상에 민간 신앙을 비롯한 다양한 요소가 결합되어 종교화한 것 • 현세적인 길(吉)과 복(福)을 추구하면서 불로장생과 신선술을 믿는 종교

(2) 도교 사상의 성립과 전개

① 황로학파(黃老學派): 전한(前漢) 시대
- 전설상의 제왕인 황제(黃帝)와 도가의 창시자인 노자(老子)를 숭상하고, 무위(無爲)로써 백성을 다스리는 제왕의 통치술을 주장함
- 도가를 중심으로 유가, 묵가, 법가 등 제자백가의 여러 사상을 수용함

② 교단 종교: 후한(後漢) 시대
- 태평도(太平道): 천하태평의 이상 사회를 현실에 실현시키려고 하면서 죄를 고백하고 참회하게 하며 포교 활동을 함
- 오두미교(五斗米敎): 『도덕경』을 기본 경전으로 삼고, 도덕적 선행을 권장하면서 삼관수서(三官手書)를 행함

③ 현학(玄學): 위진(魏晉) 시대
- 도가 사상을 계승하여 종교로 발전시킨 태평도나 오두미교와 달리, 위진 시대의 현학자(玄學者)들은 도가 사상을 철학적으로 계승함
- 청담(淸談)을 통해 인간의 고정 관념을 초월한 무(無)의 세계를 진실한 세계로 보면서 정신적 자유를 추구함
- 죽림칠현(竹林七賢): 정치적 혼란 속에서 세속적 주제와 거리를 두고 형이상학적이고 예술적인 논의를 중시하던 사상가들

(3) 도교 사상의 특징

① 생명 중시: 불로장생(不老長生)하는 신선(神仙)을 추구하며, 이를 위해 외단(外丹)과 내단(內丹)을 통한 양생(養生)을 중시함. 의학의 발전에 기여함

② 이상 사회의 방향 제시: 종교적 구원을 내세우면서 이상적 사회상을 제시함

③ 예술 정신: 위진 시대 이후 동양의 예술 발전에 큰 영향을 미침 → 천진(天眞), 소박(素樸) 등을 중시하거나 소요유 같은 이상적인 경지에 대한 동경을 담은 예술이 나타남

③ 한국의 도가 · 도교 사상

(1) 도교의 국가적 수용과 과의(科儀) 도교 발달

① 도교의 원류를 찾을 수 있는 한국 고유 사상: 산신 사상과 신선설, 최치원의 「난랑비서(鸞郎碑序)」에 기록된 풍류도(風流道) 등

② 과의 도교의 발달

의미	각종 의식을 중심으로 이루어진 도교. 국가 차원에서 하늘에 제사를 올리는 재초(齋醮)가 중심이 됨
전개	• 재초는 삼국 시대부터 시작되어 고려 시대에 성행하였으며, 조선 중기까지 거행되었음 • 재초는 제천 행사였던 강화도 마니산의 참성초와 결합하여 고려 시대부터 국가적인 연례행사로 자리 잡았음 • 조선 시대에는 수련 도교가 성행함

(2) 한국의 도가 · 도교와 과학

① 수련 도교의 수용: 마음의 수련과 기의 단련을 함께 수행하는 『활인심방』이 유행함

② 의학의 발전: 도교의 양생법은 의학의 사상적 기반으로 작용함

③ 도가 · 도교와 다른 사상의 융합
- 유교 · 불교 사상의 흡수: 유교의 인의(仁義)나 충효(忠孝) 사상, 불교의 인과응보(因果應報) 사상을 수용함
- 풍수지리(風水地理) 사상 수용: 땅이 지닌 생기를 찾아 사람이 거주하는 공간을 정함으로써 자연과 조화를 이루려는 신앙
- 팔관회: 민간 신앙, 불교 및 도교가 결합된 고려 시대의 행사

④ 도가 사상의 현대적 의의

(1) 진정한 행복의 의미 제시

① 행복은 세속적 가치에 있는 것이 아니라 마음의 자유에 있음

② 부, 명예, 아름다움 등 세속적 가치는 상대적이며 그것에 얽매이는 것은 불행해질 수 있음

③ 세속적 가치에 얽매이지 말고 몸과 마음을 수련하여 자유로운 삶을 살아야 함

(2) 환경 오염과 생태계 파괴 문제 해결에 시사점 제공

① 환경 오염과 생태계 파괴 문제의 근본적인 원인: 인간을 자연의 일부로 보지 않는 이분법적 사고와 인간 중심적이고 인간 우월적인 사고에 있음

② 시사점: 인간은 자연의 일부이고 그 질서에 순응해서 살아가야 하는 존재임

자료와 친해지기 도교의 양생술(養生術)

장생(長生)이 어려운 것이 아니라 도(道)를 듣는 것이 어렵고, 도를 듣는 것이 어려운 것이 아니라 행(行)하는 것이 어려우며, 행하는 것이 어려운 것이 아니라 제대로 마치는 것이 어렵다. 장인이 도구[規矩(규구)]를 준다 해도 그 사람으로 하여금 반드시 절묘하게 만들어 내게 할 수는 없고, 훌륭한 스승이 방술의 서적을 전해 준다 해도 제자로 하여금 반드시 이루게 할 수는 없다. 신선(神仙)이 되는 방법은 고요하고 무위(無爲)하여 자신의 몸을 잊어야 한다.

－『포박자』－

도교는 중국 고대부터 내려오는 민간 신앙과 신선 사상 그리고 도가 사상과 밀접한 관련을 맺고 있다. 불로장생하는 신선이 되는 것을 추구하며, 이를 위해 내단과 외단을 통한 양생을 중시하였다. 이를 통해 의학의 발전에 기여하였다.

01

▶ 24057-0041

(가)의 고대 동양 사상가 갑, 을의 입장에서 서로에게 제기할 수 있는 비판을 (나) 그림으로 표현할 때, A, B에 해당하는 내용으로 가장 적절한 것은?

(가)

갑: 군자가 백성이 이롭게 여기는 것에 따라서 백성을 이롭게 한다면, 은혜를 베풀되 낭비하지 않는 것이다. 애써 할 만한 일을 가려서 수고롭게 일하게 한다면, 일을 시키면서도 원망을 사지 않는 것이다. 인(仁)을 실현하고자 하여 인을 이룬다면, 뜻을 이루고자 하면서도 탐욕을 부리지 않는 것이다. 많든 적든, 작든 크든 간에 감히 소홀하게 하지 않는다면, 넉넉하되 교만하지 않은 것이다.

을: 천지는 어질지 않아서[不仁] 모든 사물을 짚으로 만든 개처럼 여긴다. 성인(聖人) 또한 어질지 않아서 백성을 짚으로 만든 개처럼 여긴다. 천지 사이는 풀무나 피리와 같다. 텅 비어 있어도 다함이 없고 움직일수록 더욱 잘 나오게 된다. 말이 많으면 자주 막히게 되나니 차라리 (풀무나 피리처럼) 비어 있음[中]을 지키는 것이 낫다.

(나)

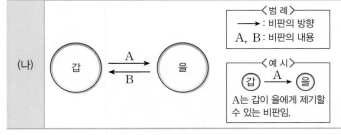

① A: 하늘이 사람에게 삶의 이치가 될 수 있음을 간과한다.
② A: 시비 분별에서 벗어나 소박한 성품대로 살아야 함을 간과한다.
③ B: 백성의 평안한 삶을 위해 통치자의 역할이 중요함을 간과한다.
④ B: 이상적 사회의 실현을 위해 예악(禮樂)을 숭상해야 함을 간과한다.
⑤ B: 언어에 의한 지식의 축적으로는 도(道)를 깨달을 수 없음을 간과한다.

02

▶ 24057-0042

갑, 을은 고대 동양 사상가들이다. 갑, 을 모두가 부정의 대답을 할 질문으로 옳은 것은?

갑: 지극한 예(禮)는 자신과 남을 구별하지 않고, 지극한 의로움은 자신과 물건을 구분하지 않으며, 지극한 앎은 꾀하는 일이 없고, 지극한 어짊은 각별히 친한 이가 없고, 지극한 신의는 금전이 개입되지 않는다. 뜻의 움직임을 버리고, 마음의 속박을 풀고, 덕을 해치는 것을 제거하고, 도를 막는 물건을 치워 버리면 사람은 올바르게 된다. 올바르게 되면 고요해지고, 고요해지면 분명해지고, 분명해지면 텅 비게 되고, 텅 비게 되면 무위(無爲)하면서도 자연의 생성 변화에 참여하지 않는 것이 없게 된다.

을: 세력과 지위가 같고 원하는 것과 싫어하는 것이 서로 같으면, 물자의 부족으로 서로 싸우고 혼란해진다. 선왕은 싸움과 혼란을 혐오하였으므로 예와 의를 제정하여 분별하였고, 빈부와 귀천의 등차를 두어 서로 부리게 함으로써 겸양으로 서로 임하게 하였으니 이것이 천하를 기르고 다스리는 근본이다. 그러면 덕이 있는 자가 존귀하지 않음이 없게 되고 능력 있는 자로 벼슬하지 않음이 없게 되며, 공이 있는 자로 상(賞)이 없는 자가 없게 되고 죄 없는 자로 벌(罰)을 받은 자가 없게 된다.

① 백성의 타고난 성품을 유지하도록 노력해야 하는가?
② 하늘은 인간이 지닌 도덕적 본성과 규범의 원천인가?
③ 예를 따르고 현명한 사람을 숭상하면 분쟁이 발생할 수 있는가?
④ 자연의 순리를 따르는 무위(無爲)의 정치가 실현되어야 하는가?
⑤ 분별적 인식을 버리고 도의 관점에서 만물이 평등함을 인식해야 하는가?

[03~04] 갑, 을은 고대 동양 사상가들이다. 물음에 답하시오.

03

▶ 24057-0043

다음은 갑, 을의 가상 대화이다. 갑, 을의 입장으로 적절한 것만을 〈보기〉에서 있는 대로 고른 것은?

군주가 잘못 등용한 사람들에 대해 일일이 탓할 수 없으며, 군주의 잘못된 정책에 대해 일일이 비난할 수도 없습니다. 오직 위대한 인물[大人]만이 군주의 마음이 그릇됨을 바로잡을 수가 있습니다. 군주가 어질면[仁] 따라서 어질지 않을 수 없고, 군주가 의로우면[義] 따라서 의롭게 되지 않을 수 없고, 군주가 바르면[正] 따라서 바르게 되지 않을 수 없으니, 한번 군주가 바르게 되면 국가는 안정되는 것입니다.

밝은 임금의 다스림은 공로가 천하를 뒤덮을 만해도 자기 힘으로 한 것처럼 보이게 행동하지 않으며, 교화가 만물에 베풀어져도 백성들은 그것을 의식하지 못합니다. 훌륭한 정치가 행하여져도 명성이 드러나지 않으며, 만물로 하여금 스스로 기쁘게 만듭니다. 헤아릴 수 없는 경지에 서서 아무 거리낌 없는 세계에서 노니는 것입니다.

갑   을

┌─ 보기 ┌
ㄱ. 갑: 군주가 천명(天命)을 어기고 덕을 해치면 교체되어야 한다.
ㄴ. 을: 군주가 백성을 무욕하게 만드는 것은 백성에게 이로움을 준다.
ㄷ. 을: 학습으로 쌓은 명백한 지식을 바탕으로 옳고 그름을 구분해야 한다.
ㄹ. 갑과 을: 타고난 성품을 보존하고 덕을 갖추면 성인의 경지에 이르게 된다.

① ㄱ, ㄴ   ② ㄱ, ㄷ   ③ ㄷ, ㄹ
④ ㄱ, ㄴ, ㄹ   ⑤ ㄴ, ㄷ, ㄹ

04

▶ 24057-0044

다음을 주장한 고대 동양 사상가가 갑에게 제기할 수 있는 비판으로 적절한 것만을 〈보기〉에서 있는 대로 고른 것은?

┌──┐
도(道)는 텅 빈 그릇[沖]과 같아 아무리 채워도 채울 수 없다. 깊으면서 고요하여 만물의 근본[宗]인 것 같다. 날카로운 것들은 무디게 하고 얽힌 것들은 풀어 주며 빛나는 것들은 완화시키고 세상의 먼지들과 하나가 된다. 맑은 물 같아서 있는 듯 없는 듯하다. 나는 그것이 누구의 자식인 줄 모르겠다. 아마 상제(上帝)보다도 앞서 존재한 듯하다.
└──┘

┌─ 보기 ┌
ㄱ. 도는 언어로 표현되거나 규정될 수 없음을 간과한다.
ㄴ. 도가 사라졌기 때문에 인의(仁義)가 강조되는 것임을 간과한다.
ㄷ. 도에 따라 백성을 가르치고 예를 회복해야 이상 사회가 실현됨을 간과한다.

① ㄱ   ② ㄷ   ③ ㄱ, ㄴ   ④ ㄴ, ㄷ   ⑤ ㄱ, ㄴ, ㄷ

05

▶ 24057-0045

고대 동양 사상가 갑, 을의 입장으로 적절한 것만을 〈보기〉에서 있는 대로 고른 것은?

> 갑: 참된 사람[眞人]은 지혜 있는 사람도 그를 설복시킬 수가 없었고 미인이라도 그를 유혹할 수 없었으며, 도적도 그의 것을 빼앗을 수 없었고, 복희씨나 황제도 그와 벗할 수가 없었다. 죽고 사는 것은 큰 문제이지만 그의 마음을 변하게 할 수 없었는데, 하물며 벼슬과 녹이 문제가 되겠느냐? 그러한 사람의 정신은 큰 산을 지날 때도 방해받지 않고, 낮고 천한 지위에 놓여도 고달프지 않다. 언제나 하늘과 땅에 충만하여 남에게 모든 것을 주기만 하는데도 자기는 더욱 많아지는 것이다. 이렇듯 참된 사람은 자연스러움으로 사람을 대할 뿐, 인위적인 것으로 자연의 변화에 참견하지 않는다.
>
> 을: 참되지 않은 사람의 법[不眞人法]은 무엇인가? 어떤 사람이 부유한 귀족으로서 출가하여 도를 배우는데 다른 사람이 그렇지 않을 경우, 부유한 귀족이라는 이유로 자기는 귀하게 여기고 남은 천하게 여기는 것이다. 참된 사람의 법[眞人法]은 무엇인가? 어떤 사람이 부유한 귀족이라는 이유 때문에 음욕[淫]과 성냄[怒]과 어리석음[癡]을 끊는 것이 아니고, 부유한 귀족이 아니면서도 출가하여 도를 배우지만, 그는 법을 행하고 따르며 이어받기 때문에 공양과 공경을 받는다. 이렇게 진실한 법[眞諦法]을 얻은 사람이 자기를 귀하게 여기지도 않고 남을 천하게 여기지도 않는 것이다. 이것을 참된 사람의 법이라 한다.

┌ 보기 ┐
ㄱ. 갑: 자연의 도를 따르는 삶을 통해서 타고난 성품을 변화시켜야 한다.
ㄴ. 갑: 인위를 덜어 내는 수양을 통해 절대적 자유의 경지에 이르러야 한다.
ㄷ. 을: 만물에 불변의 실체가 있음을 깨달으면 집착에서 벗어날 수 있다.
ㄹ. 갑과 을: 도를 따르는 사람은 모든 생명을 차별 없이 대해야 한다.

① ㄱ, ㄴ   ② ㄱ, ㄷ   ③ ㄴ, ㄹ
④ ㄱ, ㄷ, ㄹ   ⑤ ㄴ, ㄷ, ㄹ

06

▶ 24057-0046

동양 사상 (가), (나)의 입장에 대한 설명으로 옳지 <u>않은</u> 것은?

> (가) 모든 일은 각각의 종류[類]에 의거하여 서로 다스린다. 형상이 없이 기에 맡겨진[無形委氣] 신인(神人)은 원기(元氣)와 유사하기 때문에 원기를 다스린다. 대신인(大神人)은 형상이 있는데 대신(大神)은 하늘과 유사하기 때문에 하늘을 다스린다. 진인(眞人)은 응집되어 있고 변함없는 것이 땅과 유사하기 때문에 땅을 다스린다. 선인(仙人)은 변화하는 것이 사계절과 유사하기 때문에 사계절을 다스린다. 대도인(大道人)은 길흉을 미리 아는 것에 능한 것이 오행(五行)과 유사하기 때문에 오행을 다스린다.
>
> (나) 근원이 되는 것으로부터 떨어지지 않은 이를 천인(天人)이라 한다. 순수함으로부터 떨어지지 않은 이를 신인이라 한다. 참된 것으로부터 떨어지지 않은 이를 지인(至人)이라 한다. 하늘을 근원으로 삼고, 덕을 근본으로 삼고, 도를 드나드는 문으로 삼고, 모든 변화를 초월하는 사람을 성인(聖人)이라 한다. 재물을 추구하는 소인(小人)이 되지 말고 본성으로 되돌아가 자연을 따르고, 명예를 추구하는 군자(君子)가 되지도 말고 하늘의 이치를 따라야 한다.

① (가)는 민간 신앙의 요소는 수용하되 유교적 가치는 배제해야 한다고 본다.
② (가)는 도덕적 선행을 권장하고 현세적 길(吉)과 복(福)을 추구해야 한다고 본다.
③ (나)는 도는 만물을 생성하는 근원이며 어디에나 내재한다고 본다.
④ (나)는 오감에 의해 얻은 지식은 상대적이고 주관적인 것이라고 본다.
⑤ (가)와 (나)는 몸을 보존하고 삶을 온전히 하는 것은 도에 어긋나지 않는다고 본다.

07

▶ 24057-0047

(가)의 고대 동양 사상가 갑, 을의 입장을 (나) 그림으로 탐구하고자 할 때, A~C에 들어갈 옳은 질문만을 〈보기〉에서 있는 대로 고른 것은?

(가)	갑: 하늘이 준 벼슬이 있고 사람이 주는 벼슬이 있다. 인(仁), 의(義), 충(忠), 신(信)과 선(善)을 좋아하는 것을 게을리하지 않는 것은 하늘이 준 벼슬이다. 공(公), 경(卿), 대부(大夫)와 같은 것은 사람이 주는 벼슬이다. 옛사람들의 경우 하늘이 준 벼슬을 닦았기 때문에 자연히 사람이 주는 벼슬도 따라왔다. 그러나 오늘날의 사람들은 하늘이 준 벼슬을 닦아서 사람이 주는 벼슬을 구하고, 일단 사람이 주는 벼슬을 얻고 나서는 하늘이 준 벼슬을 팽개치므로 결국 사람이 주는 벼슬도 잃어버리게 된다. 을: 과감하게 행하는 데 용감하면 죽게 되고, 과감하게 행하지 않는 데 용감하면 살게 된다. 이 두 가지 용감함 중에서 어떤 것은 이롭고 어떤 것은 해롭다. 하늘이 싫어하는 바를 누가 그 이유를 알겠는가? 이 때문에 성인(聖人)이 오히려 과감하게 행하기를 어렵게 여긴다. 하늘의 도는 다투지 않아도[不爭] 잘 이기고, 말하지 않아도[不言] 잘 감응하며, 부르지 않아도 저절로 오고, 느긋하면서도 잘 계획한다. 하늘의 그물은 넓고 커서 엉성한 듯하지만 놓치는 것이 없다.
(나)	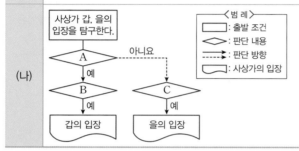

〈범례〉
□ : 출발 조건
◇ : 판단 내용
⤍ : 판단 방향
〈 〉 : 사상가의 입장

┌ 보기 ┐

ㄱ. A: 하늘로부터 주어진 도덕적 성품을 함양하면 누구나 성인이 될 수 있는가?
ㄴ. A: 성인이 현명한 사람을 높이고 등용해야 사회적 분쟁을 해결할 수 있는가?
ㄷ. B: 내면에 도덕 실천 능력[良能]이 형성되도록 선한 행동을 반복해야 하는가?
ㄹ. C: 백성이 시비선악의 분별에서 벗어나 소박한 본성에 따라 살도록 해야 하는가?

① ㄱ, ㄴ　　　　　② ㄱ, ㄷ　　　　　③ ㄷ, ㄹ
④ ㄱ, ㄴ, ㄹ　　　⑤ ㄴ, ㄷ, ㄹ

08

▶ 24057-0048

다음 동양 사상의 입장으로 적절한 것만을 〈보기〉에서 있는 대로 고른 것은?

깊은 지혜를 깨달은 사람은 불로장생[長生久視]을 얻을 수 있다. 좋은 약이 수명을 연장시키는 것임을 알기 때문에 그 약을 복용하여 신선이 되려 하고, 거북이나 학이 장수하는 것을 알기 때문에 이를 모방한 도인술(導引術)로 수명을 연장하기도 한다. 상약(上藥)을 복용하면 몸을 안정되게 하고 수명을 늘려 주며 올라가 천신(天神)이 되어 상하를 노닐 수 있게 한다. 만령(萬靈)을 부릴 수 있고 몸에 털과 날개가 생기며 바라는 것은 무엇이나 즉시 이르게 할 수 있다. 중약(中藥)은 본성을 기르는 것이며, 하약(下藥)은 병을 제거하여 독충이 덤비지 못하게 하고 맹수가 침범하지 못하게 하며 악기(惡氣)를 물리치고 모든 요사스러움을 물리칠 수 있다.

┌ 보기 ┐

ㄱ. 도덕적 선행을 실천하고 불사의 신선이 되는 것을 추구해야 한다.
ㄴ. 양생(養生)을 통해 몸을 온전히 하는 것은 도와 어긋나지 않는다.
ㄷ. 내단(內丹)과 외단(外丹)의 수련을 통하여 장생(長生)을 실현해야 한다.
ㄹ. 청담(清談)을 통해 개인의 공과(工過)는 인간의 행복과 무관함을 알아야 한다.

① ㄱ, ㄷ　　　　　② ㄱ, ㄹ　　　　　③ ㄴ, ㄹ
④ ㄱ, ㄴ, ㄷ　　　⑤ ㄴ, ㄷ, ㄹ

한국과 동양 윤리 사상의 의의

① 조선 후기의 유교 사상

(1) 실학

① 특징

- 공리공론(空理空論)이나 허학(虛學, 공허한 학문)을 반대하면서 실용적인 학문을 추구함
- 청나라의 고증학과 서양의 과학 및 종교 사상을 비판적으로 수용하여 성리학과 다른 세계관과 인간관 및 도덕관을 제시함
- 우리의 역사, 지리, 풍속 등에 대한 독자적인 탐구를 전개함

② 주요 경향

경세치용(經世致用)	세상을 다스리는 일과 실제 생활에 도움이 되는 학문을 추구함
이용후생(利用厚生)	생활에 이롭게 쓰이고 삶을 풍요롭게 하는 학문을 추구함
실사구시(實事求是)	사실에 입각해서 옳음을 구함

(2) 강화학파

① 하곡 정제두에 의해 독자적인 조선 양명학 체계가 수립되었으며, 하나의 학파[江華學派(강화학파)]를 이루게 됨
② 왕수인의 양명학을 새롭게 해석하고 발전시킴 → 마음 안에서 생생하게 작용하는 이치인 생리(生理)를 중심으로 인간이 도덕적 주체임을 자각하고 양지를 실천할 것을 강조함

② 근대 격변기의 사상과 신흥 민족 종교

(1) 위정척사(衛正斥邪) 사상

① 위정척사의 의미: 올바른 것[正, 유교적 가치 체계와 질서]은 지키고 거짓된 것[邪, 서양과 일본의 문물]은 배척해야 함
② 대표적인 학자: 이항로, 기정진, 최익현 등
③ 의의: 주체성을 지키고자 하는 의식과 절의(節義)를 강조하는 선비 정신의 표출로 볼 수 있음 → 훗날 항일 의병 운동으로 이어짐

(2) 개화사상

① 개화의 의미: 개발하여 변화시키고, 새로운 것에 나아가 자립함

② 유형: 유교 사상에 대한 태도에 따라 나뉨

온건 개화론 [동도서기론]	유교적 가치와 질서[東道(동도)]를 지키면서 서양의 과학 기술과 군사 제도[西器(서기)]를 수용하자는 입장
급진 개화론 [변법적 개화론]	유교적 질서를 근본적으로 변혁해야 한다는 입장 → 전통적 정치 체제를 혁파하고 서구식 정부를 수립할 것을 주장함

(3) 신흥 민족 종교 사상

① 신흥 민족 종교의 공통점

- 우리 겨레의 고유 사상을 바탕으로 유·불·도 사상을 주체적으로 수용함
- 사회 변혁을 주장하며 혼란을 극복하고 새로운 세계를 열고자 하는 백성의 열망을 반영함 → 후천 개벽 사상

② 대표적 신흥 종교

구분	특징	중심 사상
동학	• 최제우가 제창한 민족 종교 • 서구 열강의 침략에 대항하여 '보국안민(輔國安民)'을 주장함 • 인본주의, 사해 평등주의를 표방함 • 신분 차별, 남녀 차별, 노소 차별이 심했던 당시의 사회 질서를 거부함	• 시천주(侍天主): 모든 사람은 자기 안에 한울님을 모시고 있음 • 사인여천(事人如天): 사람 대하기를 하늘 섬기듯 함 • 인내천(人乃天): 사람이 곧 하늘임 • 오심즉여심(吾心卽汝心): 내 마음이 곧 네 마음임 • 성(誠), 경(敬), 신(信)의 수양을 강조함
증산교	• 강일순이 창립한 민족 종교 • 고유 사상을 바탕으로 무속과 도가의 사상을 해석하여 사상적 기초를 닦음	• 해원상생(解冤相生): 원한을 풀고 서로 살리며 함께 살아감 • 현세에서의 지상 낙원 실현을 주장함
원불교	• 박중빈이 창립한 민족 종교 • 기존 불교를 개혁하여 일상생활에서 수행할 수 있는 여러 방법을 제시하면서 윤리적인 삶의 모습을 제시함	• 일원상(一圓相)의 진리: 우주의 근본 원리를 일원상[○]으로 표현 • 영육쌍전(靈肉雙全): 정신과 육체를 균형 있게 발전시켜 나감

자료와 친해지기 강화학파와 위정척사 사상

- 천지 만물에서 사람의 일에 관계될 수 있는 것은 모두 그 이치가 원래 사물 차원에서 일체 정해져 있어서 사람이 그것을 배울 수 있는 것이 아닙니다. 사건마다 규제의 조목을 정하고 때에 따라 사물에 명령하는 것은 실로 오직 나의 한마음[一心(일심)]에 달려 있는 것입니다. 어찌 마음 밖에서 다른 것을 구하는 이치가 있겠습니까?

  – 『하곡집』 –

- 서양 오랑캐[洋夷(양이)]의 재앙이 오늘날에 이르러 홍수나 맹수보다도 더 심합니다. 전하께서 밤낮으로 염려하며 두려워하고 계신데, 안으로는 관청의 사무를 맡아보는 이들로 하여금 사학(邪學)의 무리를 잡아 벌을 주고 밖으로는 장수와 병졸들로 하여금 바다로 들어간 도적들을 정벌하도록 하여야 할 것입니다. 사람이 되느냐 짐승이 되느냐 하는 관건과 살아남느냐 망하느냐 하는 기틀이 호흡지간에 달려 있으니 실로 조금도 늦출 수 없습니다.

  – 『승정원 일기』 –

강화학파는 조선 후기 성리학적 입장에서 벗어나 인간의 주체성과 지행일치를 주장하였으며, 이후 실학과 개화사상에 적지 않은 영향을 끼쳤다. 위정척사 사상은 유교를 바른 것으로 서양 및 일본의 문물을 사악한 것으로 구분하여 유교의 도덕적 정통성을 강조하였다.

③ **동양의 이상적 인간상과 시민**

(1) 유교의 이상적 인간상과 그 의의

① 군자의 특징: 인의(仁義)를 실현하기 위해 지속적인 노력을 기울임 → 인격 완성을 위해 도덕적 수양에 힘쓰고 사회적 책무를 충실히 이행함

② 군자의 현대적 의의: 사랑의 정신과 정의감을 갖추고 자신의 역할을 충실히 수행하는 모습이 시민의 모범이 될 수 있음

(2) 대승 불교의 이상적 인간상과 그 의의

① 보살의 특징: 위로는 깨달음을 구하고[上求菩提(상구보리)] 아래로는 중생 구제에 힘씀[下化衆生(하화중생)] → 중생과 더불어 깨달음을 얻고자 노력함

② 보살의 현대적 의의: 생명을 존중하고 타인에게 자비를 베풀면서 함께 잘 사는 공동체를 만들고자 하는 시민의 모범이 될 수 있음

(3) 도가의 이상적 인간상과 그 의의

① 지인(진인, 신인, 천인)의 특징: 자연의 도를 따름 → 겸허한 자세로 자연의 흐름에 따라 살아가며, 만물을 평등하게 보면서 정신적 자유를 누림

② 지인의 현대적 의의: 자연을 존중하고 만물을 차별하지 않으며 세속적 가치에 집착하지 않고 소박하고 자유롭게 살아가는 데 시사점을 줄 수 있음

④ **한국 사상의 특징과 현대적 의의**

(1) 한국 사상의 연원과 특징

① 한국 사상의 연원: 건국 신화와 무속 신앙

- 건국 신화: 고조선의 단군 신화, 고구려의 주몽 신화, 신라의 박혁거세 신화 등 → 대부분의 건국 신화에는 인본주의, 평화 애호 정신, 경천사상 등이 깃들어 있음
- 무속 신앙: 주술사인 무(巫, 샤먼)를 통해 앞날을 예언하고, 복을 빌고, 병을 물리치며, 죽은 자의 영혼을 불러냄 → 굿을 통해 풍성한 수확과 공동체의 안녕을 빌면서, 현실에서 오는 불안과 공포를 이겨 내고, 삶에 대한 의지를 북돋워 주는 역할을 함

② 한국 사상의 특징

인본주의 정신	• 환웅이 인간 세상을 동경하고[貪求人世(탐구인세)], 곰과 호랑이가 인간이 되기를 원함[願化爲人(원화위인)] • 널리 인간을 이롭게 하는 홍익인간(弘益人間) 정신
현세 지향적 가치관과 평화 애호 정신	• 사회 정의와 도덕 중시: 환웅이 인간의 질병, 형벌과 선악의 문제 등 여러 가지 일을 맡아 세상을 다스림 • 건국 신화 속의 신과 인간, 동물들의 평화로운 공존
화합과 조화의 정신	• 환웅과 웅녀의 만남과 단군의 탄생: 천(天)·지(地)·인(人)의 화합과 조화 • 무(巫)의 원리: 하늘과 인간의 소통과 조화 • 원효의 화쟁 사상, 의천과 지눌의 교선 일치 사상 • 근대 신흥 종교들의 유·불·도 조화 추구
자연 친화와 생명 존중 정신	• 하늘에 대한 공경 및 자연과 합일하려는 의식 • 신화 속 동물들은 생명 공동체의 구성원으로 존재

(2) 한국 사상의 현대적 의의

① 물질만능주의의 극복과 인간 존중 실현의 정신적 기반이 될 수 있음

② 사회적 갈등이나 대립 극복의 사상적 기반이 될 수 있음

③ 우리가 직면한 환경 문제 해결의 사상적 기반이 될 수 있음

⑤ **동양 사상의 특징과 현대적 의의**

(1) 동양 사상의 특징

유기체적 세계관	세계를 분리된 부분들의 단순한 집합체가 아니라 하나의 유기체처럼 통합된 전체로 여김
공존과 공생의 추구	인간과 자연, 인간과 인간의 상호 의존성과 공존을 강조하면서 모두가 함께 살아가야 한다고 봄
도덕적 수양 중시	이상적인 인간과 사회를 실현하기 위해 각 개인이 도덕적 수양에 힘쓸 것을 강조함

(2) 동양 사상의 현대적 의의

① 개인주의의 한계를 극복할 수 있는 방안 마련에 도움을 줄 수 있음

② 현대 생태계 문제 해결의 사상적 기반이 될 수 있음

③ 세계 평화와 인류 공영 실현의 사상적 기반이 될 수 있음

자료와 친해지기 유교·불교·도가의 이상적 인간상

- 군자(君子)는 말보다 앞서 행동을 하고, 그다음에 말을 한다. 사람에게 신의가 없으면 그 쓸모를 알 수가 없다. 만일 큰 수레에 소의 멍에를 맬 데가 없고 작은 수레에 말의 멍에를 걸 데가 없으면 어떻게 그것을 끌고 갈 수 있겠는가? — 「논어」 —
- 보살(菩薩)이 반야바라밀을 받아서 지니고 읽고 닦아 배워 이치대로 생각하며 널리 유포함으로써 장차 오는 세상에서는 속임 없는 바르고 평등한 깨달음을 증득한다. 그리고 묘한 법륜을 굴려 한량없는 중생을 제도하면서 열반(涅槃)을 증득해 들어가게 하니 이것이 보살이 얻는 세상에서의 공덕과 뛰어난 이익이다. — 「대반야바라밀다경」 —
- 지극한 사람[至人(지인)]은 정신을 시작도 없는 허무한 상태에 귀착시키고, 아무것도 없는 자유로운 고장에서 단잠을 자며, 아무런 물건에도 구애됨이 없이 물처럼 흐르며, 높은 하늘의 텅 비고 밝은 경지로 나아간다. 그대들은 터럭 끝만 한 지식을 갖고 있으면서 크게 안정된 경지는 알지 못하고 있다. — 「장자」 —

유교의 이상적 인간상인 군자는 자아의 완성을 위해 끊임없이 스스로를 성찰하면서 개인의 도덕적 수양과 사회적 책무를 다하는 어진[仁] 사람이다. 불교의 이상적 인간상인 보살은 자비의 실천을 강조하면서 자신뿐만 아니라 타인의 깨달음까지 중시한다. 도가의 이상적 인간상인 지인, 진인, 성인 등은 도를 체득하여 무위자연의 삶을 실천하는 사람이다.

01

▶ 24057-0049

근대 한국 사상가 갑, 을의 입장으로 적절하지 않은 것은?

갑: 신(臣)의 생각으로는 싸워 지키는 것은 떳떳한 도리이고 도읍지를 떠나는 것은 임기응변의 방편입니다. 정
승들을 삼가 믿어 체통을 높이고, 삼사(三司) 이외에 언로를 넓게 열고, 장수를 뽑고 전투에 관한 일을 맡
도록 하되 덕망을 지닌 사람들을 최대한 등용해야 합니다. 충효와 기개와 절조를 지닌 사람들을 모아서
의병으로 삼아 관군과 서로 호응하도록 해야 합니다. 그리하여 적의 칼날을 꺾고 막아 내어 왕실을 호위
하도록 하고, 적이 가면 윤리와 도리를 닦고 밝혀 사교(邪教)를 잠재우도록 해야 할 것입니다.

을: 서양의 법[西法]이 나오게 되자 그 기계의 정밀함과 부국의 방법에 있어서는 비록 주(周)나라를 일으킨 강
태공이나 촉(蜀)나라를 다스린 제갈량이라 하여도 그 사이에 간여하여 논의할 수 없게 되었습니다. 군신
(君臣)·부자(父子)·부부(夫婦)·장유(長幼)·붕우(朋友)의 윤리는 하늘로부터 얻어서 본성에 부여된 것인
데, 천지에 통하고 만고에 뻗치도록 변하지 않는 이치로 위에서 도(道)가 된 것입니다. 수레·배·군사·농
업·기계는 백성에게 편하고 나라에 이로운 것으로 밖에 드러나 기(器)가 되는 것이니, 제가 변화시키고자
하는 것은 기이지 도가 아닙니다.

① 갑: 외국과의 관계에서 이익보다는 의리(義理)를 중시해야 한다.
② 갑: 일상 용품이나 물질을 뜻하는 기(器)와 정신인 도(道)는 분리될 수 없다.
③ 을: 서양의 문물과 제도를 모두 수용하여 백성의 삶에 도움을 주어야 한다.
④ 을: 서양 과학 기술의 수용은 우리 고유의 정신적 기반을 지키는 데 도움이 된다.
⑤ 갑과 을: 유교적 가치 체계에 기반한 인륜 도덕을 보존하고 지켜야 한다.

02

▶ 24057-0050

다음 한국 사상의 입장으로 적절한 것만을 〈보기〉에서 있는 대로 고른 것은?

옛날에 제왕이 백성을 교화할 때, 집집마다 찾아다니며 일일이 가르치고 깨우치지는 않았다. 절구를 하나 만
들어 내자 세상에는 껍질을 벗기지 않은 낟알을 먹는 사람이 사라졌고, 신발을 하나 만들어 내자 세상 사람들
이 맨발로 다니지 않게 되었으며, 또 배와 수레를 하나 만들어 내자 아무리 험준한 곳이라도 물건을 유통시킬
수 있게 되었다. 이런 방법이 얼마나 간소하면서 쉬운가! 쓰임을 이롭게 함[利用]과 생활을 넉넉하게 함[厚生]
은 한 가지라도 갖추어지지 않으면 위로 정덕(正德)을 해치는 폐단을 낳게 된다.

┌─ 보기 ┐
ㄱ. 청나라의 고증학과 서양의 과학 기술을 비판적으로 수용해야 한다.
ㄴ. 나라의 발전을 위해서는 노동을 경시하는 지배 계층의 생각이 바뀌어야 한다.
ㄷ. 유학의 본모습을 찾기 위해서 성명(性命)과 이기(理氣) 논변에 집중해야 한다.
ㄹ. 학문을 배우고 실천하는 데 도덕적 가치와 실용적 가치는 서로 양립할 수 없다.
└─────────┘

① ㄱ, ㄴ   ② ㄱ, ㄷ   ③ ㄷ, ㄹ
④ ㄱ, ㄴ, ㄹ   ⑤ ㄴ, ㄷ, ㄹ

03

▶ 24057-0051

(가)의 근대 한국 사상가 갑, 을의 입장을 (나) 그림과 같이 탐구하고자 할 때, A~C에 들어갈 질문으로 옳은 것은?

(가)	갑: 병자호란은 중화와 오랑캐에 관한 문제이지만 오늘의 사건은 사람과 짐승에 관한 문제입니다. 그때는 명목상의 관계가 크게 문제 되었으니 저들의 뜻은 우리를 신하로 굴종하게 하는 데 있을 뿐 재물과 비단과 부녀에 대한 끝없는 탐욕은 없었습니다. 그래서 강토의 영역을 지키고 국경의 지킴을 엄하게 하면, 우리는 오히려 선왕의 예악을 보전할 수 있었습니다. 반면 오늘의 사정은 저들이 비록 군신(君臣)이란 이름을 요구하지는 않지만 한번 상통(相通)하게 되면 장차 날마다 상통하여 우리의 풍속을 파괴하고 우리의 생로(生路)를 끊게 하는 것이 끝없이 미칠 것입니다. 을: 하늘을 기를[養] 줄 아는 사람이라야 한울을 모실 줄 아느니라. 한울이 내 마음속에 있음이 마치 종자의 생명이 종자 속에 있음과 같으니, 종자를 땅에 심어 그 생명을 기른 것과 같이 사람의 마음은 도(道)에 의하여 한울을 기르게 되는 것이라. 같은 사람으로도 한울이 있는 것을 알지 못하는 것은 종자를 물속에 던져 그 생명을 멸망케 함과 같아서, 그러한 사람에게는 한평생을 마치도록 한울을 모르고 살 수 있나니 오직 한울을 기른 사람에게 한울이 있고, 기르지 않는 사람에게는 한울이 없나니, 보지 않느냐. 종자를 심지 않는 자 누가 곡식을 얻는다고 하더냐.
(나)	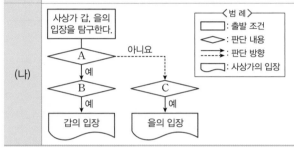

① A: 서양의 학문과 종교가 사회 규범의 기준이 되어야 하는가?
② A: 서양의 정신문명은 거부하되 물질문명은 수용해야 하는가?
③ B: 인본주의적 가치를 바탕으로 보국안민을 실현해야 하는가?
④ C: 성리학적 신분 질서를 유지하면서 사회를 안정시켜야 하는가?
⑤ C: 인간의 마음은 본질적으로 한울의 마음과 다름을 인식해야 하는가?

04

▶ 24057-0052

다음을 주장한 한국 사상가의 입장으로 옳은 것만을 〈보기〉에서 있는 대로 고른 것은?

> 예(禮)와 예가 아닌 것은 이 마음에 달린 것이지, 이목구비와 사지(四肢)에 있지 않다. 그 의(義)와 의가 아닌 것은 이 마음에 있는 것이지, 사물에 있는 것은 아니다. 이른바 예를 회복한다는 것은 보고 듣고 말하고 행동하는 차원에서 이 마음의 예를 회복한다는 것이며, 극기란 예가 아닌 마음에서 보고 듣고 말하고 행동하는 것을 이겨 내는 것이지, 그 예의 규칙을 가지고 보고 듣고 말하고 행동함을 규제하는 것이 아니다.

┌ 보기 ┐
ㄱ. 성(性)은 마음이 어떤 것을 좋아하는 기호(嗜好)이다.
ㄴ. 도덕적 시비 판단의 능력은 후천적 수양으로 갖춰진다.
ㄷ. 천리는 외부 사물을 탐구해야 얻을 수 있는 것이 아니다.
ㄹ. 사람에게는 양지(良知)가 있으므로 도덕적 주체가 될 수 있다.

① ㄱ, ㄴ   ② ㄱ, ㄹ   ③ ㄷ, ㄹ
④ ㄱ, ㄴ, ㄷ   ⑤ ㄴ, ㄷ, ㄹ

05

▶ 24057-0053

근대 한국 사상가 갑, 을의 입장에 대한 설명으로 적절한 것만을 〈보기〉에서 있는 대로 고른 것은?

갑: 선천에서는 상극의 이치가 인간의 일을 지배하였으므로 원한이 세상에 쌓이고 천지인(天地人) 삼계가 서로 통하지 못하여 이 세상에 참혹한 재화(災禍)가 생겼나니라. 이에 상제께서 삼계 대권을 주재하여 조화로써 천지를 개벽하고 후천선경(後天仙境)을 열어 고해(苦海)에 빠진 중생(衆生)을 널리 건지려 하셨다. 후천의 시대에는 벼슬하는 자가 분에 넘치는 법이 없고, 백성의 원통하고 억울한 번뇌가 없을 것이며, 빈부의 차별이 없고, 마음대로 왕래하는 선경이 되리라.
을: 일체 중생의 근본 성품인 일원상(一圓相)을 모시는 것은 그 뜻이 실로 넓고 크니, 부처님의 인격만 신앙의 대상으로 모시는 것보다 우주 만유 전체를 다 부처님으로 모시는 것이다. 모든 죄복과 고락의 근본을 우주 만유 전체 가운데에 구하게 되며, 또는 이를 직접 수행의 표본으로 하여 일원상과 같이 원만한 인격을 양성하자는 것이다. 따라서 수행자는 마음자리[心地]에 본래 요란함과 어리석음과 그름이 없으나 경계를 따라 있게 됨을 알아, 자성(自性)의 정(定)과 혜(慧)와 계(戒)를 세우는 것으로 요란함과 어리석음과 그름을 없애야 한다.

┌ 보기 ┐
ㄱ. 갑은 선천부터 쌓여 온 상극(相剋)의 이치를 풀고 상생(相生)하며 살아야 한다고 본다.
ㄴ. 을은 수행을 통해 정신과 육체를 균형 있게 발전시키고 번뇌를 제거해야 한다고 본다.
ㄷ. 갑은 을과 달리 이상적 세상을 위해 삶 속에서 보은(報恩)을 실천해야 한다고 본다.
ㄹ. 을은 갑과 달리 신분과 성별의 차별이 사라진 평등한 사회를 실현해야 한다고 본다.

① ㄱ, ㄴ
② ㄱ, ㄷ
③ ㄴ, ㄹ
④ ㄱ, ㄷ, ㄹ
⑤ ㄴ, ㄷ, ㄹ

06

▶ 24057-0054

다음 근대 한국 사상가의 입장에만 모두 '✓'를 표시한 학생은?

수심정기(守心正氣)하는 법을 알면 성인 되기[入聖]가 무엇이 어려울 것인가. 수심정기는 모든 어려운 것 가운데 제일 어려운 것이니라. 비록 잠잘 때라도 능히 다른 사람이 나고 드는 것을 알고, 능히 다른 사람이 말하고 웃는 것을 들을 수 있어야 가히 수심정기라고 말할 수 있는 것이니라. 이 마음 보호하기를 갓난아이 보호하는 것같이 하며, 늘 조용하여 성내는 마음이 일어나지 않게 하고 늘 깨어 혼미한 마음이 없게 함이 옳으니라. 내 마음을 내가 공경하면 한울께서 또한 즐거워하느니라. 수심정기는 바로 천지를 내 마음에 가까이하는 것이니, 참된 마음은 한울께서 반드시 좋아하고 한울께서 반드시 즐거워하느니라.

입장 \ 학생	갑	을	병	정	무
인간의 선한 마음은 하늘로부터 주어진 것이다.	✓			✓	✓
현세의 후천 개벽을 통해 내세에 이상 세계를 이루어야 한다.		✓	✓	✓	
한울님의 뜻에 따라서 자연스럽게[無爲] 세상을 교화해야 한다.		✓		✓	✓
모든 인간을 한울님 공경하듯이 평등하고 존귀하게 대해야 한다.	✓		✓		✓

① 갑
② 을
③ 병
④ 정
⑤ 무

[07~08] (가), (나)는 동양 사상이다. 물음에 답하시오.

(가) 소인의 지혜란 선물을 주고받고, 편지를 주고받고 하는 범위를 떠나지 못하는 것인데도, 하찮은 일에 정신을 지치게 한다. 그런데도 도(道)와 물(物)을 잘 완성시키고 형(形)과 허(虛)를 크게 통일하려 하니 이러한 사람은 우주 속에서 미혹되어 물건에 마음이 장애를 받아 태초의 묘한 이치를 알 수 없다. 지극한 사람[至人]은 정신을 시작도 없는 허무한 상태에 귀착시키고, 아무것도 없는 자유로운 고장에서 단잠을 자며, 아무런 물건에도 구애됨이 없이 물처럼 흐르며, 높은 하늘의 텅 비고 밝은 경지로 나아간다. 그대들은 터럭 끝만 한 지식을 갖고 있으면서 크게 안정된 경지는 알지 못하고 있다.

(나) 보살(菩薩)이 중생을 바른 견해[正見]에 머물게 하여, 보시하고[布施] 좋은 말을 하고[愛語] 이로운 행을 하고[利行] 일을 함께 한다[同事]. 이렇게 하는 일들이 모두 부처님[佛]을 생각하고 법(法)을 생각하고 승가[僧]를 생각함을 떠나지 아니하며, 가장 뛰어난 지혜를 갖추려는 생각을 떠나지 않는다. 또 생각하기를 '내가 중생들 가운데 우두머리가 되고, 뛰어난 이가 되고, 더 뛰어난 이가 되고, 묘하고 미묘하고, 위가 되고, 위없는 이가 되고, 가장 뛰어난 지혜로 의지함이 되리라.'고 한다.

07

▶ 24057-0055

(가), (나)의 입장에 대한 적절한 설명만을 〈보기〉에서 있는 대로 고른 것은?

┌─ 보기 ┐
ㄱ. (가)는 자연과 하나가 되기 위해 시비를 분별하는 지혜를 갖추어야 한다고 본다.
ㄴ. (가)는 세상의 근원이자 변화의 주체인 인격적 존재의 의지에 따라야 한다고 본다.
ㄷ. (나)는 현상의 참모습을 통찰하는 지혜를 갖추면 궁극적 목표에 이를 수 있다고 본다.
ㄹ. (가)와 (나)는 타고난 본래 성품을 거스르지 않아야 이상적 경지에 이를 수 있다고 본다.
└─────┘

① ㄱ, ㄴ 　　　　　② ㄴ, ㄷ 　　　　　③ ㄷ, ㄹ
④ ㄱ, ㄴ, ㄹ 　　　⑤ ㄱ, ㄷ, ㄹ

08

▶ 24057-0056

다음 사상의 입장에서 (가), (나) 사상에 대해 제시할 수 있는 비판으로 가장 적절한 것은?

군자(君子)가 남들과 다른 까닭은 마음을 간직[存心]하고 있기 때문이다. 군자는 인(仁)으로써 마음을 간직하고 예(禮)로써 마음을 간직한다. 인한 사람은 남을 사랑하고, 예를 지닌 사람은 남을 공경한다. 남을 사랑하는 사람은 남도 항상 그를 사랑하고, 남을 공경하는 사람은 남도 항상 그를 공경한다. 어떤 사람이 자신을 도리에 어긋나게 대할 경우, 군자는 반드시 '내가 틀림없이 인하지 못하고 틀림없이 예를 지키지 못했기 때문일 것이다. 그렇지 않았다면 어떻게 이런 일이 일어나겠는가?'라며 스스로 반성한다.

---

① (가)는 인위(人爲)를 통해 소요유(逍遙遊)에 이르러야 함을 간과한다.
② (가)는 성인이 가르친 예악을 통해서 본성을 함양해야 함을 간과한다.
③ (나)는 극단에 치우치지 않는 중도의 수행을 실천해야 함을 간과한다.
④ (나)는 인간에게 도를 이룰 수 있는 청정한 마음이 존재함을 간과한다.
⑤ (가)와 (나)는 이상적 인간이 되려면 사물에 대한 분별적 인식을 버려야 함을 간과한다.

09

▶ 24057-0057

고대 동양 사상가 갑, 근대 한국 사상가 을의 입장으로 적절한 것만을 〈보기〉에서 있는 대로 고른 것은?

갑: 세 가지 배울 것[三學]이 있으니, 몸과 입과 뜻으로 짓는 악업을 방지하기 위한 계를 닦는 것[增戒學]과 불선(不善)한 법들을 떠나 선정을 닦는 것[增定學]과 번뇌를 없애고 진리를 꿰뚫는 지혜를 닦는 것[增慧學]이다. 이것이 세 가지 배울 것이다. 계율을 배우고 선정을 배우고 지혜를 배우면 탐욕과 성냄과 어리석음이 굴복되어 없어지고, 탐욕·성냄·어리석음이 굴복되어 없어진 뒤에는 다시는 나쁜 일을 하지 않고 온갖 악에 가까이하지 않는다. 그러므로 배운다 하느니라.

을: 새 세상의 종교는 수도와 생활이 둘이 아닌 종교라야 할 것이니라. 그러므로 우리는 제불 조사 정전(正傳)의 심인(心印)인 법신불 일원상(一圓相)의 진리와 수양·연구·취사의 삼학으로써 의식주를 얻고 의식주와 삼학으로써 진리를 얻어서 영육(靈肉)을 쌍전(雙全)하여 개인·가정·사회·국가에 도움이 되게 하자는 것이니라. 이를 위해 만사를 이루려 할 때, 마음을 정하는 원동력인 신(信)을 행하고, 권면하고 촉진하는 원동력인 분(忿)을 행하고, 모르는 것을 알아내는 원동력인 의(疑)를 행하고, 그 목적을 달성하게 하는 원동력인 성(誠)을 행해야 하느니라.

│ 보기 │
ㄱ. 갑: 계율을 지키는 수행을 통해서 정신과 육체를 모두 청정하게 해야 한다.
ㄴ. 을: 현세에서 업(業)을 모두 소멸시키면 내세에는 좋은 과보를 받아 태어난다.
ㄷ. 갑과 을: 삼학의 수행으로 괴로움의 원인인 삼독(三毒)을 제거하면 해탈할 수 있다.
ㄹ. 갑과 을: 만물은 원인과 조건에 의해 생성되고 소멸한다는 깨달음을 얻어야 한다.

① ㄱ, ㄴ　　　　　② ㄱ, ㄷ　　　　　③ ㄴ, ㄹ
④ ㄱ, ㄷ, ㄹ　　　　⑤ ㄴ, ㄷ, ㄹ

10

▶ 24057-0058

다음 글에 담겨 있는 한국 고유 사상의 특징으로 적절한 것만을 〈보기〉에서 있는 대로 고른 것은?

우리나라에 현묘한 도(道)가 있음에 이를 풍류(風流)라고 한다. 삼교(三教)를 포함하고 백성들을 접하여 교화한다. 오상(五常)을 방위로 나누어 동방(東方)에 위치한 것은 인(仁)이요, 유·불·선 삼교에서 각각 이름을 내세웠는데 청정(淸淨)한 경지를 나타낸 이가 부처이다. 인의 마음이 곧 부처요, 부처를 지목해서 능인(能仁)이라 함은 이러한 법(法)을 받은 것이다. 동이(東夷)의 유순한 성품의 바탕이 카필라국의 자비하신 부처의 가르침의 바다에 이르게 하니, 이는 돌을 물에 던지고 비가 모래를 모으는 것과 같이 자연스러운 것이다. 하물며 동방에 우리보다 더 크고 신령스러운 나라가 없음이라. 백성의 성품은 이미 살리기를 근본으로 삼고, 풍속 또한 서로 양보하는 것을 으뜸으로 한다. 화평하고 즐거운 태평의 봄이요, 은은하게 이끌어서 좋은 방향으로 나아가게 함이로다.

│ 보기 │
ㄱ. 평화 애호, 자연 친화, 조화 정신 등을 담고 있다.
ㄴ. 초월적 인격신에 대한 절대적 신앙심을 중시하였다.
ㄷ. 불교적 계율과 유교의 실천 윤리를 함께 제시하였다.
ㄹ. 외래 사상의 수용을 위해 고유의 사상적 전통을 배격하였다.

① ㄱ, ㄴ　　　　　② ㄱ, ㄷ　　　　　③ ㄴ, ㄹ
④ ㄱ, ㄷ, ㄹ　　　　⑤ ㄴ, ㄷ, ㄹ

07 서양 윤리 사상의 연원과 덕 있는 삶

1 서양 윤리 사상의 연원

(1) 고대 그리스 사상과 헤브라이즘

① 고대 그리스 사상

특징	• 자연 철학자들의 등장 → 세계의 기원과 자연의 변화에 대해 이성적으로 설명하고자 함 • 아테네의 직접 민주주의 발전 → 인간의 삶과 사회에서의 선(善)과 옳음에 대한 관심과 토론이 활발하게 일어남 • 이성적이고 합리적인 사고와 논변을 중시함
영향	인간의 이성, 선한 삶, 행복 등의 탐구에 영향을 줌

② 헤브라이즘

특징	• 유일무이한 신의 은총과 신앙 강조 → 인간의 힘만으로는 구원과 행복에 이를 수 없다고 봄 • 이웃 사랑과 정의 실현 등 보편적인 윤리가 신의 명령으로서 강조됨
영향	신과 인간의 관계에 기초한 인간 삶의 원리 탐구에 영향을 줌

(2) 소피스트의 윤리적 상대주의

① 특징

- 윤리적 상대주의: 보편타당한 윤리의 존재를 부정함
- 인간의 감각적 경험을 지식과 도덕의 근원으로 봄
- 부와 명예 등 세속적 가치를 중시하고, 그런 것들을 얻기 위한 수사학(수사술) 등을 가르침

② 대표 사상가

프로타고라스	• 각 개인을 진위 판단의 기준으로 봄 • "인간은 모든 것의 척도이다."
고르기아스	• 회의주의적 관점에서 절대적 존재와 진리, 그것들에 대한 객관적 인식을 부정함 • "아무것도 존재하지 않는다. 존재하더라도 우리는 그것을 알 수 없다. 알 수 있더라도 다른 사람에게 전달할 수 없다."
트라시마코스	• 강자들은 자신들의 이익을 위해 법률을 제정한다고 봄 • "정의는 강자 및 통치자의 이익이다."

(3) 소크라테스의 윤리적 보편주의

① 윤리적 보편주의

- 소피스트의 윤리적 상대주의를 비판하면서 보편적인 윤리가 존재한다고 주장함
- 인간은 이성을 통해 보편적인 윤리를 파악할 수 있다고 봄

② 주지주의(主知主義)

- 지식은 모든 덕과 행복의 원천임
- 모든 덕은 참된 앎에서 나오고, 모든 악은 무지에서 비롯됨
- 무지의 자각을 진리 탐구의 기본 조건으로 봄

③ 지행합일설(知行合一說): 인간은 본성상 선이 무엇인지 알면서 자발적으로 악을 행할 수 없음

④ 지덕복합일설(知德福合一說): 참된 앎은 덕이고 덕은 행복이므로 덕이 있는 사람은 진정한 행복을 누릴 수 있음 → 앎과 덕과 행복은 필연적 관계임

⑤ 대화법(문답법) 강조: 대화(논박)를 통해 상대방으로 하여금 자기가 알고 있다고 생각하는 것에 대해 의문을 갖게 하고 스스로 진리를 찾도록 함 → 산파술

⑥ 영혼의 돌봄 강조: 인간에게 가장 중요한 일은 각자의 영혼을 최상의 상태로 가꾸는 것임 → 이성을 바탕으로 한 도덕적 성찰과 선한 삶을 강조함

2 덕 있는 삶

(1) 플라톤의 이상주의 윤리 사상

① 이데아론

- 세계는 현상계와 이데아계로 구분되며 서로 분리되어 있음
- 이데아계는 완전한 세계이며 오직 이성에 의해서만 파악되는 반면, 현상계는 이데아계를 모방한 불완전한 세계이며 감각적 경험에 의해 파악됨
- 이데아(Idea)란 사물의 완전하고 이상적인 원형임
- 이데아 중에서 최고의 이데아는 선(좋음)의 이데아임

자료와 친해지기 **플라톤의 이데아론**

- "각각의 그 자체의 것들을, '언제나 똑같은 방식으로 한결같은 상태로 있는 것들'을 보는 사람들은 어떤가? 이들은 인식을 하지 '의견을 갖는 게' 아니라고 말하지 않겠는가?" "그것은 필연적입니다." "그러니까 이 사람들은 인식이 관계하는 대상들을 반기며 사랑하나, 각각의 그 자체의 것들을 못 보는 사람들은 의견이 관계하는 대상들을 반기며 사랑한다고 말하게 되지 않겠는가? 혹시 우리는 그들이 아름다운 소리나 빛깔 또는 이와 같은 것들은 사랑하며 바라보되, '아름다움 자체'를 존재하는 것으로 인정하지는 않을 것이라고 우리가 말했던 것을 기억하고 있는가?"
- "언제나 똑같은 방식으로 한결같은 상태로 있는 것을 파악할 수 있는 이들이 지혜를 사랑하는 사람(철학자)들인 반면에, 그건 파악하지 못하면서 잡다하고 변화무쌍한 것들 속에서 헤매는 이들은 지혜를 사랑하는 사람들이 아니니, 도대체 어느 쪽이 나라의 지도자여야 하는가?" 내가 물었네. "이를 어떻게 말하면, 온당하게 말하는 게 될지요?" 그가 반문했네. "어느 쪽이든 나라의 법률과 관행들을 수호할 수 있을 것으로 보이는 사람들이면, 이들을 수호자들로 임명해야 할 걸세." 내가 말했네.

– 플라톤, 「국가」 –

플라톤은 이데아계에 존재하는 이데아는 오직 이성의 사유를 통해서만 파악할 수 있다고 보았다. 플라톤에 따르면 각 사물은 어떤 이데아 때문에 어떤 속성을 가지게 되고 또 이 속성을 가진 것으로 우리 앞에 나타난다.

- 선의 이데아를 인식하는 것은 이상적인 삶을 위해 필요함
② 영혼론과 덕론
- 인간의 영혼은 이성과 기개, 욕구 세 부분으로 이루어져 있음
- 영혼의 이성적인 부분은 기개와 욕구를 잘 다스려야 하고, 기개와 욕구는 이성을 잘 따라야 함
- 영혼의 각 부분에 해당하는 덕은 지혜, 용기, 절제임 → 절제는 영혼의 세 부분이 모두 갖추어야 할 덕임
- 영혼의 정의란 영혼의 각 부분이 각자의 덕을 갖추어 전체적으로 조화를 이룬 상태임
③ 이상 국가론
- 영혼이 이성, 기개, 욕구 세 부분으로 구성되듯이 국가도 통치자, 방위자, 생산자 계층으로 구성됨
- 통치자, 방위자, 생산자 계층의 사람들이 각각 다른 계층의 일에 간섭하지 않고 각자의 직분을 충실히 수행할 때 올바른(정의로운) 나라가 실현됨
- 선(善)의 이데아를 인식하여 지혜의 덕을 갖추고 인격과 실무적 경험을 갖춘 철학자가 통치하지 않는 한 악(惡)은 사라지지 않음

(2) 아리스토텔레스의 현실주의 윤리 사상
① 현실주의
- 플라톤의 이원적 세계관을 비판함 → 이 세상을 개별적인 실체들로 이루어진 하나의 세계로 봄
- 선(좋음)은 이데아의 세계가 아니라 현실 세계에 존재하며 현실 세계에서 실현되어야 함
② 행복론
- 인간의 모든 행위는 선(좋음)을 목적으로 추구함
- 인간 행위의 궁극적인 목적, 즉 최고선(最高善)은 행복임
- 행복(eudaimonia)이란 덕에 따르는 정신(영혼)의 활동임
③ 덕론
- 덕(탁월성): 인간의 고유한 기능인 이성이 탁월하게 발휘되는 영혼의 상태

- 덕의 두 가지 유형

지성적 덕 (지적 덕)	• 영혼의 부분 중 순수하게 이성적인 부분과 관련된 덕임 • 주로 교육을 통해 얻어지고 길러짐 • 좋음에 대한 숙고와 진리를 파악하는 것을 가능하게 함 • 철학적 지혜, 실천적 지혜 등
품성적 덕 (도덕적 덕)	• 영혼의 부분 중 욕구와 같이 이성의 영향을 받을 수 있는 부분과 관련된 덕임 • 중용에 해당하는 행동들을 반복적으로 실천할 때 형성됨 • 일상생활에서 올바른 행위를 가능하게 함 • 용기, 절제, 온화 등

④ 중용
- 실천적 지혜를 통해 파악할 수 있음 → 중용에 해당하는 행동들을 반복적으로 실천할 때 품성적 덕을 갖출 수 있음
- 지나침과 모자람의 중간 상태로, 산술적 중간이 아니라 각각의 상황에서 가장 적절한 상태임
- 그 자체로 나쁜 감정이나 행동(예 질투, 절도)에는 중용이 없음
⑤ 실천적 지혜
- 지성적 덕으로 중용의 상태에 대한 앎임
- 품성적 덕의 형성과 발휘에 필수적으로 요구됨
⑥ 의지의 나약함(자제력 없음)
- 의지가 나약한 사람은 좋은 것인 줄 알면서도 그것을 행하지 않거나, 나쁜 것인 줄 알면서도 그것을 행함
- 덕 있는 행위가 습관화되면 실천을 방해하는 의지의 나약함이 줄어들기 때문에 덕 있는 행위를 자연스럽게 할 수 있음
⑦ 아리스토텔레스 사상과 현대 덕 윤리
- 현대 덕 윤리의 특징: 행위자의 품성과 덕을 중시하고 공동체를 인간 본성에 따라 형성된 것으로 본 아리스토텔레스의 사상을 계승함 → 행위자 중심의 윤리를 전개하고 공동체적 삶을 중시함
- 매킨타이어의 덕 윤리: 개인의 자유와 선택보다는 공동체의 전통과 역사를 더 중시함 → 개인의 행위를 공동체의 구체적 맥락에서 평가함

자료와 친해지기 아리스토텔레스의 덕에 대한 입장

소크라테스는 인생의 목적이 덕을 인식하는 것이라고 여겼기에 정의가 무엇인지, 용기가 무엇인지, 즉 덕의 부분들 각각이 무엇인지를 탐구하곤 했다. 그렇게 한 것도 일리가 있기는 하다. 왜냐하면 그는 모든 덕이 앎이며 따라서 정의를 아는 것과 정의로운 자인 것이 동시에 성립한다고 여겼기 때문이다. 그래서 그는 덕이 무엇인지를 물었지만, 덕이 어떻게 형성되는지 그리고 어떤 과정과 행위를 통해 성취되는지는 묻지 않았다. 하지만 이런 탐구 방식은 이론 학문에 적합한 것이다. 왜냐하면 이론 학문은 대상들의 본성을 인식하고 관조하는 것이기 때문이다. 제작 학문(실천 학문*)의 경우, 그 목적이 앎 내지 인식과 다르다. 예를 들어, 의학의 목적은 건강이고, 정치학의 목적은 좋은 법질서 내지 그와 같은 종류의 어떤 다른 것이다. 물론 아름다운 것들 각각을 인식하는 것도 아름답다. 그렇지만 적어도 덕에 관한 가장 가치 있는 앎은 덕이 무엇인지를 아는 앎이 아니라, 덕이 어떤 과정과 행위를 통해 성취되는지를 인식하는 앎이다. 왜냐하면 우리가 바라는 것은 용기가 무엇인지를 아는 것이 아니라 용감한 사람이 되는 것이며, 정의가 무엇인지를 아는 것이 아니라 정의로운 사람이 되는 것이기 때문이다.
– 아리스토텔레스, 『에우데모스 윤리학』–

* 아리스토텔레스는 제작 학문과 실천 학문을 구별하였으나 초기 저작인 『에우데모스 윤리학』에서는 제작 학문과 실천 학문을 별도로 구분하지 않고 사용하였다.

아리스토텔레스는 덕이 무엇인지를 아는 것뿐만 아니라 노력과 습관을 통해 덕을 갖추고 실천하는 것도 중요하다고 보았다.

01

▶ 24057-0059

다음 가상 대화의 스승이 지지할 주장으로 가장 적절한 것은?

> 1 스승님, 명성과 덕에 대해 동시에 마음을 쓰고 있다고 주장하는 사람은 어떻게 대하시나요?

> 2 질문을 통해 그의 의견을 검토할 것이네. 만일 덕을 갖추고 있지 않다면 가장 소중한 것을 소홀히 한다고 비판할 것이네.

> 3 그러면 어떻게 해야 덕을 갖출 수 있나요?

> 4 영혼을 훌륭하게 돌보는 데 우선 마음을 쓰고 그와 같은 정도로 신체나 돈에 마음을 써서는 안 된다네.

① 행복을 향유하는 삶과 덕을 지니는 삶은 인간에게 양립할 수 없다.
② 개별 사회의 전통과 관습에 따라 행위의 옳고 그름을 판단해야 한다.
③ 물질적인 풍요를 획득하는 것을 삶의 최우선 과제로 추구해야 한다.
④ 정의(正義)의 의미를 밝혀서 보편적으로 규정하는 것은 가능하지 않다.
⑤ 숙고와 반성을 통해 자신의 무지(無知)를 깨닫고 지혜를 추구해야 한다.

02

▶ 24057-0060

대화의 스승은 고대 서양 사상가이다. ㉠에 들어갈 진술로 가장 적절한 것은?

> 제자: 스승님, 제가 생각하기에 어떤 사람이 무엇을 감각적으로 지각할 때 그것을 아는 것 같습니다.
> 스승: 자네의 생각은 어떤 사상가의 주장과 같네. 그는 "인간은 만물의 척도이다. 존재하는 것들에 대해서는 그것들이 존재한다는 척도이고, 존재하지 않는 것들에 대해서는 그것들이 존재하지 않는다는 척도이다."라고 말했네. 그의 말이 맞다면 미친 사람이 잘못 보고 내린 판단도 그릇된 것이 아닐 것이네. 그러나 우리는 그릇된 지각이 포함되어 각자에게 나타나는 사물은 나타나는 그대로인 것이 아님을 알고 있다네. 우리는 참된 앎, 즉 보편타당한 절대적 진리를 추구해야 하네.
> 제자: 그렇다면 참된 앎을 얻으려면 어떻게 해야 할까요?
> 스승: ㉠_____

① 개인의 감각적 경험을 근거로 각자에게 유리한 것을 측정하면 되네.
② 타인이 제시한 의견의 옳고 그름을 판단하지 말고 그대로 수용해야 하네.
③ 이성적 숙고를 통해 다양한 의견들을 논리적으로 검토하여 얻을 수 있네.
④ 고통이 느껴지는 것을 피하고 쾌락이 느껴지는 것을 찾으면 얻을 수 있네.
⑤ 앎은 상대적이므로 다른 의견에 맞서 자신의 주장을 끝까지 고수해야 하네.

03

▶ 24057-0061

고대 서양 사상가 갑, 을의 입장으로 옳은 것만을 〈보기〉에서 고른 것은?

> 갑: 정의는 더 강한 자의 이익 이외에 다른 것이 아니다. 각 정권은 자기의 이익을 목적으로 법률을 제정한다. 법 제정을 마친 후 각 정권은 다스림을 받는 자들에게 그 법을 정의로운 것이라고 공표하고서는, 이를 위반하는 자를 범법자 및 부정의한 자로서 처벌한다. 수립된 정권의 이익이 정의로운 것이 된다는 것은 모든 나라에서 동일하다.
>
> 을: 정의는 이익이 되는 것이며 덕이자 지혜이다. 의술과 같은 기술은 의술 자체에 이익이 되는 것이 아니라 몸에 이익이 되는 것을 고려한다. 기술이나 통치술은 자신에게 이익이 되는 것이 아니라 그 다스림을 받는 쪽에 이익이 되는 것을 제공하며 지시를 내린다. 즉 참된 통치자는 더 약한 자의 이익을 생각하지 더 강한 자의 이익을 생각하지는 않는다.

┌ 보기 ┐
ㄱ. 갑: 정의롭게 행동하는 것은 강자와 약자 모두에게 이익이 된다.
ㄴ. 을: 정의에 대한 앎이 통치자에게 필수적으로 요구되는 것은 아니다.
ㄷ. 을: 정의로운 통치자는 통치술을 바탕으로 피치자를 돕는 전문가이다.
ㄹ. 갑과 을: 정의의 실현을 통해 이익을 얻는 국가의 구성원이 존재한다.

① ㄱ, ㄴ   ② ㄱ, ㄷ   ③ ㄴ, ㄷ   ④ ㄴ, ㄹ   ⑤ ㄷ, ㄹ

04

▶ 24057-0062

다음을 주장한 고대 서양 사상가의 입장으로 옳은 것만을 〈보기〉에서 있는 대로 고른 것은?

> 우리가 모든 것을 맡기려 하는 이 나라에서 가장 훌륭한 사람들조차 선(善)과 같은 중대한 것에 대해 아무것도 알지 못하는 상태에 있어도 된다고 말할 수 있는가? 정의와 아름다움이 도대체 어떤 점에서 선인지 모르는 자를 수호자로 가지고 있다면, 우리는 별로 대단치 않은 자를 수호자로 가지고 있는 것이다. 선을 알고 있는 자가 수호자로서 우리의 나라를 지켜보고 감독하고 있다면, 이 나라는 완벽하게 다스려질 것이다.

┌ 보기 ┐
ㄱ. 정의로운 국가에는 선 자체를 인식할 수 있는 철학자가 있어야 한다.
ㄴ. 정의로운 국가의 통치자가 절제의 덕을 갖추지 않은 사람일 수는 없다.
ㄷ. 정의로운 국가의 통치자가 지시하는 대로 따르는 계층은 사유 재산을 지니지 않는다.

① ㄱ   ② ㄷ   ③ ㄱ, ㄴ   ④ ㄴ, ㄷ   ⑤ ㄱ, ㄴ, ㄷ

05

▶ 24057-0063

고대 서양 사상가 갑은 긍정, 근대 서양 사상가 을은 부정의 대답을 할 질문으로 가장 적절한 것은?

> 갑: 생성되고 소멸되는 것에 영혼이 고착될 때는 의견을 갖게 되고, 이 의견을 이리저리 바꾸어 가지게 되면서 지성을 지니지 않은 것처럼 보인다. 그러므로 인식되는 것들에 진리를 제공하고 인식하는 자에게 그 힘을 주는 것은 선의 이데아이다. 이 이데아는 인식과 진리의 원인이지만, '인식되는 것'이라 생각해야 한다. 인식과 진리가 훌륭한 것들이기는 하지만 선의 이데아는 이들보다 한결 더 훌륭한 것이다.
>
> 을: 손이 도구가 있어야 일을 할 수 있듯이, 인간의 정신도 도구를 사용하면 지성이 촉진되거나 보호된다. 현재의 논리학은 진리를 탐구하기보다는 오류들을 오히려 강화시키고 있다. 삼단 논법은 학문의 원칙으로 적합하지 않으며, 사람들의 동의를 얻어 낼 수는 있을지언정 자연에 적용될 수는 없다. 모호한 개념을 기초로 만들어진 삼단 논법이 아니라 참된 귀납법만이 우리들의 유일한 희망이다.

① 참된 지식은 이성이 욕구의 지시에 복종할 때 인식되는가?
② 참된 지식은 자연을 따르기 위한 것이 아니라 정복하기 위한 것인가?
③ 참된 지식은 불변하는 세계에 따로 존재하며 이성을 통해 인식되는가?
④ 참된 지식은 존재하지 않고 존재해도 알 수 없으며 전달이 불가능한가?
⑤ 참된 지식은 감각적 경험을 바탕으로 한 실험을 통해 획득할 수 있는가?

06

▶ 24057-0064

다음은 고대 서양 사상가 갑, 을의 가상 대화이다. 갑, 을의 입장으로 옳은 것만을 〈보기〉에서 있는 대로 고른 것은?

> 참으로 존재하는 것으로 보고 있는 이 본질은 언제나 그대로 있습니다. 내가 말하는 좋음 자체는 항상 불변하는 모습으로 독자적으로 존재하며 언제 어디서나 달라지는 법이 없습니다.

갑

> 우리가 찾는 좋음은 좋음의 이데아도 아니고 공통된 좋음도 아닙니다. 왜냐하면 전자는 변할 수 없고 실천될 수도 없으며, 후자는 변할 수 있지만, 실천될 수 없기 때문입니다. 궁극적 목적으로서 추구되는 것이 가장 좋은 것이고 모든 좋음 가운데 첫째입니다. 인간의 궁극적 목적은 행복입니다.

을

| 보기 |

ㄱ. 갑: 좋음을 지닌 것들은 좋음 자체에 의해 좋음을 지니게 된다.
ㄴ. 을: 좋음 자체가 좋은 것들로부터 나뉘어 떨어져서 존재하는 것은 아니다.
ㄷ. 을: 좋음은 언제나 그 자체가 목적이지 다른 것을 위한 수단이 될 수 없다.
ㄹ. 갑과 을: 좋음에 대한 앎은 행복한 삶을 실현하기 위해 반드시 필요하다.

① ㄱ, ㄴ
② ㄱ, ㄷ
③ ㄷ, ㄹ
④ ㄱ, ㄴ, ㄹ
⑤ ㄴ, ㄷ, ㄹ

07

▶ 24057-0065

다음을 주장한 고대 서양 사상가가 긍정의 대답을 할 질문으로 적절한 것만을 〈보기〉에서 있는 대로 고른 것은?

덕에는 두 종류가 있는데, 하나는 품성적 덕이고 다른 하나는 지성적 덕이다. 아닌 게 아니라 우리는 정의로운 자뿐만 아니라 이해력이 깊은 자와 지혜로운 자도 칭찬한다. 왜냐하면 덕이나 업적이 칭찬의 대상이라고 전제하고 있기 때문이다. 지성적 덕들은 이성과 함께 하므로 영혼의 이성적인 부분에 속하고, 품성적 덕들은 비이성적이지만 본성상 이성적인 부분에 따를 수 있는 부분에 속한다. 사실 우리는 누군가의 성격이 어떠한가를 말할 때, 그가 지혜롭다거나 영리하다고 말하지 않고 온화하다거나 대담하다고 말한다.

┌ 보기
ㄱ. 인간 행위의 최고선인 행복은 덕과 일치하는 정신의 활동인가?
ㄴ. 용감한 사람은 어떠한 경우에도 두려움을 느끼지 않는 사람인가?
ㄷ. 실천적 지혜를 지닌 사람은 자신과 타인에게 좋은 것을 분별할 수 있는가?
ㄹ. 지성적 덕은 본성적으로 생겨나지만 품성적 덕은 습관을 통해 형성되는가?

① ㄱ, ㄴ   ② ㄱ, ㄷ   ③ ㄷ, ㄹ

④ ㄱ, ㄴ, ㄹ   ⑤ ㄴ, ㄷ, ㄹ

08

▶ 24057-0066

(가)의 고대 서양 사상가 갑, 을의 입장을 (나) 그림으로 표현할 때, A~C에 해당하는 진술로 옳지 <u>않은</u> 것은?

(가)	갑: 쾌락에 지배된 사람은 지식이 없는 사람이다. 쾌락과 고통의 선택과 관련하여 잘못을 저지른 것은 지식의 결여 때문이다. 더 나은 것을 할 수 있음에도 불구하고 자기가 하는 것을 계속해서 할 사람은 아무도 없을 것이다. 자기 자신에게 지는 것은 무지(無知)이고, 자기 자신에게 이기는 것은 지식을 지닌 것이다. 을: 자제력이 없는 사람은 지식을 가지고 있지만 술에 취한 사람처럼 행동한다. 자제력 없는 사람은 자기가 무엇을 행하는지, 또 왜 그것을 행하는지를 어떤 식으로든 알고 있으므로 자발적으로 행하는 사람이기는 하지만, 그렇다고 나쁜 사람은 아니다. 그의 합리적 선택 자체는 훌륭하다.
(나)	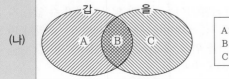 〈범 례〉 A: 갑만의 입장 B: 갑, 을의 공통 입장 C: 을만의 입장

① A: 지식을 지닌 사람이 쾌락에 제압당하는 경우는 없다.

② B: 이성을 통해 보편적 가치를 파악할 수 있다.

③ B: 진정으로 행복한 삶은 덕을 갖추어야 실현할 수 있다.

④ C: 지식을 획득했다는 사실이 덕의 실천을 보장하는 것은 아니다.

⑤ C: 지식이 있음에도 실천하지 않는 사람이 도덕적으로 가장 열등하다.

09

▶ 24057-0067

(가)의 고대 서양 사상가 갑, 근대 서양 사상가 을의 입장을 (나) 그림으로 탐구하고자 할 때, A~C에 들어갈 적절한 질문만을 〈보기〉에서 있는 대로 고른 것은?

(가)	갑: 덕이 가장 좋은 성향이므로 영혼의 덕을 실현하는 활동이 가장 좋은 것이다. 그런데 행복 또한 가장 좋은 것이다. 그러므로 행복은 좋은 영혼의 활동이다. 즉 행복은 완전한 덕에 따르는 완전한 삶의 실현이라고 할 수 있다. '잘 산다'는 '행복하다'와 같은 말인데, 이는 삶이 활동이기 때문이다. 을: 덕이 있게 만드는 일과 자기 이익에 밝게 하는 것은 전혀 다른 일이며, 행복한 사람을 만드는 것과 선한 사람을 만드는 것은 전혀 다른 일이다. 자기 행복의 원리가 윤리성의 기초로 놓는 동기들이 윤리성의 숭고함을 파괴하기 때문이다. 경험적 원리들은 도덕 법칙을 세우는 데에 쓸모가 없다.
(나)	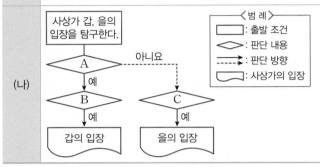

┌─ 보기 ┌
ㄱ. A: 행복을 실현하는 것이 덕의 궁극적 목적인가?
ㄴ. A: 행복한 삶을 사는 사람은 곧 도덕적인 삶을 사는 사람인가?
ㄷ. B: 행복은 행위와 감정에 존재하는 중용을 실천할 때 성취할 수 있는가?
ㄹ. C: 행복은 경향성에 따른 것이므로 도덕과 양립하는 것이 불가능한가?

① ㄱ, ㄴ   ② ㄱ, ㄹ   ③ ㄷ, ㄹ
④ ㄱ, ㄴ, ㄷ   ⑤ ㄴ, ㄷ, ㄹ

10

▶ 24057-0068

다음을 주장한 현대 서양 사상가의 입장으로 옳지 않은 것은?

> 1945년 이후에 자신이 태어났기 때문에, 나치가 유대인들에게 행한 것이 현재의 유대인들과 자신의 관계에서 도덕적으로 아무런 문제가 되지 않는다고 믿는 독일인이 있다고 하자. 이 독일인에 의하면 자아는 그의 사회적, 역사적 역할과 지위로부터 분리될 수 있는 것이다. 이러한 분리된 자아는 아무런 역사도 가질 수 없는 자아이다. 이런 관점은 자아를 서사적으로 보는 관점과 명확히 대조되는 입장이다. 내 삶의 이야기는 언제나 내 정체성이 형성된 공동체의 이야기에 속하기 때문이다. 나는 과거를 안고 태어나는데, 개인주의자처럼 나를 과거와 분리하려는 시도는 내가 맺은 현재의 관계를 변형하려는 시도이다.

① 덕의 실천은 행위자의 사회적 역할과 분리될 수 없다.
② 행위의 옳고 그름을 판단하기보다 행위자의 품성에 주목해야 한다.
③ 공동체의 전통과 역사를 통해 계승된 도덕적 가치를 중시해야 한다.
④ 각자는 자신이 선택한 특정 행위에 대해서만 도덕적 숙고를 해야 한다.
⑤ 행위자가 처한 구체적 상황을 고려하여 행위자의 덕성을 판단해야 한다.

행복 추구와 신앙

① 행복 추구의 방법

(1) 헬레니즘 시대의 윤리 사상

① 기원전 4세기경 알렉산드로스 대왕의 정복 전쟁 → 도시 국가 (polis)의 붕괴와 대제국의 출현

② 사람들이 도시 국가의 시민이 아닌 제국의 신민(臣民)이 됨으로써 서로 일체감을 느낄 수 없게 되고, 정치적 무기력에 빠짐

③ 개인의 평온한 삶이 주요 탐구 주제로 부각됨

④ 대표 사상: 에피쿠로스학파와 스토아학파

(2) 에피쿠로스학파의 쾌락주의

① 쾌락의 추구

쾌락주의	쾌락은 모든 가치를 평가하는 최고선이요, 행복한 삶의 시작이자 끝임
진정한 쾌락	• 감각적이고 순간적인 쾌락이 아닌 정신적이고 지속적인 쾌락을 추구함 • 적극적인 욕망의 충족에 따른 쾌락이 아니라 고통을 제거함으로써 주어지는 쾌락을 추구함 • 아타락시아(ataraxia): 참된 쾌락은 몸의 고통과 마음의 불안이 모두 소멸된 상태, 즉 평정심임

② 평정심에 이르는 방법

• 자연적이고 필수적인 욕구만을 최소한으로 충족하고, 자연적이지 않거나 필수적이지 않은 욕구는 극복해야 함

자연적이고 필수적인 욕구	음식, 수면 등 의식주에 대한 기본적인 욕구
자연적이지만 필수적이지 않은 욕구	성(性), 식도락 등에 대한 욕구
자연적이지도 필수적이지도 않은 욕구	부, 명예, 권력 등에 대한 욕구

• 이성으로써 욕구를 분별하고 절제하며 검소한 삶을 살아야 함

• 신, 운명, 죽음 등에 대한 잘못된 믿음을 제거하여 두려움에서 벗어나야 함

• 공적인 삶보다는 은둔적 생활 속에서 친구와 우정을 나누며 살아야 함 → 정의는 서로 피해를 주고받지 않기 위해 필요함

③ 한계와 영향

• 한계: 개인적 쾌락을 중시하여 이타적인 공공 생활을 경시함

• 영향: 감각적 경험을 중시한 근대 경험론과 쾌락을 최고선으로 본 공리주의에 영향을 줌

(3) 스토아학파의 금욕주의

① 금욕의 추구

금욕주의	욕망, 공포, 쾌락, 슬픔 등과 같은 비이성적이고 비자연적 정념에서 벗어나야 함 → 자식에 대한 부모의 사랑, 인류애와 같은 이성에 기초한 자연스러운 감정은 인정함
이상적 상태	아파테이아(apatheia): 어떤 상황에서도 동요하지 않는 정신 상태, 즉 정념의 지배로부터 벗어난 상태인 부동심임

② 부동심에 이르는 방법

이성에 따르는 삶	• 이성(logos)이란 우주 만물의 본질이자 만물의 생성과 변화를 이끌어 가는 힘임 → 이성은 신과 자연과 인간의 공통된 본성임 • 자연의 일부인 인간은 신적 이성을 나누어 가지고 있음 → 인간은 이성으로써 자연의 필연적 질서를 파악하고 따를 수 있음
운명을 받아들이는 삶	• 자연 안에서 일어나는 모든 일은 신에 의해 운명 지어진 것으로 바꿀 수도 없고, 바꿀 필요도 없음 • 자신에게 주어진 조건과 상황을 변화시키기보다 자신의 운명으로 받아들여야 함
자연법에 따르는 삶	• 자연법이란 우주를 지배하는 이성의 명령이자 자연법칙임 • 가족, 친구, 동료 시민, 인류 전체에 대한 사랑을 내용으로 함 → 이성을 가진 모든 인간은 평등하다는 세계 시민주의 사상으로 발전됨

③ 한계와 영향

• 한계: 자연의 필연적 질서를 강조한 나머지, 도덕적 삶에서 개인의 의지와 정서의 역할을 간과함

• 영향: 자연법을 강조한 아퀴나스와 근대 사상가들, 정념의 예속으로부터의 자유를 강조한 스피노자, 이성에 부합한 삶을 강조한 칸트에게 영향을 줌

자료와 친해지기 공적인 삶에 대한 에피쿠로스와 아우렐리우스의 입장 비교

• 어떤 사람들은 자신을 지켜 주고 안전하게 해 주리라 생각해 명예를 얻고 칭송을 받고자 했다. …(중략)… (그렇게 하여) 그들의 삶이 안전하지 않다면, 처음에 자기 본성에 따라 얻으려던 것을 얻지 못한 것이다. …(중략)… 다른 사람들을 내쫓을 수 있는 힘과 물질적 자산에 의해 이들에 대한 우리의 안전을 어느 정도 도모할 수 있더라도, 가장 온전한 형태의 안전은 조용한 삶과 대중으로부터 멀어진 은둔이다. — 에피쿠로스, 『중요한 가르침』 —

• 우주가 원자의 집합이든, 자연이든, 우선 나는 자연이 지배하는 전체의 한 부분이라고 확신해야 한다. …(중략)… 내가 나와 같은 종류의 것인 다른 부분과 밀접한 관계를 갖고 있는 한, 나는 반사회적 행동을 하지 않을 것이고, 공공의 이익을 위해 노력을 기울이며 공공의 이익에 해로운 일은 삼가게 되리라. — 아우렐리우스, 『명상록』 —

에피쿠로스는 평정심에 이르기 위해서는 공적인 삶보다는 은둔적 생활 속에서 친구와 우정을 나누며 살아야 한다고 주장하였다. 반면 스토아학파의 대표적인 사상가인 아우렐리우스는 부동심에 이르기 위해서는 공공의 이익에 헌신하는 삶을 살아야 한다고 주장하였다.

② 신앙

(1) 그리스도교의 기원과 발전

① 그리스도교의 기원

유대교	• 여호와를 유일신이자 창조주로 믿으며 메시아의 도래와 심판을 믿는 이스라엘의 민족 종교 • 유대인만이 신에게 선택받았다는 선민사상과 율법의 엄격한 준수를 강조하는 율법주의를 특징으로 함
예수의 사상	• 사랑의 윤리: 유대교의 선민사상과 율법주의 비판 • 보편 윤리: '남에게 대접받고자 하는 대로 너희도 남을 대접하라.'(황금률) → 보편적이고 도덕적인 의무로서 이웃 사랑 강조

② 그리스도교의 발전

- 그리스도교가 헬레니즘 문화권으로 전파되는 과정에서 이성 중심의 그리스 사상과 만나게 됨 → 교리를 체계화함으로써 그리스도교가 세계 종교로 발전하게 됨
- 교부 철학: 중세 초기 그리스도교의 교리를 체계화함 → 대표 사상가 아우구스티누스
- 스콜라 철학: 중세 후기 그리스도교의 교리를 철학적으로 논증함 → 대표 사상가 아퀴나스

(2) 아우구스티누스와 사랑의 윤리

① 플라톤 사상 수용

- 이데아론에 맞추어 완전하고 영원한 천상의 나라와 불완전하고 유한한 지상의 나라를 구분함
- 신을 이데아와 같이 인간이 추구해야 할 최고선으로 봄

② 플라톤 사상과의 차이점

- 신을 이성적 인식을 넘어서 실존적으로 만나야 할 인격적 존재로 봄
- 참된 행복의 실현은 계시를 통해 신의 은총을 받아야만 가능하다고 봄

③ 사랑의 윤리

- 신은 최고선이며, 신을 사랑하는 사람만이 선을 실현할 수 있음
- 종교적 덕(믿음, 소망, 사랑) 중 최고의 덕은 사랑임
- 플라톤의 사주덕(지혜, 용기, 절제, 정의)도 사랑의 다른 표현임

④ 원죄론

- 모든 인간은 자유 의지의 남용으로 인한 원죄를 갖고 불완전한 상태로 태어남
- 악은 선에 반대되는 실체가 아니라 선의 결여이며 신의 창조물이 아니라 인간 행위의 결과임

⑤ 구원론

- 원죄로부터의 구원은 오직 신의 은총에 의해서만 가능함
- 신앙으로써 신에게 귀의하여 신과 하나가 될 때, 신과 이웃을 온전히 사랑할 수 있게 됨

(3) 아퀴나스와 자연법 윤리

① 아리스토텔레스 사상 수용

- 아리스토텔레스와 같이 인간의 궁극적인 목적은 행복이며, 행복은 덕에 의해 실현된다고 봄
- 아리스토텔레스의 주요 개념들을 활용하여 신의 존재를 이성적인 논증을 통해 증명함

② 아리스토텔레스 사상과의 차이점

- 자연적인 덕(지성적 덕과 품성적 덕)을 현세에서의 행복을 위한 것이며 최고의 행복으로 나아가는 예비적 단계의 덕으로 봄 → 신에게로 인도해 주는 종교적 덕(믿음, 소망, 사랑)이 필요함
- 최고의 행복은 신과 하나가 되는 것이며, 이것은 신의 은총에 의해 내세에서 가능하다고 봄

③ 자연법 윤리

- 자연법은 인간의 이성에 의해 인식된 영원법임 → 이성을 가진 인간이라면 지켜야 하는 보편적인 도덕 법칙임
- 제1원리는 '선을 행하고 악을 피하라.'임 → 자기 생명을 보존하려는 성향, 종족을 보존하려는 성향, 신에 대해 알고자 하는 성향, 사회적 삶을 살고자 하는 성향 등으로 구체화됨

(4) 프로테스탄티즘

① 루터의 사상

- '오직 믿음, 오직 은총, 오직 성서': 구원은 교회 의식이나 선행이 아니라 신의 은총과 신앙에 의해 가능하며, 그리스도교의 진리는 교회나 교황이 아니라 성서에 있음
- 만인 사제주의: 모든 신앙인은 성직자이자 사제로서 신과 직접 대화할 수 있음

② 칼뱅의 사상

- 예정설: 인간의 구원은 신에 의해 미리 정해져 있음
- 직업 소명설: 직업은 신이 각 개인에게 내린 소명이며 지상에서 이웃 사랑과 신의 영광을 실현하는 수단임

자료와 친해지기 아우구스티누스가 주장한 두 개의 국가

두 개의 사랑에 의해서 두 개의 국가가 형성된다. 지상의 국가는 자신을 사랑하고 심지어 신을 경멸함으로써, 천상의 국가는 신을 사랑하고 심지어 자신조차도 경멸함으로써 형성된다. 바꾸어 말하면 전자는 자신을 경배하며 후자는 신을 경배한다. 또한 전자는 인간으로부터 영광을 찾으며 후자는 신으로부터 영광을 찾는데, 이것이 가장 큰 영광이다.

— 아우구스티누스, 「신국론」—

아우구스티누스에 의하면 천상의 국가는 태초부터 영원히 현존하는 것이지만, 지상의 국가는 아담의 죄악을 통하여 인간이 타락함으로써 생겨나게 된 것이다. 그는 이 두 국가가 인간의 역사를 통하여 계속 뒤섞여 왔고 어느 한 국가의 구성원이 다른 국가의 구성원이 되는 일이 거듭되어 왔다고 보았으며, 현세의 삶을 살면서 인간은 기껏해야 두 국가 모두의 구성원이 될 수 있을 뿐이며 완전히 어느 한 국가에 속할 수는 없다고 주장하였다.

01

▶ 24057-0069

㉠에 들어갈 진술로 가장 적절한 것은?

> 나는 인간이 추구해야 할 최고의 목적은 쾌락이며, 참된 쾌락이란 신체적 영역에서는 어떤 고통도 느끼지 않는 동시에 정신적 영역에서는 어떤 불안도 느끼지 않는 것을 의미한다고 생각한다. 참된 쾌락을 추구하면 단순하고 일상적인 생활 속에서도 즐거움이 있다는 것을 발견할 것이다. 그런데 어떤 사람은 쾌락이 유일한 선이며 최고의 선이라고 보면서도, 쾌락은 한 가지뿐이며 지금 당장의 감각적이고 육체적인 쾌락을 최대한 추구해야 한다고 주장한다. 나는 이러한 주장이 _____㉠_____고 생각한다.

① 모든 이타적인 행위를 거부하고 감각적인 쾌락을 추구해야 함을 간과한다
② 육체적인 욕구를 최소한으로 충족할 때 참된 쾌락을 얻을 수 있음을 강조한다
③ 감각적인 쾌락보다 정신적인 쾌락을 추구하는 것이 바람직한 것임을 강조한다
④ 쾌락을 추구하는 것은 인간이 지향해야 하는 삶의 궁극적인 목적임을 간과한다
⑤ 일시적 쾌락을 느끼는 상태보다 고통을 느끼지 않는 상태가 더 좋은 것임을 간과한다

02

▶ 24057-0070

그림의 강연자가 지지할 주장으로 옳은 것만을 〈보기〉에서 있는 대로 고른 것은?

> 쾌락은 우리에게 최우선적으로 주어진 자연적인 선(善)입니다. 쾌락이 그 자체로서 즐거운 것이기 때문에 모든 쾌락이 우리에게 좋은 것이기는 하지만 모든 쾌락이 추구할 만한 가치를 가지는 것은 아닙니다. 반대로 모든 고통이 나쁜 것이기는 하지만 그렇다고 해서 반드시 회피되어야만 하는 것은 아닙니다. 우리의 과제는 이로움과 이롭지 못함을 재고 구분하여 항상 모든 것을 올바르게 평가하는 것이며, 이를 통해 우리는 고통도 불안도 없는 영혼의 절대적 평온함을 누릴 수 있습니다.

┌ 보기 ┐
ㄱ. 신중하게 숙고하는 삶을 통해 참된 쾌락을 누릴 수 있다.
ㄴ. 모든 행위를 평가할 때 쾌락이 아니라 이성을 궁극적 기준으로 삼아야 한다.
ㄷ. 쾌락은 좋은 것이기 때문에 쾌락을 유발하는 모든 행위를 추구하려고 노력해야 한다.
ㄹ. 때로는 고통을 유발하는 행위가 쾌락을 유발하는 행위보다 높이 평가되는 경우도 존재한다.

① ㄱ, ㄴ   ② ㄱ, ㄹ   ③ ㄴ, ㄷ
④ ㄱ, ㄷ, ㄹ   ⑤ ㄴ, ㄷ, ㄹ

03
▶ 24057-0071

고대 서양 사상가 갑, 을의 입장으로 옳지 <u>않은</u> 것은?

> 갑: 우리가 고통을 겪는 것은 어떤 것을 오래 견디지 못하는 결점 때문이다. 우리는 항상 새로운 것을 추구하지만 결국 출발점으로 돌아가게 된다. 이러한 삶의 권태에서 벗어나려면 활동적인 생활을 하며 시민적 의무에 헌신해야 한다. 우리는 올바르고 확고한 판단에 기초하여 동요하지 않는 마음[apatheia]을 추구해야 한다.
> 을: 다른 사람들을 내쫓을 수 있는 힘과 물질적 자산에 의해 이들에 대한 우리의 안전을 어느 정도 도모할 수 있더라도, 가장 온전한 형태의 안전은 조용한 삶과 대중으로부터 멀어진 은둔이다. 이를 바탕으로 마음의 동요가 없고 몸의 고통이 없는 상태[ataraxia]를 추구해야 한다.

① 갑: 외부적 상황에 동요하지 않을 때 참된 자유를 얻을 수 있다.
② 갑: 자신의 사회적 역할을 다하고 공공의 이익을 위해 노력해야 한다.
③ 을: 행복하고 안전한 삶을 위해 운명이 주는 고통을 참고 견뎌야 한다.
④ 을: 인간의 정치적 활동을 본성상 필수적인 일이라고 여기지 않아야 한다.
⑤ 갑과 을: 이성적인 사고를 바탕으로 마음이 평온한 삶을 추구해야 한다.

04
▶ 24057-0072

(가)의 고대 서양 사상가 갑, 을의 입장을 (나) 그림으로 탐구하고자 할 때, A~C에 들어갈 적절한 질문만을 〈보기〉에서 있는 대로 고른 것은?

(가)	갑: 정의는 내적인 자기 일의 수행과 관련되어 있다. 이성, 기개, 욕구라 불리는 영혼의 각 부분, 다시 말해서 자기 안에 있는 각각의 것이 남의 일을 하는 일이 없도록, 또한 서로를 참견하는 일이 없도록 하는 반면, 참된 의미에서 자신에게 속한 것들을 잘 조절하고 스스로 자신을 지배하며 통솔하는 것이다. 을: 자연의 정의는 사람들이 서로를 해치지 않고 해침을 당하지 않도록 지켜 주려는 상호 이득의 협정이다. 즉 정의란 그 자체로 존재하는 것이 아니라, 언제든 어디서든 사람들의 상호 관계에 있어서 서로 해치지 않고 해침을 당하지 않으려는 계약이다. 부정의한 자는 고통으로 가득하다.
(나)	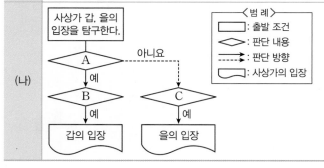

┌ 보기 ┐
ㄱ. A: 정의의 완전하고 이상적인 원형이 존재하는가?
ㄴ. A: 정의로운 사람은 행복한 삶을 영위할 수 있는가?
ㄷ. B: 영혼의 각 부분이 조화를 이룰 때 이상적인 삶을 살 수 있는가?
ㄹ. C: 정치 참여를 통해 구성원들이 서로를 돕고 이익을 주고받아야 하는가?

① ㄱ, ㄷ   ② ㄴ, ㄹ   ③ ㄷ, ㄹ
④ ㄱ, ㄴ, ㄷ   ⑤ ㄱ, ㄴ, ㄹ

05

▶ 24057-0073

고대 서양 사상가 갑, 을의 입장에 대한 설명으로 가장 적절한 것은?

> 갑: 우리에게 달려 있는 것들은 믿음, 충동, 욕구, 혐오, 한마디로 말해서 우리 자신이 행하는 그러한 모든 일이다. 반면에 우리에게 달려 있지 않은 것들은 육체, 소유물, 평판, 지위, 한마디로 말해서 우리 자신이 행하지 않는 그러한 모든 일이다. 세상에서 일어나는 일들이 네가 바라는 대로 일어나기를 추구하지 말고, 오히려 일어나는 일들이 실제로 일어나는 대로 일어나기를 바라야 한다.
>
> 을: 욕구들 중 어떤 것은 자연적인 동시에 필수적이며, 다른 것은 자연적이기는 하지만 필수적이지는 않다. 또 다른 것은 자연적이지도 않고 필수적이지도 않으며, 다만 헛된 생각에 의해 생겨난다. 모든 자연적인 것은 얻기 쉽지만 공허한 것은 얻기 어렵다. 따라서 가장 적은 양을 필요로 하는 사람이 사치에 가장 큰 기쁨을 느낀다.

① 갑은 어떤 일이 두려운 것은 그 일에 대한 자신의 생각과 태도 때문이라고 본다.
② 갑은 육체에서 일어나는 일이나 명성의 획득은 인간의 조절 능력 안에 있다고 본다.
③ 을은 고통의 부재를 위해 자연적이고 필수적인 욕구의 충족은 필요하지 않다고 본다.
④ 갑은 을과 달리 행복한 삶을 살기 위하여 욕구를 절제하는 삶을 살아야 한다고 본다.
⑤ 갑과 을은 쾌락과 고통이 그 자체로는 선한 것도 아니고 악한 것도 아니라고 본다.

06

▶ 24057-0074

다음 가상 편지를 쓴 고대 서양 사상가가 강조하는 삶의 태도로 가장 적절한 것은?

> ○○님께
> 행복한 삶을 살기 위해서는 우주가 원자의 집합이든, 자연이든, 당신은 자연이 지배하는 만유(萬有)의 한 부분이라고 확신해야 합니다. 그다음에 당신은 당신이 만유의 한 부분인 한, 다른 부분과 밀접한 관계를 맺고 있다고 확신해야 하며, 우주로부터 당신에게 할당되는 일에 불만을 품어서는 안 된다는 것을 명심해야 합니다. …(중략)… 이러한 인식을 통해 당신은 반사회적 행동을 하지 않을 것이고, 세계에서 일어나는 모든 일을 기꺼이 받아들일 것입니다. 이와 같은 태도는 당신을 반드시 행복하게 만들 것입니다.

① 사회는 개인들의 집합에 불과하다는 사실을 명심해야 한다.
② 부동심에서 벗어나기 위해 공동체에 대한 의무를 충실히 이행해야 한다.
③ 사회 전체의 이익보다 자기 자신의 이익을 우선하는 태도를 지녀야 한다.
④ 우연적으로 발생할 수 있는 위험한 상황에 항상 대비하는 삶을 살아야 한다.
⑤ 자연을 지배하는 필연적인 법칙에 따라 일어나는 모든 것을 기꺼이 받아들여야 한다.

07

▶ 24057-0075

다음을 주장한 중세 서양 사상가가 긍정의 대답을 할 질문만을 〈보기〉에서 있는 대로 고른 것은?

- 두 개의 사랑에 의해서 두 개의 국가가 형성된다. 지상의 국가는 자신을 사랑하고 심지어 신을 경멸함으로써, 천상의 국가는 신을 사랑하고 심지어 자신조차도 경멸함으로써 형성된다. 즉 전자는 자신을 경배하고 후자는 신을 경배하며, 전자는 인간으로부터 영광을 찾으며 후자는 신으로부터 영광을 찾는다.
- 덕은 인간을 행복한 생활, 즉 신에게 인도한다. 따라서 덕은 신에 대한 완전한 사랑이다. 절제는 자신을 완전히 신에게 바치는 사랑이며, 용기는 신 그 자체를 위하여 기꺼이 모든 것을 감당하는 사랑이다. 또한 정의는 신에게만 헌신하는 사랑이고, 지혜는 신을 지향하는 데 필요한 것이 무엇인가를 분별할 줄 아는 사랑을 의미한다.

┌ 보기 ┐
ㄱ. 인간은 자기 자신보다는 신을 더욱 사랑해야 하는가?
ㄴ. 인간은 신에 대한 사랑을 통해 행복한 삶을 살 수 있는가?
ㄷ. 절제, 용기, 정의, 지혜는 단지 신에 대한 사랑의 다른 표현에 불과한가?
ㄹ. 현세의 인간은 지상의 국가와 천상의 국가 중 어느 한 국가에 완전히 속할 수 있는가?

① ㄱ, ㄴ ② ㄴ, ㄹ ③ ㄷ, ㄹ
④ ㄱ, ㄴ, ㄷ ⑤ ㄱ, ㄷ, ㄹ

08

▶ 24057-0076

(가)의 그리스도교 사상가 갑, 을의 입장을 (나) 그림으로 표현할 때, A~C에 해당하는 내용으로 가장 적절한 것은?

(가)	갑: 육체와 영혼의 평화는 살아 있는 존재인 인간의 잘 질서 잡힌, 조화로운 삶과 건강이다. 신과 인간 사이의 평화는 잘 질서 잡힌 신앙을 가지고 영원한 법칙에 따르는 것이다. 신의 나라에서의 평화는 완벽한 조화와 질서 안에서 신을 향유하는 것이며 신 안에서 모두가 서로 조화와 질서를 이루는 것이다. 을: 신에 대한 믿음은 인간이 구원을 받고 마음의 평안을 얻는 데 필요한 것이다. 인간은 오직 그리스도의 공로에 힘입어 구원을 얻는다는 교리만큼 신이 쉽고 명쾌하게 가르쳐 준 것도 없다. 이러한 교리를 명확하게 파악하고 있지 않으면 면죄부 교리를 비롯한 가증스러운 오류들을 비판할 수 없다.
(나)	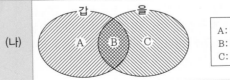 〈범례〉 A: 갑만의 입장 B: 갑, 을의 공통 입장 C: 을만의 입장

① A: 인간은 신을 이성적으로 향유해야 완전한 행복에 도달한다.
② A: 질서 잡힌 국가를 만들기 위해 신이 창조한 악을 제거해야 한다.
③ B: 구원은 신의 은총과 신에 대한 믿음을 통해서 이루어진다.
④ B: 개인의 종교적 믿음보다 교회의 종교적 권위가 더 중요하다.
⑤ C: 참된 행복을 가져다주는 평화는 신이 창조한 질서가 보존될 때 실현된다.

09

▸ 24057-0077

다음을 주장한 중세 서양 사상가의 입장에만 모두 '✓'를 표시한 학생은?

> 영원법은 모든 것의 운동과 행위를 지배하는 것으로서의 신의 지혜의 범형(範型) 이외의 다른 어떤 것이 아니다. 지적인 피조물인 인간이 공유하고 있는 영원법을 자연법이라고 한다. 자연법은 이성의 명령이며, 신의 마음으로부터 나온 것이며, 우리의 자연적 성향에 반영되어 있는 것이며, 인간의 이성에 의해서 파악될 수 있는 것이다. "선을 추구하고 악을 피하라."가 자연법의 첫째 원리이다. 다른 모든 실천적인 원리들은 우리가 선을 추구하고 악을 피하여야 한다는 기본적인 요구와 조화될 수 있어야만 한다.

입장＼학생	갑	을	병	정	무
자연법에 어긋나게 제정한 실정법은 무효가 된다.	✓	✓		✓	
동식물은 인간과는 달리 영원법에 참여할 수 없다.			✓	✓	✓
영원법 전부가 인간의 본성에 반영되어 있는 것은 아니다.	✓			✓	✓
자연법은 영원법의 일부이기 때문에 인간의 능력으로는 파악될 수 없다.		✓	✓		✓

① 갑 ② 을 ③ 병 ④ 정 ⑤ 무

10

▸ 24057-0078

(가)의 고대 서양 사상가 갑, 중세 서양 사상가 을의 입장에서 서로에게 제기할 수 있는 비판을 (나) 그림으로 표현할 때, A, B에 해당하는 내용으로 옳은 것은?

(가)	갑: 모든 행위와 선택은 어떤 좋음[善]을 목표로 한다. 좋음 중에 가장 상위의 것을 최고선이라 한다. 인간에게 최고선은 행복이며, 행복은 그 자체로 추구되기 때문에 완전하며 자족적이다. 또한 행복은 완전한 탁월성에 따르는 영혼의 어떤 활동이라 할 수 있다. 을: 인간은 부동(不動)의 원동자(原動者)에 의해 궁극적인 목적으로 향하며, 인간의 궁극적인 목적, 즉 행복은 본질적으로 창조되지 않은 선인 신(神)과 결부되어 있다. 신은 무한한 선이기 때문에 오직 신만이 우리의 의지를 넘칠 만큼 가득 채울 수 있다.
(나)	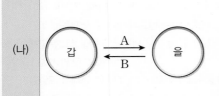 ＜범 례＞ ⟶ : 비판의 방향 A, B: 비판의 내용 ＜예 시＞ 갑 ⟶A⟶ 을 A는 갑이 을에게 제기할 수 있는 비판임.

① A: 개별적인 것들로부터 분리된 좋음 자체가 있음을 간과한다.
② A: 최고선이란 완전하고 자족적인 특성을 지닌 것임을 간과한다.
③ B: 인간의 완전한 행복은 현세에서 불가능함을 간과한다.
④ B: 인간은 최고선인 행복에 도달하기 위해 노력해야 함을 간과한다.
⑤ B: 인간이 완전한 행복에 도달하려면 이성의 탁월한 발휘가 필요함을 간과한다.

09 도덕적 판단과 행동의 근거: 이성과 감정

① 근대 서양 윤리 사상의 등장 배경

(1) **르네상스**: 인간의 개성을 존중하고 현실을 중시하며, 합리적 사고와 경험을 중시하는 사고방식을 확산시킴

(2) **종교 개혁**: 가톨릭의 권위주의적 전통을 무너뜨리고 개인의 신앙의 자유를 중시하는 분위기를 형성함

(3) **자연 과학의 발달**: 기존의 형이상학적이거나 신학적인 세계관을 대체하는 과학적 세계관을 제공함

② 근대 서양 사상의 두 유형

(1) **이성주의와 경험주의**

구분	이성주의	경험주의
지식의 근원	이성 → 논리적 추론을 통해 얻은 지식을 중시함	경험 → 관찰이나 실험을 통해 얻은 지식을 중시함
진리 탐구 방법	연역법	귀납법
대표자	데카르트, 스피노자	베이컨, 흄

(2) **연역법과 귀납법**

구분	연역법	귀납법
의미	일반적인 원리로부터 논리적 추론을 통해 개별적인 이치를 알아내는 방법	개별적인 사실들에 대한 관찰과 실험을 통해 일반적인 원리를 찾아내는 방법
한계	• 새로운 지식의 확장을 가져다주지 않음 • 경험적 검증을 경시함으로써 공허하거나 사변적인 추론이 될 수 있음	• 성급한 일반화의 오류에 빠질 수 있음 • 높은 개연성을 지닌 지식은 제공할 수 있으나 필연적 진리를 정립할 수 없음

③ 데카르트와 베이컨

(1) **데카르트**: 근대 이성주의의 기초를 닦은 철학자

① **감각적 경험 비판**: 감각적 경험을 통해 얻은 지식은 주관적이고 상대적이어서 명백한 진리로 믿을 수 없음 → 이성적 추론을 통해서 얻은 지식만이 확실하고 참된 지식임

② **방법적 회의(懷疑)**: 확실한 지식을 연역해 내기 위해서는 절대로 의심할 수 없는 명제를 그 출발점으로 삼아야 하며, 이러한 명제를 찾기 위해서는 의심할 수 있는 모든 것을 의심해 보아야 함

③ **철학의 제1원리**: "나는 생각한다. 그러므로 나는 존재한다." → 모든 것을 의심할 수 있지만 의심(생각)하고 있는 내가 존재한다는 사실은 의심할 수 없는 확실한 것임

> 모든 지식이 더 이상 의심할 수 없는 가장 단순한 원리로부터 도출되어야 한다면 우선 그 출발점이 얼마나 확고한 기초 위에서 있는가를 따져 보아야 할 것이다. 그렇다면 과연 무엇이 확실하다고 할 것인가? 이 문제를 좀 더 조심스럽게 다루기 위하여 일단 나는 그 어떤 것도 확실하다고 보지 않을 것이다. …(중략)… 그런데 내가 아무리 모든 것을 회의하는 데서 철학적 탐구를 시작한다고 할지라도 끝내 더 이상 의심할 수 없을 뿐만 아니라 오히려 의심하면 할수록 더욱 확실한 것으로 나타나는 것이 한 가지가 있다. 그것은 바로 내가 지금 이 순간에도 의심하고 있다는 것, 다시 말해 생각하고 있다는 것이다.
>
> – 데카르트, 「방법 서설」 –

(2) **베이컨**: 근대 경험주의의 선구자

① **자연 과학적 지식의 유용성 강조**: 자연 과학적 지식을 참된 지식으로 보고, 이러한 지식을 통해 자연을 지배하고 인간의 생활 방식을 개선할 수 있다고 믿음 → '아는 것이 힘이다.'

② **새로운 진리 탐구 방법 주창**: 실험과 지성을 중시하는 참된 귀납법을 제시함

자료와 친해지기 데카르트와 베이컨의 학문 방법론

• 나의 믿음 속에 완벽하게 의심의 여지가 없는 것이 있는지 알기 위해서는 최소한의 결점이라도 찾아낼 수 있는 것은 모두 완벽한 오류로서 거부해야만 한다. …(중략)… 이런 방식으로 모든 것들을 거짓이라고 생각하려 애쓰는 동안에도 그것들을 생각하고 있는 나는 반드시 '실제로 존재하는 어떤 것'이어야만 한다는 사실을 알아차리게 되었다. 그리고 이러한 진리, 즉 "나는 생각한다. 그러므로 나는 존재한다."는 것은 너무나도 확실하고 분명해서 철학의 제1원리로 받아들일 수 있다고 판단했다. – 데카르트, 「방법 서설」 –

• 진리를 탐구하고 발견하는 데에는 두 가지 방법이 있으며, 이 두 가지 방법밖에 없다. 하나는 감각과 개별자에서 출발하여 일반적인 명제에 도달한 다음, 그것을 [제1]원리로 혹은 논쟁의 여지 없는 진리로 삼아 중간 수준의 공리를 이끌어 내거나 발견하는 것이다. 현재 널리 사용되고 있는 방법이다. 다른 하나는 감각과 개별자에서 출발하여 지속적으로, 그리고 점진적으로 상승한 다음, 궁극적으로 가장 일반적인 명제에까지 도달하는 방법이다. 지금까지 시도된 바 없지만 이것이야말로 진정한 [과학적] 방법이다. – 베이컨, 「신기관」 –

데카르트는 확실한 인식의 출발점을 확보하기 위해 의심할 수 있는 모든 것을 의심해 보는 '방법적 회의'를 통해 "나는 생각한다. 그러므로 나는 존재한다."라는 명제를 철학의 제1원리로 확정하였다. 베이컨은 개별적 경험으로부터 일반적 원리를 얻어 내는 귀납적 방법을 강조하였고, 이를 위해 관찰이나 실험에서 얻는 지식을 중시하였다.

③ 우상론: 자연에 대한 참된 인식을 방해하는 선입견과 편견을 우상(偶像)에 비유하고 이를 타파할 것을 역설함

종족의 우상	인간성 그 자체, 즉 인간이라는 종족 그 자체에 뿌리를 박고 있는 편견 예 인간의 감각이 만물의 척도이다.
동굴의 우상	개인의 특수한 기질, 경험, 교육 등에서 비롯된 편견 예 내가 보건대, 참나무가 제일 단단하다.
시장의 우상	언어에 대한 잘못된 인식이나 오용에서 비롯된 편견 예 '인어'라는 말이 있는 걸 보니 인어는 있다.
극장의 우상	전통, 학설 등에 대한 무비판적인 믿음에서 비롯된 편견 예 위대한 플라톤의 주장에 의문을 제기해서는 안 된다.

④ 스피노자의 이성 중심 윤리 사상

(1) 신에 대한 견해

① 신은 자연 바깥에 존재하는 초월적 창조자가 아니라 자연 그 자체라고 봄

② 신, 즉 자연은 유일한 실체(實體, substance)이고, 인간을 포함하여 자연의 개별 사물은 하나의 실체가 보여 주는 여러 가지 모습인 양태(樣態, mode)라고 주장함

> 생산하는 자연[能産的 自然(능산적 자연)]은 그 자체 안에 존재하며 그 자신에 의해서 파악되는 것, 또는 영원하고 무한한 본질을 표현하는 실체의 속성, 즉 신으로 이해되지 않으면 안 된다. 이에 비해 생산된 자연[所産的 自然(소산적 자연)]은 신의 본성이나 신의 각 속성의 필연성에서 생기는 모든 것, 즉 신 안에 존재하며 신 없이는 존재할 수도 파악될 수도 없는 것, 다시 말해 신의 속성의 모든 양태로 이해되어야 한다.
> – 스피노자, 『윤리학』 –

(2) 필연론

① 우주는 수학적 질서에 따라 움직이는 하나의 거대한 기계이며, 세계의 모든 일은 원인과 결과에 의해 필연적으로 연결되어 있다고 봄

② 필연성에서 벗어나 자유 의지를 가지는 것은 불가능하다고 봄

> 자연은 필연적 질서에 따라 움직이는 거대한 기계이다. 모든 것은 신의 본성에서 생기며, 자연의 영원한 법칙과 규칙에 따라 행해짐을 완전히 이해하는 사람은 어떤 사람도 연민의 대상으로 여기지 않을 것이다. 정념에 의해서는 우리가 선하다고 확실히 아는 어떤 것도 행하지 못할 뿐만 아니라 거짓된 눈물에 쉽게 속기 때문이다.
> – 스피노자, 『윤리학』 –

(3) 정념의 속박과 최고의 행복

① 정념에 속박된 사람은 외부 원인에 휘둘리고 수동적인 삶을 살게 되며, 자신에게 좋은 것을 알더라도 그것을 하지 못할 수 있다고 봄

② 정념의 속박에서 벗어나 자유로운 삶을 살기 위해서는 이성을 계발하고 이성이 인도하는 삶을 살아야 한다고 주장함

③ 최고의 행복: 이성을 온전히 사용하여 만물의 궁극적 원인인 신, 즉 자연과 이 원인으로부터 사물들이 발생하는 필연적인 인과 질서를 인식함으로써 도달하게 되는 마음의 안정과 평화가 최고의 행복임 → 모든 것을 이성적으로 인식하는 데서 최고의 행복을 누릴 수 있음

> 삶에서 무엇보다 유익한 것은 가능한 한 지성이나 이성을 완전하게 하는 것이며, 오로지 이것에 인간의 최상의 행복, 즉 지복(至福)이 존재한다. 지복이란 신의 직관적 인식에서 생기는 정신의 만족에 불과하다. 그리고 지성을 완전하게 하는 것은 신과 신의 본성의 필연성에서 생기는 활동을 파악하는 것에 불과하다. 그러므로 이성에 따라 인도되는 인간의 궁극 목적, 즉 그로 하여금 여타의 모든 욕망을 통솔하게끔 하는 최고의 욕망은 그 자신과 그의 인식에 속할 수 있는 모든 것을 타당하게 파악하도록 하는 욕망이다.
> – 스피노자, 『윤리학』 –

자료와 친해지기 스피노자의 자유와 행복에 대한 입장

- 오직 정서나 속견에만 인도되는 인간과 이성에 인도되는 인간 사이에 어떤 차이가 있는지 쉽게 알 수 있을 것이다. 왜냐하면 전자는 자신이 원하든 원하지 않든 간에 자신이 전혀 모르는 것을 행하지만, 후자는 자기 이외의 어떤 사람에게도 따르지 않고 그가 인생에서 가장 중대하다고 아는 것, 그러므로 자기가 가장 욕구하는 것만을 행하기 때문이다. 그러므로 나는 전자를 노예라고 하고 후자를 자유인이라고 부른다.
- 무지한 자는 외부 원인에 의해 수많은 방식으로 자극받을 뿐더러, 마음의 진정한 만족을 가질 수 없고, 마치 자기 자신과 신, 실재를 의식하지 못하는 것처럼 살아가며, 따라서 수동적으로 겪는 것을 그치자마자 존재하기를 그치게 된다. 반대로 있는 그대로 고려된 현자는 마음의 번뇌가 없고, 어떤 영원한 필연성에 의해 자기 자신과 신, 실재를 의식하기 때문에 결코 존재하기를 그치지 않으며, 오히려 항상 진정한 마음의 만족을 지닌다.

> – 스피노자, 『윤리학』 –

스피노자는 자유인과 노예, 현자와 무지한 자를 대비하면서 전자는 자유와 지복을 누리며, 후자는 예속과 슬픔에 빠진다고 보았다. 스피노자에 따르면 인간은 자연의 인과적 필연성을 이성적 관조를 통해 인식함으로써 마음의 평정과 진정한 자유를 얻을 수 있다.

5 흄의 감정 중심 윤리 사상

(1) 감정 중시

① 도덕적 가치: 덕과 부덕은 이성적으로 판단되는 것이 아니라, 어떤 사람의 행위나 품성을 바라볼 때 느끼는 시인(是認)의 감정이나 부인(否認)의 감정을 표현한 것임 → 인격과 행위에 대한 시인과 부인의 감정은 개인의 주관적 감정이 아니라 공통으로 느끼는 사회적 감정임

② 도덕적 실천의 동기: 감정은 도덕적 실천의 직접적 동기가 될 수 있지만 이성은 그렇지 못함 → 도덕적 판단과 행위에서 중요한 것은 이성이 아니라 감정임

> 인간 행위의 궁극적 목적들은 어떤 경우에도 이성으로 설명할 수 없고, 그 궁극적 목적들에 대한 설명은 지성의 능력에 전혀 의존하지 않는 인간의 정감과 감정에 전적으로 맡겨야 하는 것이 명백해 보인다. 왜 운동을 하느냐고 어떤 사람에게 물어보라. 그는 자기의 건강을 지키기 원하기 때문이라고 대답할 것이다. 그리고 이어서 왜 건강하기를 원하느냐고 묻는다면, 그는 아픈 것이 고통스럽기 때문이라고 곧바로 응답할 것이다. 당신이 계속해서 질문하여 왜 고통을 싫어하는지 이유를 알고 싶어 하면, 그는 어떤 이유도 제시할 수 없을 것이다. 이것은 궁극적인 목적이며, 어떠한 다른 대상에게서도 절대로 그 원인을 찾을 수 없다.
>
> – 흄, 「도덕 원리에 관한 연구」 –

③ 도덕성의 기초: 다른 사람의 행복과 불행을 함께 느낄 수 있는 공감(共感)의 능력에 기반한 시인과 부인의 감정이 도덕성의 기초임 → 사회적으로 유익한 것에 대해 사회적인 시인의 감정을 갖는 것은 공감 능력 때문임

> 도덕은 인류에게 공통적인 어떤 정서를 함축한다. 이 정서는 동일한 대상을 우리 모두가 시인하도록 만들며, 대상과 관련된 의견과 판단에 있어서 일치를 보이도록 만든다. 도덕은 매우 보편적이고 포괄적이어서 모든 인류에게 확장될 수 있는 정서를 함축하며, 우리로부터 가장 멀리 떨어져 있는 사람들의 행위조차도 우리의 칭찬이나 비난의 대상이 되도록 만든다.
>
> – 흄, 「도덕 원리에 관한 연구」 –

(2) 회의주의적 인식론

① 인과 관계는 우리가 반복적으로 관찰함으로써 알게 된 것일 뿐, 우리는 원인과 결과의 실제적 결합을 알 수 없음

② 자아에 대한 인식도 감각적 지각일 뿐, 우리는 자아 그 자체를 알 수 없음

> 언제나 함께 결합되어 있으면서 과거의 모든 사례들에서 분리될 수 없는 것으로 알려진 어떤 대상들을 제외하면, 우리는 원인과 결과에 대해서 전혀 알 수 없다. 우리는 그와 같은 결부(結付)의 이유를 꿰뚫어 볼 수 없다. 우리는 사물 자체를 관찰할 뿐이며, 언제나 항상적 결부로부터 상상력 안에서 대상들이 합일된다는 것을 발견한다. 즉 어떤 것의 인상이 우리에게 나타나게 될 때, 우리는 곧 그 인상을 늘 수반하는 것에 대한 관념을 형성한다. 그러므로 원인과 결과는 정신 안에 있는 대상들을 조합할 뿐이지, 그 대상들의 범위를 확장할 수는 없다.
>
> – 흄, 「인간 본성에 관한 논고」 –

(3) 영향: 사회적 차원의 이익을 부각시키는 계기를 제공함으로써 공리주의 윤리 사상의 모태가 됨

6 이성주의와 경험주의의 영향

(1) 이성주의의 영향

① 인간의 이성을 도덕과 행복의 기반으로 봄

② 실천 이성에 근거해서 보편적인 도덕 법칙을 수립하고자 노력한 칸트의 윤리 사상에 큰 영향을 줌

(2) 경험주의의 영향

① 도덕의 불변성이나 이상의 추구보다는 현실적 문제의 해결과 사회적 이익의 극대화를 추구하는 사상에 영향을 줌

② 사회적 행복에 유용한 행위를 강조한 흄의 윤리 사상은 공리주의의 사상적 뿌리가 되었고, 관찰과 실험을 중시하는 경험론의 관점은 실용주의 윤리 사상의 형성에 영향을 줌

자료와 친해지기 흄의 감정 중심 윤리 사상

> 도덕성은 판단된다기보다는 느껴지는 것이다. …(중략)… 인상들을 구별함으로써 우리는 도덕적 선악을 알게 되는데, 인상들을 구별하는 것은 특정한 고통과 쾌락일 뿐이다. 따라서 도덕적 구별에 대해 탐구하는 모든 경우에 우리가 어떤 성격을 보고 만족이나 거북함을 느끼게 되는 원리를 설명하는 것으로 충분하다. 그 원리에 대한 설명을 통해 우리는 그 성격이 칭찬할 만하거나 비난할 만한 이유를 납득하기 때문이다. 어떤 행동이나 소감 또는 성격이 유덕하거나 부덕하다면 그 이유는 무엇인가? 바로 그 행동이나 소감 또는 성격을 지각하는 것이 특정한 종류의 쾌락이나 거북함의 원인이기 때문이다. 덕의 감각을 갖는 것은 어떤 성격을 응시하는 데에서 특정한 종류의 만족을 느낀다는 것일 뿐이다. 그러므로 바로 그 느낌이 우리의 칭찬과 찬미를 구성한다.
>
> – 흄, 「인간이란 무엇인가」 –

흄에 따르면 선과 악은 이성적으로 판단되는 객관적 실재라기보다 어떤 사람이 행위나 품성을 바라볼 때 느끼는 시인 또는 부인의 감정을 표현한 것이다. 그는 사회적으로 유용한 행위가 시인의 감정을 불러일으킨다고 주장하였다.

01

▶ 24057-0079

그림의 강연자가 지지할 주장으로 가장 적절한 것은?

이제껏 내가 참이라고 여겨 온 모든 것은 한편으로는 감각으로부터, 다른 한편으로는 감각을 통해서 받아들인 것입니다. 그러나 감각이 가끔씩 나를 속인다는 것을 알아챘습니다. 한 번이라도 우리를 속인 것에 대해서는 전적으로 신뢰하지 않는 편이 현명합니다. 따라서 확실하고 흔들리지 않는 어떤 것을 발견하기 위해서는 내가 보는 모든 것을 거짓이라고 가정하고 의심해야 합니다. 그런데 의심을 하는 순간에도 의심을 하고 있는 '나'는 있습니다. 나는 모든 것을 충분히 숙고한 뒤 "나는 생각한다. 그러므로 나는 존재한다."라는 공리를 확립할 수 있었습니다.

① 철학의 제1원리를 방법적 회의의 출발점으로 삼아야 한다.
② 자명한 진리를 얻기 위해서는 감각적 경험에 근거해야 한다.
③ 모든 것을 의심하는 것과 참된 진리의 획득은 양립 가능하다.
④ 의심할 수 없는 지식은 연역적 방법이 아닌 귀납적 방법으로 얻어진다.
⑤ 확실한 명제는 논리적 추론이 아닌 관찰과 실험을 통해 정립될 수 있다.

02

▶ 24057-0080

갑은 고대 서양 사상가, 을은 근대 서양 사상가이다. 을이 갑에게 제기할 수 있는 반론으로 가장 적절한 것은?

갑: 인간은 만물의 척도이다. 존재하는 것에 대해서는 그것이 존재한다는 척도이며, 존재하지 않는 것에 대해서는 그것이 존재하지 않는다는 척도이다. 따라서 어떤 것들이 나에게 나타나는 대로 그것들은 나에게 그렇게 존재하며, 어떤 것들이 당신에게 나타나는 대로 그것들은 당신에게는 그렇게 존재한다.

을: 인간은 자연의 사용자 및 자연의 해석자로서 자연의 질서에 대해 실제로 관찰하고, 고찰한 것만큼 무엇인가를 할 수 있으며 이해할 수 있다. 인간의 지식이 곧 인간의 힘이며, 원인을 밝히지 못하면 어떤 효과도 낼 수 없다. 자연의 고찰에서 원인으로 인정되는 것이 작업에서는 규칙의 역할을 한다.

① 사물의 존재 여부를 판단하는 기준은 개인임을 간과한다.
② 개인의 경험을 바탕으로 지식을 획득할 수 있음을 간과한다.
③ 관찰을 통한 지식의 일반화 과정에서 이성의 도움은 불필요함을 간과한다.
④ 자연에 대한 지식이 인간의 삶을 개선하는 데 도움이 되지 않음을 간과한다.
⑤ 인간의 감각적 능력을 바탕으로 보편적인 지식을 도출할 수 있음을 간과한다.

03

▶ 24057-0081

근대 서양 사상가 갑, 을이 모두 긍정의 대답을 할 질문만을 〈보기〉에서 고른 것은?

갑: 삼단 논법은 학문의 원칙으로 적합하지 않고, 중간 수준의 공리에도 도움이 되지 않는다. 진리를 탐구하고 발견하기 위해서는 감각과 개별자에서 출발하여 지속적으로 그리고, 점진적으로 상승한 다음, 궁극적으로 가장 일반적인 명제에 도달해야 한다. 또한 인간의 지성을 고질적으로 사로잡고 있는 우상(偶像)으로부터 벗어나야 한다.

을: 철학의 제1원리를 찾기 위해 자신의 신념 속에 전혀 의심할 수 없는 것이 남아 있는지 살펴보아야 한다. 이렇게 의심하는 동안에도 '생각하고 있는 나'는 필연적으로 무엇이어야 한다는 점은 확실하다. 철학의 제1원리로부터 다른 사항을 연역하는 데 필요한 순서를 지키기만 하면, 아무리 감춰져 있는 것이라도 발견할 수 있다.

| 보기 |

ㄱ. 참된 지식을 발견하는 과정에서 이성의 역할이 필요한가?
ㄴ. 확실한 지식은 연역적 방법이 아니라 귀납적 방법으로 얻어지는가?
ㄷ. 진리를 탐구하고 발견하기 위해 전통이나 권위를 의심해야 하는가?
ㄹ. 삼단 논법을 적극 활용하여 확실한 개념과 공리를 도출해야 하는가?

① ㄱ, ㄴ　　　　② ㄱ, ㄷ　　　　③ ㄴ, ㄷ　　　　④ ㄴ, ㄹ　　　　⑤ ㄷ, ㄹ

04

▶ 24057-0082

다음 가상 대화의 선생님이 강조하는 삶의 태도로 가장 적절한 것은?

① 자연의 필연성을 극복하기보다는 이성적으로 관조해야 한다.
② 자유 의지를 최대한 발휘하여 자신의 운명을 개척해야 한다.
③ 마음의 평화를 위해 자연의 인과적 질서에서 벗어나야 한다.
④ 인격신의 은총을 받기 위하여 신을 조건 없이 사랑해야 한다.
⑤ 이성적인 삶을 살기 위해 자기 보존의 욕구를 항상 극복해야 한다.

05

▶ 24057-0083

(가)의 고대 서양 사상가 갑, 근대 서양 사상가 을의 입장을 (나) 그림으로 탐구하고자 할 때, A~C에 들어갈
옳은 질문만을 〈보기〉에서 있는 대로 고른 것은?

(가)	갑: 우리의 자연적 본성은 전체 자연의 부분이기 때문에 자연에 일치해서 사는 것이 인생의 목적이 된다. 즉 이것은 각자가 자기 자신의 자연적 본성에 또 우주의 자연적 본성에 따르고 있다는 것이고, 공통의 법이 금지하는 그 어떤 행위도 하지 않는다고 하는 것이다. 을: 오직 신 또는 자연만이 독립적이며 자기 결정적인 존재이다. 신의 본성으로부터 필연적으로 무한하게 많은 것들이 무한하게 많은 방식으로 나온다. 따라서 인간은 단지 전체의 한 부분에 지나지 않으며 우리의 본성은 모든 경우에 있어 전체의 본질적 특성을 표현하는 신 또는 자연의 법칙들에 의해서 결정된다.
(나)	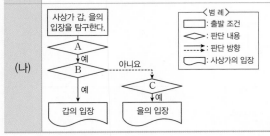

┌ 보기 ┐
ㄱ. A: 자연법칙에 대한 앎이 진정한 행복을 실현하는 데 도움이 되는가?
ㄴ. A: 인간은 자연의 일부분이므로 자연의 질서에서 벗어나는 것은 불가능한가?
ㄷ. B: 행복은 자연에 대한 직관적 인식에서 나오는 정신의 만족일 뿐인가?
ㄹ. C: 자연은 유일한 실체이기 때문에 유한한 속성을 지니는가?

① ㄱ, ㄴ   ② ㄱ, ㄷ   ③ ㄷ, ㄹ
④ ㄱ, ㄴ, ㄹ   ⑤ ㄴ, ㄷ, ㄹ

06

▶ 24057-0084

중세 서양 사상가 갑은 부정, 근대 서양 사상가 을은 긍정의 대답을 할 질문으로 가장 적절한 것은?

> 갑: 최고선은 더 이상 높은 선(善)이 없는 선, 즉 신이다. 따라서 신은 변함없는 선이며 진정으로 영원한 불멸의 선이다. 신은 이성적 인식의 대상을 넘어 실존적으로 만나야 할 인격적 존재이며, 신의 계시는 인간이 자신의 선의지로써 자신이 신의 진리에 어울리는 인간임을 입증할 때에만 주어진다.
> 을: 최고의 정신의 덕은 신을 인식하는 것이다. 신은 인간 신체의 존재의 원인일 뿐만 아니라 그 본질의 원인이기도 하다. 따라서 인간 신체의 본질은 신의 본질 자체에 의해서 필연적으로 파악되지 않으면 안 된다. 따라서 그것은 필연적으로 신 안에 존재하지 않으면 안 된다.

① 최고선은 신의 은총에 의해서만 달성되는가?
② 영원의 관점 아래서도 우연한 사건은 존재 가능한가?
③ 인간의 참된 행복은 신에 의해 내세에서 실현될 수 있는가?
④ 악(惡)은 실체로서 존재하는 것이 아니라 선이 결여된 상태인가?
⑤ 인간은 자유 의지를 가지지 못하지만 자유로운 삶을 살 수 있는가?

07

▶ 24057-0085

(가)의 고대 서양 사상가 갑, 근대 서양 사상가 을의 입장을 (나) 그림으로 표현할 때, A~C에 해당하는 내용으로 가장 적절한 것은?

(가)	갑: 인식되는 것들에 진리를 제공하고 인식하는 자에게 그 힘을 주는 것을 좋음[善]의 이데아라고 한다. 이 이데아는 인식과 진리의 원인이지만, 인식되는 것이기도 하다. 인식과 진리가 훌륭한 것들이기는 하지만, 이 이데아는 이것들과는 다르며 이것들보다 한결 더 훌륭한 것이다. 을: 우리의 삶에 있어 무엇보다도 유익한 것은 우리의 지성 또는 이성을 가능한 한 완전하게 하는 것이다. 그리고 바로 이것이 인간의 최고의 행복 또는 지복이라고 할 수 있다. 지성을 완전하게 하는 것은 신과 신의 속성 그리고 그의 본성의 필연성으로부터 생겨나는 그의 활동을 파악하는 것에 불과하다.
(나)	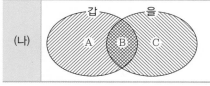 〈범 례〉 A: 갑만의 입장 B: 갑, 을의 공통 입장 C: 을만의 입장

① A: 좋음의 원형은 현실 세계의 자연 안에 존재한다.

② B: 이성을 통해 인간이 지닌 모든 욕망을 제거해야 한다.

③ B: 모든 인식의 근거가 되는 궁극적인 원인이 존재한다.

④ C: 진정한 행복을 실현하려면 이성을 탁월하게 발휘해야 한다.

⑤ C: 인간의 감각적 경험을 초월한 절대적인 진리는 존재하지 않는다.

08

▶ 24057-0086

다음을 주장한 근대 서양 사상가의 입장으로 옳지 않은 것은?

• 어떤 행동이나 성격을 부덕하다고 주장할 때, 당신은 그 행동이나 성격을 보는 데에서 당신 본성의 기초 구조에 따라 비난의 느낌이나 소감을 갖는다는 것을 뜻할 뿐이다. 덕과 부덕은 소리, 색, 열기, 한기 따위와 비교될 수 있을 법한데, 이런 것은 대상의 성질이 아니라 정신의 지각이다.

• 어떤 행동이나 소감 또는 성격이 유덕하거나 부덕하다면, 그 행동이나 소감 또는 성격을 지각하는 것이 특정한 종류의 쾌락이나 거북함의 원인이기 때문이다. 덕의 감각을 갖는 것은 어떤 성격을 응시하는 데에서 특정한 종류의 만족을 느낀다는 것일 뿐이다. 그러므로 바로 이 느낌이 우리의 칭찬과 찬미를 구성한다.

① 도덕의 체계는 인간의 공감 능력을 바탕으로 세워져야 한다.

② 덕과 악덕이 인간의 마음과 독립적으로 실재하는 것은 아니다.

③ 모든 종류의 쾌락이 도덕적 시인(是認)을 유발하는 것은 아니다.

④ 도덕성은 본질적으로 어떤 종류의 감각인 도덕감에 의해 구별된다.

⑤ 덕은 감정에 의해 주관적으로 느껴지는 것이므로 보편일 수 없다.

[09~10] 다음은 근대 서양 사상가 갑, 을의 가상 대화이다. 물음에 답하시오.

도덕은 정서를 환기하여 어떤 행동을 일으키거나 억누릅니다. 이런 점에서 이성 자체는 전혀 힘이 없습니다. 즉 도덕적 선악의 구별은 우리 행동에 영향을 미치지만, 이성만으로는 이런 영향력을 가질 수 없습니다. 단지 이성은 정념을 고무하거나 방향을 규정함으로써 어떤 행동을 유발하는 간접 원인이 될 수 있을 뿐입니다.

덕을 따르는 사람들의 최고선은 모든 사람에게 공통됩니다. 참으로 덕에 따라 행동하는 것은 우리가 이성의 지도에 따라서 자기 존재를 보존하는 것입니다. 인간은 이성의 지도에 따라 생활하는 한 본성상 언제나 필연적으로 신에 일치하며, 가능한 한 자신에 대한 타인의 미움, 분노, 경멸 등을 반대로 사랑이나 관용으로 보상하고자 노력합니다.

갑

을

09

▶ 24057-0087

갑, 을의 입장으로 옳은 것만을 〈보기〉에서 있는 대로 고른 것은?

> ┌─ 보기 ┐
> ㄱ. 갑: 도덕적 행위를 유발하는 직접적 동기는 감정이다.
> ㄴ. 을: 자기를 보존하려는 인간의 욕구는 언제나 이성과 대립한다.
> ㄷ. 갑과 을: 이성과 감정은 모두 도덕적 삶을 사는 데 도움을 줄 수 있다.

① ㄱ　　　② ㄴ　　　③ ㄱ, ㄷ　　　④ ㄴ, ㄷ　　　⑤ ㄱ, ㄴ, ㄷ

10

▶ 24057-0088

다음을 주장한 고대 서양 사상가에게 갑이 제기할 수 있는 비판으로 가장 적절한 것은?

우리가 쾌락의 부재로 인해 고통을 느낄 때에는 쾌락을 필요로 하지만, 고통을 느끼지 않는다면 더 이상 쾌락을 필요로 하지 않는다. 이런 이유 때문에 우리는 쾌락이 행복한 인생의 시작이자 끝이라고 말한다. 쾌락을 위해 사려 깊고 아름답고 정직하게 살아야 한다. 즐겁게 살지 않으면서 사려 깊고 아름답고 정직하게 살 수는 없다. 탁월함은 본성적으로 즐거운 삶과 연결되어 있으며, 즐거운 삶은 탁월함으로부터 뗄 수 없다.

① 참된 쾌락을 추구하려면 이성적으로 숙고하는 삶을 살아야 함을 간과한다.
② 좋음의 가치를 지닌 모든 것을 반드시 추구해야 하는 것은 아님을 간과한다.
③ 덕은 쾌락과 무관하게 그 자체로 바람직한 가치를 지닐 수 없음을 간과한다.
④ 개인적 차원의 쾌락이 아니라 사회적 차원의 유용성을 중시해야 함을 간과한다.
⑤ 덕과 악덕은 모두 감정적으로 느껴진다는 측면에서 구별이 되지 않음을 간과한다.

11

▶ 24057-0089

다음을 주장한 사상가의 입장에서 〈문제 상황〉 속 A에게 제시할 조언으로 가장 적절한 것은?

> 모든 사람의 정신은 그 느낌이나 작용에서 비슷하며, 어떤 다른 사람도 전혀 느낄 수 없는 그런 정념에 의해 자극받는 사람은 아무도 없다. 똑같이 조율된 현(絃)들 가운데 하나의 운동이 나머지 현들에게 전달되듯이 모든 정념은 한 사람에게서 다른 사람으로 쉽게 옮아가며 모든 사람들 속에 상응하는 감정의 움직임을 불러일으킨다. 어떤 사람의 목소리나 몸짓에서 내가 그의 고통의 결과를 볼 때, 나의 마음은 즉시 이런 결과들로부터 그것의 원인으로 옮아가서, 그 자리에서 고통의 정념 그 자체로 전환될 정도로 생생한 고통의 관념을 형성한다.
>
> 〈문제 상황〉
> 고등학생인 A는 한 국가에서 수많은 아이들이 기아로 굶어 죽고 있다는 인터넷 기사를 보았다. 이에 A는 그동안 최신형 스마트폰을 사기 위해 모아 두었던 용돈을 기아 구제 단체에 기부할지 고민하고 있다.

① 기아로 고통받는 아이들의 마음에 공감하여 기부하세요.
② 자신의 욕구 충족을 위하여 사고 싶었던 물건을 구매하세요.
③ 사람들에게 사회적 부인(否認)을 일으킬 행동을 하도록 노력하세요.
④ 타인의 어려움에 대한 동정심이 아닌 이성의 명령에 따라 행동하세요.
⑤ 의무 의식에서 비롯된 행위를 최우선적으로 따라야 함을 명심하세요.

12

▶ 24057-0090

근대 서양 사상가 갑, 을의 입장에 대한 설명으로 옳은 것만을 〈보기〉에서 있는 대로 고른 것은?

> 갑: 이성은 모든 사람들에게 평등하게 갖춰져 있지만 우리의 의견이 서로 분분한 것은 이성을 잘 사용하지 못해서이다. 철학에는 의심스럽지 않은 것은 하나도 없기 때문에 진실처럼 보이는 데 지나지 않는 것은 일단 허위로 간주해야 한다. 이렇게 해서 얻은 진리는 '생각하는 나는 필연적으로 존재한다.'는 것이다.
> 을: 이성이 우리 행동과 정념에 전혀 영향을 미칠 수 없다는 점을 용인하는 한, 도덕성이 오직 이성의 연역을 통해서만 발견된다고 주장하는 것은 헛된 일이다. 활동적 원리는 비활동적 원리에 기초를 둘 수 없다. 이성은 어떤 행동에 대해 이의를 제기하거나 시인함으로써 직접 그 행동을 막거나 유발할 수 없다.

┌─ 보기 ─
ㄱ. 갑은 진리 탐구의 과정에서 이성이 활용되어야 한다고 본다.
ㄴ. 을은 이성은 도덕적 구별의 원천은 아니지만 정념을 지배할 수 있다고 본다.
ㄷ. 을은 갑과 달리 경험과 관찰을 통하여 자명한 진리를 파악할 수 있다고 본다.
ㄹ. 갑과 을은 인간이 이성을 통해 추론하고 참과 거짓을 판단할 수 있다고 본다.

① ㄱ, ㄴ   ② ㄱ, ㄹ   ③ ㄴ, ㄷ
④ ㄱ, ㄷ, ㄹ   ⑤ ㄴ, ㄷ, ㄹ

옳고 그름의 기준: 의무와 결과

① 의무론

(1) 의미

① 인간이 언제 어디서나 지켜야 할 도덕 법칙이나 의무가 있고, 결과와 무관하게 이 도덕 법칙이나 의무를 따르는 행위는 옳고 위반하는 행위는 그르다고 보는 이론

② 옳고 그름의 기준은 시대와 장소를 초월하여 보편적 타당성을 지닌다고 봄

(2) 특징

① 행위의 옳고 그름을 결과가 아니라 언제나 지켜야 할 행위의 근본 원칙이나 의무의 준수 여부에 따라 판단해야 한다고 봄

② 좋은 결과와 도덕 법칙 혹은 행복과 의무가 충돌할 경우, 도덕 법칙과 의무를 선택하는 것이 옳다고 봄

② 칸트의 윤리 사상

(1) 행복주의, 쾌락주의, 경험주의 비판

① 행복주의 비판: 도덕은 행복이나 다른 무엇을 실현하기 위한 수단이 아니라 그 자체가 목적임

② 쾌락주의와 경험주의 비판: 쾌락을 추구하는 자연적 경향성이나 동정심 등은 도덕의 기반이 될 수 없음

(2) 선의지

① 동기 중시: 행위의 선악을 결정하는 것은 행위의 결과가 아니라 행위의 동기인 의지임

② 선의지: 어떤 행위가 오직 옳다는 이유만으로 그 행위를 실천하려는 그 자체로 선한 의지이며, 도덕 법칙을 따르려는 의지임

(3) 의무

① 도덕 법칙은 유한한 인간에게 의무의 형태를 띠게 됨. 인간은 선의지를 지니지만, 다른 한편으로는 자연적 경향성을 지님. 이 경향성의 유혹이 크더라도 의무를 따라야 한다는 의식이 선의지임

② 의무: 도덕 법칙에 대한 존경심으로 인해 그 도덕 법칙이 명령하는 행위를 하지 않을 수 없는 필연성임

(4) 도덕 법칙과 정언 명령

① 도덕 법칙: 이성적 존재가 따라야 할 절대적이고 보편타당한 실천 법칙. 우리 안의 실천 이성이 자율적으로 수립한 법칙으로, 정언 명령의 형식으로 나타남

② 대표적인 도덕 법칙

보편주의	네 의지의 준칙(격률)이 언제나 동시에 보편적 입법의 원리가 될 수 있도록 행위 하라.
인격주의	너 자신과 다른 모든 사람의 인격을 결코 단순히 수단으로만 대하지 말고 언제나 동시에 목적으로 대하도록 행위 하라.

(5) 도덕적 행위

① 도덕적 가치가 없는 행위

• 자기 이익이나 행복 추구를 위해 행위 했으나 의무에 맞는 행위

• 동정심과 같은 경향성에 따라 행위 했으나 의무에 맞는 행위

② 도덕적 행위: 선의지의 지배를 받는 행위, 실천 이성의 명령을 따르는 행위, 의무에서 비롯된 행위 또는 의무 의식이 동기가 된 행위, 도덕 법칙에 대한 자발적 존중에서 비롯된 행위, 정언 명령을 따르는 행위

(6) 도덕과 행복

① 도덕과 행복은 양립 가능하지만 행복은 도덕의 목적이 될 수 없음

② 자신의 행복을 증진하는 것은 우리의 직접적인 의무일 수 없음

(7) 칸트 윤리 사상에 대한 평가

① 긍정적 평가

도덕의 중요성을 강조함	• 도덕을 인간다움의 핵심 요소로 봄 • 자연적 경향성을 극복하고 도덕 법칙에 따를 때 인간다운 인간이 될 수 있음을 강조함
도덕의 기초를 다짐	• 모든 사람을 동등하게 고려해야 한다는 보편주의 정신과 인격을 지닌 인간을 그 자체로 존중해야 한다는 인격주의 정신을 강조함 • 인간의 자율적 의지를 통해 도덕적 이상을 구현하려고 함

자료와 친해지기 **칸트의 의무론**

• 선의지는 그것이 생기게 하는 것이나 성취한 것으로 말미암아, 또 어떤 세워진 목적 달성에 쓸모 있음으로 말미암아 선한 것이 아니라, 오로지 그 의욕함으로 말미암아, 다시 말해 그 자체로 선한 것이다.

• 명예에 대한 경향성은 만약 그것이 실제로 공익적이고 의무에 맞으며 명예로운 것에 해당한다면 칭찬과 격려를 받을 만한 것이지만 존중받을 만한 것은 못 된다. 왜냐하면 그 준칙은 그 행위를 경향성에서가 아니라 의무로부터 행하는 윤리적 내용이 결여되었기 때문이다.

– 칸트, 『윤리 형이상학 정초』 –

칸트는 도덕 법칙이 유한한 인간에게 의무의 형태를 지니게 된다고 보면서, 인간은 선의지와 경향성을 지니고 있는데, 경향성의 유혹이 있더라도 의무를 따라야 한다는 의식이 선의지라고 주장하였다. 그리하여 칸트는 오직 선의지만이 그 자체로 선한 것이며, 선의지의 지배를 받는 행위가 도덕적 행위라고 보았다.

② 부정적 평가

형식적임	도덕적인 결정을 내려야 하는 사람에게 구체적인 행위 지침을 제공하지 못함
지나치게 엄격함	도덕 법칙의 어떤 예외도 허용하지 않음
의무 간의 상충 문제	두 가지 이상의 의무가 상충할 때 적절한 해결책을 제시하기 어려움

③ **현대 칸트주의와 그 의의**

(1) **현대 칸트주의: 로스의 조건부 의무론**

① 칸트 윤리 사상의 핵심인 의무론을 계승하면서도 난점으로 지적되는 절대적인 도덕적 의무들 간의 상충 문제를 해결하고자 함

② 조건부 의무

- 어떤 상황에서 우선적으로 머릿속에 떠오르는 '아무래도 ~하지 않을 수 없다.'라는 직관적 의무
- 정언 명령보다는 느슨하게 적용되는 원칙으로, 절대적으로 보이는 의무도 인간의 직관과 상식에 따라 유보될 수 있음

③ 조건부 의무의 적용

- 하나의 의무는 또 다른 의무와 갈등하기 전까지는 우리를 잠정적으로 구속함
- 의무들 사이에 갈등이 발생할 경우 상대적으로 약한 의무는 유보되고 강한 의무가 우리의 실제적인 의무가 됨

(2) **현대 칸트주의의 의의**

① 도덕의 확고한 토대를 마련하는 데 도움을 줌: 이성을 통해 파악할 수 있는 의무를 옳고 그름을 판단하는 기준으로 제시함

② 인권 사상의 형성 및 민주주의 발전에 이바지함: 개인의 자율성과 인격에 대한 존중을 강조하여 인권 사상의 형성에 기여하고 현대 민주주의 발전에 이바지함

④ **결과론**

(1) **의미**

① 행위의 옳고 그름을 행위의 결과에 따라 판단하려는 이론

② 행위의 결과가 좋다면 행위의 동기나 종류와 상관없이 그 행위를 옳다고 보는 이론

(2) **특징**

① 행위 자체는 본질적 가치를 지니지 않으며, 좋은 결과를 얻기 위한 수단으로서의 가치를 가진다고 봄

② 대체로 행복을 좋은 결과로, 고통이나 불행을 나쁜 결과로 봄

(3) **대표 사상: 공리주의**

① '최대 다수의 최대 행복'을 도덕의 기본 원리로 봄

② 대표자: 벤담, 밀

③ 기본 입장

인간관	인간은 누구나 쾌락을 추구하고 고통을 피하려는 존재임
윤리관	쾌락은 선이고 고통은 악이며, 행복이 삶의 목적임
도덕의 원리	'공리의 원리' 또는 '최대 행복의 원리'

⑤ **벤담의 양적 공리주의**

(1) **기본 입장**

① 쾌락을 추구하고 고통을 피하고자 하는 인간의 경향을 바탕으로 윤리를 정립함

② 개인적 차원의 행복주의를 사회적 차원으로 확대함: 행위의 옳고 그름을 판단할 때 관련된 이해 당사자들에게 최대의 행복을 가져오는 행위를 승인하는 공리의 원리가 기준이 되어야 함

③ '최대 다수의 최대 행복'을 추구하는 공리의 원리를 도덕과 입법의 원리로 제시함

④ 양적 공리주의

- 모든 쾌락에는 질적인 차이가 없고 양적인 차이만 있음
- 쾌락의 양을 측정하고 계산하기 위한 기준에는 강도, 지속성, 확실성, 근접성, 다산성, 순수성, 범위가 있음

(2) **특징**

① 이해 당사자들의 행복을 공평하게 고려할 것을 강조하여 개인의 행복과 사회 전체의 행복을 조화하려고 함

② 노예 제도, 여성에 대한 불평등한 대우, 동물 학대 등을 비판하고 그것들을 공리의 원리에 맞게 개혁할 것을 요구함

③ 쾌락의 질적 차이를 무시함으로써 '배부른 돼지의 철학'을 추구하는 천박한 철학이라는 비판을 받기도 함

자료와 친해지기 벤담의 양적 공리주의와 밀의 질적 공리주의

- 한쪽에서는 쾌락의 가치의 총량을, 다른 쪽에서는 고통의 가치의 총량을 합산해 보라. 만일 차감한 값이 쾌락 쪽에 기운다면, 그것은 그러한 개별적 개인의 이익과 관련하여, 전반적으로 행위의 좋은 경향을 제시하는 것이 될 것이다. 만일 그것이 고통 쪽에 기운다면, 전반적으로 행위의 나쁜 경향을 제시하는 것이 될 것이다.   – 벤담, 『도덕과 입법의 원리 서설』 –
- 쾌락의 양과 질을 똑같이 잘 알고 평가하고 즐길 능력 있는 사람이라면 그의 더 높은 존재 방식을 뚜렷하게 선호하리라는 것은 의심의 여지가 없다. 짐승의 쾌락을 온전히 보장받는다고 해서 인간 이하의 하급 동물로 변신하는 데 동의하는 사람은 없다. 지성인이라면 바보가 되는 일에 동의하지 않을 것이고, 교양 있는 사람이라면 일자무식이 되기를 원하지 않을 것이다.   – 밀, 『공리주의』 –

벤담은 최대 다수의 최대 행복을 추구하는 공리의 원리를 도덕과 입법의 원리로 제시하고, 모든 쾌락에는 질적인 차이가 없고 양적인 차이만 있다는 양적 공리주의를 주장하였다. 밀은 벤담의 입장을 계승하면서도 쾌락에는 질적인 차이가 존재하며, 질적으로 높은 쾌락은 낮은 쾌락보다 양과 무관하게 더 가치 있다는 질적 공리주의를 주장하였다.

⑥ 밀의 질적 공리주의

(1) 기본 입장

① 벤담의 입장(쾌락주의, 행복주의, 공리의 원리 등)을 계승함

② 질적 공리주의

- 쾌락에는 질적인 차이가 있으며 쾌락의 양뿐만 아니라 질적 차이도 고려해야 함

질이 낮은 쾌락	먹는 것, 성(性), 휴식 등 단순하고 감각적인 쾌락
질이 높은 쾌락	지성, 상상력, 도덕적 정서 등 내적 교양이 뒷받침된 정신적 쾌락

- 질이 높은 쾌락은 질이 낮은 쾌락보다 더 가치 있으며, 정상적인 인간이라면 누구나 쾌락의 질적 차이를 분별하고 질이 높고 고상한 쾌락을 추구함
- 쾌락 간의 질적 차이를 구분할 때는 질적으로 서로 다른 쾌락을 모두 경험한 사람들의 판단을 존중해야 함

(2) 특징

① 공리주의를 사회 체제에 적용하여 자유 민주주의를 정당화함

- 타인에게 피해를 주지 않는 범위에서 개인의 자유를 최대한 보장하는 자유 민주주의가 최대 다수의 최대 행복을 가져오는 데 가장 적합하다고 봄
- 개인의 권리를 보호하고 다수의 횡포를 방지할 것을 강조함
- 여성이 남성에게 종속되는 것을 비판하고 여성의 권리 보장을 강조함

② 공리주의의 뿌리인 쾌락주의 자체를 위협한다는 비판을 받기도 함

⑦ 벤담과 밀의 고전적 공리주의 윤리 사상에 대한 평가

긍정적 평가	• 사익과 공익의 조화 문제에 하나의 해법을 제시함 • 변화에 탄력적으로 대처할 수 있는 융통성을 지님
부정적 평가	• 쾌락이나 결과를 정확하게 계산하기 어려움 • 공리의 원리가 소수자의 인권 침해까지 정당화할 수 있음

⑧ 현대 공리주의

(1) 행위 공리주의의 의미와 문제점

의미	공리의 원리를 개별 행위에 직접 적용하여 최대 행복을 산출하는 행위가 옳은 행위라고 보는 공리주의
문제점	• 개별 행위가 가져올 공리를 계산하기가 어려움 • 도덕적 상식에 어긋나는 행위를 정당화할 수 있음

(2) 현대 규칙 공리주의

① 공리의 원리를 개별 행위가 아닌 행위의 규칙에 적용함

② 행위의 옳고 그름은 최대 행복을 산출하는 규칙과의 일치 여부에 따라 결정된다고 봄 → 개별 행위의 유용성을 계산해야 하는 행위 공리주의에 비해 경제적임

③ 공리의 원리에 따라 채택된 규칙은 상식적 도덕이나 사회의 전통, 도덕적 직관 등과 일치할 가능성이 높음

(3) 현대 선호 공리주의

① 행복을 쾌락으로 한정한 고전적 공리주의와 달리 더 포괄적인 의미인 선호(選好)를 통해 행복을 설명함

② 행위의 영향을 받는 당사자들의 선호를 최대한 만족시키는 행위가 옳다고 봄

(4) 현대의 대표적 공리주의자: 싱어

① '이익 평등 고려의 원칙'을 제시함: 쾌락과 고통을 느낄 수 있는 모든 개체의 이익을 평등하게 고려해야 함

② 인간뿐만 아니라 쾌락과 고통을 느낄 수 있는 동물에게도 공리의 원리를 적용해야 한다고 주장함

③ 쾌락과 고통을 느낄 수 있는 동물의 이익 관심을 고려함으로써 도덕적 배려의 범위를 동물로 확대하는 데 중요한 지침을 제공함

(5) 현대 공리주의의 의의

① 도덕적 관심의 확대: 사람과 동물의 이익과 행복을 증진하고 고통을 완화하는 데 이바지함

② 공적 도덕의 기준: 사회의 관습, 정책, 제도의 도덕성을 평가하는 기준으로 받아들여짐

자료와 친해지기 행위 공리주의와 규칙 공리주의

행위 공리주의는 각각의 개별적인 행위가 그들이 산출하는 쾌락과 고통의 전체 값에 따라 평가되어야 한다고 생각하는 도덕 이론이다. 따라서 옳은 행위는 어떤 사람이 할 수 있는 모든 행위들 중 최대의 공리를 지닌 행위이다. 반면에 규칙 공리주의는 공리의 평가가 되는 것은 개별적인 행위들이 아니라 어떤 종류의 행위를 요구하는 규칙 또는 관행이라고 주장한다. 이에 따르면 우리는 어떤 규칙이나 관행이 정당화될 수 있는지를 결정해야 하는데 그런 규칙이나 관행에 따랐을 경우 생기는 결과를 검토함으로써 이러한 결정을 내릴 수 있다는 것이다. 만일 그 관행 또는 규칙에 일반적으로 따르는 것이 그런 관행이나 규칙이 없는 경우보다 더 큰 행복을 산출한다면 또는 어떤 규칙에 일반적으로 따르는 것보다 더 큰 행복을 산출한다면 그 관행 또는 규칙은 도덕적으로 정당화될 수 있는 것이다. 규칙 공리주의자에게 있어 어떤 개별적 행위가 옳은 경우는 그 행위가 최대의 공리를 지닌 것으로 평가되어 이미 도덕적으로 정당화된 규칙 또는 관행에 따를 경우이다.

– 애링턴, 『서양 윤리학사』 –

행위 공리주의와 규칙 공리주의는 모두 공리의 원리를 중시한다. 행위 공리주의는 공리의 원리를 개별적 행위에 직접 적용하여 더 많은 공리, 즉 최대 행복을 산출하는 행위가 옳은 행위라는 입장이다. 그러나 규칙 공리주의는 공리의 원리를 개별 행위가 아닌 행위가 따르는 규칙에 적용하여 어떠한 행위가 더 많은 공리를 산출하는 규칙에 일치하면 옳고 그렇지 않으면 그르다는 입장이다.

01

▶ 24057-0091

다음을 주장한 근대 서양 사상가가 긍정의 대답을 할 질문만을 〈보기〉에서 있는 대로 고른 것은?

거짓 약속이 의무에 맞는지에 대한 답을 명확하게 제시하기 위해 나는 진실하지 못한 약속을 통해 곤경에서 벗어난다는 나의 준칙이 나뿐만 아니라 다른 사람을 위한 보편적 법칙으로 타당한지를 나 자신에게 물어본다. 나를 포함하여 누구든 다른 방도로는 벗어날 수 없는 곤경에 처해 있다면 진실하지 못한 약속을 할 수도 있다고 정말로 말할 수 있는가? 나는 이내 내가 비록 거짓말을 할 수는 있지만 도무지 거짓말하는 것을 보편적 법칙으로 의욕할 수 없다는 것을 깨닫게 된다.

┌ 보기 ┌
ㄱ. 자신의 행복을 고려하여 도덕적 의무를 실천해야 하는가?
ㄴ. 선의지에서 비롯되지 않은 행위가 도덕적 가치를 지닐 수 있는가?
ㄷ. 유용성을 증진한 행위라도 도덕적 가치를 지닐 가능성이 존재하는가?
ㄹ. 행위의 동기인 의지가 행위의 선악을 판단하는 기준이 될 수 있는가?

① ㄱ, ㄴ   ② ㄴ, ㄷ   ③ ㄷ, ㄹ
④ ㄱ, ㄴ, ㄹ   ⑤ ㄱ, ㄷ, ㄹ

02

▶ 24057-0092

(가)의 근대 서양 사상가 갑, 을의 입장을 (나) 그림으로 표현할 때, A~C에 해당하는 적절한 진술만을 〈보기〉에서 있는 대로 고른 것은?

(가)	갑: 이성은 정념의 노예이고 또 노예일 뿐이어야 하며, 정념에게 봉사하고 복종하는 것 외에 결코 어떤 직무도 탐낼 수 없다. 도덕은 어떤 행동을 일으키거나 억제하는데, 이러한 점에서 이성은 전혀 힘이 없다. 을: 이성은 자기의 최고의 실천적 사명을 선의지를 세우는 것으로 인식하며, 선의지는 그것이 성취한 것 때문에 선한 것이 아니라 오로지 그 의욕함 때문에 선하다. 다시 말해 선의지는 그 자체로 선하다.
(나)	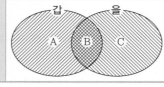 〈범 례〉 A: 갑만의 입장 B: 갑, 을의 공통 입장 C: 을만의 입장

┌ 보기 ┌
ㄱ. A: 동정심에서 비롯된 행위는 도덕적 가치를 지닐 수 있다.
ㄴ. B: 이성은 인간이 도덕적 행위를 실천하는 데 기여할 수 있다.
ㄷ. B: 의지의 자율과 도덕적 의무의 이행은 서로 양립할 수 없다.
ㄹ. C: 도덕적 행위는 이성적 존재에게 쓸모 있는 결과를 산출한 행위이다.

① ㄱ, ㄴ   ② ㄱ, ㄷ   ③ ㄷ, ㄹ
④ ㄱ, ㄴ, ㄹ   ⑤ ㄴ, ㄷ, ㄹ

03

▶ 24057-0093

갑은 현대 서양 사상가, 을은 근대 서양 사상가이다. 갑의 입장에서 을에게 제기할 수 있는 비판으로 가장 적절한 것은?

> 갑: 선을 행해야 할 의무는 우리를 잠정적으로 구속하는 조건부 의무이다. 그러나 선행의 의무가 신의, 보상, 보은, 정의, 자기 계발, 타인을 상해하는 행위의 삼가 등 다른 조건부 의무와 상충할 경우 보다 긴박한 조건부 의무에 부합하는 행위가 우리의 실제적 의무가 된다.
>
> 을: 선행을 하는 것은 의무이지만 천성적으로 동정심이 많은 사람이 선행을 실천하면서 스스로 만족감을 느끼고 타인의 만족을 기뻐한다면 그 사람의 행위는 의무에 맞는 행위이다. 이러한 행위는 명예에 대한 경향성과 같은 것이기 때문에 칭찬받을 만하지만 존중받을 수 없다.

① 선의지만이 그 자체로 유일하게 선한 것임을 간과한다.
② 도덕 법칙은 인간에게 의무의 형태를 지니게 됨을 간과한다.
③ 좋은 결과를 가져오는 행위가 항상 선한 것은 아님을 간과한다.
④ 실제적 의무는 상식과 직관을 배제할 때 파악 가능함을 간과한다.
⑤ 언제 어디서나 준수해야 할 절대적 의무는 존재하지 않음을 간과한다.

04

▶ 24057-0094

고대 서양 사상가 갑, 근대 서양 사상가 을의 입장으로 적절한 것만을 〈보기〉에서 고른 것은?

> 갑: 명예를 갖게 되어도 마음의 동요가 끝나지 않으면 진정한 기쁨이 생기지 않는다. 쾌락은 몸의 고통이나 마음의 혼란으로부터의 자유이며, 고통을 느끼지 않는다면 우리는 더 이상 쾌락을 필요로 하지 않는다.
>
> 을: 명예를 유지하고자 한다면 나는 거짓말을 해서는 안 된다고 말하는 것은 가언 명령이다. 그러나 거짓말이 내게 아무런 불명예를 초래하지 않을지라도 나는 거짓말을 해서는 안 된다고 말하는 것은 정언 명령이다.

┌─ **보기** ┐

ㄱ. 갑: 자연적이고 필수적인 욕구를 제거할 때 행복이 실현된다.
ㄴ. 을: 개인의 주관적 행위 원리는 도덕 법칙에 부합할 수 없다.
ㄷ. 을: 인간이 마땅히 따라야 할 도덕적 의무는 선의지에서 비롯된다.
ㄹ. 갑과 을: 이성적 사고는 인간의 도덕적 삶을 위한 필수적인 요소이다.

① ㄱ, ㄴ   ② ㄱ, ㄷ   ③ ㄴ, ㄷ   ④ ㄴ, ㄹ   ⑤ ㄷ, ㄹ

[05~06] 갑, 을은 근대 서양 사상가들이다. 물음에 답하시오.

> 갑: 자신의 행복을 확보하는 것은 간접적 의무이다. 많은 걱정과 충족되지 못한 필요로 인한 자기 상태에 대한 만족감의 결여는 의무 위반의 커다란 유혹이 되기 쉽다. 경향성에서가 아니라 의무로부터 자신의 행복을 촉진하는 행위는 도덕적 가치가 있다.
> 을: 자신과 연관된다고 간주되는 쾌락과 고통을 측정할 때 고려해야 할 여건은 쾌락이나 고통의 강도, 지속성, 확실성, 근접성 등이다. 또한 다수의 개인과 연관된다고 간주되는 쾌락과 고통을 측정할 때 고려해야 할 여건에는 생산성, 순수성, 범위 등이 추가된다.

05

▶ 24057-0095

갑, 을의 입장을 다음 그림으로 탐구하고자 할 때, A~C에 들어갈 적절한 질문만을 〈보기〉에서 있는 대로 고른 것은?

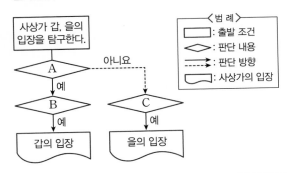

┌ 보기 ┐
ㄱ. A: 자신의 행복을 산출하지 않는 도덕적 행위가 있을 수 있는가?
ㄴ. A: 행위의 도덕적 가치를 판별하는 보편적 도덕 원리가 존재하는가?
ㄷ. B: 도덕적 의무의 실천과 인간의 자율성은 양립할 수 있는가?
ㄹ. C: 의무 의식이 동기가 된 행위가 도덕적 선을 산출할 수 있는가?

① ㄱ, ㄴ   ② ㄱ, ㄷ   ③ ㄷ, ㄹ
④ ㄱ, ㄴ, ㄹ   ⑤ ㄴ, ㄷ, ㄹ

06

▶ 24057-0096

다음을 주장한 근대 서양 사상가가 갑, 을에게 제시할 수 있는 견해로 옳지 않은 것은?

> 자신이 동물의 쾌락을 온전히 보장받는다고 해서 인간 이하의 하급 동물로 변신하는 데 동의할 사람은 없다. 쾌락의 양과 질을 똑같이 잘 알고 평가하고 즐길 능력 있는 사람이라면 그의 더 높은 존재 방식을 뚜렷하게 선호하리라는 것은 의심의 여지가 없다.

① 갑에게: 행복과 의무가 상충할 때는 행복을 선택해야 함을 바르게 알고 있다.
② 갑에게: 행위의 옳고 그름은 행위의 결과를 통해 판단해야 함을 모르고 있다.
③ 을에게: 감각적인 쾌락과 정신적인 쾌락은 질적으로 차이가 있음을 모르고 있다.
④ 을에게: 쾌락의 가치를 쾌락의 양으로만 평가해서는 안 된다는 것을 모르고 있다.
⑤ 갑과 을에게: 타인을 위한 희생이 도덕적 가치를 갖지 못하는 경우가 있음을 바르게 알고 있다.

07

▶ 24057-0097

갑은 근대 서양 사상가, 을은 고대 서양 사상가이다. 갑은 긍정, 을은 부정의 대답을 할 질문만을 〈보기〉에서 고른 것은?

갑: 쾌락의 총량과 고통의 총량을 합산해 보라. 만일 차감한 값이 쾌락 쪽에 기운다면 그것은 개별적 이익과 관련하여 행위의 좋은 경향을 제시하는 것이 된다. 만일 그것이 고통 쪽에 기운다면 행위의 나쁜 경향을 제시하는 것이 된다.
을: 쾌락은 행복한 삶의 시작이자 끝이다. 육체적 쾌락의 한계점은 고통이 없을 때 달성되며, 정신적 쾌락의 한계점은 죽음의 공포, 삶에 대한 욕망을 이해함으로써 달성된다. 따라서 즐거운 삶의 시작이자 가장 큰 선은 사려 깊음이다.

┌ 보기 ┐
ㄱ. 개인은 사회 전체의 행복 증진을 위해 노력해야 하는가?
ㄴ. 행복한 삶을 위하여 모든 감각적 쾌락을 배제해야 하는가?
ㄷ. 쾌락의 양을 늘려 나가는 것이 인간 행위의 목적이어야 하는가?
ㄹ. 질적으로 높은 쾌락을 얻기 위해 정신적 쾌락만을 추구해야 하는가?

① ㄱ, ㄴ   ② ㄱ, ㄷ   ③ ㄴ, ㄷ   ④ ㄴ, ㄹ   ⑤ ㄷ, ㄹ

08

▶ 24057-0098

서양 윤리 사상 (가), (나)의 입장으로 적절한 것만을 〈보기〉에서 있는 대로 고른 것은?

(가) 만일 어떤 사람의 행위가 최대한의 유용성을 지닌 것으로 평가되어 도덕적으로 정당화된 규칙을 따른다면 그 행위는 옳은 행위이다. 유용성의 평가 대상은 행위가 따르는 규칙이다.
(나) 만일 어떤 사람의 행위가 할 수 있는 모든 행위들 중 최대한의 유용성을 산출한다면 그 행위는 옳은 행위이다. 각각의 개별적 행위는 그 행위가 산출하는 쾌락과 고통의 전체 값에 따라 평가해야 한다.

┌ 보기 ┐
ㄱ. (가): 공리의 원리를 개별 행위가 아닌 행위의 규칙에 적용해야 한다.
ㄴ. (나): 옳은 행위란 유용성을 산출하고자 하는 동기에서 비롯된 행위이다.
ㄷ. (나): 쾌락을 산출하고 고통을 피하는 결과를 낳는 행위가 옳은 행위이다.
ㄹ. (가)와 (나): 행위의 옳고 그름을 판단하는 기준은 행위자의 의지이다.

① ㄱ, ㄴ   ② ㄱ, ㄷ   ③ ㄷ, ㄹ
④ ㄱ, ㄴ, ㄹ   ⑤ ㄴ, ㄷ, ㄹ

09

▶ 24057-0099

다음은 근대 서양 사상가 갑, 을의 가상 대화이다. 을이 갑에게 제기할 수 있는 비판으로 가장 적절한 것은?

> 공동체는 개별적 인간들로 이루어진 허구적인 실체입니다. 공동체의 이익이란 구성원들의 이익의 총합입니다. 따라서 개인의 행위나 정부 정책이 구성원들의 쾌락의 총합을 증진하는 경향이 있을 때 공리성의 원리에 부합합니다.

> 공동체 전체의 행복을 향상하고자 하는 최대 행복의 원리는 가능한 한 고통에서 면제되고 양적으로나 질적으로나 즐거운 일이 많은 인생을 누리기 위한 것입니다. 따라서 쾌락의 질과 양을 평가할 수 있는 사람이 되어야 합니다.

갑  을

① 인간은 고통을 감소시키는 행위를 지향해야 함을 간과한다.
② 행위의 도덕성은 유용성의 원리를 토대로 판단해야 함을 간과한다.
③ 관련된 이해 당사자들의 행복을 공평하게 고려해야 함을 간과한다.
④ 지성을 갖춘 사람이라면 질적으로 높은 쾌락을 추구함을 간과한다.
⑤ 행복 추구의 원리는 개인이 따라야 할 도덕 원리가 될 수 없음을 간과한다.

10

▶ 24057-0100

(가)의 근대 서양 사상가 갑, 을, 병의 입장에서 서로에게 제기할 수 있는 비판을 (나) 그림으로 표현할 때, A~F에 해당하는 내용으로 가장 적절한 것은?

(가)	갑: 나는 나의 준칙이 보편적인 법칙이 되어야만 할 것을 내가 의욕할 수 있게끔 오로지 그렇게만 처신해야 한다고 생각한다. 그러므로 존경의 대상은 우리가 우리 자신에게 그 자체로 필연적으로 부과하는 법칙뿐이다. 을: 나는 공동체 구성원들의 행복, 즉 그들의 쾌락과 안전이야말로 입법자가 고려해야 할 유일한 목적이라고 생각한다. 정부의 정책도 공동체 행복의 총량을 증진시키는 경향이 감소시키는 경향보다 크다면 공리에 부합한다. 병: 나는 도덕성은 판단된다기보다는 느껴지는 것이라고 생각한다. 덕과 부덕이 유발하는 감정을 통해서만 우리는 덕과 부덕을 구별할 수 있다. 덕에서 발생하는 인상은 호의적이며, 부덕에서 발생하는 인상은 거북하다.
(나)	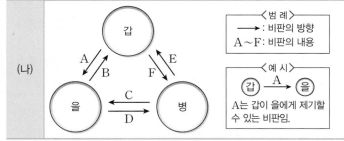

① A: 의무를 동기로 삼지 않은 행위도 도덕적 가치를 지닐 수 있음을 간과한다.
② B와 E: 선악의 구별은 행위의 사회적 유용성 여부에 달려 있음을 간과한다.
③ C: 사회 전체의 행복은 구성원 개개인의 행복의 총합임을 간과한다.
④ D: 도덕적 실천의 직접적인 동기는 이성이 아닌 감정임을 간과한다.
⑤ F: 타인의 행복과 불행에 대한 공감 능력이 도덕성의 기초임을 간과한다.

11

▶ 24057-0101

그림의 강연자가 지지할 입장만을 〈보기〉에서 있는 대로 고른 것은?

> 인간은 동물적 욕구보다 훨씬 고상한 기능들을 가지고 있습니다. 정신적 쾌락, 정서와 상상의 쾌락, 도덕 감정의 쾌락 등은 감각적 쾌락보다는 훨씬 더 높은 가치를 지니고 있는데 그 이유는 정신적 쾌락이 신체적 쾌락보다 더 항구적이고, 더 안전하고, 비용도 덜 들기 때문입니다.

┌ 보기 ┐

ㄱ. 욕구를 분별할 때 인간은 자신의 품위를 지킬 수 있다.
ㄴ. 인간은 타인을 위해 자신의 최대 선까지 희생할 수 있다.
ㄷ. 어떤 행위의 도덕적 가치는 행위 그 자체에 내재해 있다.
ㄹ. 유용성의 원리는 인간의 도덕적 의무의 근거가 될 수 있다.

① ㄱ, ㄴ ② ㄱ, ㄷ ③ ㄷ, ㄹ
④ ㄱ, ㄴ, ㄹ ⑤ ㄴ, ㄷ, ㄹ

12

▶ 24057-0102

그림은 서술형 평가 문제와 학생 답안이다. 학생 답안의 ㉠~㉤ 중 옳지 않은 것은?

서술형 평가

◎ 문제 : 근대 서양 사상가 갑, 을의 입장을 비교하여 서술하시오.

> 갑: 건강도 그것을 사용하는 의지가 선하지 않다면 극히 악하고 해가 될 수도 있다. 이는 지성, 기지, 판단력과 같은 정신의 재능은 물론 용기, 결단성 같은 기질상의 성질도 마찬가지이다. 따라서 이 세계에서 또는 이 세계 밖에서까지라도 아무런 제한 없이 선하다고 생각될 수 있는 것은 오로지 선의지뿐이다.
>
> 을: 건강이 더 좋은 가치임을 아는 사람도 신체 건강을 해치는 감각적 쾌락을 추구하며, 고상한 감정을 느끼는 능력은 아주 가녀린 식물처럼 잘 죽어 버린다. 인간은 지적 감각을 상실하면 고상한 열망을 잊어버리게 되는데, 지적 능력을 훈련할 기회와 시간이 없으면 열망이 시들어 저급한 쾌락에 몰두하기 때문이다.

◎ 학생 답안

갑, 을의 입장을 비교해 보면, 갑은 ㉠ 자신의 행복 추구와 도덕적 의무 이행은 양립 가능하다고 보았으며, ㉡ 도덕은 그 자체로 가치를 지니며 행복한 삶을 위한 수단이 될 수 없다고 보았다. 을은 ㉢ 쾌락을 측정하는 데 있어 수량에만 의존하는 것은 잘못이라고 보았으며, ㉣ 고상한 쾌락을 추구하면서 불만족한 상태에 있는 것보다는 저급한 쾌락을 선택하는 것이 바람직하다고 보았다. 한편 갑, 을은 모두 ㉤ 타인을 돕는 행위가 언제나 도덕적 행위가 되는 것은 아니라고 보았다.

① ㉠ ② ㉡ ③ ㉢ ④ ㉣ ⑤ ㉤

11 현대의 윤리적 삶: 실존과 실용

1 실존주의의 등장 배경 및 특징

(1) 실존주의의 등장 배경
① 근대 이성주의의 한계: 근대 이성주의는 과학 기술의 발전과 물질적 풍요의 토대가 되었지만 비인간화, 인간 소외와 같은 문제를 초래하였으며, 객관적이고 보편적인 지식이나 도덕을 강조하여 개인이 겪는 구체적인 삶의 문제 해결에 도움을 주지 못함
② 두 차례의 세계 대전: 사람들에게 심각한 불안과 이성에 대한 불신을 갖게 함

(2) 실존주의의 특징
① 근대 이성 중심적 사고를 비판하면서 인간의 실존 문제를 중시함
② 개별적 인간이 처한 구체적인 문제 상황에서 자신의 선택과 결단을 통해 삶의 의미를 회복할 것을 강조함

2 실존주의 사상

(1) 키르케고르의 실존주의
① 실존: '이것이냐 저것이냐'를 선택해야 하는 구체적 상황에 처한 개인
② '죽음에 이르는 병': 인간은 선택의 상황에서 늘 불안을 느끼는데, 이때 주체적 결정을 회피하면서 빠져드는 '절망'을 말함
③ '주체성이 진리': 실존적 상황에서는 객관성이 아니라 주체성만이 답을 줄 수 있음. 진리는 개별적이고 주관적인 것임
④ 참된 실존에 이르는 과정: 심미적 실존 단계 → 윤리적 실존 단계 → 종교적 실존 단계
⑤ 종교적 실존 단계에서 인간은 신 앞에 홀로 서서 모든 것을 초월적 신에게 맡기고 살아가기로 주체적으로 결단함

(2) 야스퍼스의 실존주의
① 한계 상황: 죽음, 고통, 전쟁 등 인간이 이성이나 과학의 힘 등 어떤 방법으로도 해결할 수 없고, 피하거나 변화시킬 수 없는 상황
② 한계 상황에 직면한 인간은 절망과 좌절을 경험하지만, 자신의 유한성을 자각하는 순간 스스로의 결단을 통해 초월자의 존재를 수용하고 참된 실존을 회복할 수 있음

(3) 하이데거의 실존주의
① 인간을 지금, 여기에 있는 현실적 인간 존재인 '현존재'로 규정함
② 인간은 '죽음에 이르는 존재': 인간만이 자신의 죽음을 예견하고 존재의 의미를 물을 수 있음 → 죽음의 가능성을 회피하기보다는 수용하는 주체적 결단을 내림으로써 참된 실존을 회복할 수 있음
③ 현존재의 의미, 실존에 대한 성찰을 통해 자신의 가능성을 파악하고 스스로 삶을 기획하는 능동적 존재가 되어야 함

(4) 사르트르의 실존주의
① 인간의 본질이나 목적을 정해 줄 신은 존재하지 않음
② "실존은 본질에 앞선다.": 인간은 '이 세상에 내던져진 존재'로 먼저 실존한 후에 주체적 선택을 통해 자신을 형성해 가는 존재임
③ 인간은 자유롭도록 운명 지워진 존재임: 인간은 선택할 수 있는 자유를 가지지만 자유 자체는 선택할 수 없음
④ 인간은 신에게 의지하지 않고 주체적으로 자신의 모든 것을 선택하고 그에 대한 책임을 져야 하는 존재임
⑤ 불성실: 자유, 책임을 포함한 실존의 상황은 불안을 가져오는데, 실존의 불안에 빠진 인간이 자유로운 선택으로부터 도망치는 것
⑥ 불성실에서 벗어나 주체적인 선택과 결단을 통해 스스로 자신의 삶을 만들어 나가고 그 결과에 책임지는 삶을 살아야 함

3 실존주의의 현대적 의의와 한계

의의	• 개별성을 상실하고 획일화되어 가는 삶에서 벗어나 주체적이고 개성 있는 삶을 살기 위해 노력할 것을 강조함 • 실존적 삶을 사는 현재의 자신이 존엄하다고 주장함으로써 인간의 존엄성에 대한 새로운 성찰의 계기를 줌 • 다른 사람도 나와 마찬가지로 존엄한 존재임을 깨닫게 해 주어 상호 존중과 연대의 의미를 일깨워 줌
한계	• 인간의 개별성을 지나치게 강조함으로써 보편적 도덕규범을 경시할 우려가 있음 • 주관적 의견을 도덕의 기준으로 삼는 주관주의로 귀결될 가능성이 있음

자료와 친해지기 사르트르의 실존주의

• 실존은 본질에 앞선다는 것은 무엇을 의미하는 것일까? 그것은 인간이 먼저 세상에 존재하고 그다음에 정의된다는 것을 의미한다. 그는 나중에야 비로소 무엇이 되어 스스로가 만들어 내는 것이 된다. 이처럼 인간의 본질이란 있을 수 없다. 왜냐하면 그것을 상상할 신(神)이 없기 때문이다.
• 비겁한 인간은 스스로 비겁하게 되는 것이고, 영웅은 스스로 영웅이 된다. 반대로 비겁한 자는 비겁하지 않게 될 가능성이 있고, 영웅은 영웅이기를 중단할 가능성이 있다. 인간은 자기 자신을 행동으로 정의해야 하며 행동 이외에는 희망이 없다. 우리의 출발점은 개인의 주체성이다.

– 사르트르, 『실존주의는 휴머니즘이다』 –

사르트르는 인간이 먼저 실존한 후에 주체적 선택을 통해 자신을 스스로 형성해 가는 존재라고 보았다. 그는 인간이 자유롭도록 운명 지워진 존재임을 강조하고 신에게 의지하지 않고 자신의 모든 것을 선택하고 그에 대한 책임을 져야 한다고 주장하였다.

④ **실용주의의 등장 배경 및 특징**

(1) 실용주의의 등장 배경

① 19세기 말 미국 사회: 산업화와 도시화가 빠르게 진행되면서 다양한 사회 문제와 갈등에 직면함

② 산업화에 따른 과학적 사고방식의 확산: 사람들은 경험적이고 과학적인 방법을 중시하는 세계관을 가지게 됨

(2) 실용주의의 특징

① 영국의 경험론을 계승하고 다윈의 진화론의 영향을 받음

② 실생활에 유용한 지식을 추구: 옳고 그름의 절대적인 기준을 강조한 기존의 사상으로는 사회 문제나 갈등을 해결할 수 없다고 봄

③ 영원한 진리나 보편타당한 가치는 존재하지 않는다고 봄

⑤ **실용주의 사상**

(1) 퍼스의 실용주의

① 실용주의(pragmatism)라는 용어를 최초로 사용함

② 실용주의 준칙(pragmatic maxim): 어떤 것이 옳으려면 그것이 반드시 쓸모 있는 실제적 성과를 만들어 내야 함

③ 이론은 구체적인 실험을 통해 쓸모가 있음이 입증되어야 함

(2) 제임스의 실용주의

① 현금 가치: 마치 현금처럼 실생활에서 쓸모가 있는 유용성을 지닌 가치

② 지식은 그 자체로서 가치를 지니는 것이 아니라, 우리의 삶에 이롭고 유용할 때 비로소 현금 가치를 지님

③ 실용적인 학문뿐만 아니라 문학과 철학과 같은 학문도 사람들이 의미 있는 삶을 사는 데 기여하므로 현금 가치를 지님

④ 진리란 현실 생활을 이롭게 하는 것이며 고정적이고 절대적인 진리는 존재하지 않음

(3) 듀이의 실용주의

① 도구주의

• 인간은 환경과 상호 작용하는 과정에서 끊임없이 문제 상황에 직면하며, 이 문제 상황을 해결하는 과정에서 습득한 경험이 축적되어 이론, 학문 등의 지식을 형성함

• 지식은 그 자체가 목적이 아니라 인간이 직면한 문제를 해결하여 환경에 적응하는 데 유용한 수단이나 도구임

② 지성적 탐구

• 지성: 근대 과학이 보여 준 실험적이며 실천적인 지적 태도 → 문제 상황에서 올바른 선택을 할 수 있도록 안내하는 역할을 함

• 지성적 탐구의 의의: 지성적 탐구를 통해 상황에 맞게 지식이나 이론을 수정하고 발전시켜 문제 상황을 교정하려고 노력할 때, 개인의 삶이 개선되고 사회가 성장하고 진보할 수 있음

• 민주주의는 지성적인 방식의 문제 해결을 보장하는 정치 제도이며, 교육의 역할은 창조적 지성을 갖춘 시민을 양성하는 것임

③ 도덕

• 도덕이나 윤리도 시대나 상황에 따라 변화하고 성장하기 때문에, 고정적이고 절대적인 가치는 존재하지 않음

• 도덕적 가치나 지식은 유용한 결과가 예상되는 일종의 가설이므로 언제든지 수정되고 재구성될 수 있음

• 도덕적 인간: 고정불변하는 최고선을 지닌 사람이 아니라 도덕적으로 성장하는 과정에 있는 사람이며, 지성을 발휘하여 옳은 선택을 하려고 노력하는 사람임. 또한 자신의 삶을 개선하거나 사회를 진보시킬 수 있는 도덕 판단과 행위를 하려고 노력하는 사람임

⑥ **실용주의의 현대적 의의와 한계**

(1) 실용주의의 의의

① 현대 사회에서 발생하는 다양한 사회 문제를 해결할 수 있는 최선의 대안을 지성적인 방식으로 마련하는 데 기여할 수 있음

② 가치의 다양성과 인간의 오류 가능성을 인정하고 관용을 강조함으로써 현대 사회의 다양한 도덕적 갈등 문제에 유연하게 대처하고 다원화된 현대 민주주의 사회가 정착하는 데 도움을 줄 수 있음

(2) 실용주의의 한계

① 지식의 도구적 가치인 유용성을 지나치게 강조한 나머지 본래적 가치의 존재를 간과할 수 있음

② 보편적인 도덕규범이나 원리의 존재와 가치를 부정함으로써 윤리적 상대주의에 빠질 수 있음

③ 유용성의 관점에서 비도덕적 행위를 합리화할 수도 있음

자료와 친해지기 듀이의 실용주의

• 도덕은 행위의 일람표도 아니고 약국의 처방전이나 요리책의 요리법처럼 적용해야 할 일련의 규칙이 아니다. 도덕에서의 필요는 탐구와 고안에 관한 특정한 탐구 방법에 대한 것이다.

• 정적인 성과나 결과보다는 성장, 개선, 진보의 과정이 의미가 있다. 목적은 더 이상 도달해야 할 종착점이 아니라 현존하는 상황을 변화시키는 능동적인 과정이다. 건강, 부, 정직, 근면, 절제도 고정된 목표가 아니라 변화의 방향을 말하는 것이다. 성장 자체가 도덕의 유일한 목적이다.

– 듀이, 『철학의 재구성』 –

듀이에 따르면 고정적이고 절대적인 가치는 존재하지 않으며 도덕이나 윤리도 시대나 상황에 따라 변화하고 성장한다. 그래서 듀이는 도덕적 지식도 모든 상황에 일괄적으로 적용할 수 있는 보편적 규칙이 아니라 유용한 결과가 예상되는 일종의 가설이라고 보았다.

정답과 해설 26쪽

01

▶ 24057-0103

현대 서양 사상가 갑, 을의 입장으로 옳은 것은?

> 갑: 절망하는 사람은 죽음의 병에 이르고 있다. 이 병은 인간의 가장 소중한 부분을 침범한 셈인데 그는 죽을 수 없다. 죽음에 의한 이 병으로부터의 구원은 불가능하다. 왜냐하면 이 병과 그 고뇌는 죽을 수 없기 때문이다. 자기를 가지는 것, 자기 자신일 수 있다는 것은 영원성이 인간에게 요구하는 것이다.
>
> 을: 절망으로 인간을 떨어지게 하는 것이 우리의 목표가 아니다. 사람은 자신을 재발견해야 하며, 자신 말고는 자신을 구원하지 못한다. 만일 신이 존재한다고 하더라도 아무런 변화가 없을 것이다. 문제는 신의 존재에 관한 것이 아니다. 인간은 이미 만들어져 있는 것이 아니고 스스로를 만들어 나가야 한다.

① 갑: 합리적 사고를 통해 모든 불안과 절망을 극복해야 한다.
② 갑: 신이 곧 자연임을 자각할 때 참된 실존을 회복할 수 있다.
③ 을: 인간은 자신이 선택한 삶에 대해 책임 의식을 가져야 한다.
④ 을: 인간은 절망의 극복을 위해 신을 믿고 따르겠다는 결단을 해야 한다.
⑤ 갑과 을: 인간은 주어진 삶의 목적을 실현하기 위해 주체적으로 결단해야 한다.

02

▶ 24057-0104

근대 서양 사상가 갑, 현대 서양 사상가 을의 입장으로 옳지 <u>않은</u> 것은?

> 갑: 신 이외에는 어떤 실체도 존재할 수 없으며, 또한 파악될 수도 없다. 그러므로 양태는 신의 본성 안에서만 존재할 수 있고, 또한 신의 본성 안에서만 파악될 수 있다. 자연에는 단 하나의 실체만 존재한다.
>
> 을: 신을 믿고 받아들일 용기를 지니지 못하는 자는 절망하게 된다. 인간의 좁은 마음으로는 신이 주고자 했던 것을 받아들일 수가 없기 때문이다. 그래서 단독자는 절망하든지 믿든지 둘 중 하나를 선택해야 한다.

① 갑: 신은 존재하는 유일한 실체이고 인간은 신의 양태이다.
② 갑: 자연의 필연적 인과 질서를 인식하면 행복을 얻을 수 있다.
③ 을: 인간은 윤리적 실존 단계에서는 참된 실존을 회복할 수 없다.
④ 을: 실존적 상황에서 객관성이 아니라 주체성만이 답을 줄 수 있다.
⑤ 갑과 을: 인격신에게 귀의함으로써 참된 행복을 실현해야 한다.

03

▶ 24057-0105

근대 서양 사상가 갑, 현대 서양 사상가 을의 입장으로 적절한 것만을 〈보기〉에서 고른 것은?

> 갑: "나는 생각한다. 그러므로 나는 존재한다."라는 명제는 어떤 것으로도 흔들 수 없는 튼튼한 것이므로 나는 이것을 철학의 제1원리로 받아들였다. 이로부터 나는 하나의 실체이며, 그 본질은 다만 생각한다는 것 이외에 아무것도 아니라는 것을 알았다.
>
> 을: "나는 생각한다. 그러므로 나는 존재한다."라는 명제는 우리와 마찬가지로 타인도 확실한 존재임을 알려준다. 인간은 스스로 생각하는 그대로이며, 먼저 존재한 이후에 스스로를 만들어 가는 존재이다. 이것이 인간에게 존엄성과 책임을 부여하는 근거이다.

┌ 보기 ┐
ㄱ. 갑: 관찰과 실험을 통해 얻은 지식만이 자명한 진리가 될 수 있다.
ㄴ. 을: 인간은 자기 삶의 주체이며 타인에 대한 책임도 수용해야 한다.
ㄷ. 을: 인간은 선택할 수 있는 자유가 있지만 자유 자체는 선택할 수 없다.
ㄹ. 갑과 을: 인간은 합리적 사고를 통해 삶의 객관적 목적을 파악해야 한다.

① ㄱ, ㄴ   ② ㄱ, ㄷ   ③ ㄴ, ㄷ   ④ ㄴ, ㄹ   ⑤ ㄷ, ㄹ

04

▶ 24057-0106

그림의 강연자가 지지할 주장으로 적절한 것만을 〈보기〉에서 고른 것은?

> 비겁한 인간은 스스로 비겁하게 되는 것이고, 영웅은 스스로 영웅이 되는 것입니다. 반대로 비겁한 자에게는 비겁하지 않게 될 가능성이 있고, 영웅에게는 영웅이기를 중지할 가능성이 있습니다. 인간은 자기 자신을 행동으로 정의해야 하며, 행동 이외에는 희망이 없습니다. 인간은 먼저 존재하며 그다음에 스스로를 정의하는 존재이기 때문입니다.

┌ 보기 ┐
ㄱ. 주체적인 선택을 통해 인간은 불안에서 벗어날 수 있다.
ㄴ. 개인이 지향해야 할 삶의 목적을 정해 줄 신은 존재하지 않는다.
ㄷ. 인간이 아닌 사물은 정해진 본질 없이 이 세상에 먼저 실존한다.
ㄹ. 인간은 자신의 타고난 본질을 깨달을 때 실존을 회복할 수 있다.

① ㄱ, ㄴ   ② ㄱ, ㄷ   ③ ㄴ, ㄷ   ④ ㄴ, ㄹ   ⑤ ㄷ, ㄹ

05

▶ 24057-0107

다음은 현대 서양 사상가들의 가상 대화이다. 갑, 을의 입장으로 적절한 것만을 〈보기〉에서 있는 대로 고른 것은?

죽음은 현존재 자신의 고유한 가능성이며 죽음에 이르는 존재는 '죽음으로 미리 가 봄'을 통해 그 가능성이 발휘됩니다. 죽음에 미리 가 보았을 경우 겪는 일은 사실 존재자 자체의 존재 양식입니다. 즉 '죽음으로 미리 가 봄'은 자신을 분명하게 이해함을 뜻하며 이를 통해 현존재는 실존합니다.

죽음과 같은 한계 상황의 긴장에 직면해 있을 때 결단의 가능성이 드러납니다. 그 가능성이란 인간이 자유를 바탕으로 스스로 무엇이 될 것인가를 스스로 결정하는 상황에 직면한다는 의미입니다. 그러나 그 가능성은 미로와 같아서 그 안에서 인간은 좌절하고 절망하며 초월자를 경험합니다.

갑

을

┌ 보기 ┐
ㄱ. 갑: 불안은 참된 자기 자신을 찾아 나아가는 계기가 될 수 있다.
ㄴ. 갑: 인간은 죽음을 예견하고 존재의 의미를 물을 수 있는 존재이다.
ㄷ. 을: 인간은 초월자와 단절하여 홀로 설 때 한계 상황을 극복할 수 있다.
ㄹ. 갑과 을: 구체적인 삶의 문제 해결보다는 객관적 진리 파악에 힘써야 한다.

① ㄱ, ㄴ   ② ㄱ, ㄷ   ③ ㄷ, ㄹ
④ ㄱ, ㄴ, ㄹ   ⑤ ㄴ, ㄷ, ㄹ

06

▶ 24057-0108

다음을 주장한 현대 서양 사상가가 긍정의 대답을 할 질문만을 〈보기〉에서 고른 것은?

지식이 중요한 이유는 그것이 우리의 삶을 개선시키는 데 있어서 중요한 도구의 역할을 하기 때문이다. 과학적 지식은 우주의 진리를 담고 있기 때문에 언제나 옳은 것이고, 종교적 믿음은 시대에 뒤떨어진 미신에 불과하다고 보는 것은 잘못이다. 종교는 우리의 정신적 삶을 풍요롭게 해 줄 수 있는 많은 가치를 지니고 있다. 그런 점에서 종교적 신념은 현금 가치를 가지고 있는 것이다. 반면 과학적 지식은 때로는 인간을 옭아매는 족쇄의 역할을 하기도 한다. 그럴 경우 과학적 지식은 현금 가치를 상실한다.

┌ 보기 ┐
ㄱ. 이성을 토대로 영원불변하는 절대적 진리를 추구해야 하는가?
ㄴ. 지식의 가치는 실생활에서의 유용성에 따라 달라질 수 있는가?
ㄷ. 경제적 이익이 지식과 학문의 가치를 측정하는 유일한 척도인가?
ㄹ. 의미 있는 삶을 사는 데 도움을 주는 학문은 현금 가치를 지니는가?

① ㄱ, ㄴ   ② ㄱ, ㄷ   ③ ㄴ, ㄷ   ④ ㄴ, ㄹ   ⑤ ㄷ, ㄹ

07

▶ 24057-0109

다음을 주장한 현대 서양 사상가의 입장으로 가장 적절한 것은?

지식은 인간이 환경에 적응하기 위한 도구이다. 따라서 탐구의 과정을 거쳐서 얻은 지식이 우리가 겪는 문제를 실제로 해결해 주고 우리가 처한 상황을 더 나은 쪽으로 개선시켰다고 사람들이 생각하게 될 때 그런 지식을 믿을 만한 지식이라고 부를 수 있다. 그래서 지식은 개인적 관점에서뿐만 아니라 사회적 유용성 차원에서도 다뤄야 하며, 상황이 달라지면 문제 해결을 위한 대안도 달라질 수밖에 없다.

① 선한 사람이 되기 위해 절대적인 도덕적 가치를 따라야 한다.

② 공동체의 구성원으로서 전통과 관행을 변함없이 보존해야 한다.

③ 하나의 가설이 유용한 결과를 산출했다면 그 가설은 절대적 지식이 된다.

④ 다른 무엇을 위한 수단이 아닌 그 자체로 바람직한 가치를 추구해야 한다.

⑤ 문제 해결을 위한 다양한 대안의 존재를 인정하고 각각의 대안을 검증해야 한다.

08

▶ 24057-0110

(가)의 현대 서양 사상가 갑, 근대 서양 사상가 을의 입장을 (나) 그림으로 표현할 때, A∼C에 해당하는 적절한 진술만을 〈보기〉에서 있는 대로 고른 것은?

(가)	갑: 실험적 지성과는 대조적으로 이성은 절대주의를 향하는 경향이 있다. 이성은 경험을 초월한 것이어서 구체적인 관찰과 실험에 대해 부주의하기 때문이다. 도덕이나 윤리는 시대나 상황에 따라 변화하고 성장하기 때문에 지성적 탐구는 문제 상황에서 올바른 선택을 가능하게 하며, 개인과 사회를 성장시킨다. 을: 실험과 경험을 통해 얻은 재료를 지성의 힘으로 변화시켜 소화하는 참된 귀납법이 올바른 학문 방법이다. 지금까지 학문에 종사하는 사람들은 경험에만 의존하거나 독단을 휘둘렀다. 경험에만 의존하는 사람들은 개미처럼 오로지 자료를 모아서 사용하고, 독단을 휘두르는 사람들은 거미처럼 자신의 속을 풀어내서 집을 짓는다.
(나)	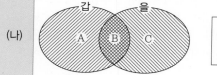 〈범 례〉 A: 갑만의 입장 B: 갑, 을의 공통 입장 C: 을만의 입장

┌ 보기 ┐

ㄱ. A: 지성의 역할은 문제 상황에 적용할 절대적 지식을 발견하는 것이다.

ㄴ. B: 유용한 지식을 얻기 위해서는 실험을 통한 검증이 필요하다.

ㄷ. B: 과학적 탐구를 통해 얻은 지식은 인간의 삶을 개선할 수 있다.

ㄹ. C: 환경과 상호 작용하는 과정에서 실험적 태도를 갖추어야 한다.

① ㄱ, ㄹ　　　　　② ㄴ, ㄷ　　　　　③ ㄴ, ㄹ

④ ㄱ, ㄴ, ㄷ　　　　　⑤ ㄱ, ㄷ, ㄹ

09

▶ 24057-0111

갑은 근대 서양 사상가, 을은 현대 서양 사상가이다. 갑, 을의 입장으로 적절한 것만을 〈보기〉에서 있는 대로 고른 것은?

> 갑: 어떤 개인이 공리의 원리가 도덕적 의무의 궁극적 원천이라고 믿는다면 여러 의무들 간에 갈등이 발생했을 때 공리를 기준으로 삼아 문제를 해결할 수 있다. 공리의 원리는 동기를 문제 삼지 않는다. 가능한 한 즐거움의 양을 늘리고 질을 높이는 것이 중요하다.
> 을: 어떤 개인을 판단할 때 그가 움직이는 방향에 따라 판단해야 한다. 악한 사람이란, 그가 지금까지 아무리 선했다 하더라도 현재 타락하기 시작하는 사람이다. 선한 사람이란, 지금까지 도덕적으로 무가치했었다 하더라도 현재 더 선해지기 시작하는 사람이다.

┌─ 보기 ┌─
ㄱ. 갑: 쾌락의 질적 차이는 경험이 아닌 이성을 통해 파악할 수 있다.
ㄴ. 을: 지식은 문제 해결의 수단으로서 유용할 때 가치가 있다.
ㄷ. 을: 도덕은 시대나 상황에 따라 변화하며 고정적인 것이 아니다.
ㄹ. 갑과 을: 행위의 결과를 토대로 도덕적 가치를 평가해야 한다.

① ㄱ, ㄴ ② ㄱ, ㄹ ③ ㄷ, ㄹ
④ ㄱ, ㄴ, ㄷ ⑤ ㄴ, ㄷ, ㄹ

10

▶ 24057-0112

갑은 근대 서양 사상가, 을은 현대 서양 사상가이다. 갑의 입장에 비해 을의 입장이 갖는 상대적 특징을 그림의 ㉠~㉢ 중에서 고른 것은?

> 갑: 이성은 나에게 보편 법칙 수립을 존경하도록 강요한다. 그리고 실천 법칙에 대한 순수한 존경으로부터 말미암은 나의 행위들의 필연성이 의무를 형성하며, 의무는 그 자체로 선한 의지의 조건이다.
> 을: 나는 도덕이 행위의 일람표도 아니고 약국의 처방전이나 요리책의 요리법처럼 적용해야 할 일련의 규칙도 아니라고 생각한다. 도덕은 문제 상황을 해결하기 위한 유효한 가설을 세우는 탐구 방법에 대한 것이다.

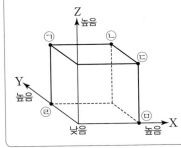

- X: 좋은 결과를 산출하는 행위를 해야 함을 강조하는 정도
- Y: 절대적 도덕 원리에 따라 행위 해야 함을 강조하는 정도
- Z: 도덕은 목적이 아니라 수단임을 강조하는 정도

① ㉠ ② ㉡ ③ ㉢ ④ ㉣ ⑤ ㉤

사회사상과 이상 사회

① 인간의 삶과 사회사상의 지향

(1) 인간의 삶과 사회사상
① 인간은 자기 삶을 살아가는 존재이면서 동시에 사회에서 다른 사람들과 다양한 관계를 맺으며 살아가는 사회적 존재임
② 사회 속에서 인간은 다른 사람들과 교류하며 생존에 필요한 것을 얻을 뿐만 아니라 더 나은 삶을 추구하며 살아감
③ 사회는 인간 삶의 바탕이 되기 때문에 인간은 사회에 관심을 가지고 사회를 개선하기 위해 노력해 왔으며 이러한 과정에서 다양한 사회사상이 형성됨

(2) 사회사상의 특징과 지향
① 사회사상의 특징
• 사회사상: 사회 현상을 설명하고 해석하여 바람직한 사회의 모습과 그것의 구현 방법 및 운영 방안을 체계화한 사유
  ㉠ 자유주의, 공화주의, 민주주의, 자본주의, 사회주의 등
• 다양한 사회 현상을 설명하고 이해하는 데 도움이 되는 이론적 틀을 제공함
• 현실의 부조리가 개선되어 더 나아진 사회의 모습과 그 실현 방안을 제시함
• 사회를 더 바람직하게 변화시키고자 하며 실천적인 성격이 강함
• 사회 구성원으로서의 역할을 이해하게 하고 의무를 안내해 줌
② 사회사상이 지향하는 목표
• 현 사회의 문제점을 지적하여 개선하고 인류의 보편적인 가치를 찾아서 실현하고자 함
• 바람직한 사회의 조건과 실현 방법을 제시함으로써 누구나 인간다운 삶을 살 수 있는 사회를 지향함
• 이상 사회를 제시하여 갈등과 대립을 넘어선 바람직한 공동체를 실현하고자 함

② 동서양의 이상 사회론

(1) 이상 사회의 의미
① 사람들이 공동으로 추구하는 목표와 이상이 실현된 사회
② 동서양의 여러 사상가는 현실 사회의 문제점과 한계를 개선하기 위해 다양한 이상 사회를 제시함
③ 이상적인 인간의 모습을 함께 제시하여 바람직한 이상 사회의 구현과 바람직한 인격의 형성이 밀접한 관계가 있음을 보여 줌
④ 다양한 이상 사회가 제시된 이유
• 시대마다 사람들이 바라고 지향하는 사회의 모습이 다름
• 여러 사상가들이 파악한 현실 사회의 모순과 부패의 원인이 각기 다름

(2) 동양의 이상 사회론
① 공자의 대동(大同) 사회
• 성인(聖人)이 다스리며 현명하고 유능한 사람이 등용되는 사회
• 구성원들이 가족과 같은 친밀한 관계를 맺으며, 누구나 인간다운 생활을 영위할 수 있도록 복지가 실현됨
• 재화가 고르게 분배되고 사람들이 재물을 자신의 이익만을 위해 사용하지 않으며 사회적 약자를 함께 보호함
• 가족 이기주의에서 벗어나 타인을 배려하는 도덕 공동체임
② 노자의 소국 과민 사회
• 작은 영토에 적은 수의 사람들로 구성된 사회
• 인간의 자유로운 삶을 제약하는 인위적 규범과 문명의 이기(利器)에 무관심함
• 분별적 지식을 추구하지 않고 과도한 욕심이 없는 구성원들이 자연스러운 본성에 따라 소박하게 살아감
• 자연의 순리에 따라 생명을 소중하게 여기며 평화롭게 살아가는 소규모 공동체임

자료와 친해지기 노자의 이상 사회

• 천하에 꺼리고 금하는 것이 많으면 백성들은 더욱 가난해진다. 백성들에게 예리한 기구가 많아지면 국가는 더욱 혼란해진다. 사람들에게 기교가 많아지면 기이한 물건이 더욱 생겨난다. 법령이 밝아질수록 도둑들은 많아진다. 그러므로 성인은 "내가 무위함으로써 백성들은 스스로 착하게 되고, 내가 고요함을 좋아함으로써 백성들은 스스로 올바르게 되고, 내가 일을 도모하지 않음으로써 백성들은 스스로 부유해지고, 내가 욕심이 없음으로써 백성들은 스스로 소박해진다."라고 하였다.

• 나라는 작고 백성들은 적어야 한다. 비록 수백 종류의 도구가 있어도 쓰지 않는다. 백성들로 하여금 죽음을 중히 여기게 하고, 멀리 이사 다니지 않도록 한다. 비록 배와 수레가 있어도 탈 일이 없어야 한다. 비록 갑옷과 무기가 있어도 그것을 벌여 놓고 쓸 곳이 없어야 한다. 사람들로 하여금 다시 옛날로 돌아가 새끼를 묶어서 문자로 사용하게 한다. 그들의 음식을 달게 먹고, 그들의 옷을 아름답게 여기고, 그들의 주거에 편안히 살며, 그들의 풍속을 즐겨야 한다. 이웃 나라가 서로 바라보이고, 닭과 개 우는 소리가 서로 들리지만 백성들은 늙어 죽을 때까지 서로 왕래하는 일이 없어야 한다.

– 『도덕경』 –

노자는 기구나 법령이 많아질수록 사회가 더 혼란해진다고 주장하여 무위로써 나라를 다스려야 한다고 강조하였다. 그는 인위적인 다스림이나 도덕규범 없이 자연의 순리에 따라 이상 사회에 도달하고자 하였다.

(3) 서양의 이상 사회론

① 플라톤의 정의로운 국가
- 국가를 구성하는 세 부류인 통치자, 방위자, 생산자 계층이 각자의 성향에 따라 지혜, 용기, 절제의 덕을 발휘하는 사회
- 각 계층의 사람들이 자신의 역할을 잘 수행하여 전체적으로 조화를 이룬 사회
- 오랜 교육과 훈련을 통해 선(善)의 이데아에 대한 참된 앎을 갖춘 철학자가 통치자가 되어 다스림

② 모어의 유토피아
- 사유 재산제를 폐지하고 생산과 소유의 평등이 실현된 사회
- 16세기 당시 심각한 사회적 불평등과 빈곤 등 영국 사회의 부조리한 현실을 비판하며 등장함
- 잉여 생산에 대한 욕망을 가질 필요가 없으므로 경제적으로 풍요롭고 도덕적으로 타락하지 않음
- 모든 구성원들이 필요 이상의 노동을 하지 않고 정신적 자유와 문화생활을 누림

③ 베이컨의 뉴 아틀란티스
- 과학 기술이 발달하여 인간 생활이 풍요로워지고 복지가 증진되는 사회
- 과학 기술자가 주도하는 신비의 섬을 배경으로 함
- 인간의 지식과 새로운 과학 기술 및 문명의 발전에 대하여 무한한 신뢰를 보여 줌

④ 마르크스의 공산 사회
- 구성원들이 자신의 능력에 따라 일하고 필요에 따라 분배받는 평등한 사회
- 물질만능주의와 같은 도덕적 타락, 자본의 소유에 따른 차별 등 자본주의 사회에서 발생하는 문제점을 비판하면서 등장함
- 경제적 불평등의 원인인 생산 수단의 사적 소유를 철폐함으로써 비인간적인 사회적 모순을 극복할 수 있음

- 생산력이 고도로 발전하고 경제적으로 안정됨
- 계급과 국가가 완전히 사라지고 누구나 자유롭게 자아를 실현함

⑤ 롤스의 정의로운 사회
- 구성원들의 선을 증진해 주면서도 공공의 정의관에 의해 효율적으로 규제되는 사회
- 사회 전체에 이익이 된다고 할지라도 그것이 소수의 자유를 빼앗는다면 정의롭지 않음을 지적하면서 등장함
- 구성원의 기본적 자유와 권리를 보장하면서 동시에 최소 수혜자의 이익을 극대화하도록 노력함

(4) 동서양 이상 사회론의 현대적 의의

① 이상 사회론의 의의
- 한 사회가 더 바람직한 모습으로 나아가기 위해 갖추어야 할 것에 대한 규범적 기준이 될 수 있음
- 이상 사회론을 통해 사회의 문제점을 이해하고 비판할 수 있으며 사회를 더 나은 방향으로 이끌기 위한 실천 지침을 얻을 수 있음

② 다양한 이상 사회론의 현대적 의의
- 자유와 평등의 보장 및 분배 정의 실현 가능: 누구나 공정한 삶의 기회를 누릴 수 있는 사회의 조건을 마련할 수 있음
- 물질만능주의와 비인간화 현상 극복 가능: 물질적인 풍요를 누리면서도 인간 존엄성의 가치를 존중하는 인간다운 사회를 꿈꿀 수 있음
- 개인의 이익과 권리만을 지나치게 추구하는 이기주의 풍토 극복 가능: 개인과 공동체의 조화를 바탕으로 사람들이 행복을 추구할 수 있는 여건을 제공함
- 평화롭고 안정된 세계를 지향: 동서양 모두 다툼과 분쟁이 없고, 폭력의 위협에서 벗어난 이상 사회의 모습과 조건을 제시함

자료와 친해지기 모어의 유토피아

유토피아에서는 모든 사람이 유용한 직종에서 일하기 때문에 모든 것이 풍부하다. 혹시 도로 보수가 필요한 경우에는 많은 사람들을 모아 도로 일을 하게 되는 때도 가끔 있다. 이런 일조차도 필요 없을 때는 하루의 작업 시간을 줄인다고 발표하는 일도 있다. 공무원들이 시민들에게 쓸데없는 일을 강요하는 일은 전혀 없기 때문이다. 국가 체제를 구성한 주요 목적은, 모든 시민들이 나라에서 꼭 필요로 하는 일 말고는 육체적 봉사에서 벗어나 자유로워지고, 그래서 정신적 자유와 교양의 함양에 전념하도록 하는 데 있다. 그들은 거기에 삶의 행복이 있다고 생각하기 때문이다.   – 모어, 「유토피아」 –

모어에 따르면 유토피아는 경제적으로 풍요로우며 도덕적으로 타락하지 않은 사회이다. 유토피아 사람들은 필요 이상의 노동을 할 필요가 없으며, 공공의 필요가 충족되어 더 이상 노동을 할 필요가 없을 때는 가능한 한 많은 시간을 정신적 자유와 교양의 함양을 위해 사용할 수 있다.

01

▶ 24057-0113

그림의 강연자가 지지할 주장으로 적절하지 <u>않은</u> 것은?

무위(無爲)가 실현된 이상 사회는 어떤 모습일까요? 각양각색의 관청이 있지만 쓸 곳이 없고, 백성들로 하여금 목숨을 중히 여겨 멀리 떠돌지 않도록 합니다. 비록 수레와 배가 있지만 아무도 타지 않고, 갑옷과 무기가 있지만 진열해 놓을 곳이 없습니다. 백성들로 하여금 순박한 삶으로 돌아가게 하여 편안히 살게 합니다. 이웃하는 두 나라가 서로 바라보고 닭 울음소리와 개 짖는 소리가 들리지만, 결코 전쟁이나 충돌을 하지 않습니다.

① 도(道)의 관점으로 모든 현상의 시비를 엄격하게 분별해야 한다.
② 자연의 순리를 따르고 겸허와 부쟁(不爭)의 덕을 지녀야 한다.
③ 나라의 영토가 작고 인위적 규범을 거부하는 사회를 지향해야 한다.
④ 각종 규제와 법령들이 많이 생겨날수록 사회는 혼란에 빠지게 된다.
⑤ 이상 사회의 백성은 문명의 이기(利器)를 거부하고 소박하게 살아간다.

02

▶ 24057-0114

다음을 주장한 고대 서양 사상가의 입장으로 적절한 것만을 〈보기〉에서 있는 대로 고른 것은?

우리가 부과한 모든 시험에서 균형과 조화의 자질을 보여 주는 사람은 자기 자신을 위해서도 국가를 위해서도 가장 쓸모 있는 인물일 것이다. 그리고 아이들과 젊은이들과 어른들 가운데 지속적인 시련들에서 무탈하게 살아남는 사람은 나라의 치자(治者)와 수호자로 임명되어야 한다. 그들이 일단 토지와 집과 돈을 사유(私有)하기 시작하면, 수호자가 되는 대신 재산 관리인과 농부가 될 것이며 다른 시민들의 협력자에서 적대적인 주인으로 바뀔 것이다.

┌ 보기 ┐
ㄱ. 통치에 있어 정치권력은 철학으로부터 엄격하게 분리되어야 한다.
ㄴ. 수호자 중에서 시험을 통해 자질이 입증된 자를 통치자로 선발해야 한다.
ㄷ. 자신의 역할을 성공적으로 수행한 통치자는 사유 재산을 향유할 수 있다.

① ㄱ   ② ㄴ   ③ ㄱ, ㄷ   ④ ㄴ, ㄷ   ⑤ ㄱ, ㄴ, ㄷ

03
▶ 24057-0115

그림은 서술형 평가 문제와 학생 답안이다. 학생 답안의 ㉠~㉤ 중 옳지 않은 것은?

> **서술형 평가**
>
> ◎ 문제 : 갑, 을의 입장을 비교하여 서술하시오.
>
> > 갑: 백성을 정치로 인도하고 형벌로 다스리면 백성들은 형벌을 면하고도 부끄러워함이 없다. 그러나 덕으로 인도하고 예로써 다스리면, 백성들은 부끄러워할 줄도 알고 또한 잘못을 바로잡게 된다.
> >
> > 을: 천하를 다스리는 자는 백성을 괴롭히는 일을 하지 않는다는 마음을 근본으로 삼아야 한다. 가장 좋은 통치자는 백성들이 그가 있는지도 모르게 해야 한다. 그는 명령[令]을 거의 내리지 않지만 공(功)이 이루어진다.
>
> ◎ 학생 답안
>
> 갑, 을의 입장을 비교해 보면, 갑은 ㉠ 통치자는 백성의 경제적 안정과 올바르게 가르치는 것을 목표로 해야 한다고 보고, ㉡ 명(名)을 바로잡고 예악(禮樂)을 바로 세워야 한다고 본다. 이에 비해 을은 ㉢ 통치자가 유위(有爲)의 정책을 시행하기보다는 백성이 소박한 본성대로 살게 해야 한다고 보고, ㉣ 인위적인 조작이 없으면 백성은 스스로의 일을 해 나갈 수 있다고 본다. 한편 갑, 을은 모두 ㉤ 통치자가 성인이 제정한 예법으로 백성의 본성을 교화시켜야 한다고 본다.

① ㉠   ② ㉡   ③ ㉢   ④ ㉣   ⑤ ㉤

04
▶ 24057-0116

사회사상가 갑, 고대 서양 사상가 을의 입장으로 가장 적절한 것은?

> 갑: 유토피아의 도시는 네 개의 비슷한 구로 나뉘어 있고 각 구역의 중심에 시장이 있다. 각 가구주는 이곳에서 필요로 하는 물품을 자유롭게 가져갈 수 있다. 모든 물품이 다 풍부하고 누구도 필요 이상의 것을 요구하지 않는다. 인간은 오만 때문에 더 큰 탐욕을 부리지만 이런 악덕은 유토피아의 생활 방식에는 끼어들 자리가 없다.
>
> 을: 이상 국가의 서로 다른 세 계층은 역할에 적합한 덕을 가지고 각자의 역할을 다한다. 이들 모든 계층의 사람들이 자신의 본분에 해당하는 덕을 잘 발휘함으로써 전체적으로 조화롭게 국가를 이룰 때 국가는 비로소 정의의 덕을 실현할 수 있다.

① 갑: 이상 사회에서는 재산의 사적 소유로 인한 불평등을 인정한다.
② 갑: 이상 사회의 사람은 물질적 풍요를 위해 정신적 자유를 포기한다.
③ 을: 이상 사회의 통치자가 되기 위해서는 지혜 이외의 덕도 필요하다.
④ 을: 이상 사회에서는 모두가 정책 결정에 참여해 직접 민주 정치가 실현된다.
⑤ 갑과 을: 이상 사회에서는 노동이 사라지고 누구나 원하는 만큼 얻는다.

05

▶ 24057-0117

사회사상가 갑, 을의 입장에 대한 설명으로 옳은 것은?

> 갑: 공산주의자는 자신의 이론을 사적 소유 폐지라는 표현으로 요약할 수 있다. 시민 사회에서 살아 있는 노동은 다만 축적된 노동을 증식시키는 수단일 뿐이다. 공산주의 사회에서 축적된 노동은 노동자의 삶의 과정을 풍요롭게 하고 장려하는 수단이다. 공산주의는 어떤 사람에게서도 사회적 생산물을 취득할 권력을 빼앗지 않는다. 다만 그것은 이 취득을 통해 타인의 노동을 자신에게 예속시키려는 권력을 빼앗는 것이다.
>
> 을: 복지 국가와 재산 소유 민주주의는 모두 생산적 자산들에 대한 사유 재산권을 허용하고 있기 때문에 양자를 동일한 것으로 잘못 생각하게 된다. 재산 소유 민주주의는 각 시기가 시작하는 순간 생산적 자산과 인간 자본의 광범위한 소유를 보장함으로써 부의 집중을 피한다. 이에 비해 복지 국가는 과도한 소득 격차뿐만 아니라 정치적 자유의 공정한 가치와 양립 불가능할 정도의 부의 불평등이 상속되는 것까지도 허용할 수 있다.

① 갑은 공산 사회에서는 생산물의 부족이 불평등을 초래한다고 본다.
② 갑은 공산 사회에서는 국가가 필요에 따른 분배를 주도한다고 본다.
③ 을은 소수가 경제를 통제하는 것을 방지할 제도가 필요하다고 본다.
④ 을은 차등의 원칙 실현이 기본권 보장보다 우선되어야 한다고 본다.
⑤ 갑과 을은 사유 재산제의 폐지를 통해 정의로운 분배를 실현해야 한다고 본다.

06

▶ 24057-0118

사회사상가 갑, 근대 서양 사상가 을의 입장으로 적절한 것만을 〈보기〉에서 있는 대로 고른 것은?

> 갑: 유토피아의 사람들은 누구나 유용한 일을 하면서도 과소비를 하지 않아서 모든 것이 풍족하고 노동력이 남으므로 도로 수리 작업이 필요할 경우에는 많은 사람들이 일을 하러 모여든다. 이런 일마저 없을 때는 관리들은 하루의 노동 시간을 더 줄인다고 발표한다. 그들이 국가 체제를 구성한 주요 목적은, 시민들이 많은 시간을 육체적 봉사에서 벗어나 자유로워지고 정신적 자유와 교양의 함양에 전념하도록 하는 데 있다.
>
> 을: 솔로몬 학술원 회원은 다음과 같은 임무나 활동을 하고 있다. 유용하다고 판단되는 새로운 분야를 실험하고 연구하는 회원, 실험과 연구 결과로부터 인류의 삶을 향상시키며 지식을 증진시킬 수 있는 효용성을 찾아내려고 고심하는 회원, 자연의 비밀을 밝히며 진리에 가까이 다가서도록 새로운 연구 과제를 선정하는 회원 등이 있다. 이들은 발견이나 실험 결과를 책으로 출판할 것인지에 대해 토론을 벌이기도 한다.

┌ 보기 ┐
ㄱ. 갑: 유토피아에서는 여가를 지적 활동과 오락으로 활용할 수 있다.
ㄴ. 을: 학술회 회원은 연구 활동의 결과를 일반인에게 알리기도 한다.
ㄷ. 을: 과학 기술을 통해 자연 현상의 원인을 규명하고 대책을 세울 수 있다.
ㄹ. 갑과 을: 물질문명의 번영은 사회의 구성원들이 추구하는 유일한 목표이다.
└──────────────────────────────┘

① ㄱ, ㄴ   ② ㄱ, ㄹ   ③ ㄷ, ㄹ
④ ㄱ, ㄴ, ㄷ   ⑤ ㄴ, ㄷ, ㄹ

07

▶ 24057-0119

다음을 주장한 사회사상가의 입장으로 옳은 것은?

공산주의자들은 도처에서 기존의 사회적·정치적 상태에 대항하는 모든 혁명 운동을 지지했다. 이 모든 운동에서 공산주의자들은 소유 문제를, 그 발전 정도와 상관없이 운동의 근본 문제로 내세웠다. 프롤레타리아들은 공산주의 혁명에서 자신들을 묶고 있는 족쇄 외에는 잃을 게 없다. 그들에게는 얻어야 할 세계가 있다.

① 생산 수단의 사적 소유로 경제적 평등을 이뤄야 한다.
② 공산 사회에서는 프롤레타리아가 부르주아를 지배한다.
③ 공산 사회에서는 국가 주도의 생산과 분배가 이루어진다.
④ 공산 사회에서는 각자가 능력에 따라 일하고 필요에 따라 분배받는다.
⑤ 국가는 생산 수단의 사적 소유를 보장해 부를 효율적으로 분배해야 한다.

08

▶ 24057-0120

(가)의 사회사상가 갑, 을의 입장을 (나) 그림으로 탐구하고자 할 때, A~C에 들어갈 적절한 질문만을 〈보기〉에서 고른 것은?

(가)	갑: 원초적 입장에서 채택되리라 생각되는 정의의 두 원칙은 1차적으로는 사회의 기본 구조에 적용되며, 의무와 권리의 할당을 규제하고 사회적·경제적 이익의 배분을 규제한다. 따라서 우리는 평등한 기본적 자유를 규정하고 보장하는 사회 체제의 측면과 사회적·경제적 불평등을 규정하고 확립하는 사회 체제의 측면을 구분하게 된다. 을: 유토피아 사람들은 하루 중 여섯 시간만 일하지만 이것만으로도 생활필수품뿐 아니라 편의품까지 충분하고도 남을 정도로 생산한다. 유토피아에서는 삶에 유용한 것들을 풍족하게 만들며 공유하므로 사람들이 가난에 빠지는 일이 없다. 또한 그들은 정신적 쾌락을 추구하며 이것을 가장 높이 평가한다.
(나)	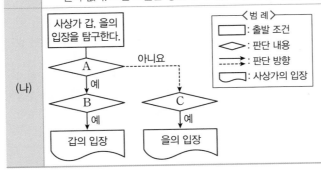

┌ **보기** ┐
ㄱ. A: 재화의 평등한 분배는 이상 사회를 위한 전제 조건인가?
ㄴ. B: 기본적 자유에 대한 침해는 사회적·경제적 이득으로 정당화될 수 있는가?
ㄷ. B: 정의로운 사회에서는 경제적 불평등의 계기가 되는 직위에 누구나 접근 가능한가?
ㄹ. C: 정신적 쾌락은 덕의 실천과 올바른 삶에 대한 인식으로 얻어질 수 있는가?

① ㄱ, ㄴ　　　② ㄱ, ㄷ　　　③ ㄴ, ㄷ　　　④ ㄴ, ㄹ　　　⑤ ㄷ, ㄹ

① 국가와 윤리

(1) 국가의 기원과 본질에 대한 관점

① 유교
- 국가는 가족의 질서가 확장된 공동체임 → 효제(孝悌)를 국가적 차원으로 확대하여 인의(仁義)를 실현하고자 함
- 백성을 국가의 근본으로 여김 → 군주는 백성의 마음을 하늘의 마음으로 여기고 백성의 목소리에 귀를 기울여야 함

② 아리스토텔레스
- 국가는 인간의 정치적 본성에 의해 자연스럽게 형성된 공동체임
- 국가는 구성원의 인간다운 삶을 실현할 수 있는 최고의 공동체임

③ 공화주의
- 국가는 공동선에 합의하고 이를 구현하는 시민이 모인 공동체임
- 국가는 시민이 공공의 일에 관심을 가지고 법을 지키며 정치에 참여할 때 유지될 수 있음

> 국가는 인민의 것이다. 인민은 무작정 모인 사람들의 집합이 아니라 정의와 공동선을 위해 협력한다고 동의한 다수의 결사이다.
> — 키케로, 『국가론』 —

④ 사회 계약론
- 국가는 시민이 자신의 자유와 권리를 보장받고자 동의와 계약을 통해 만든 공동체임
- 국가는 원래 자유롭고 평등하게 태어난 인간이 자신의 생명, 자유, 재산을 지키려고 만들어 낸 수단이라고 봄

홉스	만인에 대한 만인의 투쟁 상태인 자연 상태에서 벗어나기 위해 구성원들이 사회 계약을 맺으며 국가가 발생함
로크	개인은 자연 상태에서 비교적 평화로운 삶을 누리지만 개인의 기본권을 더 확실하게 보장받기 위해 사회 계약을 통해 국가를 구성함
루소	자연 상태에서 인간은 자유롭고 평등하지만 사회 상태로 옮겨가면서 불평등과 예속의 상태에 처하게 되었고, 자유와 평등을 보장받기 위해 사회 계약을 통해 국가를 구성함

⑤ 마르크스
- 국가는 지배 계급이 피지배 계급을 통제할 목적으로 만든 것임 → 사유 재산이 생겨나고 계급이 분화하기 시작하면서 지배 계급의 수단으로 국가가 등장함
- 국가는 지배 계급이 피지배 계급을 억압하고 착취하기 위한 수단이자 지배 계급의 이익을 대변하는 도구임 → 역사의 필연적인 발전 단계에 따라 국가가 소멸할 것으로 봄

(2) 국가의 역할과 정당성에 대한 관점

① 유교
- 민본주의 사상에 근거하여 국가의 역할과 정당성을 설명함 → 백성의 뜻은 곧 하늘의 뜻이므로 군주는 위민(爲民) 정치를 펼쳐야 함
- 국가는 백성을 도덕적으로 교화하는 역할을 해야 함 → 국가를 백성들의 도덕적 삶을 위한 도덕 공동체로 인식하고, 군주가 덕으로 백성을 교화하는 덕치의 실현을 강조함
- 맹자: 군주가 제 역할을 하지 못하여 통치의 정당성이 무너지면 군주를 교체할 수 있음

② 아리스토텔레스
- 국가의 역할은 시민이 행복한 삶을 살도록 이끌어 주는 것임 → 행복을 실현하기 위해 양질의 교육을 받고 좋은 습관을 길러 영혼의 탁월성을 온전히 발휘해야 함
- 국가는 시민이 정치에 참여할 수 있도록 제도를 마련해야 함

> 국가 전체는 하나의 목적을 가지므로, 교육은 모두에게 똑같이 이루어져야 한다. 또한 그것은 공적이어야 한다. 모두가 자기 아이를 개별적으로 보살피고 자기가 최고라고 가르치는 지금의 교육처럼 개인적이어서는 안 된다. 공익을 위해 필요한 것에 대한 훈련은 모두에게 똑같아야 한다.
> — 아리스토텔레스, 『정치학』 —

자료와 친해지기 **로크의 사회 계약론**

- 사람들이 사회에 들어갈 때 자연 상태에서 가졌던 평등, 자유 및 집행권을 사회의 선이 요구하는 바에 따라 입법부에 의해 처리될 수 있도록 사회의 권력에 넘겨주지만 그것은 오직 모든 사람이 자기 자신과 자신의 자유와 재산을 더욱 잘 보호하겠다는 의도가 있는 것이다. 그들에 의해 구성된 사회나 입법부의 권력이 공동선을 넘어서까지 확대된다고는 결코 생각할 수 없다.
- 시민 사회에 가입하여 어떤 국가의 구성원이 된 사람들은 자연법을 거스른 위반 행위를 개인적인 판단에 따라 처벌할 수 있는 권력을 포기한 것이지만, 위정자에게 호소할 수 있는 모든 경우에 범죄에 대한 재판권을 입법부에 양도한 것이다. 그는 공동체의 재판을 집행하기 위한 요청을 받을 때는 언제든 그의 힘을 사용할 수 있는 권리를 공동체에게 제공한 것이다. 공동체의 재판은 그 자신이거나 대리인에 의해 결정되는 것이므로 사실상 그 자신의 재판인 것이다. 바로 여기에서 우리는 시민 사회의 입법권과 집행권의 기원을 찾아볼 수 있다.
> — 로크, 『통치론』 —

로크에 따르면 자연 상태의 개인은 생명, 자유, 재산에 대한 권리를 더 잘 보장받기 위해 사회 계약을 통해 국가를 구성한다. 로크는 국가가 국민의 생명과 자유, 재산을 지켜 주지 못하고 적법하지 않은 이유로 침해한다면 국민은 국가 권력에 대하여 저항권을 행사할 수 있다고 주장하였다.

③ 공화주의
- 국가의 역할은 공동선을 실현하는 것임 → 국가는 구성원이 시민
  적 덕성을 기르도록 돕고 공적인 의사 결정에 적극적으로 참여할
  수 있도록 제도와 질서를 마련해야 함
- 소수가 국가의 권력을 독점하고 사적 이익을 추구하는 것을 경계
  함 → 소수가 국가 권력을 독점할 때 국가는 정당성을 상실함

④ 사회 계약론
- 국가의 역할은 구성원들의 생명과 자유 등을 보장하는 것이며,
  정당성 역시 이 역할을 제대로 수행했는지에 달려 있음
- 로크: 정부가 시민의 권리를 심각하게 침해하거나 공동선을 해칠
  경우 시민들은 정치적 저항권을 행사할 수 있음

⑤ 마르크스
- 국가는 지배 계급의 이익을 대변하는 수단임 → 사람들이 기존의
  계급 구조를 정당한 것으로 받아들이도록 국가가 법과 제도를 만듦
- 국가 자체를 부정적인 것으로 보고 정의로운 국가라는 관념도 사
  라질 것이라고 봄 → 국가 소멸 후 각자의 자유로운 발전이 만인
  의 자유로운 발전을 위한 조건이 되는 연합체가 국가를 대체할
  것으로 봄

② 시민과 윤리

(1) 시민적 자유와 권리의 근거

① 자유주의적 관점
- 자연권 사상을 바탕으로 발전함: 시대나 장소에 관계없이 모든
  인간에게 보편적으로 내재해 있는 자연권이 개인의 자유와 권리
  를 보장하는 근거임
- 개인주의를 바탕으로 하는 자유주의는 집단의 권위보다 개인의
  자유와 권리를 중시함
- 소극적 자유의 실현을 강조함 → 소극적 자유는 외부의 부당한 압
  력이나 강제로부터 벗어난 상태로 국가와 타인에게 구속당하지
  않고 행동할 수 있는 사적 영역을 보장함으로써 실현될 수 있음

② 공화주의적 관점
- 시민은 상호 의존하며 공익을 추구하는 사회적 존재임

- 시민의 권리는 자연적으로 주어지는 것이 아니라 시민의 정치 참
  여 및 공동체의 법과 제도적 노력을 통해 만들어지는 것임
- 시민은 정치적 주체로서 스스로 공공의 일에 적극 참여해야 함
- 현대 공화주의자: 비지배로서의 자유를 강조함 → 비지배로서의
  자유는 타인의 자의적 지배가 없는 상태로 자유의 실현이 법에
  의한 지배로 가능하다고 봄

(2) 공동체와 공동선 및 시민적 덕성

① 자유주의적 관점
- 공동선보다 개인선의 추구를 중시함
- 시민이 동의한 법과 제도를 바탕으로 하는 법치를 중시함
- 법치의 목적: 국가가 개인에게 과도하게 간섭하거나 자유를 침해
  하는 것을 방지하는 것임 → 국가는 중립을 지키며 법과 제도를
  모든 시민에게 동등하게 적용해야 함
- 관용: 개인의 삶과 신념 및 사적 권리를 보호하기 위한 덕목 →
  타인이나 집단, 국가의 간섭을 배제하고 개인의 가치관과 취향을
  존중함
- 헌법적 애국심: 국가의 정치 체제를 규정하는 헌법의 기본 이념
  에 대한 국민적 동의와 충성을 의미함 → 애국을 과도하게 강조
  하는 것은 개인의 권리를 침해할 우려가 있음

② 공화주의적 관점
- 공공의 가치와 공동선을 존중하고 공적 책무에 적극적으로 참여
  하려는 의식과 태도인 시민적 덕성을 강조함 → 정치 지도자들은
  시민적 덕성을 모범적으로 실천해야 하고, 국가는 시민 교육을
  통해 시민들이 덕성을 함양하도록 해야 함
- 법치의 목적: 권력의 자의적 지배를 방지하는 것임 → 시민적 덕
  성과 법 앞의 평등을 바탕으로 한 법치로써 공동선을 실현하고
  자 함
- 관용: 공적 공간에서 토론할 때 시민 동료들에게 요구되는 덕목
- 애국심: 정치 공동체와 시민 동료들을 향한 대승적 사랑, 시민의
  덕성이자 기본적 책무임

비지배 자유의 개념이 우리가 공화주의 전통에서 발견하는 자유의 관점이라고 생각하는 데에는 두 가지 근거가 있다. 첫 번째는 근대적 접근과는 대조
적으로 공화주의 전통에서 자유는 항상 리베르(liber)와 세르부스(servus), 즉 시민과 노예 간의 대조를 통해 표현된다는 것이다. 자유의 조건은 노예와는
달리 타인의 자의적 권력에 종속되지 않는 사람, 다시 말하면 타인에 의해 지배받지 않는 사람의 지위로 설명된다. 그렇기 때문에 실질적 간섭이 없어
도 자유의 손실은 있을 수 있다고 간주된다. 두 번째는 공화주의 전통에서 자유는 실질적 간섭 없이도 상실될 수 있는 것과 마찬가지로 지배하지 않는
간섭자의 시나리오에서처럼 사람들이 지배받지 않아 자유를 누리고 있더라도 간섭은 있을 수 있다고 설명된다는 것이다. 공화주의자들이 그렸던 지배
하지 않는 간섭자는 앞으로 우리가 볼 것처럼, 잘 조직된 공화국에서 누리는 법률과 정부였다.
— 페팃, 「신공화주의」 —

현대 공화주의자인 페팃은 벌린이 말하는 소극적 자유만으로는 진정한 자유를 누릴 수 없다고 보고 '비지배로서의 자유'의 실현을 강조하였다.
페팃에 따르면 합당한 법은 지배하지 않는 간섭자로서 시민의 자유를 침해하지 않을 뿐 아니라 자유 실현을 가능하게 한다.

01

▶ 24057-0121

다음 가상 편지를 쓴 고대 동양 사상가가 강조하는 삶의 태도로 가장 적절한 것은?

> ○○에게
> 공직에 나갈 것을 앞둔 자네가 내게 정치를 한다면 무엇을 먼저 해야 하는지에 대해 물었던 것에 대해 답을 하겠네. 반드시 명분을 바로잡아야[正名] 한다네. 군자는 명분을 세우면 반드시 그에 대해 말을 할 수 있고, 말을 하면 반드시 실천을 할 수 있다네. 또한 자기 자신이 올바르면 백성들은 명령을 내리지 않아도 자발적으로 행하고, 자신이 올바르지 않으면 백성들은 명령을 내려도 따르지 않으니 이를 명심하고 정치를 해야 하네.

① 마음을 깨끗이 비우기[心齋] 위하여 도덕적 수양에 매진해야 한다.
② 모든 사람을 차별 없이 사랑하는[兼愛] 태도로 선행을 실천해야 한다.
③ 지속적인 명상과 수양으로 시비선악의 분별에서 온전히 벗어나야 한다.
④ 사회 규범의 무용함을 깨닫고 자연의 순리를 따르는 삶을 살아야 한다.
⑤ 자신의 직책과 지위에 맞는 책임을 다해 명분에 맞게 살도록 힘써야 한다.

02

▶ 24057-0122

고대 동양 사상가 갑, 고대 서양 사상가 을의 입장으로 가장 적절한 것은?

> 갑: 곡식과 고기와 자라가 이루 다 먹을 수 없을 정도로 넉넉하고 재목이 이루 다 쓸 수가 없을 정도로 넉넉하여 백성들이 산 사람을 봉양하고 죽은 사람을 장사 지냄에 유감이 없게 하는 것이 왕도 정치의 시작이다.
> 을: 여러 부락으로 구성되는 완전한 공동체가 국가인데, 국가는 이미 완전한 자급자족이라는 최고 단계에 도달해 있다고 할 수 있다. 달리 말해 국가는 단순한 생존을 위해 형성되지만 훌륭한 삶을 위해 존속하는 것이다.

① 갑: 군주가 백성의 생업을 마련하는 것만으로 왕도의 완성이 보장된다.
② 갑: 군주는 백성을 형벌로 통제하기보다는 어진 정치를 베풀어야 한다.
③ 을: 국가에 복종해야 할 의무는 시민이 얻는 혜택에서 비롯된다.
④ 을: 국가는 자급자족을 지향할 뿐 시민의 정의로운 삶을 목표로 하지 않는다.
⑤ 갑과 을: 이상 국가에서는 통치자와 피치자의 구분이 존재하지 않는다.

03

▶ 24057-0123

다음을 주장한 사회사상가의 입장으로 적절한 것만을 〈보기〉에서 있는 대로 고른 것은?

정의와 불의의 개념이 존재하기에 앞서 먼저 어떤 강제적 힘이 존재해야 한다. 이 강제력이 하는 일은 신의계약 파기를 통해 기대할 수 있는 이익보다도 더 큰 처벌의 공포를 통하여 신의계약 당사자들이 각각의 약속을 이행하도록 평등하게 강제하고 그들이 보편적 권리를 포기한 대가로 상호 계약에 의해 소유권을 확보할 수 있도록 보장하는 것이다. 이런 일을 가능하게 하는 힘은 코먼웰스가 수립되기 전까지는 존재하지 않는다.

┌ 보기 ┌
ㄱ. 자연 상태에서는 정의와 불의의 관념이 존재하지 않는다.
ㄴ. 평화 추구를 위한 자연권 양도와 자기 보존은 양립 불가능하다.
ㄷ. 공통된 권력이 갖는 강제력의 존재는 계약 이행을 가능하게 한다.

① ㄴ   ② ㄷ   ③ ㄱ, ㄴ   ④ ㄱ, ㄷ   ⑤ ㄱ, ㄴ, ㄷ

04

▶ 24057-0124

(가)의 사회사상가 갑, 고대 서양 사상가 을의 입장을 (나) 그림으로 탐구하고자 할 때, A~C에 들어갈 적절한 질문만을 〈보기〉에서 고른 것은?

(가)	갑: 공동의 힘으로 각 구성원의 생명과 재산을 보호하는 연합 형태, 즉 각자가 전체와 결합하지만 종전처럼 자기 자신에만 복종하고 이전처럼 자유를 잃지 않는 연합 형태야말로 사회 계약으로 해결되어야 할 근본 과제인 것이다. 우리 각자는 공동으로, 자신의 인격과 모든 힘을 일반 의지의 최고 지도 아래 두는 것이다. 을: 국가는 자연의 산물이다. 인간은 언어 능력을 가진 유일한 동물이자 본성적으로 국가 공동체를 구성하는 동물이다. 어떤 사고가 아니라 본성으로 인하여 국가가 없는 자는 인간 이하이거나 인간 이상이다.
(나)	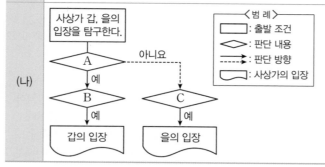

┌ 보기 ┌
ㄱ. A: 국가에 대한 정치적 의무는 구성원의 동의에서 비롯되는가?
ㄴ. B: 법률에 복종하는 국민이 법률의 제정자가 되어야 하는가?
ㄷ. B: 인민은 계약으로 재산권을 보장받는 대신 모든 자유를 상실하는가?
ㄹ. C: 인간은 국가를 이룬 후에야 비로소 언어 능력을 발휘할 수 있는가?

① ㄱ, ㄴ   ② ㄱ, ㄷ   ③ ㄴ, ㄷ   ④ ㄴ, ㄹ   ⑤ ㄷ, ㄹ

05

▶ 24057-0125

다음은 사회사상가 갑, 을의 가상 대화이다. 갑, 을의 입장으로 옳지 <u>않은</u> 것은?

자연 상태는 만인이 만인에 대해 투쟁 상태입니다. 이러한 전쟁 상태에서는 소유도, 지배도, '내 것'과 '네 것'의 구별도 존재하지 않습니다. 하지만 인간에게 이성이 있기 때문에 그러한 가혹한 상태로부터 벗어날 가능성이 없는 것은 아닙니다.

자연 상태의 인간은 자유롭고 평등하지만 분쟁을 판정할 공평한 재판관이 없어 재산의 향유가 매우 불확실합니다. 이로 인해 인간은 비록 자유롭기는 하지만 두려움과 지속적인 위험으로 가득 찬 자연 상태의 상황을 기꺼이 떠나고자 합니다.

갑

을

① 갑: 공통의 권력이 없는 곳에서 만인은 만물에 대한 권리를 지닌다.
② 갑: 자연 상태에서의 무제한적인 자연권 추구로 전쟁 상태가 야기된다.
③ 을: 개인은 재산의 보호를 위해 자연법의 집행권을 공동체에 양도한다.
④ 을: 자연권 침해의 당사자가 재판관이 되는 것은 폐단을 초래할 수 있다.
⑤ 갑과 을: 소유권은 인간의 천부적 권리이며 국가의 수립보다 선행한다.

06

▶ 24057-0126

사회사상가 갑, 을의 입장으로 옳은 것은?

갑: 우리 각자는 자신의 신체와 모든 능력을 공동체에 맡기어 개인의 힘을 일반 의지의 최고 감독하에 둔다. 그리고 우리는 각자를 전체의 불가분의 한 부분으로서 받아들인다. 이 연합 행위를 통해 투표권을 가진 구성원으로 구성된 정신적이고도 집합적인 단체가 이루어진다.

을: 사람들이 사회에 들어갈 때 자연 상태에서 가졌던 평등, 자유 그리고 집행권을 사회의 선이 요구하는 바에 따라 입법부에 의해 처리될 수 있도록 사회의 권력에 넘겨주지만 오직 모든 사람이 자기 자신과 자신의 자유와 재산을 더욱 잘 보호하겠다는 의도가 있는 것이다. 그들에 의해 구성된 사회나 입법부의 권력이 공동의 이익을 넘어서까지 확대된다고는 결코 생각할 수 없다.

① 갑: 사유 재산제는 자연 상태에서의 불평등을 해소하기 위한 방안이다.
② 갑: 모두가 일반 의지에 따르기로 동의함으로써 정부에 주권이 양도된다.
③ 을: 최고 권력인 입법부가 제정한 법률에 대해서는 결코 저항해서는 안 된다.
④ 을: 공평무사한 재판관의 부재는 재산의 보존을 곤란하게 만드는 요인이다.
⑤ 갑과 을: 자연 상태의 인간은 자기 보존 욕구로 인해 이성을 상실하게 된다.

07

▶ 24057-0127

사회사상가 갑, 고대 서양 사상가 을의 입장에 대한 설명으로 가장 적절한 것은?

> 갑: 정치적 폭력이란 한 계급이 다른 계급을 억압하기 위해 조직된 폭력이다. 프롤레타리아가 부르주아와의 투쟁에서 혁명으로 지배 계급이 되며 지배 계급으로서 낡은 생산관계를 폭력적으로 청산한다면, 그들은 이 생산관계들과 아울러 계급 대립의 존립 조건과 계급 일반을 폐지할 것이다.
> 을: 모든 국가는 분명 일종의 공동체이며, 모든 공동체는 어떤 좋음을 실현하기 위해 구성된다. 무릇 인간 행위의 궁극적 목적은 좋음이라고 생각되는 바를 실현하는 데 있기 때문이다. 모든 공동체 중에서도 으뜸가며 다른 공동체를 모두 포괄하는 공동체야말로 분명 으뜸가는 좋음을 가장 훌륭하게 추구할 것인데, 이것이 이른바 국가이다.

① 갑은 공산 사회에서는 자본가 계급이 생산관계의 주체가 된다고 본다.
② 갑은 비폭력은 프롤레타리아 혁명을 정당화하기 위한 필수 조건이라고 본다.
③ 을은 국가가 자연적인 것이 아니라 계약을 통해 얻어 낸 산물이라고 본다.
④ 을은 국가의 존재 없이는 진정한 행복을 누리는 삶이 불가능하다고 본다.
⑤ 갑과 을은 국가 존폐 문제는 구성원의 동의에 따라 결정해야 한다고 본다.

08

▶ 24057-0128

고대 동양 사상가 갑, 사회사상가 을의 입장으로 가장 적절한 것은?

> 갑: 인(仁)을 해치는 자는 남을 해치는 사람이라고 하고 의(義)를 해치는 자는 잔인하게 구는 사람이라고 한다. 남을 해치고 잔인하게 구는 자는 인심을 잃어 고립된 사람일 뿐이다. 인심을 잃어 고립된 사람인 걸과 주를 처형했다는 말은 들었어도 군주를 시해했다는 말은 듣지 못했다.
> 을: 입법부가 야심, 두려움, 어리석음이나 부패로 인해 인민의 생명과 자유 그리고 재산에 대한 독단적인 권력을 차지하려 하거나 다른 자들에게 넘겨주려 함으로써 사회의 기본적인 규칙을 침해하면 언제든지 신탁의 위반으로 인해 인민이 맡겼던 권력을 상실하게 되고 권력은 인민에게 이전된다.

① 갑: 군주는 백성과 달리 인과 의를 실천할 수 있는 본성을 타고난다.
② 갑: 백성의 인륜적 삶이 실현된 후에 백성의 경제적 안정이 가능해진다.
③ 을: 시민은 재산의 보존을 침해하는 정치권력에 대해 저항할 수 있다.
④ 을: 입법부가 신탁에 반하는지 여부를 판단하는 권한은 통치자에게 있다.
⑤ 갑과 을: 정치권력에 대한 저항이 정치권력자의 교체로 이어져서는 안 된다.

09

▶ 24057-0129

그림의 강연자가 지지할 주장으로 가장 적절한 것은?

오늘날 공화국 정치가 직면하고 있는 가장 심각한 문제는 여전히 시민적 애국을 어떻게 다시 꽃피우고 시민들 사이에 두루 퍼뜨리는가라는 문제입니다. 문화적·도덕적·종교적 일체성이라는 것은 자유의 원리와 함께 할 수 없는 것이며 결국 남는 것은 과거 수많은 정치사상가들이 끊임없이 제시해 왔던 바로 기본적인 정책들뿐입니다. 여기서 가장 중요한 요소는 무엇보다 정의입니다. 시민들이 자기 공화국과 그 법을 사랑하도록 하고자 한다면 공화국과 그 법은 힘센 자들에게 특권적 지위를 부여하지 않고 약한 자들을 차별하지 않으면서 모든 사람들을 똑같이 보호해야 할 것입니다.

① 공화국에서는 법에 의거해서만 처벌권이 행사되어야 한다.
② 진정한 자유의 실현은 도덕적 일체성의 확립으로 가능해진다.
③ 통치자에게 법의 지배에 대한 존중의 원칙을 적용해서는 안 된다.
④ 공화국에서 극악한 범죄에 대한 사적인 복수는 정당화될 수 있다.
⑤ 공화국 시민의 자유를 실현하는 데 법의 지배가 필요한 것은 아니다.

10

▶ 24057-0130

사회사상가 갑, 을의 입장으로 옳은 것은?

갑: 내가 할 수 있었을 일을 다른 사람으로 인하여 내가 못하게 되었다면 그만큼 나는 자유롭지 못하다. 다른 사람 때문에 그 영역이 일정한 한도 이상으로 축소될 때 내가 강제를 받고 있다든가 또는 어쩌면 노예가 되었다는 서술이 가능하다.
을: 노예의 주인이 전적으로 인자하고 관대한 사람이라고 밝혀지더라도 그 주인은 여전히 노예를 지배한다. 이와 같이 자유를 노예 상태와 대조하는 것은 자유가 불간섭이 아니라 비지배에 있다고 보는 명확한 근거가 된다.

① 갑: 간섭의 가능성을 모두 제거하여 '~할 자유'를 실현해야 한다.
② 갑: 모든 사람은 제한 없는 소극적 자유를 평등하게 보장받아야 한다.
③ 을: 실제적인 간섭의 존재와 비지배 자유의 실현은 양립 가능하다.
④ 을: 진정한 자유의 확립은 자의적 간섭의 주체 유무와는 무관하다.
⑤ 갑과 을: 법을 통한 국가의 모든 간섭은 시민의 자유를 침해한다.

14 민주주의와 자본주의

1 민주주의

(1) 근대 민주주의의 지향과 자유 민주주의

① 민주주의의 기원과 원칙

- 민주주의의 의미: 시민이 권력을 가지고 스스로 권력을 행사하는 정치 제도 또는 그러한 정치를 지향하는 사상
- 민주주의의 사상적 기원
  - 고대 그리스 아테네의 성인 남성 시민으로 구성된 민회에서 중요한 사항을 토론하고 결정하는 직접 민주 정치가 시행됨
  - 법원의 배심원을 포함한 거의 모든 관직을 추첨을 통해 시민에게 맡겨 평등한 정치 참여를 보장함
  - 여성, 노예, 외국인의 정치 참여를 제한하였기에 오늘날 보편적 평등을 기반으로 하는 민주주의와 차이가 있음
- 민주주의의 기본 원칙

모든 시민의 동등한 참여 권한과 기회의 원칙	성별, 종교 등에 관계없이 모든 시민에게 선거에 출마하거나 투표할 수 있는 기회가 주어짐
권력 구성과 집행에 대한 시민의 통제 원칙	모든 시민이 권력 구성 과정에 참여하고 운영에 대한 책임을 물을 수 있음

② 근대 자유 민주주의의 발전

- 사회 계약 사상의 의의: 절대 왕정 시대의 억압적인 정치 질서와 불평등한 사회 구조를 개혁하고 자유와 평등의 가치를 보장함으로써 근대 자유 민주주의 확립의 사상적 토대가 됨
- 로크의 사회 계약 사상
  - 자연 상태에서 인간은 자연법의 지배 아래 비교적 평화롭게 살아가나 공통의 재판관이 없기 때문에 개인의 생명, 자유, 재산을 보존할 수 있는 권리를 확실하게 보장받지 못함 → 개인은 자신의 권리를 보장받기 위해 계약을 맺어 국가를 만듦
  - 국가가 개인의 생명, 자유, 재산에 대한 권리를 침해한다면 국민은 양도했던 권리를 되찾는 저항권을 행사할 수 있음
  - 견제와 균형의 원리에 입각하여 권력 남용을 막기 위해 법치주의, 권력 분립(입법권, 집행권)을 주장함

- 루소의 사회 계약 사상
  - 자연 상태에서 인간은 자유롭고 평등하며 평화로운 삶을 누리지만 사회 상태로 옮겨 가면서 사유 재산의 발생과 함께 불평등과 예속의 불행한 상태에 처하게 됨 → 개인은 정치 공동체의 구성원으로서 정치 공동체 안에서 스스로가 입법권을 가진 주권자로서 시민적 자유를 획득하게 됨
  - 국가는 공공의 이익(공동선)을 추구하는 일반 의지를 대행하는 것이며, 주권은 엄연히 국민에게 있음
- 자유 민주주의의 발전
  - 자유주의와 결합한 근대 민주주의는 자유 민주주의로 발전하여 개인의 자유와 권리를 가장 중요한 가치로 여기며 정부의 주된 역할은 개인의 기본권을 보장하고 자유를 보호하는 데 있다고 봄
  - 근대 자유주의 사상가 밀: 사회나 국가는 개인의 자유를 최대한 보장해야 하며 개인을 통제할 수 있는 경우는 엄격히 제한됨

(2) 현대 민주주의와 민주 시민의 자세

① 현대 민주주의의 규범적 특징

엘리트 민주주의	• 시민의 정치 참여를 주기적인 정치 지도자 선출에 한정하므로 실제로 시민의 지배보다 정치가의 지배라는 성격이 강함 • 슘페터: 민주주의를 엘리트 정치인이 대중의 승인을 얻고자 자유롭게 경쟁하는 제도적 장치로 봄 • 정치적 의사 결정을 대표자들에게 맡김으로써 시민의 정치 참여를 제한한다는 비판을 받음
참여 민주주의	• 시민은 정부의 정책 결정과 집행 과정 등과 같은 공적 영역에 적극적으로 참여해야 함 • 국민의 지배라는 민주주의의 이상 실현이 가능함 • 특정 집단이 자신의 이익만 추구할 수도 있고, 모든 시민이 정치적 의사 결정 과정에 동등하게 참여하기 어려움
심의 민주주의	• 시민이 공론의 장에서 사회적 쟁점을 깊이 있게 토론하고 심의하는 역할을 해야 함 • 서로 다른 이해관계를 가진 시민과 전문가 등의 심의를 거쳐 공공성을 추구하는 정책을 만들 수 있음 • 합리적 의사소통이 결여되면 심의 결과에 문제가 생김

자료와 친해지기 **로크의 사회 계약론**

입법권은 모든 국가에서 최고의 권력이지만 다음과 같은 제한이 존재한다. 첫째, 입법권은 인민의 생명과 재산을 절대적이고 자의적으로 다룰 수 있는 권력이 아니다. 둘째, 입법권은 즉흥적이고 자의적인 명령으로 통치권을 행사해서는 안 되며 공포된 영속적인 법, 그리고 권한을 위임받은 재판관에 의해 정의를 시행하고 시민의 권리를 결정해야 한다. 셋째, 입법권은 어떤 사람으로부터든 그의 재산의 일부를 그의 동의 없이 취할 수 없다. 넷째, 입법부는 법률을 제정할 수 있는 권력을 인민들로부터 위임받았기 때문에 다른 사람의 수중에 이전할 수 없다. — 로크, 「통치론」 —

로크는 통치 권력은 입법권과 집행권으로 나누어져야 하며 국가의 최고의 권력은 입법부에 있지만, 입법권은 인민의 생명과 자유, 재산 보호를 목적으로 신탁된 권력이므로 입법부가 권력을 남용할 경우 인민이 새로운 입법부를 세울 수 있다고 보았다.

② 민주 시민의 자세

소로의 시민 불복종	양심을 시민 불복종의 판단 기준으로 삼아, 양심에 어긋나는 법과 정책에 복종하지 않을 수 있다고 주장함
롤스의 시민 불복종	시민 불복종을 법이나 정부의 정책에 변혁을 가져올 목적으로 행해지는, 공공적이고 비폭력적이며 양심적이긴 하지만 법에 반하는 정치적 행위로 봄 → 다수의 정의감에 호소할 목적으로 공적인 정의관에 근거하여 행해져야 함
하버마스의 시민 불복종	시민 불복종은 합리적 의사소통을 통해 합의한 원칙에 어긋나는 법이나 정책에 대한 저항이라고 정의함 → 합법적인 규정이라도 정당성 판단의 기준인 헌법 원칙에 어긋나면 행해질 수 있음

② 자본주의

(1) 자본주의의 규범적 특징과 기여

① 자본주의의 규범적 특징

• 자본주의의 의미: 사유 재산제를 바탕으로 개인이 합리적으로 이윤을 추구할 수 있도록 자유로운 경제 활동을 보장하는 자유 시장 경제 체제

• 자본주의 등장의 사상적 배경

– 자유주의: 개인의 자유와 권리를 중시하여 경제적 영역에서도 자유로운 생산과 교환 등 경제 활동의 자유를 보장할 것을 요구함

– 프로테스탄티즘: 칼뱅은 신의 소명인 직업에서 성공하여 자본을 축적하는 것을 도덕적으로 정당화함 → 합리적인 이윤 추구와 금욕주의적 직업 윤리는 자본주의 정신의 바탕이 됨

• 자본주의의 전개 과정과 규범적 특징

고전적 자본주의	• 대표 사상가: 스미스 • 개인의 경제적 자율성을 최대한 보장하기 위해 '보이지 않는 손'이라는 시장 경제 작동의 원리를 존중하고 시장에 대한 국가의 간섭을 최대한 배제해야 함
수정 자본주의	• 대표 사상가: 케인스 • 비효율적인 자원 분배, 빈부 격차, 실업 등 시장 실패를 해결하기 위해 정부가 시장에 적극적으로 개입해야 함
신자유주의	• 대표 사상가: 하이에크 • 정부의 거대화에 따른 비효율성, 무능과 부패 등 정부 실패를 해결하기 위해 정부 기능을 축소하고 개인의 자유와 시장 경제를 확대해야 함

② 자본주의의 윤리적 기여

개인의 자유와 권리 증진	개인은 경제 활동의 자유(직업 선택과 계약의 자유)와 사적 소유권을 보호받고 증진할 수 있음
개인의 자율성과 창의성 증진	더 많은 이윤을 얻기 위해 서로 경쟁하는 과정에서 개인의 창의성이 신장됨
경제적 효율성 제고	시장에서의 자유 경쟁을 보장하여 경제적 효율성을 높임으로써 경제가 지속적으로 발전하게 됨

(2) 자본주의에 대한 비판과 대안

① 자본주의의 한계와 비판

빈부 격차	개인의 육체적·정신적 능력, 교육 정도의 차이에 따라 노동 기회나 소득 분배에서 불평등이 초래됨 → 경제적 불평등의 심화는 사회를 양극화하여 사회 통합을 저해함
물질 만능주의	물질적 가치를 지나치게 중시하여 인간의 존엄성과 같은 정신적 가치는 수단으로 전락하는 가치 전도 현상이 나타남 → 황금만능주의와 물신 숭배로 이어짐
인간 소외	인간이 만들어 낸 물질이 인간으로부터 독립하여 인간을 지배하는 인간 소외 현상이 초래됨 → 상품을 만드는 기계나 부속품처럼 인간을 취급하는 현상이 나타남

② 자본주의에 대한 대안적 시도

• 마르크스의 사회주의 사상

– 마르크스는 엥겔스와 함께 「공산당 선언(1848)」을 발표함

– 부르주아(자본가)와 프롤레타리아(노동자) 사이의 계급 투쟁 → 자본주의 붕괴 → 프롤레타리아 독재 → 계급 없는 공산 사회

– 자본주의 사회의 문제는 생산 수단의 사유화에 있으므로 생산 수단을 공유화하여 평등한 사회를 실현해야 한다고 봄

• 민주 사회주의

– 서구 사회주의자들이 사회주의 인터내셔널을 결성하여 「프랑크푸르트 선언(1951)」을 통해 민주 사회주의의 입장을 선포함

– 소련식 사회주의의 급진적인 폭력 혁명론을 비판하고 의회 중심의 민주적 방법에 의한 점진적 사회 개혁을 강조함

– 공유제를 바탕으로 하되 농업, 수공업, 소매업, 중소 공업 등 중요한 부문의 사적 소유를 인정함

③ 자본주의의 발전을 위한 노력

• 인간의 가치와 존엄성을 존중하고 보장하는 사회를 실현해야 함

• 경제적 불평등으로 인한 부작용을 최소화하는 정책과 제도를 실시함

자료와 친해지기 스미스의 고전적 자본주의

개인이 최선을 다해 자기 자본을 국내 산업의 지원에 사용하고 또한 노동 생산물이 최대의 가치를 갖도록 노력함으로써 각 개인은 사회의 연간 수입이 최대치가 되도록 노력한 것이 된다. 개인은 자신만의 이익을 추구하는데, 그 자신이 실제로 사회의 이익을 증진시키려고 의도할 때보다 더욱 효과적으로 사회의 이익을 증진시키는 것이다. 자기의 자본을 국내 산업의 어떠한 분야에 투자하면 좋은가, 그리고 가장 큰 가치를 가진 생산물을 생산하는 산업 분야가 무엇인가에 대해, 각 개인은 자신의 지역적 상황에서 어떠한 정치가나 입법가보다 훨씬 더 잘 판단할 수 있다. — 스미스 「국부론」 —

스미스는 자유방임주의의 입장에서 개인이 자신의 이익을 자유롭게 추구하도록 내버려 둠으로써 사회의 이익을 증진시킬 수 있다고 보았다. 스미스는 시장에 대한 국가의 간섭은 최대한 배제되어야 한다고 보았으며 국가의 역할은 국방과 치안, 공공사업 등의 영역에 국한되어야 한다고 주장하였다.

01

▶ 24057-0131

다음을 주장한 사회사상가의 입장만을 〈보기〉에서 있는 대로 고른 것은?

사람들은 사회에 들어갈 때 그들이 자연 상태에서 가졌던 평등, 자유 및 집행권을 사회의 선이 요구하는 바에 따라 입법부가 처리할 수 있도록 사회의 수중에 양도한다. 그러나 그것은 오직 모든 사람이 그 자신, 그의 자유 및 그의 재산을 더욱 잘 보존하려는 의도에서 행하는 것이다. 그러므로 권력은 모든 사람에게 재산을 보장해 줄 의무를 갖는다. 또한 국가의 입법권이나 최고의 권력을 가진 자는 즉흥적인 법령이 아니라 인민에게 공포되어 널리 알려지고, 확립된 일정한 법률로 다스려야 한다. 그는 또한 무사 공평한 재판관을 임명하여 그로 하여금 그러한 법률에 따라 분쟁을 해결하도록 해야 한다. 이 모든 것은 인민의 평화, 안전 및 공공선이 아닌 다른 목적을 위해서 행사되어서는 안 된다.

┌ 보기 ┐
ㄱ. 국가 권력의 견제를 위해 권력 분립이 이루어져야 한다.
ㄴ. 시민은 명시적 동의에 의해서만 법을 준수할 의무를 갖는다.
ㄷ. 입법권은 시민의 재산을 그들의 동의 없이 취할 수 있는 권력이다.
ㄹ. 입법부는 최고의 권력 기관이지만 신탁에 반하는 결정을 해서는 안 된다.

① ㄱ, ㄷ   ② ㄱ, ㄹ   ③ ㄴ, ㄷ
④ ㄱ, ㄴ, ㄹ   ⑤ ㄴ, ㄷ, ㄹ

02

▶ 24057-0132

사회사상가 갑, 을의 입장으로 가장 적절한 것은?

갑: 국가는 일정한 수의 사람들이 서로 결합하여 하나의 사회를 형성하고, 각자 자연법의 집행권을 포기하여 공동체에 양도할 때 존재하게 된다. 이는 사람들이 사회에 또는 그것과 다름없는 입법부에 사회의 공공선이 요구하는 바에 따라 법률을 제정할 권리를 위임함을 나타낸다.
을: 국가는 사회 계약을 통해 만들어진다. 사회 계약은 우리가 각자 자신의 신체와 모든 능력을 공동의 것으로 만들어 일반 의지의 최고 감독하에 두는 것이고 우리가 각 구성원을 전체와 불가분의 부분으로서 한 몸으로 받아들이는 것이다. 그 순간 각 계약자의 개인적 인격은 사라진다.

① 갑: 국가는 법에 근거하지 않고 자의적으로 권력을 행사할 수 있다.
② 갑: 입법부를 폐지하거나 변경할 수 있는 최고의 권력은 군주에게 있다.
③ 을: 사회 계약은 개인의 어떠한 자유와 권리도 상실시키지 않는다.
④ 을: 국가는 개인의 인격들이 모두 결합되어 있는 공적 인격이다.
⑤ 갑과 을: 입법부는 입법의 재능이 있는 사람에게 입법권을 양도할 수 있다.

03

▶ 24057-0133

다음은 사회사상가 갑, 을의 가상 대화이다. 갑, 을의 입장으로 옳은 것만을 〈보기〉에서 있는 대로 고른 것은?

민주주의는 정치적 문제에 대한 결정권을 정치인들에게 부여하는 방식을 통해 정치적 결정에 도달하려는 제도적 장치입니다. 유권자들은 통치할 사람들을 받아들이거나 거부할 기회를 가질 뿐입니다.

민주주의의 기본 특징은 심의에 있습니다. 시민들은 공적 심의를 통해 정치 문제를 해결할 수 있습니다. 시민들은 공적 이성에 따라 정치적 이상을 실현할 수 있는 공적 기회를 가져야 합니다.

갑

을

┌ 보기 ┐
ㄱ. 갑: 유권자들과 정치인들 사이의 정치적 역할 구분은 필수적이다.
ㄴ. 을: 의사 결정의 정당성은 다수결을 통해서만 확보될 수 있다.
ㄷ. 을: 상이한 이해관계를 가진 시민들도 공적 심의에 참여할 수 있다.
ㄹ. 갑과 을: 모든 시민의 의지가 반영된 공동선을 실현해야 한다.

① ㄱ, ㄴ　　　　　　② ㄱ, ㄷ　　　　　　③ ㄴ, ㄹ
④ ㄱ, ㄷ, ㄹ　　　　⑤ ㄴ, ㄷ, ㄹ

04

▶ 24057-0134

다음을 주장한 사회사상가의 입장으로 적절하지 <u>않은</u> 것은?

• 의사소통 행위는 합리적 대화를 통해 인간 상호 간의 의견이나 행위를 이해하고자 하는 행위이다. 즉 상호 이해 지향적 행위자는 공통의 상황 이해에 의존하며, 상호 주관적으로 인정된 타당성 주장의 관점에서 상황을 해석한다.
• 심의 민주주의는 공론장 속에서 담론의 규칙과 논쟁의 형식을 기본 틀로 하면서 의사소통 행위를 통해 민주적 의지를 형성하는 데 초점을 맞춘다. 국가 중심적 정치 인식을 탈피하는 심의 민주주의는 시민 사회 내부에서의 정치적 의지 형성과 그 제도적 장치의 구성이라는 문제를 과제로 설정하는 것이다.

① 의사소통 행위는 일반적으로 성취를 지향하는 전략적 행위이다.
② 일상 언어를 매개로 한 정치적 공론장은 사회의 통합력으로 작용한다.
③ 이해 지향적인 의사소통 행위는 시민들의 인격적 평등 관계를 전제로 한다.
④ 의사소통 행위자들은 상호 주관적으로 공유된 언어 상황의 공론장에서 만난다.
⑤ 민주주의의 본질은 대화와 토론을 통한 정치적 공론장을 활성화시키는 데 있다.

05

► 24057-0135

다음을 주장한 사회사상가가 긍정의 대답을 할 질문으로 옳은 것은?

시민 불복종의 문제는 어느 정도 정의로운 국가 내에서 그 체제의 합법성을 인정하고 받아들이는 시민들에 의해서만 생겨난다. 문제는 의무들 간의 상충이다. 합법적인 다수자에 의해 제정된 법에 따라야 할 의무는 각자의 자유를 방어할 권리와 부정의에 반대할 의무에 비추어 볼 때 어느 정도의 지점에서 그 구속력을 상실할 것인가? 이런 문제는 다수결 원칙의 성격 및 한계와 관련된 것이다. 이런 이유로 해서 시민 불복종의 문제는 민주주의의 도덕적 기초에 관한 어떤 이론들에 대한 중요한 테스트 케이스가 된다.

① 시민 불복종은 불의한 모든 법에 대해 이루어져야 하는가?
② 시민 불복종의 궁극적 목표는 사회 체제의 근본적 변화인가?
③ 시민 불복종은 민주적 원칙과 질서에 저항하고 항의하는 행위인가?
④ 다수가 믿는 종교의 가르침은 시민 불복종의 정당한 근거가 될 수 있는가?
⑤ 거의 정의로운 사회에서는 시민 불복종에 대한 보복적인 억압이 있을 수 없는가?

06

► 24057-0136

(가)의 사회사상가 갑, 을, 병의 입장에서 서로에게 제기할 수 있는 비판을 (나) 그림으로 표현할 때, A~F에 해당하는 내용으로 가장 적절한 것은?

(가)	갑: 법에 대한 존경심보다는 먼저 정의에 대한 존경심을 기르는 것이 바람직하다. 법에 대한 존경심 때문에 선량한 사람이 불의의 하수인이 되고 있다. 내가 떠맡아야 할 유일한 책무는 내가 옳다고 생각하는 일을 행하는 것이다. 을: 양심적 거부는 반드시 정치적 원리에 그 바탕을 두는 것은 아니며 법질서와 상반되는 종교적 원리나 혹은 다른 어떤 원리에 기초할 수도 있다. 이와 달리 시민 불복종은 사회적 다수가 공유하고 있는 정의관에의 호소이다. 병: 시민 불복종은 시민들이 합리적 의사소통을 통해 합의한 원칙에 어긋나는 법이나 정책에 대한 저항이므로 도덕적 정당성에 근거해야 한다. 도덕적 정당성은 다수의 정의관에 대해서도 문제를 제기할 수 있을 정도로 포괄적이어야 한다.
(나)	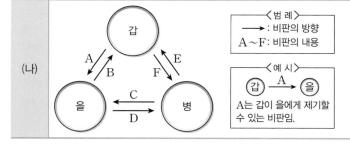

① A와 F: 시민 불복종과 양심적 거부의 근거가 다를 수 있음을 간과한다.
② B: 시민 불복종은 불의한 법에 대해 즉시 이루어져야 함을 간과한다.
③ C: 시민 불복종에 가담할 수 있는 범위에 한계가 있음을 간과한다.
④ D: 시민 불복종은 차등의 원칙을 행위 기준으로 삼아야 함을 간과한다.
⑤ E: 시민 불복종은 시민들의 합리적 의사소통을 거칠 때 정당화됨을 간과한다.

07

▶ 24057-0137

다음을 주장한 사회사상가의 입장으로 옳은 것만을 〈보기〉에서 있는 대로 고른 것은?

프로테스탄트적 금욕은 노동을 소명으로, 구원을 확신하기 위해 가장 좋은 그리고 궁극적으로는 유일하기도 한 수단으로 파악함으로써 심리적 동인을 만들어 냈다. 그리고 이 금욕은 다른 면에서 기업가의 화폐 축적도 '소명'이라 해석하여 노동 의욕을 가진 자들에 대한 착취를 정당화했다. 직업으로서의 노동 의무의 이행을 통한 '신의 나라'에 대한 배타적 추구와 교회 규율을 무산 계급에 강제했던 엄격한 금욕은 자본주의적 의미에서의 노동 생산성을 강력하게 촉진시켰다. 이처럼 근대적 자본주의의 정신은 기독교적 금욕의 정신에서 탄생한 것으로 볼 수 있다.

┌ 보기 ┐
ㄱ. 프로테스탄트에게 노동을 통한 부의 축적은 도덕적 죄악이다.
ㄴ. 프로테스탄트에게 직업은 신으로부터 부름받은 자기 몫의 일이다.
ㄷ. 프로테스탄트의 금욕주의는 자본주의적 생활 방식의 발전과 무관하다.
ㄹ. 프로테스탄트는 윤리적으로 이윤을 창출하는 것을 직업적 의무로 여긴다.

① ㄱ, ㄴ   ② ㄱ, ㄷ   ③ ㄴ, ㄹ
④ ㄱ, ㄷ, ㄹ   ⑤ ㄴ, ㄷ, ㄹ

08

▶ 24057-0138

사회사상가 갑, 을의 입장으로 옳지 <u>않은</u> 것은?

갑: 모든 개인은 공공의 이익을 증진하려고 의도하지도 않으며, 자신이 얼마나 그것에 기여하는지도 알지 못한다. 개인은 오직 자신의 노동 생산물이 최대의 가치를 갖도록 함으로써 자신의 이익만을 추구할 뿐이다. 그런데 그는 이렇게 함으로써 사회의 이익을 증진시키려고 의도할 때보다 보이지 않는 손에 이끌려 더욱 효과적으로 사회의 이익을 증진시킨다.

을: 시장 경제의 두드러진 결함은 완전 고용을 제공하지 못하고, 부와 소득의 분배가 자의적이고 불평등하다는 점에 있다. 이에 정부는 과세를 통해서, 이자율을 정함으로써, 그리고 다른 방법 등을 통해 소비 성향의 방향을 인도하는 영향력을 행사해야 한다. 더 나아가 상당히 광범위한 투자의 사회화가 완전 고용에 가까운 상태를 확보하는 유일한 수단이라고 보아야 한다.

① 갑: 개인의 자유로운 이익 추구는 자연스럽게 사회의 부로 이어진다.
② 갑: 개인의 경제 활동에 대한 정부의 간섭은 최대한 배제되어야 한다.
③ 을: 정부는 유효 수요 창출을 위해 투자의 사회화를 적극 추진해야 한다.
④ 을: 정부는 시장 경제의 결함을 극복하기 위해 사회주의 체제를 도입해야 한다.
⑤ 갑과 을: 정부는 시장에서의 경쟁을 허용하고 사적 소유권을 보장해야 한다.

09

▶ 24057-0139

(가)의 사회사상가 갑, 을의 입장을 (나) 그림으로 탐구하고자 할 때, A~C에 들어갈 질문으로 옳은 것은?

(가)	갑: 자본주의를 다루는 학문적 노력은 고용, 투자, 인플레이션 등과 같은 경제 체제 전체와 관련된 거시적 문제를 다루어야 한다. 현실 시장은 완전 경쟁이 이루어지지 않으며, 독과점과 같은 비경쟁 상태에 있다. 따라서 국가가 직접적으로 투자 계획을 수립해야 한다. 을: 사회주의의 더 큰 자유에 대한 약속이 '노예의 길'로 가는 지름길로 드러났다. 자유 경쟁 체제만이 자유를 보장하는 유일한 체제이다. 경쟁은 가장 효율적일 뿐만 아니라 권력의 강제적이고 자의적인 간섭 없이도 우리의 행위를 조정할 수 있다.
(나)	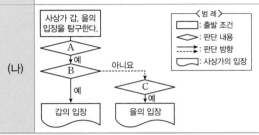

① A: 정부는 경제적 자율성을 위해 시장에 적극적으로 개입해서는 안 되는가?

② B: 시장 경제 질서는 스스로 질서가 형성되는 자생적 질서인가?

③ B: 정부는 정책과 규제를 통해 실업이나 공황 문제를 해결해야 하는가?

④ C: 분배의 형평성을 위해 생산의 효율성을 저해하는 것은 정당한가?

⑤ C: 시장 경제 체제의 보호를 위한 국가의 역할을 인정해서는 안 되는가?

10

▶ 24057-0140

(가), (나)는 사회사상이다. (가)의 입장에 비해 (나)의 입장이 갖는 상대적 특징을 그림의 ㉠~㉤ 중에서 고른 것은?

(가) 자본주의적 생산 양식은 국민의 대다수를 프롤레타리아로 만들었으므로 프롤레타리아는 자멸하지 않기 위해 부득이 변혁을 수행하지 않을 수 없게 된다. 프롤레타리아는 국가 권력을 장악하고 생산 수단을 국유화함으로써 모든 계급, 나아가 국가도 사라지게 한다.

(나) 사회주의 달성은 필연적인 것이 아니다. 그것은 모든 신봉자 하나하나의 공헌을 요구한다. 전체주의적 방법과 달리 사회주의는 민중들에게 수동적 역할을 부과하지 않는다. 반대로 민중들의 철저하고도 적극적인 참여 없이는 성공할 수 없다. 사회주의는 가장 높은 형태의 민주주의이다.

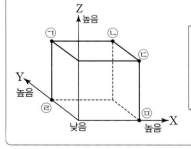

- X: 선거 제도와 의회를 통한 사회주의 실현을 강조하는 정도
- Y: 노동자의 계급 투쟁을 통한 자본주의 붕괴를 강조하는 정도
- Z: 사회 보장 제도를 통한 국가의 재분배 정책을 강조하는 정도

① ㉠   ② ㉡   ③ ㉢   ④ ㉣   ⑤ ㉤

① 동서양의 평화 사상

(1) 동양의 평화 사상

① 유교

• 인간의 도덕적 타락이 불화와 갈등의 원인이므로 갈등을 해소하고 평화와 화합을 이루기 위해서 구성원 각자가 도덕성을 회복하여 인의(仁義)를 실현해야 함

• 통치자는 인의에 기반한 덕치와 인정(仁政)으로 백성의 생활을 안정시켜 공동체의 화합을 이루어야 함 → 무력을 앞세워 전쟁을 일삼고 부국강병만을 추구하는 것을 경계해야 함

• 도덕성을 기반으로 모든 사람이 함께 조화롭게 어울려 살아가는 대동 사회를 유교적 이상으로 봄

② 묵자

• 유교에서 강조하는 인(仁)은 존비친소를 구별하는 차별적 사랑으로서 사회 혼란을 초래한다고 보고 보편적 인류애를 주장함

• 천하의 혼란을 막기 위해 모든 사람을 똑같이 사랑하는 겸애(兼愛)의 실천을 주장함 → 서로 차별 없이 사랑하고 이로움을 나누어야 전쟁과 같은 불의(不義)한 상황이 발생하지 않음

• 전쟁이 가져오는 불이익을 강조하며 비공(非攻)을 주장함 → 침략 전쟁은 침략을 당하는 나라와 침략을 하는 나라 모두에게 정치적 혼란과 경제적 손실을 일으키고 무수한 인명 피해를 야기하여 나라를 쇠망시킬 수도 있음

③ 불교

• 평화 실현을 위해서는 도덕적 수행이 중요하며 마음속의 탐욕, 화냄, 어리석음을 제거하고 깨달음에 이를 것을 강조함

• 모든 생명체가 평등한 가치를 지니고 상호 의존적이라는 연기에 대한 자각은 차별이 없는 사랑인 자비로 이어짐

• 인간뿐만 아니라 모든 생명체에 대해서 폭력을 사용해서는 안 됨

• 통치자는 자비를 실천하여 소외되고 가난한 사람들을 구제해야 함

④ 도가

• 평화를 이루기 위해 인간이 본래 가지고 있는 소박하고 순수한 덕에 따라 개인과 사회 그리고 자연이 조화를 이루며 살아가야 함

• 나라의 규모가 작고 백성이 자급자족하며 무위의 다스림이 이루어지는 소국 과민 사회를 지향함 → 무역이나 교류가 필요 없어 서로를 침략하지 않고 평화롭게 살아감

⑤ 간디

• 비폭력(아힘사)의 윤리를 바탕으로 생명을 보존하고 살생을 금지해야 한다고 주장함

• 인간은 쉽게 폭력에 휩쓸릴 수 있는 무기력한 존재이므로 폭력에서 벗어나기 위해 동정심을 행위 원칙으로 삼고 자제력을 키워야하며, 적에게도 자비를 베풀며 복수심을 가져서는 안 됨

(2) 서양의 평화 사상

① 에라스뮈스

• 전쟁은 종교적·도덕적·경제적 측면에서 본성상 선보다 악을 초래한다고 주장함 → 전쟁은 평화를 추구하는 종교 정신에 위배되고, 전쟁에서는 악인만이 아니라 무고한 다수가 혹독한 재앙에 휩쓸리게 되며, 전쟁을 위한 무기 구매 등에 비용이 들고 전쟁에 의한 파괴와 통상의 단절 등에 따른 경제적 손실을 가져옴

• 학자, 성직자 등이 분쟁 당사자 간의 화해를 돕는 중재 제도를 통해 전쟁을 피하게 해야 함

② 생피에르

• 평화를 실현하기 위해 종교나 도덕성에 호소하는 대신 인간의 이기심을 이용하고 합리적 이성에 따를 것을 주장함

• 전쟁이란 인간의 이기심이 대립하면서 시작되는 것이고 그것을 평화적으로 해결할 방법이 없어 무력에 호소할 수밖에 없는 상태이므로 이기심을 이용하면 평화로 이끌 수 있음 → 군주에게 전쟁에 따르는 불이익과 평화에 따르는 이익을 제시하여 평화가 유리하다는 것을 증명하면 군주 스스로 평화를 지향할 것임

• 군주들의 연합을 만들면 공리적 관점에서 항구적인 평화를 실현할 수 있음 → 국가 간의 분쟁이 발생할 경우 각 국가의 대표로 구성된 상설 기구를 통해 분쟁을 해결하여 국제 평화를 실현함

자료와 친해지기 묵자의 평화 사상

어리석은 사람이라도 위로는 하늘의 이익에 적합하고 가운데로는 귀신의 이익에 적합하며 아래로는 백성의 이익에 적합하면 칭송할 것이다. 이에 천하를 다스렸던 옛날 어진 사람들은 반드시 큰 나라와 서로 즐겁게 지내며 천하 사람들이 화목하게 지내게 하여 온 세상을 통합하였다. 그런데 지금의 임금이나 천하의 제후들은 군사들을 정리하고 군함과 전차를 타는 부대를 정돈시킨 다음 튼튼한 갑옷과 예리한 무기를 갖추고 죄 없는 나라를 정벌하러 나가 군대를 괴멸시키고 만백성을 해쳐 성인의 일을 어지럽힌다. 이는 하늘과 귀신과 백성의 이익에 적합하지 않은 것이다. 　　　　　　　　　　　　　　　－「묵자」－

묵자는 통치자가 천하와 백성에게 이로운 정치를 해야 한다고 보았으며, 전쟁은 오래가면 수년, 빨리해도 수개월은 걸리므로 그동안 임금도 관리도 백성도 해야 할 일을 하지 못하게 된다고 보았다. 또한 전쟁은 무수한 인명 피해 및 물자 손실 등을 초래하여 천하와 백성에게 끼치는 해가 중대하므로 도리에 어긋난다고 보았다.

③ 칸트
- 이성을 지닌 인간이라면 누구나 평화 실현의 의무가 있음
- 평화 실현을 위해 이성의 명령에 따라 인간 존엄성을 인식하고 도덕적 의무를 이행해야 함 → 전쟁은 인간을 국가적 이해관계 실현의 수단으로만 대우하기 때문에 도덕적으로 정당화될 수 없음
- 영구 평화론: 전쟁 예방과 국가 간의 영구 평화 보장을 위해 국제 연맹의 창설과 세계 시민법의 조건 등을 담은 조항을 제시함

제1의 확정 조항	모든 국가의 시민적 정치 체제는 공화정이어야 한다.
제2의 확정 조항	국제법은 자유로운 국가들의 연방 체제에 기초해야 한다.
제3의 확정 조항	세계 시민법은 보편적 우호의 조건에 국한되어야 한다.

④ 갈퉁
- 폭력을 인간의 기본적인 욕구를 모독하는 모든 것으로 정의하면서 물리적·직접적 폭력 외에 구조적 폭력, 문화적 폭력이 존재함을 지적하고 평화를 소극적 평화와 적극적 평화로 구분함

소극적 평화	• 전쟁, 테러, 범죄와 같은 물리적 폭력이 없는 상태 • 빈곤, 인권 침해 등과 같은 다양한 차원의 폭력을 고려하지 않는다는 한계를 가짐
적극적 평화	• 물리적 폭력뿐만 아니라 구조적 폭력과 문화적 폭력까지 사라진 상태 • 평화의 개념을 국가 안보 차원에서 인간의 생명과 존엄을 중시하는 인간 안보 차원으로 확장함

② 세계 시민주의와 세계 시민 윤리

(1) 세계 시민주의의 의미와 특징 및 전개
① 세계 시민주의의 의미: 특정 민족이나 국가를 넘어서 전 인류를 동등한 가치와 권리를 지닌 시민으로 봄. 스토아학파에서 발전함
② 세계 시민주의의 특징
- 인류를 하나의 운명 공동체로 인식하여 전 지구적인 문제에 관심을 가지고 함께 해결하기 위해 노력함
- 인종·민족·문화의 다양성을 존중하고 관용을 강조함
- 인류애를 바탕으로 대화와 타협을 통해 갈등을 평화롭게 해결하기 위해 노력함

③ 세계 시민주의의 전개

애피아	• 세계 시민주의를 지지하면서도 국가나 민족의 정체성도 인정함 • 특정 국가의 시민으로서 애국심을 지니고 살아가면서도 국경을 초월하여 다른 사람과 연대할 수 있어야 함
누스바움	• 편협한 애국심과 자국 중심의 배타주의를 극복하고 보편적 인간애를 가져야 함 • 어느 나라에서 태어났는가는 임의적 특성이므로 국적과 무관하게 모든 인간은 정의와 선에 대한 합리적 추론 능력을 함양해야 함

(2) 세계 시민 윤리를 위한 해외 원조에 대한 입장
① 국제주의적 입장: 롤스
- 국제주의는 개별 국가를 전제로 하면서도 국가 간의 연대와 협력을 지향함
- 질서 정연한 사회의 만민은 불리한 여건으로 인해 고통을 겪는 사회를 원조해야 할 의무를 가짐 → 해외 원조의 목적은 고통을 겪는 사회가 그 사회의 구조와 제도를 개선하여 질서 정연한 사회가 되도록 돕는 데 있음
- 억압이나 폭력, 기아나 빈곤과 같은 문제는 국내 정치·사회 제도의 부정의함에서 비롯되는 것이므로 정치적 부정의함이 제거되고 정의로운 제도가 수립되면 해결될 수 있음
- 각 사회마다 고유한 문화와 역사에 따라 필요한 부의 수준이 다르기 때문에 물질적으로 평준화할 필요는 없음
② 세계 시민주의적 입장: 싱어
- 인종이나 국가 등과 상관없이 모든 인간의 이익을 평등하게 고려하며 보편적 인류애를 강조함
- 공리주의적 관점에서 세계의 모든 가난한 사람을 원조의 대상으로 삼아야 한다고 주장함
- 원조의 의무는 쾌락과 고통을 느끼는 모든 존재의 이익을 동등하게 고려해야 한다는 '이익 평등 고려의 원칙'을 전제로 함 → 커다란 희생 없이도 어려운 처지에 있는 사람을 도울 수 있다면 돕는 것이 의무임
- 일반적으로 우리는 나와 멀리 떨어져 있는 사람들보다 나와 가까운 사람들을 먼저 도와야 한다고 생각하지만, 고통을 겪는 인간을 차별하지 말고 공평하게 원조해야 한다고 주장함 → 원조의 목적은 전 인류의 복지 향상임

 자료와 친해지기 갈퉁의 평화 사상

> 직접적인 폭력은 언어적인 폭력과 신체적인 폭력으로 나누어질 수 있으며 신체와 정신과 영혼을 상하게 한다. 구조적 폭력은 정치적·억압적·경제적·착취적 폭력으로 구분되며 구조적 침투, 붕괴, 분열, 사회적 소외 등에 의해 조장된다. 문화적 폭력은 내용 면에서 종교, 법과 사상, 언어, 예술, 과학, 우주론 등으로 구분되며 전달 매체 면에서는 학파들, 대학들, 미디어 등으로 나뉜다. 문화적 폭력은 직접적 폭력과 구조적 폭력을 올바른 것으로서 또는 적어도 잘못된 것은 아닌 것으로서 보이게 하거나 심지어 느끼게 만든다.
>
> — 갈퉁, 『평화적 수단에 의한 평화』 —

갈퉁은 폭력을 직접적 폭력, 구조적 폭력, 문화적 폭력으로 나누어 설명하였으며, 평화를 위해서는 폭력이 모두 사라져야 한다고 보았다. 갈퉁은 직접적 폭력이 사라진 상태인 소극적 평화뿐만 아니라 구조적 폭력과 문화적 폭력까지 사라진 적극적 평화가 실현되어야 모든 사람이 인간다운 삶을 살 수 있다고 보았다.

01

▶ 24057-0141

동양 사상가 갑, 을의 입장으로 옳지 <u>않은</u> 것은?

> 갑: 사람들이 본성을 따르고 감정을 따른다면 반드시 쟁탈로 나아가게 되어 규범을 무시하고 이치를 어지럽히며 난폭함으로 귀결하게 된다. 따라서 반드시 스승을 본받는 교화(敎化)와 예의(禮義)로 인도하는 일이 있은 연후에야 사양하는 마음이 나오고 문리(文理)에 부합하여 천하가 평화롭게 된다.
>
> 을: 사람들이 서로 사랑하게 된다면 강한 사람이 약한 사람을 잡지 않고, 부유한 사람이 가난한 사람을 깔보지 않으며, 간사한 사람이 어리석은 사람을 속이지 않게 된다. 천하의 모든 재난과 원한이 일어나지 않게 할 수 있는 것은 서로 똑같이 사랑하는 것[兼愛]이다.

① 갑: 덕의 유무에 따라 귀천과 상하를 명확히 구분해야 한다.
② 갑: 쟁탈과 폭력의 발생은 인위에 의해 인간의 본성이 변화한 결과이다.
③ 을: 국가와 백성을 이롭게 하기 위해 차별 없는 사랑이 필요하다.
④ 을: 국가 간 전쟁을 억제하기 위해 국가 간의 외교를 두텁게 해야 한다.
⑤ 갑과 을: 통치자가 부국강병만을 추구하는 것은 의롭지 않다.

02

▶ 24057-0142

(가)의 고대 동양 사상가 갑, 을의 입장을 (나) 그림으로 탐구하고자 할 때, A~C에 들어갈 질문으로 옳은 것은?

(가)	갑: 군주가 인(仁)을 좋아하면 천하에 그를 대적할 자가 없다. 오직 어진 사람만이 대국에 속하면서도 소국을 섬길 수 있고, 이런 사람은 하늘의 이치를 즐겁게 받아들이는 사람이다. 어진 군주는 백성을 적으로 삼지 않으며, 전쟁을 하지 않는다. 을: 병기는 상서롭지 않은 도구이므로 군자(君子)의 도구가 아니다. 부득이한 경우에만 그것을 사용해야 한다. 살인을 즐기는 자는 천하에서 뜻을 이룰 수 없다. 무위(無爲)를 행하면 되지 않는 일이 없고, 멈출 줄 알면 위태롭지 않게 된다.
(나)	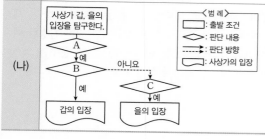

① A: 국가 간 관계의 기초를 인의(仁義)에 두어야 하는가?
② B: 평화는 군주의 절대 권력에 백성이 복종할 때 실현되는가?
③ B: 침략 전쟁은 민생(民生)을 파탄시키고 평화를 해칠 수 있는가?
④ C: 평화를 실현하려면 국가 간 물품 교환과 사람의 왕래가 필수적인가?
⑤ C: 전쟁은 도에 부합하지 않으며 전쟁에 의존하는 군주는 쇠퇴하게 되는가?

03

▶ 24057-0143

동양 사상가 갑, 을의 입장으로 옳은 것은?

> 갑: 세상을 있는 그대로 바른 통찰지로 봐야 한다. 그래야 근심과 탄식, 육체적 고통과 정신적 고통, 절망을 모두 버릴 수 있다. 그런 것들을 모두 버리면 더 이상 갈애(渴愛)에 시달리지 않는다. 갈애에 시달리지 않으면 행복하게 머물게 된다. 행복하게 머무는 사람을 삼독(三毒)의 불이 꺼진 사람이라고 한다.
> 을: 우리가 '사탸그라하', 즉 진실과 사랑, 혹은 비폭력에서 태어나는 힘을 갖게 된다면 더욱 강해지게 된다. 우리의 힘이 커지면 사탸그라하도 더욱 효율적으로 된다. 수동적 저항에는 사랑의 여지가 없지만, 사탸그라하에는 증오의 여지가 없다. 증오는 지배 원칙의 중대한 위반이 된다.

① 갑: 진정한 평화를 실현하기 위해 지속적인 고행(苦行)을 해야 한다.
② 갑: 고통을 없애기 위해 갈애에서 벗어나 무명(無明)을 추구해야 한다.
③ 을: 폭력에서 벗어나기 위해 동정심을 행위 원칙으로 삼아야 한다.
④ 을: 비폭력은 악을 행하는 자의 의지에 온순하게 굴복한다는 것을 의미한다.
⑤ 갑과 을: 평화를 실현하기 위한 수단으로서의 살생은 허용되어야 한다.

04

▶ 24057-0144

서양 사상가 갑, 을의 입장으로 옳은 것만을 〈보기〉에서 있는 대로 고른 것은?

> 갑: 평화는 모든 선의 원천이고, 만물을 유지하고 보호하지만, 전쟁은 악한 것으로 모든 것을 파괴한다. 성직자와 신학자는 연합하여 전쟁을 반대하고 평화를 가르쳐야 한다. 교회 안의 죄, 그리스도인의 사악함과 잔인함이 전쟁을 불러온 근본 원인이며 그것을 개혁하는 것이 튀르크족과 전쟁을 하는 것보다 먼저이다. 부당한 평화란 있을 수 없으며, 정당한 전쟁이라도 부당한 평화만 못하다.
> 을: 국가들의 세력 균형은 전쟁을 막는 충분한 안전을 제공하지 못하므로 영토와 상업을 보호하지 못한다. 세력 균형이 아니라 유럽 연방을 추구해야 한다. 국가는 이익에 홀려 폭력을 사용해 왔지만 점차 진정한 이익이 무엇인지 알고 협력할 것이다. 전쟁에 따르는 불이익과 평화에 따르는 이익을 제시하면 군주는 스스로 평화를 지향하게 될 것이고, 군주들의 연합이 만들어지면 항구적 평화를 실현할 수 있다.

┌ 보기 ┐
ㄱ. 갑: 전쟁은 평화를 추구하는 종교 정신에 위배되지만 정당하다.
ㄴ. 을: 인간의 이기심과 합리적 이성을 이용하면 평화를 유지할 수 있다.
ㄷ. 을: 공리적 관점에서 군주들이 서로 연합하더라도 영구적 평화를 실현할 수는 없다.
ㄹ. 갑과 을: 전쟁으로 얻는 이익보다 평화를 통해 얻는 이익이 더 크다.

① ㄱ, ㄴ   ② ㄱ, ㄷ   ③ ㄴ, ㄹ
④ ㄱ, ㄷ, ㄹ   ⑤ ㄴ, ㄷ, ㄹ

05

▶ 24057-0145

그림의 강연자의 입장으로 가장 적절한 것은?

평화 조약에 의해 당장의 전쟁은 종식될 수 있겠지만, 전쟁 상태가 종식될 수는 없습니다. 도덕 법칙을 수립하는 최고 권력의 왕좌를 차지하고 있는 이성이 소송 절차로서의 전쟁을 절대적으로 탄핵하고 평화 상태를 직접적인 의무로서 부과한 다고 해도, 국가 간의 제약이 없이는 평화 상태가 구축될 수도 없고 보장될 수도 없습니다. 이러한 이유로 특별한 종류의 연맹이 필요합니다. 그것은 평화 연맹이 라고 할 수 있습니다. 평화 조약은 하나의 전쟁을 종식시키지만 평화 연맹은 모 든 전쟁을 영원히 종식시킵니다.

① 국제적으로 최고 권력을 가진 세계 공화국을 통해 전쟁을 억제해야 한다.
② 최소 수준의 상비군을 유지하면서 국가 간의 세력 균형을 도모해야 한다.
③ 평화적 수단인 국가 간 평화 조약은 모든 전쟁을 영원히 종식시킬 수 있다.
④ 국가 간 적대 행위의 중단은 평화 상태를 보증하여 영원한 평화를 가져온다.
⑤ 개별 국가의 자유를 보장하는 국제법 실현을 위해 국제기구 설립이 필요하다.

06

▶ 24057-0146

다음을 주장한 사회사상가가 긍정의 대답을 할 질문만을 〈보기〉에서 있는 대로 고른 것은?

• 아프리카인이 생포되어 노예로 부려지기 위해 강제로 대서양을 건너는 과정에서 이루어졌던 직접적 폭력은 구조적 폭력으로 확산되어 가며 정착되었고, 어디서나 볼 수 있는 인종주의적 이념과 함께 문화적 폭력을 생 산하고 또 재생산하였다. 지금은 그때의 직접적 폭력이 잊혀지고 노예 제도도 잊혀졌지만 두 개의 폭력은 여 전히 남아 있다. 바로 구조적 폭력을 나타내는 '차별'과 문화적 폭력을 나타내는 '편견'이 그것이다.
• 평화는 직접적 평화와 구조적 평화 그리고 문화적 평화가 합쳐진 것이다. 평화는 혁명적 사상이다. '평화적 수단에 의한 평화'는 비폭력으로서의 혁명을 의미한다. 그 혁명은 항상 일어나고 있다. 우리가 할 일은 그것 의 범위와 영역을 확장하는 것이다. 그 임무는 끝이 없으며, 문제는 우리가 그러한 일을 해낼 수 있는가 없 는가이다.

┌ 보기 ┐
ㄱ. 폭력은 항상 직접적 폭력에서 시작되어 다른 폭력으로 확대되는가?
ㄴ. 폭력은 인간의 욕구 실현을 모독하고 방해하는 행위에 해당하는가?
ㄷ. 폭력을 줄이는 것도 중요하지만 폭력을 예방하는 것이 더 중요한가?
ㄹ. 평화 개념은 국가 안보 차원에서 인간 안보 차원으로 확장되어야 하는가?

① ㄱ, ㄴ   ② ㄱ, ㄷ   ③ ㄷ, ㄹ
④ ㄱ, ㄴ, ㄹ   ⑤ ㄴ, ㄷ, ㄹ

07

▶ 24057-0147

다음은 어느 사회사상가의 주장이다. ⊙에 들어갈 진술로 가장 적절한 것은?

> 나는 보편적 준칙과 이성의 지배를 최우선으로 내세우는 '뿌리 없는 세계 시민주의'를 반대한다. 이성의 이름으로 타자의 삶을 함부로 재단하고 변화시키려는 휴머니즘적 개입은 설령 선한 의도로 시작했더라도 식민 지배와 제국주의로 귀결될 수 있기 때문이다. 오히려 멀리 있는 세계에 마음을 빼앗겨 가족과 고향을 소홀히 하지 말고, 자신이 뿌린내린 지역에 애착을 가지고 거기서 의무를 다해야 한다고 생각한다. 주체와 타자를 이어 주는 인류의 공통성은 보편적인 이성이 아니라 개인성에서 구성하는 다양한 경험과 공통된 삶의 이야기, 지역적 관심에서 찾아야 한다. 따라서 내가 주장하는 '뿌리내린 세계 시민주의'는 ⊙ .

① 보편적 가치에 대한 충성과 동시에 지역적 헌신을 요구한다.
② 조국에 대한 애국심이 아니라 보편적 인류애를 함양할 것을 중시한다.
③ 이웃과 이방인을 이어 주는 인류 공동의 기반인 보편적 이성을 추구한다.
④ 동료 시민에 대한 애착심과 지구적 책임감은 조화가 불가능함을 전제한다.
⑤ 지역적 정체성을 버리고 국경을 초월하여 타인과 연대하는 것을 추구한다.

08

▶ 24057-0148

고대 서양 사상가 갑, 현대 서양 사상가 을의 입장으로 옳은 것은?

> 갑: 우주가 원자의 집합이든, 질서 있는 체계이든 인간은 자연이 지배하는 우주 만물의 한 부분이라는 점을 확신해야 한다. 그다음에 자신과 다른 모든 사람들이 밀접한 관계를 맺고 있음을 확신해야 한다. 인간이 우주 만물의 한 부분인 한, 우주로부터 인간에게 할당되는 일에 불만을 품어서는 안 된다는 점도 명심해야 한다.
>
> 을: 세계 시민주의적 법에 따르면 모든 인간은 평등한 존중과 관심을 받아야 마땅하다. 누가 어디에서 태어났느냐는 우연일 뿐이다. 모든 인간은 어느 나라에서든 태어날 수 있다. 이 점을 인정한다면 국적, 계급, 민족, 심지어 성별의 차이가 우리와 동료 인간들 사이에 장벽을 세우도록 허용해서는 안 된다. 우리는 인간성에 우선적인 충성과 존중을 바쳐야 한다.

① 갑: 모든 인류를 동료 시민이자 이웃으로 간주해서는 안 된다.
② 갑: 신의 선택을 받은 인간만이 자연의 섭리를 파악할 수 있다.
③ 을: 가족에 대한 특수한 애정과 보편적 인간애는 양립 불가능하다.
④ 을: 자국 중심주의를 극복하고 세계 시민으로서의 정체성을 가져야 한다.
⑤ 갑과 을: 이성보다는 감정에 따라 세계의 필연적 질서에 순응해야 한다.

09

▶ 24057-0149

다음을 주장한 사회사상가의 입장으로 옳은 것만을 〈보기〉에서 고른 것은?

사회들 간의 부와 복지의 수준들은 다양할 수 있고 그럴 것이라 추정된다. 그러나 이런 부와 복지 수준을 조정하는 것은 원조 의무의 목표가 아니다. 단지 고통받는 사회들만 도움이 필요하다. 모든 질서 정연한 사회들이 부유한 것이 아닌 것과 마찬가지로 모든 사회가 가난한 것은 아니다. 열악한 천연자원과 빈약한 부를 가진 사회라 할지라도, 만약 그들의 종교적·도덕적 신념들과 문화의 기반이 되는 해당 사회의 정치적 전통, 법, 재산과 계급 구조가 자유적이거나 적정 수준의 사회를 유지하게 할 수 있는 정도라면 질서 정연해질 수 있다.

┌ 보기 ┐
ㄱ. 원조는 상대적 빈곤 해결보다 정의의 실현에 중점을 두어야 한다.
ㄴ. 원조를 할 때 동정심에 기반한 온정적 간섭주의를 발휘해야 한다.
ㄷ. 질서 정연하지 않은 사회라도 원조의 대상에서 제외될 수 있다.
ㄹ. 국가 간의 불공정한 분배를 시정하기 위해 원조가 이루어져야 한다.

① ㄱ, ㄴ   ② ㄱ, ㄷ   ③ ㄴ, ㄷ   ④ ㄴ, ㄹ   ⑤ ㄷ, ㄹ

10

▶ 24057-0150

(가)의 사회사상가 갑, 을의 입장을 (나) 그림으로 표현할 때, A~C에 해당하는 내용으로 옳은 것은?

(가)	갑: 원조의 목적은 고통받는 사회가 자신의 문제들을 합당하고 합리적으로 관리할 수 있도록 도와 결과적으로 질서 정연한 국제 사회의 구성원이 되도록 하는 것이다. 원조를 제공하는 질서 정연한 사회는 고통받는 사회의 자유와 평등이 확립될 수 있도록 원조의 최종적인 목적에 위배되지 않는 세심하게 계획된 방법으로 행동해야 한다. 을: 원조는 만민이 공정하게 부담해야 할 전 지구적 의무이다. 기본적 욕구를 충족하고 남는 소득이 있으면 소득의 일부를 기부하여 세계의 빈민을 도와야 한다. 내가 돕는 사람이 내 이웃의 아이인지, 다른 나라에 사는 사람인지는 도덕적으로 아무런 차이가 없다. 굶주림과 죽음에 대한 방치는 인류 전체의 고통을 증가시키는 것이다.
(나)	갑 / 을 / A / B / C 〈범례〉 A: 갑만의 입장 B: 갑, 을의 공통 입장 C: 을만의 입장

① A: 국가 간 자원 배분의 우연성은 원조를 어렵게 만든다.
② B: 타인의 고통에 대한 무관심은 보편적 윤리 기준에 어긋난다.
③ B: 원조의 대상이 되는 사회에 속한 구성원은 원조 주체가 될 수 없다.
④ C: 원조의 대상은 지리적 근접성을 기준으로 결정되어야 한다.
⑤ C: 원조의 목적은 공익 증진이 아니라 부정의를 교정하는 것이다.

문항에 따라 배점이 다르니, 각 물음의 끝에 표시된 배점을 참고하시오. 3점 문항에만 점수가 표시되어 있습니다. 점수 표시가 없는 문항은 모두 2점입니다.

▶ 24057-0151

1 다음 가상 대화의 스승이 강조하는 삶의 태도로 가장 적절한 것은?

① 인의(仁義)의 규범을 바탕으로 도덕적 삶을 추구해야 한다.
② 무지(無知)에서 벗어나 여덟 가지 바른길을 실천해야 한다.
③ 심재(心齋)를 통해 최고의 정신적 자유의 경지에 이르러야 한다.
④ 공성(空性)의 깨달음을 바탕으로 고통받는 중생을 구제해야 한다.
⑤ 집의(集義)를 실천하여 크고 올곧은 도덕적 기개를 갖추어야 한다.

▶ 24057-0152

2 고대 서양 사상가 갑, 을의 입장으로 옳은 것은?

갑: 행복한 사람은 배고픔, 갈증, 추위로부터 안전을 확보한 사람이다. 왜냐하면 사람의 본성은 선이 아니라 악에 약하기 때문이다. 본성은 쾌락에 의해 구원되는 반면, 고통에 의해 파괴된다. 따라서 우리는 마음에 동요가 없고 몸에 고통이 없는 정적 쾌락을 추구해야 한다.
을: 행복한 사람은 덕에 따르는 것들을 행하며 그것들을 사색하는 사람이다. 행복은 목적이며 모든 점에서 전적으로 완전한 것이다. 누구나 어떤 종류의 배움과 노력을 통해 행복을 성취할 수 있다. 따라서 우리는 덕에 따르는 영혼의 활동, 즉 행복을 추구해야 한다.

① 갑: 쾌락은 삶의 지혜를 얻기 위한 수단으로 이용된다.
② 갑: 참된 쾌락을 위해 모든 자연적 욕구를 최소한으로 충족해야 한다.
③ 을: 실천적 지혜는 중용을 알려 주는 품성적 덕의 한 종류이다.
④ 을: 최고의 좋음은 감각으로 지각할 수 없는 세계에 존재한다.
⑤ 갑과 을: 행복한 삶의 실현을 위해서 이성의 역할이 필요하다.

▶ 24057-0153

3 고대 동양 사상가 갑, 을의 입장으로 옳지 <u>않은</u> 것은? [3점]

갑: 사람에게 어찌 인의(仁義)의 마음이 없겠는가? 사람은 금수(禽獸) 같은 사람을 보고 원래 선한 재질이 없었을 것이라 생각하지만, 그것이 어찌 사람의 본래 정(情)이겠는가? 그러므로 잘 길러 주면 어떤 사물이라도 자라게 되고 길러 주지 않으면 어떤 사물이라도 없어지게 된다.
을: 사람이 배가 고파도 어른을 보면 감히 먹지 않는 것은 사양하는[讓] 것이다. 자식이 아버지에게 사양하고 아우가 형에게 사양하는 행동은 모두 본성[性]에 반대되고 감정에 어긋난다. 감정과 본성을 따르면 사양하지 않게 되며, 사양하면 감정과 본성에 어긋나게 된다.

① 갑: 하늘은 도덕성의 근원이며 인간에게 선행을 명령한다.
② 갑: 인간은 의로움을 취하기 위해 자신을 희생할 수 있는 존재이다.
③ 을: 작위[僞]를 통해 본성을 교화하여 모든 욕망을 제거해야 한다.
④ 을: 사회적 지위는 예(禮)에 부합하는 정도에 따라 분배되어야 한다.
⑤ 갑과 을: 인간은 인의(仁義)를 실천할 수 있는 능력을 갖추고 있다.

▶ 24057-0154

4 중국 유교 사상가 갑, 을의 입장으로 옳은 것만을 〈보기〉에서 있는 대로 고른 것은? [3점]

갑: 격물치지(格物致知)는 배움의 시작이다. 하나의 사물을 궁구하면 하나의 앎이 생기고, 그 노력이 점차로 쌓여 관통한 후에 가슴 속에 의심이 없어져서 행할 것이 확실해지고 뜻이 성실하게 되어 마음이 바르게 된다.
을: 선배 학자는 격물을 천하의 사물을 궁구하는 것으로 해석했다. 그런데 나무를 궁구하여도, 어떻게 돌이켜 나의 뜻[意]을 성실히 할 수 있단 말인가? 나는 격을 '바로잡다[正]'로 해석하고 사물을 '일[事]'로 해석한다.

┌─ 보기 ─────────────────
ㄱ. 갑: 사물과 인간은 모두 본연지성(本然之性)을 가지고 있다.
ㄴ. 을: 뜻[意]이 머무는 곳이 사물[物]이므로 마음 밖에는 사물이 없다.
ㄷ. 갑과 을: 앎[知]과 실천[行]은 서로 별개가 아니며 선후의 구분도 없다.
└────────────────────────

① ㄱ   ② ㄷ   ③ ㄱ, ㄴ   ④ ㄴ, ㄷ   ⑤ ㄱ, ㄴ, ㄷ

▶ 24057-0155

5 그림의 강연자가 지지할 주장으로 옳지 <u>않은</u> 것은?

평화적 수단에 의한 평화는 비폭력으로서의 혁명을 의미합니다. 그 혁명은 항상 일어나고 있습니다. 우리가 할 일은 그것의 범위와 영역을 확장하는 것입니다. 대부분의 직접적 폭력은 구조적 폭력으로까지 거슬러 올라갈 수 있습니다. 이 배경에는 직접적 폭력과 구조적 폭력을 정당화해 주는 문화적 폭력이 있습니다. 폭력 행위는 자신이 스스로 폭력을 사용하는 것으로부터 일어나는 어떠한 양심을 없애는 데 이용되기 때문에 폭력은 폭력을 낳기 마련입니다.

① 사회 제도로 인한 경제적 착취도 간접적 폭력으로 기능한다.
② 문화적 폭력을 바탕으로 직접적 폭력이 가해지는 경우가 있다.
③ 참된 평화는 모든 형태의 폭력을 제거함으로써 실현될 수 있다.
④ 평화 개념을 인간 안보에서 국가 안보 차원으로 확장해야 한다.
⑤ 소극적 평화만으로는 인간의 기본적 욕구에 대한 모독을 모두 제거할 수 없다.

▶ 24057-0156

6 다음은 사회사상가 갑, 을의 가상 대화이다. 갑, 을의 입장으로 옳은 것만을 〈보기〉에서 있는 대로 고른 것은?

정부는 실업에 대한 구제책을 강구해야 합니다. 정부 투자의 증가는 완전 고용이 달성될 때까지 유효 수요를 증가시킬 것이고, 투자의 감소는 유효 수요를 감소시킬 것입니다.

갑

정부 기능을 다수의 동의가 형성될 수 있는 분야에 한정시켜야 합니다. 자본주의는 사유 재산권의 자유로운 처분에 기초한 경쟁 체제여야 합니다. 정부가 시장에 개입하는 계획 경제는 예속의 길입니다.

을

┌ 보기 ┐
ㄱ. 갑: 실업 문제 해결을 위해 국가의 적극적인 재정 투입이 필요하다.
ㄴ. 을: 정부 주도의 계획 경제는 시장의 자생적 질서를 방해하고 시민의 삶을 통제한다.
ㄷ. 갑과 을: 시장 경제의 원활한 운영을 위한 법적 규제는 허용된다.
ㄹ. 갑과 을: 자본주의 경제 체제는 정부 실패를 반복할 수밖에 없다.

① ㄱ, ㄴ ② ㄴ, ㄹ ③ ㄷ, ㄹ
④ ㄱ, ㄴ, ㄷ ⑤ ㄱ, ㄷ, ㄹ

▶ 24057-0157

7 (가)의 고대 동양 사상가 갑, 을의 입장을 (나) 그림으로 탐구하고자 할 때, A~C에 들어갈 적절한 질문만을 〈보기〉에서 있는 대로 고른 것은? [3점]

(가)	갑: 정치를 할 때는 명분을 바로잡아야 한다[正名]. 명분이 바로 서지 않으면 말이 순조롭지 않고, 말이 순조롭지 않으면 일이 이루어질 수 없고, 일이 이루어지지 않으면 예악이 흥하지 못한다. 을: 백성이 굶주리는 것은 그들을 다스리는 세금이 많기 때문이고, 백성들을 다스리기 어려운 것은 그들을 다스리는 사람들이 인위적인 다스림[有爲]을 하기 때문이다.
(나)	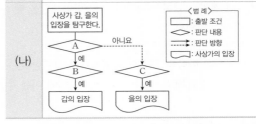

┌ 보기 ┐
ㄱ. A: 어진[仁] 마음을 바탕으로 예를 실천해야 하는가?
ㄴ. A: 통치자가 무위(無爲)로써 다스리면 백성이 타고난 덕을 발휘하는가?
ㄷ. B: 자신이 하기 싫은 것을 남에게 시키지 않는 것이 서(恕)인가?
ㄹ. C: 무지(無知)와 무욕(無欲)의 삶을 통해 본성을 실현해야 하는가?

① ㄱ, ㄴ ② ㄴ, ㄹ ③ ㄷ, ㄹ
④ ㄱ, ㄴ, ㄷ ⑤ ㄱ, ㄷ, ㄹ

▶ 24057-0158

8 다음을 주장한 근대 서양 사상가의 입장으로 옳은 것은? [3점]

가언 명령을 생각할 때, 나에게 조건이 주어질 때까지 나는 그 명령이 무엇을 함유할 것인가를 미리 알지 못한다. 정언 명령을 생각할 때, 나는 그것이 무엇을 함유하는가를 즉각 안다. 명령은 법칙 외에 오로지, 이 법칙에 적합해야 한다는 준칙의 필연성만을 함유하지만, 법칙은 그것이 제한받았던 아무런 조건도 함유하고 있지 않으므로 남는 것은 오로지 이 법칙 일반의 보편성뿐이다.

① 의무에 일치하는 행위는 모두 의무에서 비롯된 행위이다.
② 선의지로부터 비롯되지 않은 행위에는 도덕적 가치가 없다.
③ 의지의 자율과 양립할 수 없는 행위도 도덕성을 지닐 수 있다.
④ 모든 이성적 존재에게 도덕 법칙은 언제나 의무로서 강제된다.
⑤ 보편화 가능한 준칙이라도 인간 존엄성 정식에 위배될 수 있다.

9 한국 불교 사상가 갑, 을의 입장으로 옳은 것은? [3점]

▶ 24057-0159

> 갑: 일심(一心)의 법을 세워 두 개의 문을 연다. 일심법을 세운 다는 것은 처음의 의심을 버리고 대승법이 오직 일심이며 일심 이외에 다시 별다른 법이 없음을 밝히는 것이다. 단지 무명(無明)이 있어 스스로 일심을 미혹하니 모든 파도가 일 어나 육도(六道)를 떠돌게 된다.
>
> 을: 돈오(頓悟)와 점수(漸修)의 두 문은 모두 성인의 길이다. 예 로부터 모든 성인들이 먼저 깨닫고 뒤에 닦았으며 이 닦음 에 의하여 증득한 것이다. 그러므로 이른바 신통변화는 깨 달음에 의지하여 점차로 익혀서 나타나는 것이지 깨달을 때 바로 나타나는 것은 아니다.

① 갑: 모든 존재와 현상은 마음과 무관하게 생겨나고 소멸한다.
② 갑: 있음과 없음의 실상(實相)을 깨달아야 참된 지혜에 이를 수 있다.
③ 을: 단박에 깨달으면[頓悟] 단박에 수행도 완성된다[頓修].
④ 을: 지혜는 본체[體]이고 선정은 작용[用]이니 지혜는 선정을 떠 나지 않는다.
⑤ 갑과 을: 선정과 지혜를 닦아 불성(佛性)을 형성해야 한다.

10 중세 서양 사상가 갑, 을의 입장으로 옳지 않은 것은?

▶ 24057-0160

> 갑: 우리 자신에게 있는 신의 모상(模像)을 관조할 때 일어나서 우리 자신을 돌이키고 우리가 죄를 지어 떠나온 신에게 돌 아가자. 거기서라면 우리의 존재는 죽음이 없을 것이고, 인 식은 오류가 없을 것이며, 사랑은 좌절이 없을 것이다. 여기 서 말하는 신의 나라는 삶에서 순례 중인 나라가 아니고 하 늘에서 항상 불멸하는 나라이다.
>
> 을: 신이 존재한다는 것을 인식하는 것은 어떤 일반적인 형태로 우리에게 본성적으로 주어진 것이다. 즉 신이 지복(至福)인 한에게는 그렇다. 사실 인간은 본성적으로 지복을 욕구하며, 또 인간에 있어서 본성적으로 욕구되는 것은 인간에게 본성적으 로 인식된다. 신의 존재는 다섯 가지 길로 논증될 수 있다.

① 갑: 인간의 참된 행복은 신의 은총 없이는 실현될 수 없다.
② 갑: 자유 의지를 남용한 결과인 악은 하나의 실체로서 존재한다.
③ 을: 자기 생명을 보존하려는 성향은 도덕규범의 근거이다.
④ 을: 이성을 통해 인식된 영원법은 실정법의 옳고 그름을 판단 하는 근거이다.
⑤ 갑과 을: 신을 사랑하고 신과 하나가 되는 것은 인간이 누릴 수 있는 최고의 행복이다.

11 사회사상가 갑, 을의 입장으로 옳은 것은?

▶ 24057-0161

> 갑: '자유롭다'는 것은 '예속되지 않는 것', 즉 타인의 자의(恣意) 에 종속되지 않는다는 것을 의미한다. 이러한 식으로 자유 를 해석하는 것은 '자유인'의 상태를 노예와 달리 타인의 자 의에 종속되지 않은 상태로 규정한 로마법의 원리에서 나온 것이다.
>
> 을: 소극적 자유와 적극적 자유 모두 사악한 형태로 주장될 수 있고 정당화될 수도 있지만, 소극적 자유가 그런 식으로 옹 호되는 경우는 적극적 자유의 경우에 비하여 훨씬 드물다. 소극적 자유를 의미 있게 행사할 수 있는 최소한의 조건이 지켜져야 한다.

① 갑: 시민의 권리는 자연적으로 주어지는 천부 인권이다.
② 갑: 시민의 정치 참여는 자유를 지키기 위해 필수적이다.
③ 을: 불간섭의 영역이 확대될수록 개인 자유의 영역은 축소된다.
④ 을: 개인에게 누구도 마음대로 간섭할 수 없는 영역이 있어서 는 안 된다.
⑤ 갑과 을: 참된 자유를 실현하려면 국가의 모든 간섭이 사라져 야 한다.

12 (가)의 근대 한국 사상가 갑, 을의 입장에서 서로에게 제기 할 수 있는 비판을 (나) 그림으로 표현할 때, A, B에 해당하는 내 용으로 옳은 것은? [3점]

▶ 24057-0162

(가)	갑: 사류(士類)를 수습하고 정학(正學)을 강명하여 간사한 소인을 제거하고 양적(洋賊)과 내응하는 자를 막아 탐욕을 용납하지 않는 것으로 양적을 물리치는 바탕을 삼아야 한다. 을: 서양의 학문에는 한울님의 가르침이 없으니 형식은 있으나 자취가 없다. 또한 생각하는 것 같지만 주문(呪文)이 없는지라. 도(道)는 허무한 데 가깝고 학문은 한울님을 위한 것이 아니다.
(나)	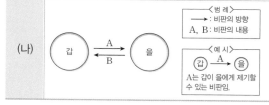

① A: 나라를 돕고 백성을 편안하게 해야 함[輔國安民]을 간과한다.
② A: 형정(刑政)과 같은 기(器)는 서양의 것이라도 백성을 위해 받아들일 수 있음을 간과한다.
③ B: 후천 개벽을 앞당기기 위해 서양의 종교를 수용해야 함을 간과한다.
④ B: 서학(西學)에 대처하려면 모든 유교적 가치를 배제해야 함 을 간과한다.
⑤ B: 성리학적 신분 질서의 폐지 없이는 이상 사회를 실현할 수 없음을 간과한다.

▶ 24057-0163

13 다음을 주장한 근대 서양 사상가의 입장으로 옳은 것은?

[3점]

> 덕의 감각을 갖는 것은 어떤 성격을 응시하는 데에서 특정한 종류의 만족을 느낀다는 것일 뿐이다. 그러므로 바로 이 느낌이 우리의 칭찬과 찬미를 구성한다. 어떤 성격이 특정한 방식에 따라 유쾌하다는 느낌에서 결과적으로 우리는 그 성격을 유덕하다고 느끼는 것이다. 모든 종류의 아름다움과 취향 그리고 감각에 관한 우리의 모든 판단도 이와 마찬가지이다.

① 시인(是認)의 감정은 도덕적 행위에 대해서만 일어난다.
② 인간의 도덕감은 자기애의 원리에 따라 설명할 수 있다.
③ 이성은 자질과 행위가 가져올 유익한 결과를 알려 줄 수 없다.
④ 사적 이익과 상충하는 행위에 대해 시인의 감정을 지닐 수 있다.
⑤ 도덕성은 개별 존재의 감정이 아닌 대상의 객관적 성질로 나타난다.

▶ 24057-0164

14 근대 서양 사상가 갑, 을이 모두 긍정의 대답을 할 질문만을 〈보기〉에서 고른 것은?

> 갑: 자연은 인류를 고통과 쾌락이라는 두 주인들이 지배하도록 하였다. 공리의 원칙은 이런 종속을 인정하며, 이를 이성과 법의 손길로 더없이 행복한 구조를 세우려는 목적을 지닌 체계의 토대라고 가정한다.
> 을: 질 높은 쾌락을 가질 수 있는 사람들이 때로는 유혹을 이기지 못하고 질 낮은 쾌락을 먼저 추구할 수 있다는 반론이 있을 수 있다. 그러나 이 주장은 질 높은 쾌락의 내재적 우월성을 인정하는 것과 양립할 수 있다.

| 보기 |

ㄱ. 행위의 도덕적 가치는 결과에 따라 평가되어야 하는가?
ㄴ. 공리의 원리는 인간에게 부여되는 도덕적 의무의 원천인가?
ㄷ. 모든 자기희생은 도덕적 가치를 지닌 행위로 인정되는가?
ㄹ. 고등한 능력을 지닌 존재는 능력에 맞는 질 높은 쾌락을 선호하는가?

① ㄱ, ㄴ   ② ㄱ, ㄷ   ③ ㄴ, ㄷ   ④ ㄴ, ㄹ   ⑤ ㄷ, ㄹ

▶ 24057-0165

15 현대 서양 사상가 갑, 을의 입장으로 옳은 것은? [3점]

> 갑: 도덕에 적용된 실험적 논리학은, 판단되는 성질이 현존하는 악을 개선하는 데 기여하는 한 그것을 선한 것으로 간주한다. 하나의 목적은 결과가 올바른 것으로 확정되기까지는 단지 가설로만 여겨져야 한다.
> 을: 그리스도교적으로 이해할 때 죽음은 오히려 그 자체가 삶으로의 과정이다. 죽음이 희망이 될 정도로 위험이 너무나 클 때, 그때 절망은 죽을 수도 없다는 무력함이다. 이 의미에서 절망은 죽음에 이르는 병이다.

① 갑: 지성적 탐구를 통해 절대적 진리를 발견해야 한다.
② 갑: 유용한 지식이 아니라 자명한 지식이 참된 지식이다.
③ 을: 절망은 신 앞에 선 단독자로 도약할 때 극복될 수 있다.
④ 을: 객관적이고 합리적인 추론을 통해 진정한 실존을 찾아야 한다.
⑤ 갑과 을: 보편적 윤리 규범의 정립과 실천이 삶의 최종 목적이다.

▶ 24057-0166

16 다음을 주장한 고대 동양 사상가의 입장으로 옳은 것만을 〈보기〉에서 고른 것은?

> 비구들이여, 만일 중생(衆生)들이 서로 사랑하고 기뻐하는 것을 보거든 이렇게 생각하라. "이 중생들도 과거에는 내 부모나 형제, 처자, 친척, 친구, 혹은 스승이었을 것이다. 그런데 지금 이처럼 생사의 긴 밤을 헤매고 있구나. 무명(無明)에 덮이고 애욕에 목이 얽매었기 때문에 윤회(輪廻)의 긴 밤을 헤매면서도 괴로움의 끝을 알지 못하는구나."

| 보기 |

ㄱ. 괴로움의 발생과 소멸에는 그 원인과 조건이 있다.
ㄴ. 무명은 사성제를 깨닫지 못한 근원적 번뇌의 상태이다.
ㄷ. 열반(涅槃)의 경지에 이르면 불변의 자아를 깨달을 수 있다.
ㄹ. 삼학(三學)을 통해 삼독(三毒)에 이르면 자비를 베풀 수 있다.

① ㄱ, ㄴ   ② ㄱ, ㄷ   ③ ㄴ, ㄷ   ④ ㄴ, ㄹ   ⑤ ㄷ, ㄹ

▶ 24057-0167

17 사회사상가 갑, 을의 이상 사회에 대한 입장으로 옳은 것은?

> 갑: 이곳에 사는 사람들은 배타적인 활동 범위를 갖지 않고, 오히려 각자가 좋아하는 부문에서 자신을 육성할 수 있으니 여기서는 사회가 전반적인 생산을 조절한다. 그래서 공산 사회의 사람들은 아침에는 사냥을, 오후에는 낚시를, 저녁에는 목축을 그리고 저녁을 먹은 후에는 비평을 할 수도 있다.
> 을: 이곳에 사는 사람들은 현명하고 정의로운 제도를 생각하지 않을 수 없었다. 그들은 극소수의 법률로도 훌륭하게 나라를 잘 다스리고 모든 일을 너무나 잘 해결한다. 유토피아에서는 선량하고 가치 있는 미덕을 행하는 사람들은 그에 합당한 보상을 받는다.

① 갑: 각자 능력에 따라 일하고 일한 만큼 분배받는 사회이다.
② 갑: 계급이 소멸되어 국가가 재화의 분배를 조절하는 사회이다.
③ 을: 노동 이후에 공개강좌는 허용되지만 여가는 허용되지 않는 사회이다.
④ 을: 구성원을 규제하는 제도적 장치가 존재하지 않는 사회이다.
⑤ 갑과 을: 사유 재산이 허용되지 않아도 물질적으로 풍족한 사회이다.

▶ 24057-0168

18 한국 유교 사상가 갑, 을의 입장으로 옳은 것은? [3점]

> 갑: 사단과 칠정 모두 이(理)와 기(氣)에서 벗어난 것은 아니지만 그 소종래(所從來)로 인하여 각각 그 주(主)로 하는 바를 가리켜 말한다면 어떤 것을 이라 하고 어떤 것을 기라 한들 무엇이 불가하겠는가?
> 을: 발(發)하는 것은 기뿐이다. 만약 이가 발함에 기가 따른다고 한다면 이것은 마음이 막 발하는 시초에는 기가 아무 상관이 없다가 이미 발한 뒤에 따라서 발하는 것이니, 어찌 이치에 합당한 말이라 할 수 있겠는가?

① 갑: 군자와 소인의 본연지성(本然之性)은 동일하지 않다.
② 갑: 천리(天理)는 운동성은 지니지 않지만 주재성을 지닌다.
③ 을: 사단과 칠정의 연원[所從來]은 서로 다르므로 구분해야 한다.
④ 을: 천리가 기질에 들어와 이루어진 성은 본연지성을 포함한다.
⑤ 갑과 을: 기가 발한 칠정은 악으로 흐를 수밖에 없는 일반 감정이다.

▶ 24057-0169

19 (가)의 사회사상가 갑, 을, 병의 입장에서 서로에게 제기할 수 있는 비판을 (나) 그림으로 표현할 때, A~F에 해당하는 내용으로 가장 적절한 것은? [3점]

(가)	갑: 주권자는 각자가 타인의 간섭을 받지 않고 누릴 수 있는 재산이 무엇이며, 할 수 있는 활동이 무엇인지에 대한 규칙을 제정할 수 있는 전권을 가지고 있다. 그 규칙이 바로 소유권이다. 을: 사람이 자연적 자유를 포기하고 시민 사회의 구속을 받아들이는 것은 재산을 안전하게 향유하기 위함이다. 사람들이 정부를 구성하기로 동의할 때 최고 권력인 입법부가 탄생한다. 병: 구성원의 인격과 재산을 지키고 보호하며, 각자가 모두와 결합함에도 자신에게만 복종하기에 이전만큼 자유로운 결합 방식을 찾는 것이 사회 계약이 해결하려는 근본 문제이다.
(나)	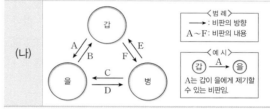

① A: 자연 상태에 있는 부정의를 교정하기 위해 사회 계약을 체결함을 간과한다.
② B와 E: 최고 권력자의 행위를 시민 본인의 행위로 간주해야 함을 간과한다.
③ C: 사유 재산제로 인한 불평등과 예속 때문에 사회 계약을 맺는 것임을 간과한다.
④ D: 사회 계약은 자기 자신에게만 복종하는 것임을 간과한다.
⑤ F: 주권은 분할될 수도 없고 양도될 수도 없음을 간과한다.

▶ 24057-0170

20 근대 서양 사상가 갑은 긍정, 을은 부정의 대답을 할 질문으로 가장 적절한 것은?

> 갑: 진리 탐구에 몰두하기 위해 조금이라도 의심스러운 것은 모두 절대로 그릇된 것으로 내던져 버리고, 그런 다음에 전혀 의심할 수 없는 무엇이 나의 신념 속에 남는지 살펴보아야 한다. 그럴 때 철학의 제1원리를 찾을 수 있게 된다.
> 을: 네 가지 우상(偶像)들로부터 인간의 지성을 보호하기 위해 우상들을 분명하게 구별해 보아야 한다. 인간의 지성은 고유한 본성으로 인해 실제로 보이는 것 이상의 질서와 동등성이 존재한다고 생각하는 경향이 있다.

① 확실한 지식은 연역적 방법을 통해 획득할 수 있는가?
② 진리를 획득하는 과정에서 이성의 역할이 요구되는가?
③ 실험을 통해서 자연에 대한 참된 지식을 획득해야 하는가?
④ 방법적 회의는 확실한 지식에 이르는 것을 불가능하게 하는가?
⑤ 인간의 선입견과 편견은 자연을 정확하게 인식하는 데 방해가 되는가?

문항에 따라 배점이 다르니, 각 물음의 끝에 표시된 배점을 참고하시오. 3점 문항에만 점수가 표시되어 있습니다. 점수 표시가 없는 문항은 모두 2점입니다.

▶ 24057-0171

1 다음 가상 대화의 사상가가 강조하는 삶의 태도로 가장 적절한 것은?

① 정신적 쾌락보다 단순한 감각적 쾌락을 추구해야 한다.
② 사회 전체의 행복이 아니라 개인의 행복을 중시해야 한다.
③ 행복과 무관하게 그 자체가 선인 개인의 희생을 중시해야 한다.
④ 여러 가지 쾌락을 경험한 사람이 선호하는 쾌락은 피해야 한다.
⑤ 쾌락의 양이 적더라도 질적으로 높은 수준의 쾌락을 추구해야 한다.

▶ 24057-0172

2 고대 서양 사상가 갑, 을의 입장으로 가장 적절한 것은? [3점]

갑: 정의로운 사람은 영혼의 세 부분인 이성, 기개, 욕구가 서로에게 참견하지 않도록 하고, 진정으로 자기에게 고유한 일들을 잘 정하며, 자신을 스스로 다스린다. 그리고 영혼의 세 부분을 저음과 중간음 그리고 고음과 같은 절대적인 세 음정이 화음을 이루는 것처럼 조화된 상태로 만든다.
을: 품성적인 덕은 습관의 결과로 생긴다. 절제 있는 행동을 해 봄으로써 절제 있게 되며, 용감한 행위를 해 봄으로써 용감하게 되는 것이다. 품성적인 덕은 중용을 택하여 행동하는 성품이다. 그것은 두 가지 악덕, 즉 지나침으로 말미암은 악덕과 모자람으로 말미암은 악덕 사이의 중간이다.

① 갑: 도덕적 진리의 근원을 현실 세계에서 찾아야 한다.
② 갑: 기개가 이성과 욕구를 잘 통제할 때 영혼의 조화가 가능하다.
③ 을: 중용은 가장 적절한 상태로 산술적 중간을 의미한다.
④ 을: 실천적 지혜가 없어도 중용을 파악하고 실천할 수 있다.
⑤ 갑과 을: 덕을 갖추지 않고서는 행복한 삶을 살 수 없다.

▶ 24057-0173

3 고대 동양 사상가 갑, 을의 입장으로 옳은 것은?

갑: 백성을 정(政)으로 지도하고 형(刑)으로 다스리려고 한다면 그들은 형벌을 피하고자 할 뿐 부끄러워하는 마음을 갖지 않게 된다. 덕(德)으로 인도하고 예(禮)로써 다스리면 백성들은 부끄러워할 줄 알게 될 뿐만 아니라 바르게 된다.
을: 천하에 도(道)가 있으면 나라는 보존되고 도가 없으면 나라는 위태롭게 된다. 현명한 임금은 군자를 등용하여 법도를 밝힌다. 도는 임금이 밝아야 할 길이고, 군자는 예의를 다스리는 자이다. 사람의 본성[性]은 교화를 거친 후에 선(善)에 부합된다.

① 갑: 명분(名分)을 중시하지 말고 예악(禮樂)을 중시해야 한다.
② 갑: 임금은 백성을 덕으로 교화하기보다 강력한 법률로 다스려야 한다.
③ 을: 하늘을 인륜의 원천으로 삼아 인의의 도덕을 실천해야 한다.
④ 을: 인간의 본성 안에 내재된 예(禮)를 실천하는 삶을 살아야 한다.
⑤ 갑과 을: 사욕을 억제하고 예의를 밝혀 도를 실현해야 한다.

▶ 24057-0174

4 다음은 사회사상가 갑, 을의 가상 대화이다. 갑, 을의 입장으로 옳은 것만을 〈보기〉에서 있는 대로 고른 것은? [3점]

개인의 이익 추구와 사회의 이익 증진이 항상 조화되는 방향으로 작동하는 것은 아닙니다. 그러므로 정부는 시장 실패를 해결하기 위해 적극적으로 시장에 개입해야 합니다.

개인이나 기업의 자유 경쟁이 정부에 의한 계획 경제보다 우월합니다. 계획 경제는 모든 과업에 대해 억지로 동의하도록 강요하여 노예의 길로 이끌 뿐입니다.

갑   을

┌ 보기 ┐
ㄱ. 갑: 정부 정책을 통해 민간 부문의 유효 수요를 확대해야 한다.
ㄴ. 을: 수요와 공급의 원리에 따른 시장 경제 질서를 존중해야 한다.
ㄷ. 갑과 을: 정부 재정 지출 확대로 실업 문제를 해결해야 한다.

① ㄱ   ② ㄷ   ③ ㄱ, ㄴ   ④ ㄴ, ㄷ   ⑤ ㄱ, ㄴ, ㄷ

▶ 24057-0175

5 (가)의 고대 서양 사상가 갑, 을의 입장을 (나) 그림으로 표현할 때, A~C에 해당하는 적절한 진술만을 〈보기〉에서 있는 대로 고른 것은? [3점]

(가)	갑: 결핍으로 인한 고통이 제거된다면, 단순한 음식도 우리에게 사치스러운 음식과 같은 쾌락을 준다. 또한 빵과 물은 그것을 필요로 하는 사람에게 가장 큰 쾌락을 제공한다. 우리가 말하는 쾌락은 몸의 고통이나 마음의 불안으로부터의 자유이다. 을: 우리에게 달려 있는 것들은 판단, 욕구, 혐오 등 우리 자신이 행하는 모든 일이고, 우리에게 달려 있지 않은 것들은 육체, 명성, 지위 등 우리 자신이 행하지 않는 모든 일이다. 자신에게 달려 있지 않은 것을 욕구한다면 불행해질 것이다.
(나)	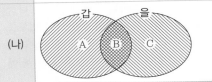 〈범 례〉 A: 갑만의 입장 B: 갑, 을의 공통 입장 C: 을만의 입장

┌ 보기 ┐
ㄱ. A: 자연적이고 필수적인 욕구를 최대한 충족해야 한다.
ㄴ. B: 이성적 사고 없이는 행복한 삶을 영위할 수 없다.
ㄷ. B: 마음의 평온을 위해 절제하는 삶을 추구해야 한다.
ㄹ. C: 자연의 법칙에 따라 운명에 순응하며 살아야 한다.

① ㄱ, ㄴ   ② ㄱ, ㄹ   ③ ㄴ, ㄷ
④ ㄱ, ㄷ, ㄹ   ⑤ ㄴ, ㄷ, ㄹ

▶ 24057-0176

6 다음을 주장한 고대 동양 사상가의 입장으로 가장 적절한 것은?

어떤 괴로움이 생겨나더라도 모두 갈애(渴愛)를 조건으로 생겨난다는 것이 관찰의 한 원리이다. 그러나 갈애를 남김없이 사라지게 하여 소멸시켜 버린다면 더 이상 괴로움이 발생하지 않는다는 것이 관찰의 두 번째 원리이다. 갈애를 벗 삼는 사람은 이 존재에서 다른 존재로 오랜 세월 유전하며 윤회를 벗어나지 못한다. 갈애는 괴로움의 원인이므로, 사람은 바로 그 재난을 알아서 갈애를 떠나고 집착에서 벗어나기 위해 바른 견해나 바른 마음 챙김을 확립하며 수행해야 한다.

① 해탈(解脫)에 이르기 위해 고행(苦行)만을 실천해야 한다.
② 고통에서 벗어나려면 불변하는 실체와 하나가 되어야 한다.
③ 태어남이 소멸해도 전체 괴로움의 무더기는 소멸되지 않는다.
④ 해탈을 위해서는 존재하지 않음에 대한 갈애도 없애야 한다.
⑤ 연기(緣起)의 법을 몰라도 업(業)을 쌓으면 윤회에서 벗어난다.

▶ 24057-0177

7 고대 동양 사상가 갑, 근대 서양 사상가 을의 입장으로 옳은 것은?

갑: 나라가 작고 백성이 적어야 한다. 비록 배와 수레가 있어도 타는 일이 없고, 갑옷과 병기가 있어도 벌여 놓고 쓸 곳이 없다. 이웃 나라가 서로 바라보이고, 닭과 개의 소리가 들려도 백성들은 서로 왕래하지 않는다.
을: 이상 국가인 유토피아에서는 최소한의 법률만이 존재한다. 성인들은 남녀를 가리지 않고 하루에 여섯 시간 일하는데, 일하는 시간과 잠자는 시간을 제외하고는 자유롭게 보낼 수 있다. 그곳에는 빈곤도 없고 사치나 낭비도 없다.

① 갑: 통치자는 백성이 도덕적 삶을 살도록 통제해야 한다.
② 갑: 백성은 물질적 풍요를 위해 문명의 발달을 추구해야 한다.
③ 을: 사회 구성원들의 정신적 자유와 문화생활을 존중해야 한다.
④ 을: 일상생활에 영향을 미치는 모든 사회 규범이 사라져야 한다.
⑤ 갑과 을: 누구나 잉여 생산에 대한 욕망을 실현할 수 있어야 한다.

▶ 24057-0178

8 중세 서양 사상가 갑, 을의 입장에 대한 설명으로 옳은 것은? [3점]

갑: 이데아는 만물을 창조한 신의 정신 안에 있다. 궁극적 실재는 신이며, 신은 실존적으로 만나야 할 인격적 존재이다. 이데아는 어떤 방법으로 존재하든, 어떤 본성이든지 간에 불변적으로 있기에 진정으로 존재하는 신을 통해서만 실존할 수 있다. 세상의 모든 것은 순수하게 존재하는 신이 없이는 있을 수 없다.
을: 인간의 이성으로 탐구되는 철학의 여러 분과 외에 신의 계시에 따라 성립되는 어떤 가르침이 있을 필요가 있다. 무엇보다도 먼저 인간은 이성의 파악을 넘어서는 어떤 목적, 즉 신을 지향하도록 정해져 있기 때문이다. 따라서 인간의 구원을 위해 인간의 이성을 초월하는 것들이 신의 계시를 통해 인간에게 알려질 필요가 있다.

① 갑은 인간이 신에 의해 창조된 악을 피할 수 없다고 본다.
② 을은 신을 유일한 실체이며 조화로운 자연 그 자체라고 본다.
③ 갑은 을과 달리 자연적 성향을 따르는 것이 도덕적 의무라고 본다.
④ 을은 갑과 달리 신앙보다는 이성을 통해 구원을 얻을 수 있다고 본다.
⑤ 갑과 을은 영원한 행복을 위해 종교적 덕을 추구해야 한다고 본다.

9 ▶ 24057-0179

(가)의 한국 유교 사상가 갑, 을, 병의 입장에서 서로에게 제기할 수 있는 비판을 (나) 그림으로 표현할 때, A∼F에 해당하는 내용으로 가장 적절한 것은? [3점]

(가)	갑: 사단(四端)은 이(理)가 발하고 기(氣)가 그것을 따르니 본래 순선하고, 칠정(七情)은 기가 발하고 이가 그것을 탄 것인데 기가 발한 것이 절도에 맞지 못하여 이를 없애 버리면 곧 방탕해져야 악이 된다. 을: 사단과 칠정은 두 변으로 나눌 수 없다. 그렇게 한다면 인성(人性)의 본연과 기질도 나누어 두 성이 될 것이기 때문이다. 천리는 무위이므로 반드시 기의 기틀을 타야 동(動)하는 것이다. 병: 사단을 확충함으로써 인의예지(仁義禮智)의 덕을 이룰 수 있다. 측은(惻隱)·수오(羞惡)·사양(辭讓)·시비(是非)의 사심이 곧 사단인데, 사심은 인성이 본래 가지고 있는 것이다.
(나)	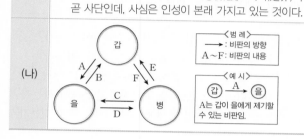

① A: 칠정은 사단과 달리 본연지성에서 유래한 감정임을 간과한다.
② B: 사단과 칠정 모두 이와 기를 벗어나지 않음을 간과한다.
③ C와 E: 기질지성은 사람과 동물이 다르지 않음을 간과한다.
④ D: 악을 저지르는 것은 성을 거스르는 행위임을 간과한다.
⑤ D와 F: 사단은 모든 인간이 타고나는 마음의 성임을 간과한다.

10 ▶ 24057-0180

사회사상가 갑, 을의 입장으로 적절하지 <u>않은</u> 것은?

갑: 내 활동에 어느 누구도 간섭하지 않는 상태를 자유롭다고 일컫는다. 이러한 의미에서 보면 정치적 자유는 단순히 한 사람이 다른 사람의 방해를 받지 않고 행동할 수 있는 영역을 의미한다. 을: 어떤 사람도 다른 이들을 지배하지 않을 때, 즉 다른 사람을 자의적으로 지배할 능력을 가지고 있지 않을 때 사람들은 자유를 누릴 수 있다. 자유는 간섭의 부재가 아니라 지배의 부재를 가리킨다.

① 갑: 누구도 침해할 수 없는 자유의 경계선이 확보되어야 한다.
② 갑: 소극적 자유는 외부의 부당한 압력이나 강제가 없는 상태이다.
③ 을: 진정한 자유는 비지배로서의 자유를 실현할 때 이루어진다.
④ 을: 자의적 영향력에 예속되어도 비지배 자유를 실현할 수 있다.
⑤ 갑과 을: 법의 지배에 의한 개인의 자유 제약은 허용될 수 있다.

11 ▶ 24057-0181

(가)의 중국 유교 사상가 갑, 을의 입장을 (나) 그림으로 탐구하고자 할 때, A∼C에 들어갈 질문으로 옳은 것은? [3점]

(가)	갑: 이(理)는 형이상의 도(道)이고, 사물을 생성하는 근본이다. 기는 형이하의 기(器)이고, 사물을 생성하는 도구이다. 사람과 사물이 생성될 때도 이를 부여받은 뒤에 성(性)이 생기고, 기를 부여받은 뒤에 형체가 생긴 것이다. 을: 마음의 본체가 성(性)이며, 성은 곧 이치[理]이다. 측은히 여기는 것으로 말하면 인(仁)이라 하고, 그 마땅함을 얻은 것으로 말하면 의(義)라 하며, 그 조리로 말하면 이치라고 한다. 마음을 벗어나 인을 구할 수 없고 의를 구할 수 없다.
(나)	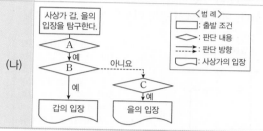

① A: 개별 사물에서의 이치는 그 사물의 성(性)이 되는가?
② B: 격물(格物)은 마음이 있는 곳의 일을 바로잡는 것인가?
③ B: 천리(天理)를 보존하면 누구나 성인(聖人)이 될 수 있는가?
④ C: 마음의 본체를 사물에 실현하면 사물이 이치를 얻게 되는가?
⑤ C: 지(知)와 행(行)은 분리되어 있으나 항상 서로를 의지하는가?

12 ▶ 24057-0182

한국 불교 사상가 갑, 을의 입장으로 적절하지 <u>않은</u> 것은?

갑: 스스로 돈오하였다고 생각하여 권교(權敎)인 소승과 성(性)과 상(相)을 말하는 것을 멸시하면 사람들에게 비웃음을 사니, 모두 겸학(兼學)하지 않은 허물이다. 그러므로 안과 밖을 함께 닦아야 한다. 을: 마음에 열린 곳이 조금만 있어도 해행(解行)의 깊고 얕음과 더러운 습기가 일어나고 사라지는 것을 알지 못하며, 법의 교만이 마음에 가득하게 된다. 그러므로 돈오 이후에도 선정과 지혜를 함께 닦아야 한다.

① 갑: 교학(敎學) 수행과 지관(止觀) 수행을 함께 해야 한다.
② 갑: 불법(佛法)이 마음을 통해서만 전해지는 것은 아니다.
③ 을: 선정은 본체이고 지혜는 작용이므로 함께 닦아야 한다.
④ 을: 깨우칠 능력이 낮은 사람은 부처의 경지에 이를 가능성이 없다.
⑤ 갑과 을: 수행자 자신의 해탈만을 추구하기보다 중생 구제에 힘써야 한다.

▶ 24057-0183

13 갑, 을은 사회사상가들이다. 갑의 입장에 비해 을의 입장이 갖는 상대적 특징을 그림의 ㉠~㉤ 중에서 고른 것은?

> 갑: 민주주의는 정치적 결정에 도달하기 위한 제도적 장치이다. 지도자 후보들은 시민의 표를 얻는 경쟁적 투쟁의 수단을 통하여 정책을 결정하는 권력을 획득한다. 민주주의에서 투표의 일차적 기능은 정부를 수립하기 위한 것이다.
>
> 을: 민주주의를 규정하는 것은 심의 개념 자체이다. 정치적 문제들을 심의할 때, 시민들은 의견을 교환하고 토론한다. 이들은 다른 시민들과 토론하면서 정치적 의견이 수정될 수 있음을 인정한다. 이 지점에서 공적 이성은 아주 결정적이다.

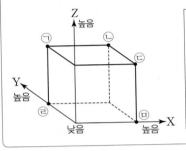

> • X: 정치적 문제 해결을 위한 시민 간 토론을 강조하는 정도
> • Y: 시민은 엘리트보다 비합리적인 경향이 있음을 강조하는 정도
> • Z: 공적 담론을 통한 정책 결정의 필요성을 강조하는 정도

① ㉠　　② ㉡　　③ ㉢　　④ ㉣　　⑤ ㉤

▶ 24057-0184

14 근대 서양 사상가 갑, 현대 서양 사상가 을의 입장으로 옳은 것만을 〈보기〉에서 고른 것은? [3점]

> 갑: 인간은 분명히 신성하지 않으나, 그의 인격 속의 인간성은 그에게 신성한 것이 아닐 수 없다. 오직 모든 이성적 피조물만이 목적 그 자체이다. 인간은 도덕 법칙의 주체이며, 도덕 법칙은 그의 자유가 지닌 자율로 말미암아 신성한 것이다.
>
> 을: 의무에서 비롯된 행위라도 도덕적 선을 갖지 못할 수 있다. 따라서 특정한 상황에서 의무들 간의 세심한 선택은 의무를 이행하는 데 필수적인 요소이며, 어떠한 의무보다 더 중요한 다른 의무가 없을 때 그 의무가 실제적 의무가 된다.

┌─ 보기 ─┐
ㄱ. 갑: 대상에 대한 동정심과 무관하게 도덕 법칙을 따라야 한다.
ㄴ. 을: 잠정적 의무인 조건부 의무들 간에 갈등은 존재할 수 없다.
ㄷ. 을: 특수한 상황에서의 실제적 의무는 직관적으로 알 수 있다.
ㄹ. 갑과 을: 누구나 지켜야 할 절대적인 도덕적 의무가 존재한다.

① ㄱ, ㄴ　② ㄱ, ㄷ　③ ㄴ, ㄷ　④ ㄴ, ㄹ　⑤ ㄷ, ㄹ

▶ 24057-0185

15 갑, 을은 사회사상가들이다. 갑은 긍정, 을은 부정의 대답을 할 질문으로 가장 적절한 것은? [3점]

> 갑: 천성적으로 자유를 사랑하고 타인을 지배하기를 좋아하는 인간이 국가 속에서의 구속을 스스로 부과하는 궁극적 원인은 비참한 전쟁 상태로부터 벗어나고 싶기 때문이다. 전쟁은 인간 본래의 정념으로부터 필연적으로 발생하는 것이다.
>
> 을: 인간은 본래 자신의 생명, 자유, 재산을 보존할 권력뿐만 아니라 자연법을 집행할 권력도 가지고 있다. 하지만 정치 사회는 모든 범죄를 처벌할 수 있는 권력을 가지지 않고서는 존재할 수 없다. 따라서 구성원들은 자연법의 집행권을 포기하고 공동체의 수중에 권력을 양도한다.

① 통치자는 사회 계약의 주체들 중에서 선출되어야 하는가?
② 인간은 자연 상태에서 정당한 소유권을 지닐 수 있는가?
③ 국가 권력은 분할되지 않고 통치자에게 독점되어야 하는가?
④ 국민은 국가 권력이 자기 보존을 위협해도 순응해야 하는가?
⑤ 인간은 자연 상태에서 이성을 통해 합리적 선택을 할 수 있는가?

▶ 24057-0186

16 한국 사상가 갑, 을, 병의 입장으로 옳지 않은 것은?

> 갑: 한울이 내 마음속에 있음은 마치 종자(種子)의 생명이 종자 속에 있음과 같다. 종자를 땅에 심어 그 생명을 기르는[養] 것과 같이 사람의 마음은 도(道)에 의하여 한울을 기르게 되는 것이다.
>
> 을: 정덕(正德)과 이용후생(利用厚生)을 조화시켜야 한다. 우리의 도(道)를 행하는 것은 정덕을 위한 것이요, 서양의 기(器)를 본받는 것은 이용후생을 위한 것이니 서로 병행하여 어긋나지 않는다.
>
> 병: 양적(洋賊)을 공격하려는 자는 우리 쪽 사람이고, 양적과 화친(和親)하자는 자는 적국 쪽 사람이다. 우리 편에 서면 기존의 문화 전통을 보존할 것이고, 저쪽 편에 서면 금수(禽獸)의 지경에 빠지고 말 것이다.

① 갑: 성(誠), 경(敬), 신(信)의 수양을 중시해야 한다.
② 을: 신분 차별이 사라진 평등한 세상을 만들어야 한다.
③ 병: 서양의 종교와 문물을 철저하게 배척해야 한다.
④ 갑과 병: 서구 열강의 침략에 적극적으로 대항해야 한다.
⑤ 을과 병: 유교적 가치 체계와 인륜 도덕을 지켜야 한다.

17 근대 서양 사상가 갑, 을의 입장으로 옳은 것만을 〈보기〉에서 있는 대로 고른 것은? [3점]

> 갑: 지복(至福)은 신, 즉 자연에 대한 사랑에 있다. 정신은 신적 사랑 또는 지복을 더 많이 누릴수록 그만큼 더 많이 인식하게 된다. 즉 정신은 감정에 대하여 더 큰 능력을 가지며, 그만큼 나쁜 감정의 작용을 덜 받는다.
> 을: 이성만으로는 어떤 행동도 유발할 수 없고, 어떤 의욕도 불러일으킬 수 없다. 이성은 의욕을 막을 수 없고 정념과 우위를 다툴 수 없다. 이성은 감정의 노예이고 또 노예일 뿐이어야 한다.

┌ 보기 ┐
ㄱ. 갑: 정념을 객관적으로 인식하면 정념의 지배를 벗어난다.
ㄴ. 갑: 모든 욕망을 제거하고 인과적 필연성을 인식해야 한다.
ㄷ. 을: 사회적으로 유용한 행위는 사람들에게 시인의 감정을 일으킨다.
ㄹ. 갑과 을: 감정은 도덕적 행위를 하는 데 기여할 수 있다.

① ㄱ, ㄴ　　② ㄴ, ㄹ　　③ ㄷ, ㄹ
④ ㄱ, ㄴ, ㄷ　　⑤ ㄱ, ㄷ, ㄹ

18 현대 서양 사상가 갑, 을의 입장으로 가장 적절한 것은?

> 갑: 인간은 일련의 동심원들로 둘러싸여 사는 존재이다. 그중에서 가장 큰 동심원은 인류 전체의 동심원이다. 우리는 모든 사람들을 우리의 대화와 관심의 공동체 일부로 만들어야 하고, 정치적 사고의 근거를 그처럼 맞물려 있는 공통성에 두어야 한다. 특히 우리의 인간성을 규정하는 동심원을 유념하고 존중해야 한다.
> 을: 아무리 자신이 속해 있는 지역에 헌신한다고 하더라도 인간 각자가 서로에 대해, 그리고 다른 모든 사람에 대해 책임이 있다는 사실을 잊는 것을 정당화하지는 못한다. 모든 외국인들에게 무관심한 극단적인 애국주의자를 편들 필요도 없으며, 자신의 친구나 동료 시민을 냉담하고 공평무사하게 대우하는 극단적인 세계 시민주의자를 편들 필요도 없다.

① 갑: 가족애와 보편적 인간애는 양립 불가능하다.
② 갑: 다른 문화에 대한 감수성을 지닌 세계 시민이 되어야 한다.
③ 을: 지역적 정체성을 버리고 타인과 연대해야 한다.
④ 을: 절대적 가치를 기준으로 모든 문화를 융합해야 한다.
⑤ 갑과 을: 애국심이 아니라 보편적인 인류애를 가져야 한다.

19 갑, 을은 현대 서양 사상가들이다. 갑의 입장에서 을의 입장에 대해 제기할 수 있는 비판으로 가장 적절한 것은? [3점]

> 갑: 인간은 정신이며 정신은 곧 자기이다. 자기란 자기 자신과 어떤 관계에 있는 것이다. 인간은 무한과 유한, 자유와 필연의 종합이다. 이 역설적인 상황에서 생기는 절망은 죽음에 이르는 병이다. 신 앞에 선 단독자로 도약해야 이 병을 극복할 수 있다.
> 을: 인간은 자유로우며 자유 그 자체이다. 설령 신이 존재한다고 하더라도 신은 결코 아무것도 바꾸지 못할 것이다. 인간은 스스로 자신을 되찾아야 한다. 인간 스스로가 아니면 그 어떤 것도 인간 자신을 구원할 수 없다는 것을 명심해야 한다.

① 인간에게 마땅히 실현해야 할 정해진 본질은 없음을 간과한다.
② 윤리적 실존 단계에서 참된 실존을 회복할 수 있음을 간과한다.
③ 인간은 이성을 통해 모든 불안을 극복할 수 있음을 간과한다.
④ 실존적 상황에서는 오직 객관성만이 답을 줄 수 있음을 간과한다.
⑤ 신에게 귀의하기로 결단할 때 절망에서 벗어날 수 있음을 간과한다.

20 그림의 강연자의 입장으로 가장 적절한 것은?

> 폭력을 예방하고 제거하려면 직접적 폭력, 구조적 폭력, 그리고 문화적 폭력에 대한 정확한 진단과 예측, 그리고 처방이 필요합니다. 평화를 구축하는 활동들은 직접적 평화뿐만 아니라 구조적 평화와 문화적 평화를 구축하는 것과 동일시될 수 있습니다. 평화는 혁명적 사상입니다. '평화적 수단에 의한 평화'는 비폭력으로서의 혁명을 의미합니다. 그 혁명은 항상 일어나고 있습니다. 우리가 할 일은 그것의 범위와 영역을 확장하는 것입니다.

① 폭력의 주체는 폭력을 행사하는 개인이지 사회 구조가 아니다.
② 사회 구성원들의 선의지만으로 진정한 평화를 실현할 수 있다.
③ 진정한 평화 실현을 위해 정치적 억압과 착취를 없애야 한다.
④ 가해 주체가 분명하지 않은 폭력은 평화의 실현을 위협하지 못한다.
⑤ 문화적 폭력은 직접적 폭력이 아니라 구조적 폭력을 정당화한다.

문항에 따라 배점이 다르니, 각 물음의 끝에 표시된 배점을 참고하시오. 3점 문항에만 점수가 표시되어 있습니다. 점수 표시가 없는 문항은 모두 2점입니다.

▶ 24057-0191

1 다음 가상 편지를 쓴 고대 동양 사상가가 강조하는 삶의 태도로 가장 적절한 것은?

○○님께

지난번 편지에서 문의한 인(仁)을 실천하는 구체적인 방법에 대해 답변을 드리고자 합니다. 효도와 공경은 인을 실천하는 근본입니다. 또한 자신이 서고자 할 때 남부터 서게 하고, 자신이 뜻을 이루고 싶을 때 남부터 뜻을 이루게 해 주는 것입니다. 능히 가까운 데서 자기 몸으로 깨달을 수 있는 것을 취할 줄 알면, 그것은 인을 실천하는 방법이라 일컬을 만합니다.

① 인위적인 도덕규범에서 벗어나 자연의 이치를 따라야 한다.
② 친소의 구별 없이 모든 사람을 동등하게 사랑해야[兼愛] 한다.
③ 사욕(私欲)을 극복하여 타인에 대한 서(恕)를 실천해야 한다.
④ 형식을 버리고 공경의 마음을 갖추어 예(禮)를 실천해야 한다.
⑤ 효제(孝悌)는 윗사람에 대한 일방적인 의무임을 인식해야 한다.

▶ 24057-0192

2 다음을 주장한 고대 동양 사상가의 입장에만 모두 '✓'를 표시한 학생은? [3점]

이것이 있으므로 저것이 있고 이것이 생겨남으로 저것이 생겨난다. 곧 무명(無明)을 조건으로 하여 행(行)이 있으며, 행을 조건으로 하여 식(識)이 있으며, 식을 조건으로 하여 명색(名色)이 있다. …(중략)… 유(有)를 조건으로 하여 생(生)이 있으며, 생을 조건으로 하여 노사(老死)의 근심과 슬픔, 번민과 괴로움이 있다.

입장 \ 학생	갑	을	병	정	무
오온(五蘊)이 무상(無常)하다는 것을 깨달아야 한다.	✓			✓	✓
오온은 인연에 의해 임시로 화합하여 존재하는 것이다.	✓	✓		✓	
오온은 더 이상 더 작은 것으로 분할될 수 없는 궁극적 실재이다.			✓	✓	✓
오온을 자아라고 생각하여 집착하면 무명에서 벗어날 수 없다.			✓	✓	✓

① 갑　　② 을　　③ 병　　④ 정　　⑤ 무

▶ 24057-0193

3 고대 동양 사상가 갑, 을의 입장으로 옳지 <u>않은</u> 것은?

갑: 타고난 성정(性情)을 그대로 좇으면 누구나 선하게 될 수 있다. 선하지 않은 행위를 하는 경우도 있지만 그건 타고난 성질이 잘못되었기 때문이 아니다. 따라서 구하면 얻을 것이요, 버리면 잃을 것이다.
을: 사람의 본성[性]은 나면서부터 이익을 좋아하는데, 이를 그대로 좇으므로 쟁탈이 생겨서 사양이 사라진다. 따라서 반드시 군주와 스승이 있고 법제로 교화하고 예의(禮義)로 이끎이 있은 뒤에 사양함이 나타나게 된다.

① 갑: 옳은 일을 지속적으로 실천하여 본성을 확충해야 한다.
② 갑: 인간은 이익에 대한 사사로운 욕망[私欲]을 가지고 있다.
③ 을: 부모를 공경하고 사랑하는 것은 인간의 본성과는 어긋난다.
④ 을: 외적인 예와 의를 쌓아서[集義] 모든 욕망을 제거해야 한다.
⑤ 갑과 을: 인간은 선악을 구별할 수 있는 능력을 타고난다.

▶ 24057-0194

4 (가)의 고대 동양 사상가 갑, 을의 입장을 (나) 그림으로 표현할 때, A~C에 해당하는 적절한 진술만을 〈보기〉에서 고른 것은? [3점]

(가)	갑: 성인(聖人)은 무위(無爲)로써 일을 처리하고, 말로 하지 않는 가르침을 수행한다. 모든 일이 생겨나도 마다하지 않고, 모든 것을 이루나 가지려 하지 않는다. 을: 진인(眞人)은 모자란다고 억지 부리지 않고, 이루어도 우쭐거리지 않고, 무엇을 꾀하지 않는다. 하늘의 것과 사람의 것이 서로 이기려 하지 않는 경지, 이것이 바로 진인의 경지이다.
(나)	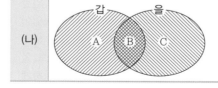 〈범 례〉 A: 갑만의 입장 B: 갑, 을의 공통 입장 C: 을만의 입장

보기

ㄱ. A: 성인은 하늘과 달리 인(仁)의 덕을 갖지 않는다.
ㄴ. B: 인위에 얽매이지 않기 위해서 예법을 따라야 한다.
ㄷ. B: 자연의 이치에 순응하고 소박한 삶을 살아야 한다.
ㄹ. C: 제물(齊物)을 통해 정신의 절대적인 자유에 도달해야 한다.

① ㄱ, ㄴ　② ㄱ, ㄷ　③ ㄴ, ㄷ　④ ㄴ, ㄹ　⑤ ㄷ, ㄹ

5 ▶ 24057-0195

5 갑, 을은 고대 서양 사상가들이다. 갑의 입장에서 을의 입장에 대해 제기할 수 있는 비판으로 가장 적절한 것은?

> 갑: 덕은 지식과 동일한 것이며 결국 하나이다. 악덕은 어느 경우를 막론하고 모두 무지의 산물이며, 지적인 과오(過誤)인 것이다. 따라서 선한 것을 알면서도 악을 행하는 경우는 있을 수 없다.
> 을: 덕은 지성적 덕과 품성적 덕으로 구분된다. 덕은 합리적 선택과 밀접한 관련을 맺고 있으며, 자제력이 없는 사람은 욕망하면서 행위 하지만 합리적으로 선택하면서 행위 하지는 않는다.

① 덕은 자발적인 행위에 의한 습관의 결과임을 간과한다.
② 모든 악한 행위는 무지에 의해서만 발생함을 간과한다.
③ 덕을 갖추어야 행복한 삶을 살 수 있다는 것을 간과한다.
④ 도덕적인 행동을 하려면 선에 대한 지식이 필요함을 간과한다.
⑤ 인간은 자신에게 해가 될 수 있는 악덕을 욕구할 수 있음을 간과한다.

6 ▶ 24057-0196

6 (가)의 사회사상가 갑, 을, 병의 입장에서 서로에게 제기할 수 있는 비판을 (나) 그림으로 표현할 때, A~F에 해당하는 내용으로 가장 적절한 것은? [3점]

(가)	갑: 공통의 권력은 전쟁 상태인 자연 상태에서 벗어나 구성원의 안전 보장을 위해 필요하며, 이를 확고하게 세우는 유일한 길은 그들이 지닌 모든 권력과 힘을 한 사람 혹은 하나의 합의체에 부여하는 것이다. 을: 일정한 수의 사람들이 서로 결합하여 하나의 사회를 형성하고, 각자 모두 자연법의 집행권을 포기하여 그것을 공동체에게 양도하는 곳에서만 비로소 정치 사회가 존재하게 된다. 병: 일반 의지에 복종하여 구성원의 인격과 재산을 보호하며, 각자가 모두와 결합함에도 오직 자신에게만 복종하기에 전만큼 자유로운 회합 형식을 찾는 것이 사회 계약의 목적이다.
(나)	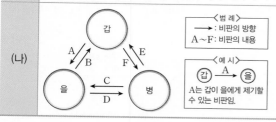

① A: 자연 상태에서 인간은 자연법에 따라 자신의 행동을 규율함을 간과한다.
② B: 자연 상태에서 인간은 이성에 따라 합리적으로 행동할 수 없음을 간과한다.
③ C와 E: 국가를 형성하기 위해서는 구성원들의 동의가 있어야 함을 간과한다.
④ D: 사회 계약의 당사자들은 결국 자신과 계약을 맺는 것임을 간과한다.
⑤ F: 주권은 계약의 주체에게 있는 것이 아니라는 것을 간과한다.

7 ▶ 24057-0197

7 고대 서양 사상가 갑, 중세 서양 사상 을이 공통으로 지지할 입장으로 적절한 것만을 〈보기〉에서 있는 대로 고른 것은?

> 갑: 나라가 올바르게 수립되었다면, 이것은 완벽하게 훌륭한 나라이다. 훌륭한 나라는 지혜롭고 용기 있으며 절제 있고 또한 올바를 것이다. 이러한 나라는 지혜를 사랑하는 자가 다스리며, 시민 전체는 최대한의 행복을 누릴 것이다.
> 을: 낡은 사람들이 모인 곳을 지상의 나라, 성령에 의해 새롭게 태어난 사람들이 모인 곳을 천상의 나라라고 한다. 지상의 나라 사람들은 사사로운 사랑을 하고, 천상의 나라 사람들은 사회적인 사랑을 한다.

┌─ 보기 ┐
ㄱ. 세계는 완전한 세계와 불완전한 세계로 구분된다.
ㄴ. 모든 사물은 하나의 궁극적 원인으로부터 발생한다.
ㄷ. 지혜나 용기, 절제와 같은 덕은 사랑의 다른 형태이다.
ㄹ. 인간은 이성적 능력만으로 현세에서 완전한 행복을 실현할 수 있다.

① ㄱ, ㄴ   ② ㄴ, ㄷ   ③ ㄷ, ㄹ
④ ㄱ, ㄴ, ㄹ   ⑤ ㄱ, ㄷ, ㄹ

8 ▶ 24057-0198

8 중국 유교 사상가 갑, 을의 입장으로 옳은 것만을 〈보기〉에서 있는 대로 고른 것은? [3점]

> 갑: 사람의 마음은 영명하여 모든 앎이 구비되어 있고, 천하의 사물에는 다 이(理)가 내재해 있다. 다만 그 이를 제대로 궁구(窮究)하지 못한 까닭에 내 앎이 온전하지 못하다. 여기에서 벗어나려면 사물에 나아가 그 이를 궁구해야 한다.
> 을: '치지격물(致知格物)'이란 내 마음의 양지(良知)가 사사물물(事事物物)에 발현하는 것을 뜻한다. 내 마음의 양지가 이른바 천리(天理)이다. 내 마음의 양지인 천리를 사사물물에 발현하면 그 사물은 그 이를 획득하게 된다.

┌─ 보기 ┐
ㄱ. 갑: 사물에 내재한 이치를 탐구해야 앎이 확충된다.
ㄴ. 을: 양지와 실천은 서로 별개가 아니라 본래 하나이다.
ㄷ. 을: 인간의 본성[性]은 이치이지만 마음은 이치를 담고 있지 않다.
ㄹ. 갑과 을: 격물치지를 통해 하늘의 이치[天理]를 보존해야 한다.

① ㄱ, ㄴ   ② ㄴ, ㄷ   ③ ㄷ, ㄹ
④ ㄱ, ㄴ, ㄹ   ⑤ ㄱ, ㄷ, ㄹ

▶ 24057-0199

9 다음은 한국 사상가 갑, 을의 가상 대화이다. 갑, 을의 입장에 대한 설명으로 옳지 <u>않은</u> 것은? [3점]

무릇 이(理)가 발함에 기(氣)가 그것을 따르는 것은 이를 주로 하여 말할 수 있는 것일 따름이요, 이가 기 바깥에 있음을 이른 것은 아니니, 사단이 이것입니다.

마음이 동하여 정(情)이 됨에 발하는 것이 기요, 발하는 소이(所以)는 이입니다. 기가 아니면 능히 발하지 못할 것이요 이가 아니면 발하는 소이가 없을 것이니 이발과 기발의 다름이 있겠습니까?

갑   을

① 갑은 이와 기가 모두 스스로 작용할 수 있다고 본다.
② 을은 이와 기가 분리되지 않기 때문에 각각 따로 작용하지 않는다고 본다.
③ 갑은 을과 달리 사단과 칠정의 선한 부분 사이에 도덕적 우열이 있다고 본다.
④ 을은 갑과 달리 사단이 기에 가려지면 불선(不善)이 발생할 수 있다고 본다.
⑤ 갑과 을은 이가 본래 하나의 태극(太極)이지만 만물도 동일한 태극을 지니고 있다고 본다.

▶ 24057-0200

10 다음을 주장한 한국 불교 사상가의 입장으로 옳은 것만을 <보기>에서 고른 것은?

- 홀연히 선지식(善知識)의 지시로 바른길에 들어가 한 생각에 빛을 돌이켜 자기의 본래 성품을 보면 이 성품에는 원래 번뇌가 없고 완전한 지혜의 성품이 본래부터 스스로 갖추어져 있어서 모든 부처와 다르지 않다.
- 성품이 부처와 다름이 없음을 깨달았으나 오랫동안의 습기(習氣)는 갑자기 버리기 어려우므로 깨달음에 의하여 닦아 차츰 이루어져서 성인(聖人)의 태(胎)를 길러 오랫동안을 지나 성인이 된다.

┌ 보기 ┐
ㄱ. 습기가 쌓여 있는 상태에서도 돈오(頓悟)는 가능하다.
ㄴ. 중생 구제가 아니라 개인의 수행에만 정진해야 한다.
ㄷ. 바른 선(禪) 수행뿐만 아니라 교학(教學) 공부도 필요하다.
ㄹ. 정혜쌍수(定慧雙修)의 방법으로 돈오에 이르러야 한다.

① ㄱ, ㄴ   ② ㄱ, ㄷ   ③ ㄴ, ㄷ   ④ ㄴ, ㄹ   ⑤ ㄷ, ㄹ

▶ 24057-0201

11 근대 서양 사상가 갑, 을이 모두 부정의 대답을 할 질문으로 가장 적절한 것은?

갑: 어떤 행위에 대해 한편으로 모든 쾌락의 가치를 합산하고, 다른 한편으로 모든 고통의 가치를 합산하라. 만약 저울이 쾌락 쪽으로 기울면, 이것은 행위의 좋은 경향을 말해 줄 것이다. 쾌락은 한 가지의 종류밖에 없다.
을: 어떤 행위에 대한 도덕적 선악은 인상들을 구별함으로써 알게 되는데, 이러한 인상들을 구별하는 것은 특정한 쾌락과 고통일 뿐이다. 어떤 행위에 대한 도덕적 구별은 그것을 보고 느끼게 되는 시인이나 부인의 감정에 의해 설명된다.

① 승인과 부인의 모든 감정이 도덕의 원리가 되는가?
② 사회 전체의 이익을 증진하는 행위를 해야 하는가?
③ 도덕적 행위를 유발하는 직접적인 동기는 감정인가?
④ 쾌락은 행위의 목적일 뿐만 아니라 행위의 원인일 수 있는가?
⑤ 개인의 쾌락을 증진하는 행위도 도덕적으로 정당할 수 있는가?

▶ 24057-0202

12 (가)의 근대 한국 사상가 갑, 을의 입장에서 서로에게 제기할 수 있는 비판을 (나) 그림으로 표현할 때, A, B에 해당하는 내용으로 가장 적절한 것은? [3점]

(가)	갑: 동서고금을 막론하고 바뀔 수 없는 것은 도(道)이고, 수시로 변화하여 고정적일 수 없는 것은 기(器)이다. 무엇을 도라고 하는가? 삼강(三綱) · 오상(五常) · 효제충신(孝悌忠信)이 그것이다. 을: 난세를 구하는 것이 이단을 물리치는 것보다 먼저 할 것이 없으며, 이단을 물리침이 정학을 밝히는 것보다 급한 것이 없다. 정학을 밝히는 것은 다만 한 마음 가운데에 천리와 인욕을 구별하는 데 있을 뿐이다.
(나)	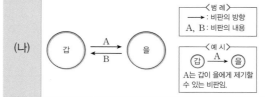

① A: 언제 어디서든 변하지 않는 도가 존재함을 간과한다.
② A: 성리학적 질서 유지와 서양의 기술 수용은 양립할 수 있음을 간과한다.
③ A: 전통적인 정치 체제를 변혁하여 서구식 민주 정부를 세워야 함을 간과한다.
④ B: 국난을 극복하려면 유교적 가치를 고수해야 함을 간과한다.
⑤ B: 화친(和親)의 이익을 도모하여 충효와 도의를 지켜야 함을 간과한다.

13 그림의 강연자가 지지할 주장으로 옳은 것만을 <보기>에서 고른 것은? [3점]

▶ 24057-0203

> 하늘[天]은 영명무형(靈明無形)의 본체를 인간에게 부여해 주니, 이것은 선을 좋아하고 악을 싫어하며 덕을 좋아하고 더러운 것을 수치스럽게 여깁니다. 이것을 성(性)이라 하며 이것을 성선(性善)이라고 합니다. 또한 하늘은 인간에게 자주지권(自主之權)을 부여하였으니, 선하고자 하면 선을 이루고 악하고자 하면 악을 이루게 하여 고정되지 않습니다. 그 권리는 자기에게 있으니 금수가 고정된 마음을 갖고 있는 것과 다릅니다.

┌─ 보기 ─────────────────────────────┐
ㄱ. 선을 좋아하는 마음은 하늘이 부여한 것이다.
ㄴ. 선행의 공적은 그 행위자에게 주어질 수 있다.
ㄷ. 영지의 기호는 인간과 동물 모두 갖고 있는 본성이다.
ㄹ. 악을 싫어하는 마음을 교정하여 의(義)를 형성해야 한다.
└────────────────────────────────────┘

① ㄱ, ㄴ ② ㄱ, ㄷ ③ ㄴ, ㄷ ④ ㄴ, ㄹ ⑤ ㄷ, ㄹ

14 이상 사회에 대한 갑, 을 사상가들의 입장에 대한 설명으로 옳은 것은?

▶ 24057-0204

> 갑: 유토피아에서는 필요한 것이 무엇이든 값을 치르지 않고 가져올 수 있다. 모든 물품이 풍족하기 때문에 필요 이상으로 청구해서 가져갈 필요가 없다. 구성원에게 모든 것이 평등하게 분배되기 때문에 가난한 사람이 존재하지 않는다.
> 을: 공산 사회에서는 생산력을 공동으로 계획적으로 이용하기 위한 전체 사회 구성원의 일반적인 연합이 형성되고, 모든 구성원의 욕구를 충족시키는 수준으로 생산이 확장된다. 또한 종래의 노동 분업이 제거된다.

① 갑은 높은 도덕성을 바탕으로 정신적 가치를 중시하는 사회라고 본다.
② 을은 각자 능력에 따라 일하고 일한 만큼 분배받는 사회라고 본다.
③ 갑은 을과 달리 물질적 재화가 풍족하지만 사유 재산은 인정되지 않는 사회라고 본다.
④ 을은 갑과 달리 생산과 소유에 있어 평등이 실현된 사회라고 본다.
⑤ 갑과 을은 국가가 모든 생산 수단을 관리하는 사회라고 본다.

15 (가)의 근대 서양 사상가 갑, 고대 서양 사상가 을의 입장을 (나) 그림으로 탐구하고자 할 때, A~C에 들어갈 적절한 질문만을 <보기>에서 있는 대로 고른 것은? [3점]

▶ 24057-0205

| (가) | 갑: 어떤 종류의 쾌락이 다른 것보다 더 바람직하고 가치 있다는 사실을 인정해야 한다. 다른 것을 평가할 때처럼 쾌락을 평가할 때에도 양뿐 아니라 질을 고려해야 한다.
을: 우리가 쾌락이 삶의 목적이라고 할 때, 이것은 방탕한 자들의 쾌락이나 육체적인 쾌락을 의미하는 것이 아니다. 우리가 말하는 쾌락은 몸의 고통이나 마음의 혼란으로부터의 자유이다. |

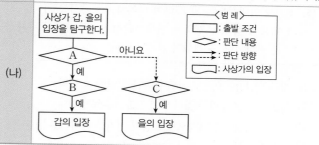

| (나) | 사상가 갑, 을의 입장을 탐구한다. |

┌─ 보기 ─────────────────────────────┐
ㄱ. A: 감각적인 쾌락보다 정신적인 쾌락을 추구하는 것이 바람직한가?
ㄴ. A: 사회 전체의 쾌락을 증진하는 행위만이 도덕적 가치를 가지는가?
ㄷ. B: 쾌락의 질이 높아지더라도 쾌락의 양이 증가하지 않는 경우도 있는가?
ㄹ. C: 인간 행위의 목적은 감각적 쾌락의 양을 늘려 나가는 것인가?
└────────────────────────────────────┘

① ㄱ, ㄴ ② ㄴ, ㄷ ③ ㄷ, ㄹ
④ ㄱ, ㄴ, ㄹ ⑤ ㄱ, ㄷ, ㄹ

16 다음을 주장한 근대 서양 사상가가 긍정의 대답을 할 질문으로 가장 적절한 것은? [3점]

▶ 24057-0206

> 이성은 나에게 보편적 법칙 수립을 존경하도록 강요한다. 그럼에도 그것은 경향성에 의해 칭찬받는 것의 모든 가치를 훨씬 능가하는 가치에 대한 존중이라는 것, 그리고 실천 법칙에 대한 순수한 존경으로 말미암은 나의 행위들의 필연성은 의무를 형성하는 바로 그것이다. 또한 의무는 그 가치가 모든 것을 넘어서는 그 자체로 선한 의지의 조건이므로, 여타의 모든 동인(動因)은 이 의무에게 길을 비켜 주어야 한다. 한편, 신적인 의지에 대해서는 아무런 명령도 타당하지가 않다.

① 선의지에서 비롯되지 않는 도덕적 의무가 존재하는가?
② 보편화 가능한 준칙과 인간 존엄성 정신은 양립 불가능한가?
③ 도덕 법칙의 내적 강제에서 발생한 준칙은 타율적인 것인가?
④ 의지를 지니는 모든 존재에게 도덕적 의무를 부과해야 하는가?
⑤ 어떤 행위가 도덕적 의무에 맞더라도 그 행위가 도덕적 가치를 갖지 않는 경우도 있는가?

▶ 24057-0207

17 중세 서양 사상가 갑, 근대 서양 사상가 을, 현대 서양 사상가 병의 입장으로 옳은 것은? [3점]

갑: 행복은 완전한 덕에 따른 작용이다. 그런데 인간의 행복은 창조되지 않은 선, 즉 신과 결부되어 있다. 인간은 행복을 위해 자연적 덕과 신학적 덕을 갖추어야 한다.
을: 우리의 행위가 완전할수록 신, 즉 자연을 더 많이 이해할 수 있다. 이는 우리에게 완벽한 마음의 평화를 가져다줄 뿐만 아니라 최고의 행복도 가르쳐 준다.
병: 영원에 있어서는 단지 하나의 단독자, 즉 양심을 가지고 신과 더불어 홀로 존재하는 단독자만이 있다. 따라서 주체성이 곧 진리이며, 주체성이 곧 실재이다.

① 갑: 개인의 신앙만으로도 참된 행복을 실현할 수 있다.
② 을: 신을 모든 존재의 초월적 원인으로 간주해야 한다.
③ 병: 인간은 이성의 능력만으로도 참된 진리를 알 수 있다.
④ 갑과 병: 인격신에 귀의해야 참된 진리를 발견할 수 있다.
⑤ 을과 병: 도덕적으로 사는 것만으로 신과 하나가 될 수 있다.

▶ 24057-0208

18 다음 가상 대화의 선생님이 지지할 입장으로 가장 적절한 것은?

선생님, 도덕의 목적은 무엇인가요?

도덕의 목적은 성장 그 자체입니다. 도덕에는 고정된 목적이 있는 것이 아니라, 완성하고 다듬고 발전시켜 나가는 부단한 과정이 바로 살아 있는 목적입니다.

그러면 어떤 사람이 선한 사람인가요?

선한 사람이란 지금까지는 도덕적으로 무가치했을지라도 현재 선해지는 방향으로 나아가고 있는 사람을 의미합니다.

① 도덕적 지식의 타당성은 상황에 따라 가변적이다.
② 개선을 위한 도구가 아닌 본래적 선을 추구해야 한다.
③ 공동체의 전통적인 가치와 규범을 언제나 고수해야 한다.
④ 도덕적 선은 현실적인 삶과 무관하다는 것을 명심해야 한다.
⑤ 최고선에 대한 관념이 도덕 판단의 기준이 됨을 알아야 한다.

▶ 24057-0209

19 다음을 주장한 사회사상가의 입장으로 옳은 것만을 〈보기〉에서 있는 대로 고른 것은?

영원한 평화를 위해 각 국가의 시민적 체제는 공화정이어야 하고, 국제법은 자유로운 국가들의 연방제에 기초해 있어야만 한다. 또한 세계 시민법은 보편적 우호 조건들에 국한되어 있어야만 한다.

┌ 보기 ┌
ㄱ. 영원한 평화의 실현을 위해 환대권을 무조건적으로 보장해야 한다.
ㄴ. 영원한 평화의 실현은 개별 국가의 통치 방식과 밀접한 관련이 있다.
ㄷ. 영원한 평화의 실현을 위해 각 국가의 독립적인 주권을 인정해야 한다.

① ㄱ   ② ㄷ   ③ ㄱ, ㄴ   ④ ㄴ, ㄷ   ⑤ ㄱ, ㄴ, ㄷ

▶ 24057-0210

20 그림은 서술형 평가 문제와 학생 답안이다. 학생 답안의 ㉠∼㉤ 중 옳지 않은 것은?

서술형 평가

◎ 문제: 사회사상가 갑, 을의 입장을 비교하여 서술하시오.

갑: 자유는 한 사람이 다른 사람들에 의해 방해받지 않고 행위 할 수 있는 공간을 의미한다. 개인적 자유와 민주적 통치 방식 사이에는 어떤 필연적 관련성도 없다.
을: 자유는 사적인 형태의 예속 자체가 존재하지 않는 상태를 의미한다. 법의 지배는 각 개인을 타인들의 자의적 의사로부터 보호하는 역할을 한다.

◎ 학생 답안

갑, 을의 입장을 비교해 보면, 갑은 ㉠진정한 자유란 외부 간섭이 없는 소극적 자유라고 보고, ㉡법의 지배가 늘어날수록 개인의 자유는 증대된다고 본다. 반면 을은 ㉢진정한 자유란 타인에 의한 자의적 지배가 없는 상태라고 보고, ㉣법의 지배가 있는 곳에서만 개인의 자유를 누릴 수 있다고 본다. 한편 갑과 을은 모두 ㉤자유를 보장하기 위한 사회적 통제가 필요하다고 본다.

① ㉠   ② ㉡   ③ ㉢   ④ ㉣   ⑤ ㉤

문항에 따라 배점이 다르니, 각 물음의 끝에 표시된 배점을 참고하시오. 3점 문항에만 점수가 표시되어 있습니다. 점수 표시가 없는 문항은 모두 2점입니다.

▶ 24057-0211

1 다음 가상 편지를 쓴 고대 동양 사상가가 강조하는 삶의 태도로 가장 적절한 것은?

> ○○에게
> 오늘은 성인(聖人)의 정치는 어떤 것인지 이야기하려고 하네. 무릇 성인의 정치는 다스림이 없는 다스림[無爲之治]을 지향하네. 이러한 정치는 백성들의 마음을 비우게 해 주고, 그 배를 채워 주며, 그 뜻을 약하게 해 주고, 그 뼈를 튼튼하게 해 준다네. 이를 통해 백성들로 하여금 무지(無知)하고 욕심이 없게 하여[無欲] 소박하고 평화로운 삶을 살아갈 수 있게 한다네. 성인은 이와 같은 무위(無爲)를 행하기 때문에 다스려지지 않는 경우가 없다네.

① 존비친소(尊卑親疏)를 구별하는 사랑을 실천해야 한다.
② 소박한 본성을 바탕으로 인의(仁義)의 규범을 실천해야 한다.
③ 타고난 본성을 변화시키기 위해 부쟁(不爭)을 실천해야 한다.
④ 의로운 일을 부단히 실천하여[集義] 도덕적 기개를 갖춰야 한다.
⑤ 스스로 자신을 낮추고[謙虛] 자연 그대로의 질서를 따라야 한다.

▶ 24057-0212

2 고대 서양 사상가 갑, 을의 입장으로 적절한 것만을 〈보기〉에서 고른 것은? [3점]

> 갑: 여러 선들 중에서 최고의 선인 행복은 덕에 따르는 영혼의 활동이다. 덕에는 지적인 덕과 품성적인 덕이 있으며 지적인 덕은 교육에 의해 형성되며 품성적인 덕은 습관의 결과로 생겨난다.
> 을: 영혼은 이성적인 부분, 기개적인 부분, 욕구적인 부분으로 나누어진다. 영혼의 각 부분이 각자의 덕을 갖추어 전체적으로 조화를 이룬 것이 정의이며 정의로운 사람은 행복한 삶을 살 수 있다.

> 보기
> ㄱ. 갑: 자제력이 없는 사람은 선을 알더라도 악을 행할 수 있다.
> ㄴ. 을: 절제의 덕은 영혼의 세 부분이 모두 갖추어야 한다.
> ㄷ. 을: 용기의 덕을 갖춘 사람은 어떤 것도 두려워하지 않는다.
> ㄹ. 갑과 을: 선(善) 자체는 감각으로 지각되는 세계에 존재한다.

① ㄱ, ㄴ ② ㄱ, ㄷ ③ ㄴ, ㄷ ④ ㄴ, ㄹ ⑤ ㄷ, ㄹ

▶ 24057-0213

3 한국 불교 사상가 갑, 을의 입장으로 적절한 것만을 〈보기〉에서 고른 것은? [3점]

> 갑: 어린아이의 몸이 어른과 다름없음을 알 때 돈오(頓悟)요, 이것이 점점 성장하는 것이 점수(漸修)이다. 연못의 얼음이 전부 물인 줄 알지만, 그것이 햇빛을 받아 녹는 것처럼, 범부가 곧 부처임을 깨달았으나 법력으로 부처의 길을 닦는 것과 같은 것이다.
> 을: 모든 경계가 무한하지만 모두 일심(一心) 안에 들어가는 것이다. 일심에도 진여(眞如)와 무명(無明)이 동시에 있을 수 있으나 이 역시 하나이다. 이것은 바람 때문에 고요한 바다에 파도가 일어나지만 파도와 고요한 바다가 둘이 아닌 것과 같다.

> 보기
> ㄱ. 갑: 정혜쌍수(定慧雙修)를 실천하여 돈오에 이르러야 한다.
> ㄴ. 갑: 자기 마음이 본래 부처의 마음임을 단박에 깨쳐야 한다.
> ㄷ. 을: 보다 높은 차원에서 여러 종파의 주장을 화합할 수 있다.
> ㄹ. 갑과 을: 부단한 수행을 통해 불성(佛性)을 형성해야 한다.

① ㄱ, ㄴ ② ㄱ, ㄷ ③ ㄴ, ㄷ ④ ㄴ, ㄹ ⑤ ㄷ, ㄹ

▶ 24057-0214

4 그림의 강연자가 지지할 주장으로 가장 적절한 것은?

> 비겁한 인간은 자신의 비겁함에 책임이 있습니다. 그가 유전이나 체질 때문에 그렇게 된 것이 아니기 때문입니다. 체질은 행동이 아니며 비겁한 인간은 그가 행한 행동에서 정의되는 것입니다. 영웅도 영웅으로 태어나는 것이 아닙니다. 인간은 행동으로 정의해야 하며, 나는 나 자신과 모든 사람에 대해 책임이 있습니다. 존재가 본질에 앞서기 때문에 인간은 스스로 되고자 지향한 그것입니다.

① 사회적 삶과 거리를 둘 때 실존을 회복할 수 있다.
② 보편적인 도덕 법칙에 순응하는 삶을 살아야 한다.
③ 인간은 자유롭지 않음을 선택할 수 있는 존재이다.
④ 주체적인 선택을 통해 자신의 삶을 만들어 가야 한다.
⑤ 신의 계획에 따라 부여된 삶의 목적을 실현해야 한다.

▶ 24057-0215

5 (가)의 근대 서양 사상가 갑, 을, 병의 입장에서 서로에게 제기할 수 있는 비판을 (나) 그림으로 표현할 때, A~F에 해당하는 내용으로 가장 적절한 것은? [3점]

(가)	갑: 도덕의 기본 원리는 최대 행복의 원리이며, 어떤 종류의 쾌락은 다른 종류의 쾌락보다 질적으로 높은 것으로 평가할 수 있다. 을: 도덕과 입법의 원리는 쾌락과 고통에 근거해야 한다. 쾌락과 고통의 총량을 일곱 가지 기준으로 합산하여 쾌락이 더 크다면 그 행위는 옳다. 병: 도덕 법칙은 가장 완전한 존재자의 의지에 대해서는 신성의 법칙이며, 유한한 이성적 존재자에 대해서는 의무의 법칙이다.
(나)	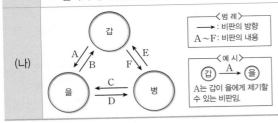

① A: 개인들의 행복의 총합이 사회 전체의 행복임을 간과한다.
② B: 옳고 그름을 판단하는 보편적 도덕 원리가 있음을 간과한다.
③ C와 E: 도덕은 행복을 위한 수단이 될 수 없음을 간과한다.
④ D: 행위의 도덕적 가치는 동기에 따라 달라짐을 간과한다.
⑤ F: 자신의 행복 추구와 도덕적 의무 이행은 양립 가능함을 간과한다.

▶ 24057-0216

6 갑은 고대 서양 사상가, 을은 현대 서양 사상가이다. 을의 입장에서 갑에게 제기할 수 있는 비판으로 가장 적절한 것은?

갑: 지식은 덕이며 악덕은 무지의 소산이다. 어느 누구도 알면서도 악덕에 빠지지 않는다. 그릇된 행동은 항상 무의식적이며 무지의 산물이므로 영혼을 선하게 만드는 것이 무엇인지 먼저 알아야 한다.
을: 지식은 우리가 환경에 적응할 수 있게 해 주고 문제 상황의 해결에 도움이 될 때 의미가 있다. 단편적인 지식이 아닌 미래를 전망하면서 정확한 대안을 제시할 수 있는 실천적 지혜가 바로 지식이다.

① 모든 악행의 원인은 무지라는 점을 모르고 있다.
② 유덕한 사람은 행복한 삶을 살 수 있음을 모르고 있다.
③ 자기 자신에 대한 부단한 성찰이 필요함을 모르고 있다.
④ 고정적이고 절대적인 진리는 존재하지 않음을 모르고 있다.
⑤ 덕의 실천을 위해서는 이성의 역할이 필요함을 모르고 있다.

▶ 24057-0217

7 근대 한국 사상가 갑, 을, 병의 입장으로 옳지 <u>않은</u> 것은? [3점]

갑: 사람들의 원한이 쌓여 세상이 어지러워진다. 맺힌 원한을 풀고[解冤] 상생(相生)의 도(道)를 실천해야 하며, 작은 은혜에도 보답해야 한다.
을: 사람을 하늘처럼 섬겨야 한다[事人如天]. 집에 사람이 오거든 사람이 왔다고 하지 말고 한울님이 강림하셨다고 말하고, 사람을 대할 때는 선을 행하라.
병: 물질이 개벽되니 정신을 개벽하라. 일원상(一圓相)의 진리를 신앙의 대상과 수행의 표본으로 삼고 부처의 인격에 이르도록 하는 세 가지 길[三學]을 수행해야 한다.

① 갑: 후천 개벽 이후에는 불평등이 사라진 사회가 도래한다.
② 을: 남녀노소의 차별이 사라진 평등한 사회를 지향해야 한다.
③ 병: 물질문명과 정신문명을 조화롭게 발전시켜 나가야 한다.
④ 갑과 을: 서양 문물을 수용하여 사회 개혁의 토대로 삼아야 한다.
⑤ 을과 병: 현세에서 이상 사회가 실현될 수 있도록 노력해야 한다.

▶ 24057-0218

8 다음은 근대 서양 사상가 갑, 을의 가상 대화이다. 갑, 을의 입장으로 적절한 것만을 〈보기〉에서 있는 대로 고른 것은?

 진리를 탐구하기 위해 의심의 여지가 있는 것을 모두 버렸습니다. 그러자 의심하기 위해서는 의심하고 있는 나 자신은 있어야 한다는 것을 깨달았습니다.

 진리를 탐구하기 위해 참된 귀납법으로 개념과 공리를 형성해야 합니다. 또한 인간의 지성을 사로잡고 정신을 혼미하게 만드는 우상을 떨쳐 내야 합니다.

갑   을

┌─ 보기 ┐
ㄱ. 갑: 의심할 수 없는 명제를 토대로 지식을 탐구해야 한다.
ㄴ. 을: 진리 탐구 과정에서 이성이 수행하는 역할이 있다.
ㄷ. 을: 참된 인식을 방해하는 선입견과 편견을 타파해야 한다.
ㄹ. 갑과 을: 관찰과 실험은 진리 탐구를 위한 주된 방법이다.
└─────────┘

① ㄱ, ㄴ   ② ㄱ, ㄹ   ③ ㄷ, ㄹ
④ ㄱ, ㄴ, ㄷ   ⑤ ㄴ, ㄷ, ㄹ

[9~10] 갑, 을은 한국 유교 사상가들이다. 물음에 답하시오.

> 갑: 사단(四端)과 칠정(七情)은 모두 기(氣)가 발하여 이(理)가 탄[乘] 것이다. 기가 아니면 발할 수 없고, 이가 아니면 발할 근거가 없으므로 먼저와 나중도 헤어짐과 합침도 없으므로 호발(互發)이라고 말할 수 없다.
> 을: 사단은 이가 발하고 기가 따른 것이고, 칠정은 기가 발하고 이가 탄 것이다. 기가 따르지 않는 이는 드러날 수가 없고, 이가 타지 않는 기는 이기적 욕망에 빠져서 금수(禽獸)가 된다.

▶ 24057-0219

9 갑, 을의 입장을 그림과 같이 탐구하고자 할 때, A~C에 들어갈 적절한 질문만을 〈보기〉에서 있는 대로 고른 것은? [3점]

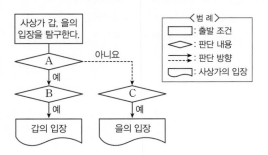

> ┌ 보기 ┐
> ㄱ. A: 측은지심(惻隱之心)은 이가 발한 정(情)인가?
> ㄴ. B: 사단은 칠정의 선한 측면으로 볼 수 있는가?
> ㄷ. B: 사단의 연원과 칠정의 연원은 모두 동일한가?
> ㄹ. C: 사단은 도덕 감정이며, 칠정은 일반 감정인가?

① ㄱ, ㄴ ② ㄱ, ㄷ ③ ㄴ, ㄹ
④ ㄱ, ㄷ, ㄹ ⑤ ㄴ, ㄷ, ㄹ

▶ 24057-0220

10 다음을 주장한 한국 유교 사상가가 갑, 을 모두에게 제기할 수 있는 비판으로 가장 적절한 것은? [3점]

> 사랑할 수 있고 의로울 수 있으며 예의 바를 수 있고 지혜로울 수 있는 능력이라면 인간이 타고난 것이지만, 하늘이 인의예지라는 네 가지 알맹이를 인간성 속에 부여했다고 말한다면 그것은 진실이 아니다. 인간도 이러하거늘, 하물며 다른 사물들이 어찌 오상(五常)을 함께 받았을 수 있겠는가?

① 사덕은 인간의 타고난 본성이 아님을 모르고 있다.
② 형구(形軀)의 기호가 인간만의 본성임을 모르고 있다.
③ 사단은 사덕의 존재를 알려 주는 실마리[緒]임을 모르고 있다.
④ 모든 욕구를 제거할 때 사단을 형성할 수 있음을 모르고 있다.
⑤ 자주지권(自主之權)은 도덕적 실천의 결과물임을 모르고 있다.

▶ 24057-0221

11 현대 서양 사상가 갑, 근대 서양 사상가 을의 입장으로 적절한 것만을 〈보기〉에서 있는 대로 고른 것은?

> 갑: 절망은 병이다. 그러나 그 병에 걸려 본 적이 없다는 것은 최대의 불행이다. 인생의 기쁨에 속아서 어정쩡하게 나날을 보내는 사람들은 절망을 통해 내가 신 앞에 홀로 존재하고 있다는 것을 깨닫지 못한 사람들이다. 그들의 삶은 비참하다.
> 을: 신 이외에는 어떤 실체도 존재할 수 없으며, 또한 파악될 수도 없다. 양태는 신의 본성 안에만 존재할 수 있고 또한 신의 본성을 통해서만 파악될 수 있다. 그러므로 신 없이는 아무것도 존재할 수도 없고 파악될 수도 없다.

> ┌ 보기 ┐
> ㄱ. 갑: 실존적 상황에서 진리는 개별적이고 주관적이다.
> ㄴ. 을: 신을 직관적으로 인식할 때 참된 행복을 누릴 수 있다.
> ㄷ. 을: 자유 의지를 발휘하여 필연적 질서를 극복해야 한다.
> ㄹ. 갑과 을: 영원한 행복을 누리기 위해 인격신에게 귀의해야 한다.

① ㄱ, ㄴ ② ㄱ, ㄷ ③ ㄴ, ㄹ
④ ㄱ, ㄷ, ㄹ ⑤ ㄴ, ㄷ, ㄹ

▶ 24057-0222

12 고대 동양 사상가 갑, 을 모두가 긍정의 대답을 할 질문만을 〈보기〉에서 있는 대로 고른 것은?

> 갑: 인(仁)은 사람의 마음이요, 의(義)는 사람의 길이다. 사람들은 그 길을 따르지 않아서 마음을 잃어버렸다. 잃어버린 닭이나 개는 찾으면서 마음은 찾을 줄 모르니 안타깝다. 학문하는 길은 다른 것이 없다. 그 잃어버린 마음을 찾는 것[求放心]이다.
> 을: 사람은 나면서부터 욕망이 있는데 욕망을 채우지 못하면 이를 추구하지 않을 수 없으며, 일정한 기준과 제한이 없으면 다툼이 없을 수 없다. 다툼은 혼란을 가져오고 혼란은 사람을 궁핍하게 만든다. 혼란을 싫어한 선왕은 예의를 제정하여 구분을 지었다.

> ┌ 보기 ┐
> ㄱ. 인간의 도덕적 완성을 위해 욕구의 절제가 필요한가?
> ㄴ. 예(禮)는 모든 인간에게 선천적으로 부여된 본성인가?
> ㄷ. 인간은 누구나 수양을 통해 성인(聖人)이 될 수 있는가?
> ㄹ. 군자(君子)의 본성과 소인(小人)의 본성은 서로 동일한가?

① ㄱ, ㄴ ② ㄱ, ㄷ ③ ㄴ, ㄹ
④ ㄱ, ㄷ, ㄹ ⑤ ㄴ, ㄷ, ㄹ

▶ 24057-0223

13 (가)의 중국 유교 사상가 갑, 을의 입장을 (나) 그림으로 표현할 때, A~C에 해당하는 적절한 진술만을 〈보기〉에서 있는 대로 고른 것은? [3점]

(가)	갑: 마음은 성과 정을 통괄하며[心統性情], 성은 곧 이치[理]이다. 천하의 사물은 반드시 각각 그러한 까닭과 당연히 그러해야 할 법칙이 있는데, 바로 그것이 이치이다. 을: 마음이 곧 이치이다. 사리사욕에 어두워지지 않는 마음이 곧 천리이니, 마음 밖에서 조금도 보탤 필요가 없다. 순수한 마음으로 부모를 공경하면 그것이 효(孝)이고, 임금을 섬기면 충(忠)이다
(나)	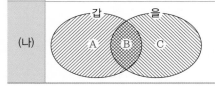 〈범 례〉 A: 갑만의 입장 B: 갑, 을의 공통 입장 C: 을만의 입장

┌ 보기 ┐
ㄱ. A: 사물에 내재된 이치를 탐구하여 앎을 확충해야 한다.
ㄴ. B: 천리(天理)를 보존하고 그릇된 욕망을 제거해야 한다.
ㄷ. B: 부단한 수양으로 양지(良知)의 형성을 위해 힘써야 한다.
ㄹ. C: 격물(格物)은 마음의 바르지 못함을 바로잡는 일이다.

① ㄱ, ㄷ　　　② ㄱ, ㄹ　　　③ ㄴ, ㄷ
④ ㄱ, ㄴ, ㄹ　　　⑤ ㄴ, ㄷ, ㄹ

▶ 24057-0224

14 사회사상가 갑, 을의 입장으로 적절한 것만을 〈보기〉에서 고른 것은? [3점]

갑: 경쟁은 가장 효율적일 뿐만 아니라 권력의 강제적이고 자의적인 간섭 없이도 우리의 행위가 조정될 수 있는 유일한 방법이다. 경제 활동에 대한 통제는 우리의 모든 목적과 수단의 통제이며, 전체주의로 가는 노예의 길이다.
을: 빈곤과 실업에 따른 자유의 상실과 인간 존엄성의 훼손을 막는 것은 국가의 책임이다. 이를 위해 국가는 이자율 조정과 조세 제도 개편을 통해 유효 수요를 창출해야 하며, 공익 목적의 투자를 실행에 옮겨야 한다.

┌ 보기 ┐
ㄱ. 갑: 경제 불황을 극복하기 위해 계획 경제를 도입해야 한다.
ㄴ. 갑: 정부의 시장 개입을 확대하여 자유로운 경쟁을 보호해야 한다.
ㄷ. 을: 정부는 완전 고용의 달성을 위해 시장에 개입해야 한다.
ㄹ. 갑과 을: 사적 이익 추구를 위한 경제적 자유를 보장해야 한다.

① ㄱ, ㄴ　② ㄱ, ㄷ　③ ㄴ, ㄷ　④ ㄴ, ㄹ　⑤ ㄷ, ㄹ

▶ 24057-0225

15 다음을 주장한 근대 서양 사상가의 입장으로 옳지 않은 것은?

• 도덕성은 판단된다기보다는 느껴지는 것이다. 덕에서 발생하는 인상은 호의적이며, 부덕에서 발생하는 인상은 거북하다. 어떤 행동이 유덕하거나 부덕하다면 이유는 그 행동이 특정한 종류의 쾌락이나 거북함의 원인이기 때문이다.
• 사회의 복리를 증진하는 행위는 우리에게 쾌감을 공감하게 만든다. 따라서 공감은 우리가 모든 덕을 평가하는 원천이다.

① 덕과 부덕의 구별은 보편성을 지닐 수 있다.
② 이성은 도덕적 실천의 직접적인 동기가 될 수 있다.
③ 덕은 인간의 정서와 독립하여 실재하는 것이 아니다.
④ 도덕성의 기초는 공감(共感)의 능력에서 찾아야 한다.
⑤ 자신의 이익과 무관한 것에도 시인의 감정을 느낄 수 있다.

▶ 24057-0226

16 고대 동양 사상가 갑, 을의 입장으로 가장 적절한 것은?

갑: 자기를 이겨 내고 예(禮)로 돌아가는 것이 인(仁)이다. 하루라도 자기를 이겨 내고 예로 돌아가면 천하가 인에 돌아갈 것이다. 인을 행하는 방법은 자기로부터 말미암는 것이지 어찌 다른 사람으로부터 말미암은 것이겠는가.
을: 명예의 표적이 되지 말고, 지혜의 주인공이 되지 마라. 무궁한 도를 터득하고 자취 없는 경지에 노닐며 자연으로부터 받은 것을 온전하게 하라. 지인(至人)의 마음은 거울과 같다. 사물을 보내지도 받아들이지도 않는다.

① 갑: 차별 없는 사랑[兼愛]으로 인의의 도덕을 실현해야 한다.
② 갑: 강력한 형벌을 통해 백성의 악한 본성을 변화시켜야 한다.
③ 을: 외물에 얽매이지 않는 정신적인 자유를 추구해야 한다.
④ 을: 성인(聖人)은 무지한 백성들을 인과 예로 교화해야 한다.
⑤ 갑과 을: 도(道)의 관점에서 시비와 선악을 분별해야 한다.

13 고대 서양 사상가 갑, 사회사상가 을의 입장으로 가장 적절한 것은? [3점]
▶ 24057-0243

> 갑: 우리 아테네의 정체(政體)는 다수자의 이익을 위해 나라가 통치되기에 민주정이라 부른다. 누가 가난이라는 불리한 조건에도 불구하고 도시를 위해 좋은 일을 할 능력이 있다면 가난 때문에 공직에서 배제되지 않는다.
> 을: 국가가 독립적으로 존재한다면 정부는 주권자가 있어야만 한다. 그러므로 통치자가 지배하는 의지는 일반 의지 또는 법률에 불과한 것이며, 그의 힘은 그 안에 집중되어 있는 공공의 힘일 따름이다.

① 갑: 민주정에서는 모든 사람에게 시민의 자격이 보장된다.
② 갑: 공무를 수행하는 대표자는 모든 일을 항상 합리적으로 결정한다.
③ 을: 통치자에게 일반 의지를 초월한 자의적 지배를 허용해야 한다.
④ 을: 주권은 일반 의지의 행사일 뿐이므로 결코 양도할 수 없다.
⑤ 갑과 을: 국민은 주권자이지만 법률 제정권을 가져서는 안 된다.

14 (가)의 고대 동양 사상가 갑, 을, 병의 입장에서 서로에게 제기할 수 있는 비판을 (나) 그림으로 표현할 때, A~F에 해당하는 내용으로 가장 적절한 것은? [3점]
▶ 24057-0244

(가)	갑: 인의예지는 밖으로부터 나에게 주어진 것이 아니라 내가 본래부터 가지고 있는 것인데, 다만 사람들은 생각하지 않을 뿐이다. 을: 사람의 본성은 악한 것이니 그것이 선하다고 하는 것은 거짓이다. 반드시 스승과 법도에 따른 교화와 예의의 교도가 있어야 한다. 병: 최고의 선은 마치 물과 같다. 물은 만물을 이롭게 할 뿐 다투지 않으며 사람이 싫어하는 낮은 곳에 처한다. 그러므로 도에 가깝다.
(나)	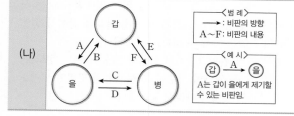

① A: 인간은 인의를 행할 수 있는 능력이 있음을 간과한다.
② B와 E: 성인이 되기 위해 본성 변화를 도모해야 함을 간과한다.
③ C: 상덕(上德)은 인간의 본성을 거스르는 해악임을 간과한다.
④ D: 선한 본성을 도덕규범의 근원으로 삼아야 함을 간과한다.
⑤ F: 잃어버린 마음을 찾고자[求放心] 의를 행해야 함을 간과한다.

15 근대 서양 사상가 갑, 을의 입장으로 옳은 것은?
▶ 24057-0245

> 갑: "나는 생각한다. 그러므로 나는 존재한다."라는 진리는 확고하고 확실하여, 나는 이것을 내가 찾고 있던 철학의 제1원리로 받아들일 수 있다고 판단하였다.
> 을: 우상과 잘못된 개념은 진리를 향해 나아갈 인간 정신의 돌파구를 봉쇄한다. 진정한 귀납법에 의해 개념과 명제가 만들어진다면 우상은 배제될 수 있다.

① 갑: 모든 지식의 원천은 이성이 아닌 감각적 경험에 있다.
② 갑: 방법적 회의에 따르면 확실한 지식은 존재하지 않는다.
③ 을: 참된 귀납법으로 지성을 사로잡는 우상을 극복해야 한다.
④ 을: 자연은 인간과 동등한 지위를 지니므로 정복 대상이 아니다.
⑤ 갑과 을: 사물의 진리를 찾는 유일한 방법은 관찰과 실험이다.

16 중국 유교 사상가 갑, 을의 공통된 입장으로 옳은 것은?
▶ 24057-0246

> 갑: 치지가 격물에 있다고 한 것은 나의 앎을 지극히 하고자 하면 사물에 나아가 그 사물의 이치를 궁구히 하는 것을 이른다. 사물의 이치를 다 궁구하지 못하였기 때문에 지식에도 극진하지 못한 바가 있는 것이다.
> 을: 마음[心]이 곧 이(理)이다. 세상에 어찌 마음 밖의 일이 있을 수 있고 마음 밖의 이치가 있을 수 있겠는가. 사리사욕에 어두워지지 않는 마음이 곧 천리니, 마음 밖에서 조금이라도 보탤 필요가 없다.

① 지(知)와 행(行)은 서로 구별되는 것이 아니며 하나이다.
② 천리를 보존하고 인욕(人欲)을 없애는 수양을 해야 한다.
③ 외부 사물에 내재한 이치를 탐구해 앎을 이루어 나가야 한다.
④ 바르지 못한 마음을 바로잡는 실천으로 양지를 형성해야 한다.
⑤ 도덕적 삶에 도덕적 지식의 탐구가 반드시 필요한 것은 아니다.

▶ 24057-0247

17 고대 서양 사상가 갑, 을의 입장으로 가장 적절한 것은? [3점]

갑: 국가가 올바른 것은 국가 안의 세 부류가 저마다 자신의 일을 함에 의해서이다. 절제는 일종의 화음과 같으며, 국가 전반에 걸쳐 있어야 한다.

을: 지성적 덕은 주로 교육에 따라 생겨나는데, 그러자면 시간과 경험이 필요하다. 한편 품성적 덕은 습관의 산물이다. 올바른 행동을 해야 올바른 사람이 된다.

① 갑: 탁월한 감각 능력을 지닌 자만이 이데아를 파악할 수 있다.
② 갑: 절제는 지혜와 달리 모든 계층에게 요구되는 덕목이 아니다.
③ 을: 실천적 지혜로써 질투의 감정에 대한 중용을 찾을 수 있다.
④ 을: 실천적 지혜는 지성적 덕이고 절제는 품성적 덕에 해당된다.
⑤ 갑과 을: 덕을 갖춘다면 이성의 도움이 없이도 행복할 수 있다.

▶ 24057-0248

18 갑, 을은 사회사상가들이다. 갑의 입장에 비해 을의 입장이 갖는 상대적 특징을 그림의 ㉠~㉺ 중에서 고른 것은?

갑: 중앙 계획 경제가 경제적 자원을 효과적으로 사용할 수 있다고 생각하는 사람들이 있지만 그럴 수 없다. 정부의 적극적 개입으로 시장 문제를 해결할 수 있다고 보는 것은 치명적 자만이다.

을: 투자의 사회화가 완전 고용에 가까운 상태를 확보하는 유일한 수단임이 입증될 것이라 생각한다. 정부는 투자 계획을 통해 유효 수요를 창출해야 한다.

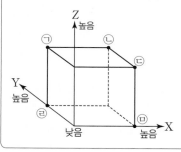

- X: 완전 고용을 위해 정부 기능의 확대를 강조하는 정도
- Y: 시장의 자율적 질서에 대한 정부의 개입에 비판적인 정도
- Z: 경제 불황 해결을 위해 정부 개입을 강조하는 정도

① ㉠   ② ㉡   ③ ㉢   ④ ㉣   ⑤ ㉤

▶ 24057-0249

19 다음을 주장한 한국 불교 사상가의 입장으로 적절한 것만을 〈보기〉에서 고른 것은?

본성이 부처와 다름이 없음을 홀연히 깨달았다 하더라도 습기(習氣)는 한꺼번에 제거되지 않는 것으로 점진적인 수행이 필요하다. 범부가 바로 부처임을 깨달았다 하더라도 법의 힘을 바탕으로 훈습하고 닦아야 하는 것이다.

┌ 보기 ┐
ㄱ. 습기(習氣)가 있는 한, 단박에 깨닫는 것은 불가능하다.
ㄴ. 모든 중생이 불성(佛性)을 가지고 있음을 깨달아야 한다.
ㄷ. 정(定)은 혜(慧)와 달리 마음의 본체이자 마음의 작용이다.
ㄹ. 깨달음 이후 선정(禪定)과 지혜(智慧)를 함께 닦아야 한다.

① ㄱ, ㄴ   ② ㄱ, ㄷ   ③ ㄴ, ㄷ   ④ ㄴ, ㄹ   ⑤ ㄷ, ㄹ

▶ 24057-0250

20 사회사상가 갑, 을의 입장으로 옳은 것은? [3점]

갑: 자유의 조건은 노예와 달리 타인에 의해 지배받지 않는 사람의 지위로 설명된다. 그렇기 때문에 실질적 간섭이 없어도 자유의 손실은 있을 수 있다고 간주된다.

을: 내 소원이 좌절되는 과정에서 다른 사람들이 어느 정도 작용하였느냐가 곧 억압의 기준이다. 불간섭의 영역이 넓어질수록 내 자유의 영역이 따라서 넓어진다.

① 갑: 진정한 자유는 지배의 부재가 아닌 간섭의 부재에 있다.
② 갑: 실제적 간섭이 없음에도 자유를 잃게 되는 경우가 있다.
③ 을: 국가의 간섭은 적극적 자유를 위할 때만 정당화될 수 있다.
④ 을: 개인의 자유는 어떤 경우에도 제한을 두어서는 안 된다.
⑤ 갑과 을: 지배 여부와 상관없이 모든 간섭은 자유를 침해한다.

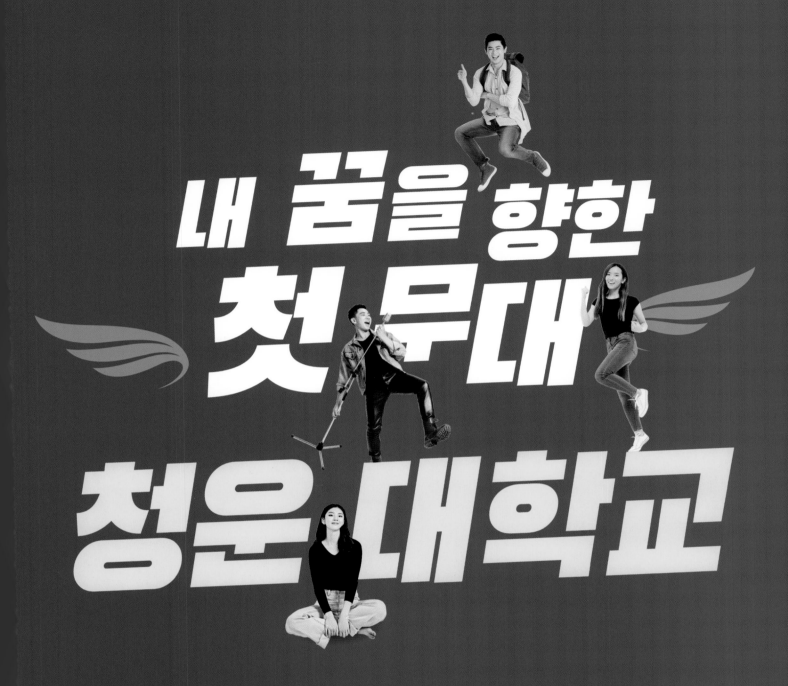

인터넷 강의 & 대학생 멘토링 100% 무료

수능공부
서울런으로
0원 학습!

원활한 강의수강을 위한 교재쿠폰 무료 제공
(기본 5권, EBS 교재 5권)

서울런에는 어떤 인터넷 강의가 있나요?

본 교재 광고의 수익금은 콘텐츠 품질 개선과 공익사업에 사용됩니

2025학년도
수능 연계교재
수능완성

한 권에 수능 에너지 가득
YOU MADE IT!

5회분
실전 모의고사
수록

테마편 + 실전편

사회탐구영역

정답과 해설

윤리와 사상

문제를 사진 찍고
해설 강의 보기
Google Play | App Store

EBS*i* 사이트
무료 강의 제공

본 교재는 대학수학능력시험을 준비하는 데 도움을 드리고자 도덕과 교육과정을 토대로 제작된 교재입니다.
학교에서 선생님과 함께 교과서의 기본 개념을 충분히 익힌 후 활용하시면 더 큰 학습 효과를 얻을 수 있습니다.

시대의 빛

세상을 향해 첫 발을 내디딜 당신

그 앞에 많은 길이 놓여 있지만

세상의 리더가 될 당신이라면

배움의 길도 달라야 합니다

당신에겐 가능성이 있고

우리에겐 방법이 있습니다

당신이 품은 큰 뜻

총신 안에서 마음껏 펼쳐보십시오

총신대학교
2025학년도 신입생 모집

원서접수 | 수시모집: 2024.9.9(월)~9.13(금) / 정시(가군,다군)모집: 2024.12.31(화)~2025.1.3(금)
모집학과 | 신학과·아동학과·사회복지학과·중독상담학과·기독교교육과·영어교육과·역사교육과·유아교육과·교회음악과
입학상담 | TEL: 02.3479.0400 / URL: admission.csu.ac.kr

한눈에 보는 정답

01 인간과 윤리 사상

본문 6~9쪽

01 ③	02 ④	03 ③	04 ⑤
05 ①	06 ⑤	07 ③	08 ③

06 한국과 동양 윤리 사상의 의의

본문 41~45쪽

01 ③	02 ①	03 ③	04 ③
05 ①	06 ⑤	07 ③	08 ②
09 ④	10 ②		

02 유교와 인의 윤리

본문 13~18쪽

01 ①	02 ②	03 ③	04 ⑤
05 ③	06 ⑤	07 ④	08 ②
09 ③	10 ⑤	11 ⑤	12 ②

07 서양 윤리 사상의 연원과 덕 있는 삶

본문 48~52쪽

01 ⑤	02 ③	03 ⑤	04 ③
05 ③	06 ④	07 ②	08 ⑤
09 ④	10 ④		

03 한국 유교와 인간의 도덕적 심성

본문 21~25쪽

01 ①	02 ④	03 ⑤	04 ⑤
05 ②	06 ③	07 ④	08 ③
09 ②	10 ④		

08 행복 추구와 신앙

본문 55~59쪽

01 ⑤	02 ②	03 ③	04 ①
05 ①	06 ⑤	07 ④	08 ③
09 ①	10 ③		

04 불교와 자비 및 화합의 윤리

본문 28~32쪽

01 ②	02 ①	03 ⑤	04 ③
05 ④	06 ①	07 ③	08 ⑤
09 ③	10 ②		

09 도덕적 판단과 행동의 근거: 이성과 감정

본문 63~68쪽

01 ③	02 ⑤	03 ②	04 ①
05 ①	06 ⑤	07 ③	08 ⑤
09 ③	10 ④	11 ①	12 ②

05 도가 사상과 무위자연의 윤리

본문 35~38쪽

01 ⑤	02 ②	03 ④	04 ③
05 ③	06 ①	07 ④	08 ④

10 옳고 그름의 기준: 의무와 결과

본문 72~77쪽

01 ③	02 ①	03 ⑤	04 ⑤
05 ③	06 ①	07 ②	08 ②
09 ④	10 ②	11 ④	12 ④

11 현대의 윤리적 삶: 실존과 실용

본문 80~84쪽

01 ③	02 ⑤	03 ③	04 ①
05 ①	06 ④	07 ⑤	08 ②
09 ⑤	10 ③		

실전 모의고사 1회

본문 112~116쪽

1 ③	2 ⑤	3 ③	4 ③	5 ④
6 ④	7 ⑤	8 ②	9 ②	10 ②
11 ②	12 ⑤	13 ④	14 ①	15 ③
16 ①	17 ⑤	18 ④	19 ③	20 ①

12 사회사상과 이상 사회

본문 87~90쪽

01 ①	02 ②	03 ⑤	04 ③
05 ③	06 ④	07 ④	08 ⑤

실전 모의고사 2회

본문 117~121쪽

1 ⑤	2 ⑤	3 ⑤	4 ③	5 ⑤
6 ④	7 ③	8 ⑤	9 ③	10 ④
11 ④	12 ④	13 ③	14 ②	15 ③
16 ②	17 ⑤	18 ②	19 ⑤	20 ③

13 국가와 시민

본문 93~97쪽

01 ⑤	02 ②	03 ④	04 ①
05 ⑤	06 ④	07 ④	08 ③
09 ①	10 ③		

실전 모의고사 3회

본문 122~126쪽

1 ③	2 ④	3 ④	4 ⑤	5 ②
6 ⑤	7 ①	8 ④	9 ④	10 ②
11 ①	12 ②	13 ①	14 ①	15 ②
16 ⑤	17 ④	18 ①	19 ④	20 ②

14 민주주의와 자본주의

본문 100~104쪽

01 ②	02 ④	03 ②	04 ①
05 ⑤	06 ⑤	07 ③	08 ④
09 ③	10 ③		

실전 모의고사 4회

본문 127~131쪽

1 ⑤	2 ①	3 ③	4 ④	5 ③
6 ④	7 ④	8 ④	9 ⑤	10 ①
11 ①	12 ④	13 ④	14 ⑤	15 ②
16 ③	17 ⑤	18 ③	19 ③	20 ④

15 평화 사상과 세계 시민 윤리

본문 107~111쪽

01 ②	02 ⑤	03 ③	04 ③
05 ⑤	06 ⑤	07 ①	08 ④
09 ②	10 ②		

실전 모의고사 5회

본문 132~136쪽

1 ③	2 ⑤	3 ③	4 ④	5 ③
6 ①	7 ③	8 ③	9 ④	10 ①
11 ①	12 ①	13 ④	14 ⑤	15 ③
16 ②	17 ④	18 ③	19 ④	20 ②

THEME 01 인간과 윤리 사상

수능 실전 문제

본문 6~9쪽

01 ③	02 ④	03 ③	04 ⑤
05 ①	06 ⑤	07 ③	08 ③

01 윤리적 존재로서의 인간의 특성 파악

문제분석 제시문은 원하는 것을 가지거나 자기가 하고 싶은 대로 하는 사람이 행복한 사람이 아니라 좋은 것을 바라고 가지는 사람이 행복한 사람이라고 강조하고 있다.

정답찾기 ③ 제시문은 행복을 얻고자 한다면 온당하지 못하거나 합당하지 못한 것을 바라지 말고 좋은 것을 바라고 가지려고 노력해야 한다고 주장하고 있다.

오답피하기 ① 제시문은 놀이와 삶의 재미를 찾으려는 인간의 특성에 대해 강조하지 않고 있다.

② 제시문은 노동을 통해 자아를 실현하고 자유로운 사회를 실현하는 인간의 특성에 대해 강조하지 않고 있다.

④ 제시문은 삶을 영위하는 데 필요한 유·무형의 편리한 도구를 창조하는 인간의 특성에 대해 강조하지 않고 있다.

⑤ 제시문은 세계의 진리를 계시하는 무한하고 초월적인 존재를 믿고 받드는 인간의 특성에 대해 강조하지 않고 있다.

02 순자가 강조한 삶의 태도 파악

문제분석 가상 대화의 스승은 순자이다. 순자는 인간이 이익을 좋아하고 남을 질투하며 미워하는 본성을 타고난다고 보았다. 순자에 따르면 타고난 인간의 본성은 성인(聖人)이 제정한 작위[僞]인 예를 통해 변화시킬 수 있다.

정답찾기 ④ 순자는 인간에게 인의(仁義)를 알 수 있는 도덕적 능력과 이를 행할 수 있는 능력이 있다고 보았으며, 이러한 능력을 바탕으로 본성을 교화해야 한다고 보았다.

오답피하기 ① 순자는 악한 본성을 교화하기 위해서는 인위적인 규범인 예가 필요하다고 보았다.

② 순자는 하늘을 도덕의 근원으로 인정하지 않고, 하늘과 인간의 일은 구분된다[天人分二]고 보았다. 잃어버린 마음을 되찾고 하늘이 부여한 본성을 함양해야 한다고 본 사상가는 맹자이다.

③ 순자는 연기(緣起)를 깨달아야 한다고 보지 않았다. 연기를 깨달아 괴로움에서 벗어난 경지를 추구해야 한다고 본 사상가는 석가모니이다.

⑤ 순자는 인간이 분별을 해야 한다고 보았다. 분별을 버리고 만물을 차별하지 않는 제물(齊物)의 실천을 주장한 사상가는 장자이다.

03 사르트르가 강조한 삶의 태도 파악

문제분석 가상 편지를 쓴 사상가는 사르트르이다. 사르트르는 인간의 본질을 정해 주는 신은 없다고 보았다. 사르트르에 따르면 인간은 선택의 상황에서 주체적으로 선택하고 그 결과에 대해 전적으로 책임져야 한다.

정답찾기 ③ 사르트르는 인간이 선택을 피할 수 없는 자유로운 존재이며, 자신의 선택에 따른 결과에 대해 책임져야 한다고 보았다.

오답피하기 ① 사르트르는 인간에게 미리 정해진 운명은 없으므로 자신의 삶을 스스로 선택해야 한다고 보았다.

② 사르트르는 인간이 실존하기 전에 미리 결정되어 있는 인간의 본질은 없다고 보았으며 실존이 본질에 앞선다고 주장하였다.

④ 사르트르는 인간이 자신의 도덕을 스스로 선택해야 한다고 보았다. 지성적 탐구를 통해 삶을 개선하는 유용한 지식을 추구해야 한다고 본 사상가는 듀이이다.

⑤ 사르트르는 세상을 창조하고 미래에 인간을 구원하는 초월자는 존재하지 않는다고 보았다.

04 원효가 강조한 삶의 태도 파악

문제분석 제시문을 주장한 사상가는 원효이다. 원효는 일체의 대립을 초월한 일심(一心)으로 다양한 종파의 이론들이 종합될 수 있다고 보았다. 원효에 따르면 모든 종파의 주장은 다르면서도 같고 같으면서도 다르므로 서로 조화될 수 있는 것이다.

정답찾기 ⑤ 원효는 변화하지 않는 진리와 변화하는 현실은 실상 다르지 않다고 보았다. 마찬가지로 부처와 중생도 본래 둘이 아님을 깨닫고 모든 생명을 소중히 여겨야 한다고 보았다.

오답피하기 ① 원효는 무지(無知)에 머물러야 한다고 보지 않았다. 겸허와 부쟁의 덕을 주장한 사상가는 노자이다.

② 원효는 근원적 번뇌인 무명(無明)에서 벗어나야 한다고 보았다.

③ 의로운 일을 꾸준히 실천하여 호연지기를 갖추어야 한다고 본 사상가는 맹자이다.

④ 원효는 인간이 악한 본성을 지니고 있다고 보지 않았다. 악한 본성으로 인해 나타나는 욕구를 예(禮)를 통해 조절해야 한다고 본 사상가는 순자이다.

05 아퀴나스가 강조한 삶의 태도 파악

문제분석 제시문을 주장한 사상가는 아퀴나스이다. 아퀴나스는 신의 영원한 법칙인 영원법에 의해 세계가 다스려지며, 영원법은 인간의 자연적 성향에 반영되어 있다고 보았다. 아퀴나스에 따르면 자연법은 인간의 자연적 성향에 바탕을 두며, 인간 사회의 실정법은 이러한 자연법에 기초해야 한다.

정답찾기 ① 아퀴나스는 자연법이 자기 생명을 보전하려는 욕구, 종족을 지속시키려는 욕구, 신을 알고자 하는 욕구, 사회 안에서 살려는 욕구 등과 같은 인간의 본성에 바탕을 둔다고 보았다. 아퀴나스에 따르면 자연법은 인간의 이성으로 인식할 수 있고 모든 인간에게 보편적으로 적용될 수 있다.

오답피하기 ② 아퀴나스는 자연의 모든 개별 사물들이 유일한 실체인 신의 양태라고 보지 않았다.

③ 아퀴나스는 실정법이 인간이 지켜야 할 모든 도덕적 의무를 담고 있지 않다고 보았다. 아퀴나스에 따르면 실정법은 자연법이 금지하는 것을 모두 금지하지는 않기 때문에 실정법이 제재하지 않는 행위라도 자연법에 어긋나는 행위일 수 있다.

니므로 공에도 집착해서는 안 된다고 본다.

오답피하기 ① 대승 불교에서는 자비를 실천하고 깨달음을 구하는 보살(菩薩)의 높은 이상을 추구한다.

② 대승 불교에서는 '내가 남을 위하여 베풀었다.'라는 생각이 있는 보시는 진정한 보시가 아니라고 본다. 그러한 생각은 집착만을 남기게 되고 궁극적으로 깨달음의 상태에까지 우리를 이끌 수 있는 보시가 될 수 없다고 본다. 따라서 주고받는 주체가 있다는 상(相)에 머무르지 않는 무주상보시(無住相布施)를 주장한다.

③, ④ 대승 불교에서는 반야바라밀이 다섯 바라밀을 이끌어 주는 역할을 하고, 법의 실상[非有非無(비유비무)]을 통찰하는 지혜라고 본다.

09 원효와 혜능의 사상적 입장 이해

문제분석 갑은 원효, 을은 혜능이다. 원효는 대립하고 갈등하는 다양한 주장과 견해들이 화해하고 화합하도록 해야 한다고 보았다. 혜능은 자신의 본성을 제대로 바라본다면, 본성이 부처임을 단박에 깨치고 마음을 단박에 닦을 수 있다는 돈오돈수(頓悟頓修)를 주장하였다.

정답찾기 ㄷ. 원효는 불경을 읽지 못해도 염불을 외우면 극락에 갈 수 있다고 주장하였다. 혜능은 진리[法(법)]란 마음으로 마음에 전하는 것[以心傳心(이심전심)]이므로, 따로 언어와 문자를 세워 말하지 않는 데[不立文字(불립 문자)]에 참뜻이 있다고 보았다.

ㄹ. 원효와 혜능은 모든 중생은 마음속에 청정한 본성이 있다고 보았다.

오답피하기 ㄱ. 원효는 서로 다른 주장과 견해들이 다툼과 대립에서 벗어나 화해하고 화합하도록 이끌어야 한다고 보았다.

ㄴ. 혜능은 자신의 마음속 불성(佛性)을 깨달으면 누구나 부처의 경지에 이를 수 있음[見性成佛(견성성불)]을 강조하였다.

10 석가모니의 사상적 입장 이해

문제분석 제시문은 석가모니의 주장이다. 석가모니의 주장에 따르면 중생은 무명과 애욕으로 인해 끝없이 윤회하면서 고통을 겪게 된다. 따라서 사성제를 통찰하고 열반에 이르면 윤회의 고통에서 벗어날 수 있다고 주장하였다.

정답찾기 ㄴ. 석가모니에 따르면 세상의 모든 존재와 현상은 상호 의존적이고 그것들은 인과 관계에 놓여 있다.

ㄹ. 석가모니에 따르면 괴로움은 그 어떤 것이든 우리의 애욕이 그 원인이며, 애욕은 '나'와 내가 살고 있는 세상의 존재에 대한 집착 때문에 일어난다.

오답피하기 ㄱ. 석가모니에 따르면 중생의 삶은 본질적으로 고통이며, 이를 괴로움의 성스러운 진리[苦聖諦(고성제)]라고 하였다.

ㄷ. 석가모니에 따르면 중생이 애착하는 대상에는 물질뿐만 아니라 정신적 측면도 포함된다.

05 도가 사상과 무위자연의 윤리

수능 실전 문제   본문 35~38쪽

| 01 ⑤ | 02 ② | 03 ④ | 04 ③ |
| 05 ③ | 06 ① | 07 ④ | 08 ④ |

01 공자와 노자의 사상적 입장 이해

문제분석 (가)의 갑은 공자, 을은 노자이다. 공자는 사욕을 극복하고 예(禮)를 회복하면 인(仁)이 완성된다고 보았다. 노자는 사회 혼란의 원인을 인위적 제도와 규범으로 보고 무위자연(無爲自然)의 삶을 살아야 한다고 보았다.

정답찾기 ⑤ 공자는 배움의 기쁨을 말함으로써 끊임없이 배우고 실천하는 삶을 강조하였고, 이러한 배움의 축적을 통해 군자나 성인을 목표로 자신을 성장시킬 것을 주장하였다. 노자는 도(道)는 언어로 온전히 표현될 수 없으며, 도는 언어를 초월한 것이라고 보았다. 따라서 지식을 쌓아 가는 방법으로는 참다운 도를 파악할 수 없고, 마음을 비우고 고요히 하는 허정(虛靜) 공부가 필요하다고 주장하였다.

오답피하기 ① 공자와 노자는 모두 하늘이 인간에게 삶의 이치가 될 수 있다고 보았다.

② 노자는 인간이 도의 원리에 따라 어린아이와 같이 순수하고 소박한 자연의 덕을 가지고 태어나며, 미추(美醜)나 선악(善惡)과 같은 현실의 가치는 '도에서 함께 나왔으나 이름을 달리한 것'에 불과한 상대적인 것이라고 보았다.

③ 공자는 통치자가 인격을 먼저 닦고 다스려서 백성에게 모범을 보여야 한다고 보았다.

④ 공자는 주나라의 예악(禮樂) 문화를 숭상하였으며, 당시의 예가 지나치게 형식화되고 사욕 때문에 사회 질서가 무너지는 것을 걱정하여 극기복례(克己復禮)를 주장하였다.

02 장자와 순자의 사상적 입장 이해

문제분석 갑은 장자, 을은 순자이다. 장자는 도의 작용을 이해하고 도에 따라 살아야 한다고 주장하였다. 또한 도는 만물의 근원이자 변화의 법칙으로 어디에나 내재한다고 보았다. 순자는 사람이 악한 본성을 가지고 태어나므로 선왕이 제정한 예(禮)에 따라 교화(敎化)해야 한다고 보았다.

정답찾기 ② 장자와 순자가 모두 부정의 대답을 할 질문이다. 장자는 하늘을 자연 현상으로서의 물리적인 하늘로 보았다. 순자는 하늘을 물리적인 자연 현상으로 보고 천인분이(天人分二)를 주장하였다.

오답피하기 ① 장자는 긍정, 순자는 부정의 대답을 할 질문이다. 장자는 타고난 소박한 본성을 유지해야 한다고 보았고, 순자는 수양을 통해 타고난 악한 본성을 변화시켜야 한다고 보았다.

③ 장자는 긍정, 순자는 부정의 대답을 할 질문이다. 장자는 지극한 덕이 퍼진 세상에서는 현명한 사람을 숭상하지 않고, 능력이 있는 사람도 쓰지 않는다고 보았다. 순자는 성인(聖人)을 숭상하고, 성인이 제정

한 예의(禮義)를 배우고 익히면 바른길로 나아갈 수 있다고 보았다.
④ 장자는 긍정, 순자는 부정의 대답을 할 질문이다. 장자는 통치자가 무위로써 법도를 삼아야 하며, 무위란 천하를 다스리는 데 쓰고도 남음이 있는 것이라고 보았다. 순자는 나라를 다스림에 있어 사람의 덕과 능력을 구별하고 그에 따라 지위와 재화가 분배되어야 한다고 보았다.
⑤ 장자는 긍정, 순자는 부정의 대답을 할 질문이다. 장자는 만물의 근원인 도의 관점에서 사물을 보면 선악, 미추, 빈부 등의 분별은 상대적인 것이며 그런 차별은 의미가 없다고 보았다. 순자는 후천적인 노력, 즉 교육과 배움을 통해 예의를 몸에 익혀 시비와 선악을 분별하고 악한 본성을 교화해야 한다고 보았다.

03 맹자와 장자의 사상적 입장 이해

문제분석 갑은 맹자, 을은 장자이다. 맹자는 인간이 타고난 선한 본성에 주목하여 인간과 사회의 도덕적 완성을 위해 노력해야 한다고 보았다. 장자는 분별적 인식을 버리고 인위적 규범이나 제도가 아닌 무위의 삶을 추구해야 한다고 보았다.

정답찾기 ㄱ. 맹자는 백성의 뜻에 하늘의 뜻이 있다고 보았으며, 백성에게 해를 끼치는 군주는 하늘의 뜻을 어긴 것이므로 이러한 군주를 바꾸는 것은 정당하다고 보았다.
ㄴ. 장자는 노자의 사상을 계승하여 무위(無爲)에 따르기 위해 백성을 무지(無知)와 무욕(無欲)의 상태에 있도록 해야 한다고 보았다.
ㄹ. 맹자는 마음을 보존하고 성을 길러[存心養性(존심양성)] 인의예지를 실현하면 성인이 된다고 보았다. 장자는 작위(作爲)에서 벗어나 자신의 타고난 자연스러운 본성을 회복하는 인간을 이상적으로 보았다.

오답피하기 ㄷ. 장자는 시비를 분별하는 지식은 상대적인 것이며, 덜고 덜어서 완전히 없애야 한다고 보았다.

04 노자와 맹자의 사상적 입장 이해

문제분석 제시문은 노자의 주장이다. 노자에 의하면 도(道)는 만물을 생성 변화하게 하는 근본 원리이고 덕(德)은 도를 지키고 따르는 것이라고 보았다. 또한 겸허와 부쟁 등의 덕을 지니고 무위자연의 삶을 사는 인간을 이상적 인간이라고 보았다.

정답찾기 ㄱ. 노자는 언어로 한정할 수 없고 실상은 이름조차 붙일 수 없는 것이 '도'라고 보았다.
ㄴ. 노자는 유교에서 강조하는 인의(仁義)의 도덕이나 효의 윤리는 사회와 가정이 혼란하여 생겨난 인위적 규범에 불과하다고 보았다.

오답피하기 ㄷ. 맹자는 도로써 백성을 깨우치고 형벌보다는 덕으로 다스릴 때, 노자는 무위자연(無爲自然)의 도를 바탕으로 백성을 다스릴 때 이상적 사회가 실현된다고 보았다.

05 장자와 석가모니의 사상적 입장 이해

문제분석 갑은 장자, 을은 석가모니이다. 장자는 일체의 대립과 차별에서 벗어나 자연과 하나 되는 물아일체의 경지에 도달해야 한다고 보았다. 석가모니는 원인과 조건에 의해 형성된 모든 존재와 현상은 일시적일 뿐이며, 이러한 진리[法(법)]를 통찰해야 한다고 보았다.

정답찾기 ㄴ. 장자는 도에 따라 살면 무엇에도 얽매이지 않는 정신적 자유의 경지[逍遙遊(소요유)]에 이를 수 있다고 보았다.
ㄹ. 장자와 석가모니는 모두 도를 따르는 사람은 생명을 차별하지 않는다고 보았다.

오답피하기 ㄱ. 장자는 인간이 타고난 소박한 성품대로 살아야 한다고 보았다.
ㄷ. 석가모니는 원인과 조건에 의해 생겨난 모든 존재와 현상은 인연에 따라 일시적으로 존재할 뿐이므로 집착할 대상이 아니라고 보았다.

06 도교와 도가의 사상적 입장 이해

문제분석 (가)는 도교 사상인 『태평경』의 내용이고, (나)는 도가 사상가인 장자의 주장이다. 도교는 현세적인 길(吉)과 복(福)을 추구하면서 불로장생과 신선이 되는 것을 목표로 하였던 종교이다. 도가는 천지 만물의 근원인 도를 바탕으로 세속적 가치를 초월하는 삶의 자세를 강조한 철학적 사상이다.

정답찾기 ① 도교는 유교의 도덕관에서 충(忠)과 효(孝) 등 많은 부분을 수용하고, 불교의 사상도 흡수하며 유·불·도의 진리가 본래는 하나라는 삼교합일(三敎合一)을 주장하기도 한다.

오답피하기 ② 도교는 현세에서 복을 추구하고, 불로장생하는 신선이 되는 것을 목표로 하며, 도덕적인 반성과 선행을 적극적으로 장려한다.
③ 도가 사상가인 장자는 도를 만물 생성의 원인이자 근원으로 보고, 도는 만물 어디에나 내재해 있다고 본다.
④ 도가 사상가인 장자는 인간의 오감에 의해 얻은 지식은 관계적이고 상대적이며, 이는 주관적이고 불확실한 것이라고 본다.
⑤ 도교 사상과 도가 사상은 모두 생(生)을 중요하게 여기며, 이러한 생을 기르고 보양하기 위한 실천이 중요하다고 본다.

07 맹자와 노자의 사상적 입장 이해

문제분석 (가)의 갑은 맹자, 을은 노자이다. 맹자는 정치도 도덕적 마음에 바탕을 두어야 한다고 보고 '인(仁)'에 기초한 왕도(王道) 정치를 강조하였다. 노자는 세상을 다스리는 이상적인 방법으로 성인에 의한 무위(無爲)의 정치를 제시하였다.

정답찾기 ㄱ. 맹자는 긍정, 노자는 부정의 대답을 할 질문이다. 맹자는 인의예지라는 사덕은 모두 하늘로부터 부여받은 덕성이라고 보았다. 노자는 하늘이 도덕규범을 부여하는 원천이 아니라고 보았다.
ㄴ. 맹자는 긍정, 노자는 부정의 대답을 할 질문이다. 맹자는 현명한 사람을 지도자로 뽑고 능력 있는 사람을 등용해야 한다고 보았다. 노자는 현명한 이를 숭상하면 오히려 백성들 사이에 다툼이 생긴다고 보았다.
ㄹ. 노자가 긍정의 대답을 할 질문이다. 노자는 사람들이 시비선악의 분별에서 벗어나 타고난 소박한 본성에 따라 살아가야 한다고 보았다.

오답피하기 ㄷ. 맹자가 부정의 대답을 할 질문이다. 맹자는 인간이 선천적 도덕 자각 능력인 양지(良知)와 선천적 도덕 실천 능력인 양능(良能)을 타고난다고 보았다.

08 도교의 사상적 입장 이해

문제분석 제시문은 도교 사상가인 갈홍의 주장이다. 도교는 생명을 중시하고, 도덕적 선행을 통해 신선(神仙)이 되는 것을 추구한다.

정답찾기 ㄱ. 도교 사상은 불로장생하기 위해 도덕적 선행을 권장한다.

ㄴ. 도교 사상은 생명을 지키고 건강을 가꾸기 위한 양생(養生)이 자연의 이치인 도에 따라 살아가는 것과 다르지 않다고 본다.

ㄷ. 도교 사상은 호흡을 통해 기를 단련하는 내단(內丹)과 약물을 복용하는 외단(外丹)의 수련법을 강조한다.

오답피하기 ㄹ. 도교 사상에서는 개인의 공덕(功德)과 과오(過誤)가 인간의 행복과 밀접한 관련이 있다고 본다.

THEME 06 한국과 동양 윤리 사상의 의의

수능 실전 문제 본문 41~45쪽

01 ③	02 ①	03 ③	04 ③
05 ①	06 ⑤	07 ③	08 ②
09 ④	10 ②		

01 위정척사 사상과 동도서기론의 사상적 입장 이해

문제분석 갑은 위정척사 사상가인 이항로, 을은 동도서기론을 주장한 윤학선이다. 위정척사 사상은 유교적 가치 체계와 질서는 지키고, 서양과 일본의 문물과 가치는 배척해야 한다고 보았다. 동도서기론은 유교적 가치와 질서[東道(동도)]는 지키면서 서양의 우수한 과학 기술[西器(서기)]은 수용하자고 주장하였다.

정답찾기 ③ 동도서기론은 서양의 우수한 과학 기술과 군사 제도를 받아들이자고 했지만, 유교적 가치와 질서를 변화시킬 수 있는 문물과 제도까지 수용하려고 하지는 않았다.

오답피하기 ① 위정척사 사상에서는 서구 열강의 침략적 상황 속에서도 유교적 인륜과 의리 정신을 지켜야 한다고 보았다.

② 위정척사 사상에서는 일상적 문물에도 정신적 가치가 스며들어 있다고 보았다.

④ 동도서기론에서는 서양의 과학 기술을 수용한다고 해서 우리의 도(道)가 무너지는 것이 아니며, 오히려 과학 기술을 통해 우리의 도를 밝힐 수 있다고 보았다.

⑤ 위정척사 사상과 동도서기론은 모두 유교적 인륜 도덕을 지켜서 사회적 혼란을 극복하고자 하였다.

02 실학의 사상적 입장 이해

문제분석 제시문은 실학사상가인 박제가의 주장이다. 박제가는 공리공론이나 공허한 학문을 비판하면서 실용적인 학문을 추구하였다. 그는 이용(利用)과 후생(厚生)을 이루어야 정덕(正德)을 실현할 수 있다고 보았다. 이용은 기물의 사용을 편리하게 하는 것이고 후생은 생활을 윤택하게 하는 것이다.

정답찾기 ㄱ. 실학사상은 우수한 과학 기술은 서양의 것이라도 백성의 삶에 도움이 되며, 이는 정덕을 실현하는 데 도움이 된다고 보았다.

ㄴ. 실학사상은 나라가 발전하려면 노동을 경시하는 선비들의 의식이 바뀌어야 한다고 보았다.

오답피하기 ㄷ. 실학사상은 성리학의 공리공론적 측면을 비판하면서 실용적 학문을 추구해야 한다고 보았다.

ㄹ. 실학사상은 '이용(利用)'이 있은 후에 '후생(厚生)'할 수 있고, '후생'한 후에 '정덕(正德)'할 수 있다고 보았다. 따라서 학문에서 실용성뿐만 아니라 도덕성도 함께 추구하였다.

03 위정척사 사상과 동학의 사상적 입장 이해

문제분석 (가)의 갑은 위정척사 사상가인 김평묵, 을은 동학의 2대교주인 최시형이다. 위정척사 사상은 올바른 것, 즉 유교적 가치 체계와 문물은 지키고 사악한 것, 즉 천주교와 서양 문물은 배척해야 한다고 주장하였다. 동학은 우리 고유 사상인 경천사상을 기본으로 하면서 유교, 불교, 도교의 사상을 융합하여 성립되었다.

정답찾기 ③ 위정척사 사상의 입장에서 긍정의 대답을 할 질문이다. 위정척사 사상과 동학은 모두 인본주의를 바탕으로 나랏일을 돕고 백성을 편안하게 해야 한다는 보국안민(輔國安民)을 실현해야 한다고 보았다.

오답피하기 ① 위정척사 사상과 동학의 입장에서 모두 부정의 대답을 할 질문이다. 위정척사 사상은 서양의 종교와 학문을 모두 거부해야 한다고 보았다. 동학은 천주교와 같은 서학의 수용에 대해서는 부정적인 입장을 취하였다.
② 위정척사 사상의 입장에서 부정의 대답을 할 질문이다. 위정척사 사상은 서양의 정신문명뿐만 아니라 과학 기술과 문물을 모두 이단으로 규정하고, 서양과 일본 세력을 강력하게 배척하였다.
④ 동학의 입장에서 부정의 대답을 할 질문이다. 동학은 모든 인간은 평등한 존재라는 사해 평등주의를 표방하며, 기존의 성리학적 신분 질서에 반대한다.
⑤ 동학의 입장에서 부정의 대답을 할 질문이다. 동학은 모든 인간은 자기 안에 한울님을 모시고 있다[侍天主(시천주)]고 주장한다.

04 정제두의 사상적 입장 이해

문제분석 제시문은 정제두의 주장이다. 정제두는 도덕 문제의 판단 기준은 그것을 인식하고 실천하는 주체인 나 자신에게 있음을 강조하였다. 따라서 도덕적 주체인 인간이 참된 자아를 각성하고 도덕적 실천을 할 것을 주장하였다.

정답찾기 ㄷ. 정제두는 양명학에서 주장하는 심즉리(心卽理)를 이어받아 도덕적 행위의 근거를 마음 밖에 있는 사물의 이치가 아니라 자기 마음의 본체에서 찾아야 한다고 보았다.
ㄹ. 정제두는 천리인 양지(良知)는 내 마음속에 있으며 그것을 자각하여 실천할 때 도덕적인 인간이 될 수 있다고 보았다.

오답피하기 ㄱ. 성(性)이란 선을 좋아하고 악을 미워하는 경향성이라는 성기호설(性嗜好說)을 주장한 사상가는 정약용이다.
ㄴ. 정제두는 도덕적 시비 판단의 능력은 선천적으로 주어진 것이라고 보았다.

05 증산교와 원불교의 사상적 입장 이해

문제분석 갑은 증산교 사상가인 강일순, 을은 원불교를 창시한 박중빈이다. 증산교에서는 해원상생(解冤相生)을 통해 원한을 풀고 함께 조화롭게 살아갈 것을 강조하고, 현세에서 이상 세계를 실현할 것을 주장한다. 원불교는 기존의 불교 사상을 개혁하여 한국형 생활 불교를 표방하며 일상생활 속에서의 수행을 강조한다.

정답찾기 ㄱ. 증산교는 선천에서 상극의 이치[相剋之理(상극지리)]가 지배하여 원한이 쌓이게 되었으므로 천하 사람들의 온갖 원한들을 풀어 없애는 천지공사(天地公事)가 필요하다고 본다.
ㄴ. 원불교는 정신과 육체의 균형 있는 발전을 의미하는 영육쌍전(靈

肉雙全)을 강조한다.

오답피하기 ㄷ. 증산교와 원불교에서 모두 주장할 내용이다. 증산교는 상생, 해원, 보은 등을 중시하고, 원불교는 생활 속에서 보은, 평등, 자비 등의 실천을 강조한다.
ㄹ. 증산교와 원불교 모두 남녀와 신분을 차별하는 당시의 질서를 변화시켜야 한다고 주장하였다.

06 동학의 사상적 입장 이해

문제분석 제시문은 동학의 2대 교주인 최시형의 주장이다. 최시형은 최제우의 사상을 더욱 발전시켜 부녀자와 어린이도 동등한 인간이며 한울님을 모신 존재라고 하였다. 그리고 세상의 모든 존재가 소중하다고 강조하였다.

정답찾기 첫 번째 입장. 동학은 모든 사람에게 한울님의 지기(至氣)가 내재되어 있으므로 사람이 곧 하늘이라고 주장한다. 따라서 사람의 선한 본성은 하늘로부터 비롯된 것이라고 본다.
세 번째 입장. 동학은 모두가 본래의 마음을 지키고 기운을 바로잡아[守心正氣(수심정기)] 한울님의 성품을 거느리고 한울님의 가르침을 받으면 자연스럽게 세상에 교화가 이루어진다고 본다.
네 번째 입장. 동학은 모든 사람이 자기 안에 한울님을 모시고 있으므로 존엄한 존재라고 주장한다

오답피하기 두 번째 입장. 동학에서는 내세가 아니라 현세에서 사회 혼란을 극복하고 새로운 세계를 열고자 한다.

07 도가와 대승 불교의 이상적 인간상 이해

문제분석 (가)는 도가 사상가인 장자, (나)는 대승 불교 사상의 주장이다. 도가의 이상적 인간상은 지인(至人), 진인(眞人), 성인(聖人), 천인(天人), 신인(神人) 등이다. 이들은 겸허한 자세로 자연의 흐름에 따라 살아가며, 만물을 평등하게 보면서 정신적 자유를 누리는 사람이다. 대승 불교의 이상적 인간상은 보살이다. 보살은 위로는 깨달음을 구하고, 아래로는 중생 구제에 힘쓰는[上求菩提 下化衆生(상구보리 하화중생)] 사람이다. 즉 보살에게 중생 구제는 자신의 수행 완성에 필수적 요건이 된다.

정답찾기 ㄷ. 대승 불교에서는 현상의 참모습을 통찰하는 지혜[般若(반야)]를 갖추면 궁극적 목표인 해탈이나 열반에 이를 수 있다고 본다.
ㄹ. 도가와 대승 불교는 모두 인간이 타고난 성품을 바탕으로 살아가야 이상적 경지에 이를 수 있다고 본다.

오답피하기 ㄱ. 도가에서는 도의 관점에서 만물을 보면 시비, 선악, 미추, 빈부 등의 차별은 상대적인 것에 불과하며 그런 모든 차별은 의미 없다고 본다.
ㄴ. 도가에서는 노자의 사상을 계승하여 만물의 근원이자 변화의 원인을 도(道)라고 보며, 도에 따르는 삶을 살 때 덕이 드러난다고 주장한다. 이러한 도는 인격적 존재가 아니다.

08 유교, 도가, 대승 불교의 이상적 인간상에 대한 비교 이해

문제분석 제시문은 유교 사상가인 맹자의 주장이다. 유교의 이상적

인간상은 성인(聖人)이나 군자(君子)이다. 군자는 하늘로부터 부여받은 선한 본성을 보존하고, 사욕에 의해 가려진 자아의 완성을 위해 끊임없이 성찰하면서 개인의 도덕적 수양과 사회적 책무를 다하는 어진[仁(인)] 사람이다.

(정답찾기) ② 유교 사상가인 맹자는 예란 인의(仁義)를 알맞게 빛내는 것이고, 악(樂)이란 인의를 즐거워하여 우러나게 하는 것이라고 보았다.

(오답피하기) ① 맹자는 인위(人爲)를 통해 도가에서 추구하는 이상적 경지인 소요유에 이르러야 함을 주장하지 않았다.

③ 초기 불교뿐만 아니라 대승 불교에서도 인간은 탐욕, 성냄, 어리석음의 삼독(三毒)으로 인해 괴로움에 놓여 있다고 보고, 중도의 수행을 통해 괴로움의 완전한 소멸에 이를 것을 주장한다.

④ 대승 불교에서는 인간에게 부처가 될 수 있는 청정한 마음[自性淸淨心(자성청정심)]이 있다고 본다.

⑤ 유교에서는 이상적 삶을 위해 시비선악의 분별이 필요하다고 본다. 도가와 대승 불교는 모두 인간이나 사물에 대한 차별적이고 분별적인 인식을 버려야 한다고 본다.

09 불교와 원불교의 사상적 입장 이해

(문제분석) 갑은 석가모니, 을은 원불교를 창시한 박중빈이다. 불교는 계정혜(戒定慧) 삼학(三學)을 수행의 핵심으로 삼아 깨달음에 이를 것을 주장한다. 원불교는 삼학의 수행을 정신 수양, 사리 연구, 작업 취사로 정의한다. 수양은 정(定)이고 양성(養性)이며, 연구는 혜(慧)이고 견성(見性)이며, 취사는 계(戒)이며 솔성(率性)이라 하면서 이 공부를 지극히 하면 누구나 성불할 수 있다고 본다.

(정답찾기) ㄱ. 불교에서는 계를 지킴으로써 청정한 마음으로 절제된 생활을 할 수 있다고 본다. 이것이 뒷받침되지 않으면 마음의 오염과 혼란 때문에 선정에 이를 수 없고, 나아가 반야의 지혜도 성취할 수 없기 때문이다.

ㄷ. 불교와 원불교는 모두 수행에 의해 탐욕, 성냄, 어리석음의 삼독을 제거하면 해탈의 경지에 이를 수 있다고 본다.

ㄹ. 불교와 원불교는 모두 모든 존재와 현상이 연기의 원리에 따라 생겨나고, 유지되고, 변화하고, 소멸한다고 본다.

(오답피하기) ㄴ. 원불교는 현세에서 이상적 세계를 이룰 수 있다고 본다. 또한 업을 모두 소멸시키면 해탈할 수 있으므로 더 이상 윤회하지 않는다고 본다.

10 우리나라 고유 사상의 특징 이해

(문제분석) 제시문은 최치원의 글이다. 제시문에서는 이 땅에 유·불·도 사상이 전래하기 이전부터 우리 조상이 삶의 지침으로 삼았던 고유의 풍류도(風流道)에 대해 언급하면서, 그 안에 이미 유·불·도의 내용이 포함되어 있다고 주장하고 있다.

(정답찾기) ㄱ. 풍류도는 자연과 친화하는 고유한 전통 형성에 영향을 미쳤으며, 조화의 세계관과 정신을 담고 있다.

ㄷ. 풍류도에는 유·불·도 삼교(三敎)의 핵심 가르침이 담겨 있었으며, 우리 민족은 풍류도를 바탕으로 외래 사상인 삼교를 수용하고 발

전시키면서 한국 사상의 정체성을 형성하였다.

(오답피하기) ㄴ. 풍류도는 유·불·도의 가르침을 포함한 것으로서 초월자에 대한 절대적 신앙과는 거리가 멀다.

ㄹ. 풍류도에는 경천(敬天)사상과 같은 우리 고유의 사상이 녹아 있으며, 이는 유교와 불교가 전래되기 이전부터 우리 조상들이 생활 지침으로 삼았던 사상이다.

수능 실전 문제   본문 48~52쪽

01 ⑤	02 ③	03 ⑤	04 ③
05 ③	06 ④	07 ②	08 ⑤
09 ④	10 ④		

01 소크라테스의 사상적 입장 이해

문제분석 가상 대화의 스승은 소크라테스이다. 소크라테스는 쾌락이나 명성만을 추구하는 삶보다 영혼을 훌륭하게 돌보는 삶을 살아야 한다고 보았다.

정답찾기 ⑤ 소크라테스는 숙고와 반성을 통해 자신의 무지(無知)를 자각하고 지혜를 추구해야 한다고 보았다.

오답피하기 ① 소크라테스는 참된 앎을 지닌 사람은 덕 있는 사람이 되고 덕이 있는 사람은 행복한 삶을 살게 된다고 보았다.

② 소크라테스는 개별 사회의 전통·관습과 상관없이 보편적 기준에 따라 행위의 옳고 그름을 판단해야 한다고 보았다.

③ 소크라테스는 영혼을 훌륭하게 돌보는 것을 삶의 최우선 과제로 추구해야 한다고 보았다.

④ 소크라테스는 소피스트들과는 달리 정의(正義)의 의미를 밝혀서 보편적으로 규정할 수 있다고 보았다.

02 소크라테스와 프로타고라스의 입장 이해

문제분석 대화의 스승은 소크라테스, '어떤 사상가'는 소피스트인 프로타고라스이다. 소크라테스는 이성을 통해 보편적인 윤리를 파악할 수 있다고 보았다. 프로타고라스는 각 개인의 경험이 진리 및 도덕 판단의 기준이라고 보는 윤리적 상대주의를 주장하였다.

정답찾기 ③ 소크라테스는 이성적 숙고를 통해 다양한 의견들을 검토하는 과정에서 참된 앎을 얻을 수 있다고 보았다.

오답피하기 ① 소크라테스는 감각적 경험으로는 참된 앎을 얻을 수 없다고 보았다.

② 소크라테스는 자신과 타인이 제시하는 의견의 옳고 그름을 검토해야 한다고 보았다.

④ 소크라테스는 고통을 피하고 쾌락을 찾는 방식으로 참된 앎을 얻을 수 있다고 보지 않았다.

⑤ 소크라테스는 보편적인 앎을 찾을 수 있다고 보았으며 성찰을 통해 옳지 못한 자신의 주장을 수정할 수 있어야 한다고 보았다.

03 트라시마코스와 소크라테스의 입장 비교

문제분석 갑은 소피스트인 트라시마코스, 을은 소크라테스이다. 트라시마코스는 정의는 강자의 이익이라고 보았다. 트라시마코스에 따르면 통치자와 같은 강자들은 오직 자신의 이익을 추구하기 위해 법률을 제정하고 이를 약자에게 강요한다. 소크라테스는 정의는 약자

에게 이익이 되는 것이며 덕이자 지혜라고 보았다. 소크라테스에 따르면 올바른 통치자는 다스림을 받는 자에게 이익이 되는 통치를 한다.

정답찾기 ㄷ. 소크라테스는 정의로운 통치자는 통치술을 바탕으로 다스림을 받는 자를 돕는 전문가라고 보았다.

ㄹ. 트라시마코스는 정의의 실현을 통해 강자가 이익을 얻는다고 보았다. 반면에 소크라테스는 정의의 실현을 통해 다스림을 받는 사람들이 이익을 얻는다고 보았다.

오답피하기 ㄱ. 트라시마코스는 정의롭게 행동하는 것은 약자에게 해롭다고 보았다.

ㄴ. 소크라테스는 통치자는 정의에 대한 앎을 바탕으로 통치해야 한다고 보았다.

04 플라톤의 사상적 입장 이해

문제분석 제시문을 주장한 사상가는 플라톤이다. 플라톤은 통치자가 선의 이데아에 대한 인식을 바탕으로 통치하는 국가가 정의로운 국가라고 보았다.

정답찾기 ㄱ. 플라톤은 선 자체를 인식하고 실현할 수 있는 철학자가 통치자가 되어 국가를 다스려야 한다고 보았다.

ㄴ. 플라톤은 절제의 덕은 정의로운 국가의 세 계층이 모두 갖추어야 한다고 보았다.

오답피하기 ㄷ. 플라톤은 통치자가 지시하는 대로 따르는 계층 중에서 생산자는 사유 재산을 지닐 수 있다고 보았다.

05 플라톤과 베이컨의 사상적 입장 이해

문제분석 갑은 플라톤, 을은 베이컨이다. 플라톤은 참된 실재인 이데아에 대한 지식은 오직 이성을 통해서만 얻을 수 있다고 보았다. 베이컨은 참된 지식은 관찰과 실험 같은 경험적 방법을 통해 얻을 수 있다고 보았다.

정답찾기 ③ 플라톤은 긍정, 베이컨은 부정의 대답을 할 질문이다. 플라톤은 참된 지식은 불변하는 세계인 이데아계에 따로 존재하며 이성을 통해 인식할 수 있다고 보았다. 반면에 베이컨은 참된 지식을 감각과 경험을 통해 현실 세계에서 인식할 수 있다고 보았다.

오답피하기 ① 플라톤이 부정의 대답을 할 질문이다. 플라톤은 이성이 기개와 욕구를 지배해야 한다고 보았다.

② 베이컨이 긍정의 대답을 할 질문이다. 베이컨은 참된 지식을 활용하여 자연을 정복해야 한다고 보았다.

④ 플라톤과 베이컨이 모두 부정의 대답을 할 질문이다. 플라톤과 베이컨은 모두 인간이 참된 지식을 인식할 수 있다고 보았다.

⑤ 플라톤은 부정, 베이컨은 긍정의 대답을 할 질문이다. 플라톤은 참된 지식은 오직 이성을 통해서만 획득할 수 있다고 보았다. 반면에 베이컨은 감각적 경험을 바탕으로 한 실험을 통해 참된 지식을 획득할 수 있다고 보았다.

06 플라톤과 아리스토텔레스의 사상적 입장 이해

문제분석 갑은 플라톤, 을은 아리스토텔레스이다. 플라톤은 사물의 불변하는 본질인 이데아는 현실 세계가 아니라 이데아계에 따로 존재한다고 보았다. 아리스토텔레스는 좋음은 이데아계가 아니라 현실

세계에 존재한다고 보았다.

정답찾기 ㄱ. 플라톤은 좋음을 지닌 것들은 좋음 자체, 즉 좋음의 이데아에 의해 좋음을 가지게 된다고 보았다.

ㄴ. 아리스토텔레스는 좋음 자체가 좋은 것들로부터 나뉘어 떨어져서 존재하는 것은 아니라고 보았다.

ㄹ. 플라톤과 아리스토텔레스는 모두 좋음에 대한 앎이 행복한 삶을 실현하기 위해 반드시 필요하다고 보았다.

오답피하기 ㄷ. 아리스토텔레스는 각각의 좋음은 또 다른 상위의 좋음을 위한 수단이 될 수 있다고 보았다. 아리스토텔레스에 따르면 최고의 좋음인 행복만이 상위의 목적이 없는 궁극적인 목적이다.

07 아리스토텔레스의 사상적 입장 이해

문제분석 제시문을 주장한 사상가는 아리스토텔레스이다. 아리스토텔레스는 인간의 이성적인 부분에 해당하는 덕을 지성적 덕, 비이성적인 부분에 해당하는 덕을 품성적 덕이라고 보았다.

정답찾기 ㄱ. 아리스토텔레스는 최고선인 행복을 덕에 따르는 영혼의 활동이라고 보았다.

ㄷ. 아리스토텔레스는 실천적 지혜를 지닌 사람은 자신과 타인에게 좋은 것을 분별할 수 있다고 보았다.

오답피하기 ㄴ. 아리스토텔레스는 용기를 과도하지도 부족하지도 않은 품성적인 덕이라고 보았다. 아리스토텔레스에 따르면 용기는 대담함과 두려움에 관계하는 것으로 이것들이 지나치거나 모자라는 사람은 고귀한 품성 상태에 머무르지 못하게 된다.

ㄹ. 아리스토텔레스는 지성적 덕은 그 기원과 성장을 주로 가르침에 두고 있다고 보았다.

08 소크라테스와 아리스토텔레스의 사상적 입장 비교

문제분석 (가)의 갑은 소크라테스, 을은 아리스토텔레스이다. 소크라테스는 지식이 있는 사람은 덕행을 실천한다고 보았다. 아리스토텔레스는 자제력이 없는(의지가 나약한) 사람은 지식이 있음에도 불구하고 덕행을 하지 못할 수 있다고 보았다.

정답찾기 ⑤ 아리스토텔레스는 지식이 있음에도 실천하지 않는 사람을 자제력이 없는 사람이라고 보았다. 아리스토텔레스에 따르면 자제력 없는 사람이 도덕적으로 가장 열등한 사람은 아니다. 아리스토텔레스는 덕과 마찬가지로 악덕도 우리에게 달려 있다고 보았다. 아리스토텔레스는 스스로 합리적 선택을 하여 타인에게 해를 입히는 사람이 부정의한 사람이며 못된 사람이라고 주장하였다.

오답피하기 ① 소크라테스는 지식을 지닌 사람은 자신에게 좋은 것을 알기 때문에 쾌락에 제압당하는 경우가 없다고 보았다. 반면에 아리스토텔레스는 지식을 지닌 사람이 지식대로 행동하지 못할 수 있다고 보았다.

② 소크라테스와 아리스토텔레스는 모두 이성을 통해 보편적 가치를 파악할 수 있다고 보았다.

③ 소크라테스와 아리스토텔레스는 모두 진정으로 행복한 삶은 덕을 갖추어야 실현할 수 있다고 보았다.

④ 소크라테스는 지식을 획득하면 덕을 실천하게 된다고 보았다. 반면에 아리스토텔레스는 지식을 획득했음에도 덕을 실천하지 못할 수 있다고 보았다.

09 아리스토텔레스와 칸트의 사상적 입장 비교

문제분석 (가)의 갑은 아리스토텔레스, 을은 칸트이다. 아리스토텔레스는 행복이 덕에 따르는 영혼의 활동이라고 보았다. 칸트는 행복과 도덕이 양립 가능하지만 의무가 문제시될 때는 행복을 고려하지 말아야 한다고 보았다.

정답찾기 ㄱ. 아리스토텔레스는 긍정, 칸트는 부정의 대답을 할 질문이다. 아리스토텔레스는 행복을 실현하는 것이 덕의 궁극적인 목적이라고 보았다. 반면에 칸트는 행복을 실현하는 것이 덕의 궁극적 목적이라고 보지 않았다.

ㄴ. 아리스토텔레스는 긍정, 칸트는 부정의 대답을 할 질문이다. 아리스토텔레스에게 행복한 삶을 사는 사람은 덕에 따르는 영혼의 활동을 하는 사람이므로 곧 도덕적인 사람이다. 반면에 칸트는 행복한 삶을 사는 사람이 항상 도덕적인 삶을 사는 사람은 아니라고 보았다.

ㄷ. 아리스토텔레스가 긍정의 대답을 할 질문이다. 아리스토텔레스는 행위와 감정에 존재하는 중용을 파악하여 그에 해당하는 품성적 덕을 실제로 발휘할 때 행복을 성취할 수 있다고 보았다.

오답피하기 ㄹ. 칸트가 부정의 대답을 할 질문이다. 칸트는 행복이 경향성에 따른 것이라고 보았지만 도덕과 양립하는 것이 가능하다고 보았다.

10 매킨타이어의 사상적 입장 이해

문제분석 제시문을 주장한 사상가는 현대 덕 윤리 사상가 매킨타이어이다. 매킨타이어는 공동체의 전통과 역사를 바탕으로 공동체가 합의하고 공유하는 덕이 사회적 권위를 지니고 개인의 행동을 지도하고 판단하는 기준이 되어야 한다고 보았다.

정답찾기 ④ 매킨타이어는 행위자가 자신이 선택한 특정한 행위에 대해서만 도덕적 숙고를 해야 하는 것이 아니라 공동체 구성원으로서 자신이 선택하지 않은 행위에 대해서도 도덕적 숙고를 해야 한다고 보았다.

오답피하기 ① 매킨타이어는 덕의 실천이 행위자의 사회적 역할과 분리될 수 없다고 보았다.

② 매킨타이어는 행위의 옳고 그름을 판단하기보다 행위자의 품성에 주목해야 한다고 보았다.

③ 매킨타이어는 공동체의 전통과 역사를 통해 계승된 도덕적 가치를 공동체의 구성원이 중시해야 한다고 보았다.

⑤ 매킨타이어는 행위 자체보다 행위자가 처한 구체적 상황을 고려하여 행위자의 덕성을 판단해야 한다고 보았다.

수능 실전 문제　　　　　　　　　　본문 55~59쪽

01 ⑤	02 ②	03 ③	04 ①
05 ①	06 ⑤	07 ④	08 ③
09 ①	10 ③		

01 에피쿠로스의 사상적 입장 이해

문제분석 제시문의 '나'는 에피쿠로스이다. 에피쿠로스는 모든 욕구를 충족하는 데서 오는 쾌락이 아니라 고통을 제거함으로써 주어지는 쾌락을 추구하였다. 반면 제시문의 '어떤 사람'은 감각적이고 순간적인 쾌락을 추구해야 한다고 주장하였다.

정답찾기 ⑤ 에피쿠로스는 참된 쾌락이 몸의 고통과 마음의 불안이 모두 소멸된 상태라고 주장하였기 때문에 일시적 쾌락을 느끼는 상태보다 고통을 느끼지 않는 상태가 더 좋은 것이라고 보았다.

오답피하기 ① 에피쿠로스는 감각적이고 순간적인 쾌락이 아니라 정신적이고 지속적인 쾌락을 추구해야 한다고 주장하였다.
② 제시문의 '어떤 사람'은 육체적인 욕구를 최소한으로 충족하는 것이 아니라 지금 당장의 감각적이고 육체적인 쾌락을 최대한 추구해야 한다고 주장하였다.
③ 제시문의 '어떤 사람'은 정신적인 쾌락보다는 현재의 감각적인 쾌락을 추구하는 것이 바람직하다고 주장하였다.
④ 에피쿠로스와 '어떤 사람'은 모두 인간이 지향해야 하는 궁극적인 목적이 쾌락을 추구하는 것이라고 주장하였다.

02 에피쿠로스의 사상적 입장 이해

문제분석 그림의 강연자는 에피쿠로스이다. 에피쿠로스는 어떠한 쾌락도 그 자체로 나쁘지는 않다고 보았다. 그러나 모든 욕구를 적극적으로 충족하는 데서 오는 쾌락이 아니라 고통의 부재로서의 쾌락을 추구하였으며, 궁극적으로는 모든 고통이 제거된 상태가 지속됨으로써 주어지는 쾌락이 참된 쾌락이라고 주장하였다.

정답찾기 ㄱ. 에피쿠로스는 참된 쾌락을 누리려면 다양한 욕구 중에서 어떤 욕구를 추구하고 충족해야 하는지 이성적 숙고를 통해 신중하게 분별해야 한다고 주장하였다.
ㄹ. 에피쿠로스는 고통을 유발하는 행위라고 하더라도 그것이 순간의 고통보다 더 크고 지속적인 쾌락을 산출한다면, 그 고통을 참고 견딜 수 있다고 보았다. 따라서 고통을 유발하는 행위라도 쾌락을 유발하는 행위보다 높이 평가될 수 있는 경우가 있다고 주장하였다.

오답피하기 ㄴ. 에피쿠로스는 모든 선택과 회피를 행하는 궁극적 기준이 이성이 아니라 쾌락이라고 주장하였다.
ㄷ. 에피쿠로스는 쾌락이 그 자체로는 좋은 것이라고 주장하였다. 그러나 쾌락을 유발하는 모든 행위를 무차별적으로 추구해야 하는 것이 아니라 때로는 자신의 욕망을 참고 절제해야 한다고 보았다.

03 세네카와 에피쿠로스의 사상적 입장 비교

문제분석 갑은 스토아학파 사상가인 세네카이고, 을은 에피쿠로스이다. 세네카는 부동심[apatheia]에 이르기 위해서는 이성의 법칙에 따라 살아야 하며, 사회적 역할뿐만 아니라 인류의 공동선 실현에 기여해야 한다고 주장하였다. 에피쿠로스는 평정심[ataraxia]에 이르기 위해서는 은둔적 생활 속에서 친구와 우정을 나누며 살아야 한다고 주장하였다.

정답찾기 ③ 에피쿠로스는 만물이 원자들의 우연한 집합일 뿐이라고 주장하면서, 운명은 근거가 없는 미신이라고 보았다. 또한 에피쿠로스는 고통을 감내하는 삶이 아니라 고통으로부터 벗어난 삶을 추구하였다.

오답피하기 ① 세네카는 어떠한 상황에서도 동요하지 않는 정신 상태를 추구하였다.
② 세네카에 따르면 인간은 공동체의 구성원으로서 자신이 맡은 사회적 역할을 다하여 공동선에 기여하는 삶을 살아야 한다.
④ 에피쿠로스는 정치적 활동이 평정심에 이르는 데 도움이 되지 않는다고 보았으며, 정치적 활동을 인간의 본성상 필수적인 일이라고 여기지 않았다.
⑤ 세네카는 이성을 따르는 삶을 통해 부동심에 이르러야 한다고 보았고, 에피쿠로스는 이성으로써 욕구를 분별하고 절제하는 삶을 통해 평정심에 이르러야 한다고 보았다. 따라서 세네카와 에피쿠로스는 모두 이성적인 사고를 바탕으로 마음이 평온한 삶을 추구하였다.

04 플라톤과 에피쿠로스의 사상적 입장 비교

문제분석 (가)의 갑은 플라톤, 을은 에피쿠로스이다. 플라톤은 영혼의 정의(正義)란 영혼의 각 부분이 각각의 덕을 갖추어 전체적으로 조화를 이룬 상태라고 주장하였다. 에피쿠로스는 정의란 사람들이 서로를 해치지 않고 해침을 당하지 않도록 지켜 주려는 상호 이득을 위한 협정이라고 주장하였다.

정답찾기 ㄱ. 플라톤은 긍정, 에피쿠로스는 부정의 대답을 할 질문이다. 플라톤은 에피쿠로스와 달리 정의의 완전하고 이상적인 원형, 즉 정의의 이데아가 존재한다고 주장하였다.
ㄷ. 플라톤이 긍정의 대답을 할 질문이다. 플라톤은 영혼을 이성, 기개, 욕구 세 부분으로 구분하고, 각 부분에 해당하는 지혜, 용기, 절제의 덕을 갖추고 세 부분이 서로 조화를 이룰 때 이상적인 삶을 살 수 있다고 보았다.

오답피하기 ㄴ. 플라톤과 에피쿠로스 모두 긍정의 대답을 할 질문이다. 플라톤은 영혼의 세 부분이 각자 훌륭하게 자신의 역할을 수행하여 조화를 이룰 때 정의로운 사람이 되고 행복한 삶을 살 수 있다고 보았다. 에피쿠로스는 정의로운 삶을 통해 안전을 도모하며 살아갈 때 행복한 삶을 살 수 있다고 보았다.
ㄹ. 에피쿠로스가 부정의 대답을 할 질문이다. 에피쿠로스는 정치 참여와 같은 공적인 삶보다는 은둔적 생활 속에서 친구와 우정을 나누며 살아야 한다고 주장하였다.

05 에픽테토스와 에피쿠로스의 사상적 입장 비교

문제분석 갑은 스토아학파 사상가인 에픽테토스, 을은 에피쿠로스이다. 에픽테토스는 이 세계의 모든 일은 일어나게 되어 있는 일들이 일어나는 것이기 때문에, 운명에 순응하는 삶을 살아야 한다고 보았다. 에피쿠로스는 쾌락이 행복한 삶의 시작이자 끝이라고 보면서, 자연적이고 필수적인 욕구만을 최소한으로 충족하는 소박한 삶이 참된 쾌락을 가져다준다고 보았다.

정답찾기 ① 에픽테토스는 우리의 생각과 태도가 우리가 조절할 수 있는 유일한 것일 뿐만 아니라 이것들이 일어나는 사건을 두려운 것으로 만들기도 하고 바람직한 것으로 만들기도 한다고 주장하였다.

오답피하기 ② 에픽테토스는 우리의 육체에 일어나는 일들이나 명성 등은 우리의 조절 능력을 넘어서는 것이라고 주장하였다.
③ 에피쿠로스는 평정심에 이르기 위해 자연적이고 필수적인 욕구를 최소한으로 충족해야 한다고 주장하였다.
④ 에픽테토스와 에피쿠로스는 모두 행복한 삶을 살기 위해서는 욕구를 절제하는 삶을 살아야 한다고 주장하였다.
⑤ 에피쿠로스는 에픽테토스와 달리 어떠한 쾌락도 그 자체로는 나쁘지 않다고 주장하였다.

06 아우렐리우스의 사상적 입장 이해

문제분석 가상 편지를 쓴 사상가는 스토아학파 사상가인 아우렐리우스이다. 아우렐리우스는 모든 일이 신에 의해 운명 지어진 것이라고 보았고, 자연의 필연적 질서를 파악하고 따를 때 평온한 삶을 살 수 있다고 주장하였다.

정답찾기 ⑤ 아우렐리우스는 인간이 필연적 법칙에 따라 움직이는 자연의 한 부분이기 때문에 자신에게 자연적으로 일어나는 모든 일을 기꺼이 받아들여야 한다고 보았다.

오답피하기 ① 아우렐리우스는 우주 내에 존재하는 모든 것은 거대한 유기체인 우주의 한 부분으로서만 존재할 수 있다고 보았고, 사회 전체가 언제나 개인들의 집합으로서만 존재한다고 주장하지 않았다.
② 아우렐리우스는 어떠한 상황에서도 동요하지 않는 정신 상태, 즉 정념의 지배로부터 벗어난 상태인 부동심[apatheia]을 추구해야 한다고 보았다.
③ 아우렐리우스는 인간이 인류의 한 부분이며 한 국가의 구성원이기도 하기 때문에 동료 시민을 위해 유익한 일을 하고 공공의 이익을 위한 노력을 기울여야 한다고 보았다.
④ 아우렐리우스에 의하면 세상의 모든 일은 자연의 필연적 법칙에 따라 일어난다.

07 아우구스티누스의 사상적 입장 이해

문제분석 제시문을 주장한 사상가는 아우구스티누스이다. 아우구스티누스는 완전하고 영원한 천상의 국가와 불완전하고 유한한 지상의 국가를 구분하고, 천상의 국가는 신을 사랑하는 사람들로 이루어진 국가라고 보았다.

정답찾기 ㄱ. 아우구스티누스는 인간이 완전하고 영원한 천상의 국가에 들어가기 위해서는 자기 자신보다는 신을 더 사랑해야 한다고 보았다.
ㄴ. 아우구스티누스는 신이 최고선이며, 신을 사랑하는 사람만이 선을 실현하며 참된 행복에 이르게 된다고 주장하였다.
ㄷ. 아우구스티누스는 종교적 덕인 믿음, 소망, 사랑 중 최고의 덕은 사랑이라고 보았고, 플라톤의 사주덕, 즉 지혜, 용기, 절제, 정의도

신에 대한 사랑의 다른 표현이라고 주장하였다. 즉 지혜란 신을 지향하는 데 필요한 것이 무엇인가를 분별할 줄 아는 사랑이고, 용기란 신 그 자체를 위하여 기꺼이 모든 것을 감당하는 사랑이며, 절제란 자신을 완전히 신에게 바치는 사랑이고, 정의란 신에게만 헌신하는 사랑이라고 보았다.

오답피하기 ㄹ. 아우구스티누스는 인간이 현세의 삶을 살면서 기껏해야 천상의 국가와 지상의 국가 모두의 구성원이 될 수 있을 뿐이며 완전히 어느 한 국가에 속할 수는 없다고 주장하였다.

08 아우구스티누스와 루터의 사상적 입장 비교

문제분석 (가)의 갑은 아우구스티누스, 을은 루터이다. 아우구스티누스는 신앙으로써 신에게 귀의하여 신과 하나가 될 때, 신과 이웃을 온전히 사랑할 수 있게 된다고 보았다. 루터는 교회의 면죄부 판매를 비판하면서 구원은 신의 은총에 의해서만 가능하다고 보았다.

정답찾기 ③ 아우구스티누스와 루터는 모두 오직 신의 은총과 신에 대한 믿음을 통해서만 인간이 구원받을 수 있다고 보았다. 따라서 B에 들어갈 입장으로 적절하다.

오답피하기 ① 아우구스티누스는 신을 이성적 인식을 넘어 실존적으로 만나야 하는 인격적 존재로 보았다. 따라서 A에 들어갈 입장으로 적절하지 않다.
② 아우구스티누스는 악이 실체로서 존재하는 것이 아니라 선이 결여된 상태라고 보았고, 따라서 악은 신의 창조물이 아니라 인간 행위의 결과라고 주장하였다. 따라서 A에 들어갈 입장으로 적절하지 않다.
④ 루터는 구원이 교회 의식이나 선행이 아니라 신앙과 신의 은총에 의해 가능하다고 주장하였기 때문에, 교회의 종교적 권위보다 개인의 종교적 믿음이 더 중요하다고 보았다. 따라서 B에 들어갈 입장으로 적절하지 않다.
⑤ 아우구스티누스는 진정으로 만족스럽고 참된 행복을 가져다주는 평화는 신이 창조한 질서가 보존될 때에만 드러나게 된다고 주장하였다. 따라서 C에 들어갈 입장으로 적절하지 않다.

09 아퀴나스의 사상적 입장 이해

문제분석 제시문을 주장한 사상가는 아퀴나스이다. 아퀴나스는 영원법이 인간의 자연적 성향에 반영되어 있으며, 인간은 이성을 통해 자연적 성향을 인식하고 따름으로써 영원법에 참여할 수 있다고 주장하였다.

정답찾기 첫 번째 입장. 아퀴나스는 자연법이 영원법에 기초하듯 실정법은 자연법에 기초해야 한다고 주장하였다. 따라서 자연법을 위반할 경우 실정법은 정당성을 상실하게 된다고 보았다.
세 번째 입장. 아퀴나스는 영원법 전부가 인간의 본성에 반영되어 있는 것은 아니라고 주장하였다. 특히 종교적 의무와 같은 것들은 오직 신의 계시를 통해서만 밝혀진다고 보았다.

오답피하기 두 번째 입장. 아퀴나스는 동식물도 신의 영원법을 분유받았기 때문에, 이들도 영원법에 복종하고 있다고 보아야 한다고 주장하였다. 그러나 그는 동식물이 인간과 달리 이성 없이 본능적으로 영원법에 참여하고 있는 것이라고 보았다.
네 번째 입장. 아퀴나스는 자연법이 인간의 이성에 의해 인식된 영원법이라고 주장하였다.

10 아리스토텔레스와 아퀴나스의 사상적 입장 비교

문제분석 (가)의 갑은 아리스토텔레스, 을은 아퀴나스이다. 아리스토텔레스는 인간의 모든 행위가 선(善)을 목적으로 추구하며, 인간 행위의 궁극적 목적, 즉 최고선은 행복이라고 주장하였다. 아퀴나스는 인간의 최고 행복이 신과 하나가 되는 것이며, 이것은 신의 은총에 의해 내세에서 가능하다고 주장하였다.

정답찾기 ③ 아퀴나스는 아리스토텔레스와는 달리 인간의 완전한 행복은 신의 은총에 의해 내세에서 가능하다고 주장하였다.

오답피하기 ① 아리스토텔레스는 이 세상을 개별적인 실체들로 이루어진 하나의 세계로 보면서 좋음 자체, 즉 좋음의 이데아가 존재한다는 주장을 부정하였다.

② 아리스토텔레스와 아퀴나스는 모두 최고선이 완전하고 자족적인 특성을 지닌 것이라고 보았다. 따라서 아리스토텔레스가 아퀴나스에게 할 수 있는 비판으로 적절하지 않다.

④ 아퀴나스와 아리스토텔레스는 모두 인간이 행복을 위해 노력해야 한다고 보았다. 따라서 아퀴나스가 아리스토텔레스에게 할 수 있는 비판으로 적절하지 않다.

⑤ 아퀴나스와 아리스토텔레스는 모두 인간이 완전한 행복에 도달하려면 이성의 탁월한 발휘가 필요하다고 주장하였다. 따라서 아퀴나스가 아리스토텔레스에게 할 수 있는 비판으로 적절하지 않다.

THEME 09 도덕적 판단과 행동의 근거: 이성과 감정

수능 실전 문제

본문 63~68쪽

01 ③	02 ⑤	03 ②	04 ①
05 ①	06 ⑤	07 ③	08 ⑤
09 ③	10 ④	11 ①	12 ②

01 데카르트의 사상적 입장 이해

문제분석 그림의 강연자는 데카르트이다. 데카르트는 확실한 지식을 찾기 위해 의심할 수 있는 모든 것을 의심한 후, 더 이상 의심할 수 없는 한 가지 사실에 이르게 되었는데, 그것은 '의심하고 있는 내가 있다.'라는 것이었다. 따라서 그는 "나는 생각한다. 그러므로 나는 존재한다."라는 명제를 철학의 제1원리로 삼았다.

정답찾기 ③ 데카르트는 확실한 지식을 연역해 내기 위해서는 절대로 의심할 수 없는 명제를 그 출발점으로 삼아야 하며, 이러한 명제를 찾기 위해서는 의심할 수 있는 모든 것을 의심해 보아야 한다고 주장하였다.

오답피하기 ① 데카르트는 방법적 회의를 통해 "나는 생각한다. 그러므로 나는 존재한다."라는 철학의 제1원리를 도출하였다.

② 데카르트는 자명한 진리를 얻기 위해서는 감각적 경험이 아니라 이성적 추론에 근거해야 한다고 보았다.

④ 데카르트는 의심할 수 없는 지식이 귀납적 방법이 아닌 연역적 방법으로 얻어진다고 보았다.

⑤ 데카르트는 논리적 추론을 통해 확실한 명제를 정립할 수 있다고 주장하였다.

02 프로타고라스와 베이컨의 사상적 입장 비교

문제분석 갑은 프로타고라스, 을은 베이컨이다. 프로타고라스는 "인간은 모든 것의 척도이다."라고 주장하면서, 각 개인을 진위 판단의 기준으로 보았다. 베이컨은 새로운 진리 탐구의 방법으로 실험과 지성을 중시하는 귀납법을 제시하였다.

정답찾기 ⑤ 베이컨은 프로타고라스와 달리 인간의 감각적 능력을 바탕으로 보편적인 지식을 도출할 수 있다고 보았다. 따라서 베이컨이 프로타고라스에게 제기할 수 있는 비판으로 적절하다.

오답피하기 ① 프로타고라스는 사물의 존재 여부를 판단하는 기준이 개인이라고 주장하였다. 따라서 베이컨이 프로타고라스에게 제기할 수 있는 비판으로 적절하지 않다.

② 프로타고라스와 베이컨은 모두 개인의 경험을 바탕으로 지식을 획득할 수 있다고 주장하였다. 따라서 베이컨이 프로타고라스에게 제기할 수 있는 비판으로 적절하지 않다.

③ 베이컨은 관찰을 통한 지식의 일반화 과정에서 이성의 도움이 필요하다고 주장하였다. 따라서 베이컨이 프로타고라스에게 제기할 수 있는 비판으로 적절하지 않다.

④ 베이컨은 자연 과학적 지식을 참된 지식으로 보고, 이러한 지식을

통해 자연을 지배하고 인간의 생활 방식을 개선할 수 있다고 주장하였다. 따라서 베이컨이 프로타고라스에게 제기할 수 있는 비판으로 적절하지 않다.

03 베이컨과 데카르트의 사상적 입장 비교

문제분석 갑은 베이컨, 을은 데카르트이다. 베이컨은 귀납법을 강조하면서, 자연을 이해하기 위해서는 참된 인식을 방해하는 선입견과 편견, 즉 우상(偶像)에서 벗어날 것을 주장하였다. 데카르트는 연역법을 강조하면서, 절대로 의심할 수 없는 명제를 출발점으로 삼아 확실한 지식을 연역해야 한다고 주장하였다.

정답찾기 ㄱ. 베이컨과 데카르트는 모두 참된 지식을 발견하는 과정에서 이성의 역할이 필요하다고 보았다. 따라서 베이컨과 데카르트가 모두 긍정의 대답을 할 질문이다.
ㄷ. 베이컨은 전통이나 권위에 대한 무비판적 믿음을 '극장의 우상'으로 보고, 이를 타파해야 한다고 보았다. 데카르트는 의심할 수 있는 모든 것을 의심해야 한다고 보았다. 따라서 베이컨과 데카르트가 모두 긍정의 대답을 할 질문이다.

오답피하기 ㄴ. 데카르트는 확실한 지식은 귀납적 방법이 아니라 연역적 방법으로 얻어진다고 보았다. 따라서 데카르트가 부정의 대답을 할 질문이다.
ㄹ. 베이컨은 전통적인 삼단 논법과 같은 연역적 방법이 자연에 대한 참된 지식을 획득하게 하는 데 한계가 있다고 보았다. 따라서 베이컨이 부정의 대답을 할 질문이다.

04 스피노자의 사상적 입장 이해

문제분석 가상 대화의 선생님은 스피노자이다. 스피노자는 신이 자연 그 자체라고 보았고, 자연에서 일어나는 모든 일은 원인과 결과로 필연적으로 연결되어 있다고 보았다.

정답찾기 ① 스피노자는 만물의 궁극적인 원인인 신, 즉 자연과 이 원인으로부터 사물이 발생하는 필연적인 인과 질서를 이성적으로 관조해야 마음의 안정과 평화를 누릴 수 있다고 보았다.

오답피하기 ② 스피노자는 세상의 모든 일은 원인과 결과로 필연적으로 연결되어 있기 때문에, 세계에 우연성과 자유 의지가 들어설 곳이 없다고 보았다.
③ 스피노자는 인간이 신, 즉 자연의 필연적인 인과 질서로부터 벗어나는 것은 불가능하다고 보았다.
④ 스피노자는 신을 자연 바깥에 존재하는 초월적 창조자 또는 인격신이 아니라 자연 그 자체라고 보았다.
⑤ 스피노자는 각자가 자신의 능력을 통하여 할 수 있는 한에서 자신의 존재를 보존하려고 노력한다고 주장하였다.

05 제논과 스피노자의 사상적 입장 비교

문제분석 (가)의 갑은 스토아학파의 사상가인 제논, 을은 스피노자이다. 제논은 자연의 일부인 인간은 신적 이성을 나누어 가지고 있고, 인간은 이성을 통해 자연의 필연적 질서를 파악하고 따를 수 있다고 보았다. 스피노자는 신, 즉 자연은 존재하는 유일한 실체이고, 자연의 개별 사물은 하나의 실체가 보여 주는 여러 가지 모습인 양태라고 보았다.

정답찾기 ㄱ. 제논과 스피노자는 모두 이성을 통해 자연법칙을 아는 것이 진정한 행복을 실현하는 데 도움이 된다고 보았다. 따라서 A에 들어갈 질문으로 적절하다.
ㄴ. 제논과 스피노자는 모두 인간이 자연의 일부분이고 세상의 모든 일은 원인과 결과로 필연적으로 연결되어 있기 때문에 자연의 질서에서 벗어날 수 없다고 보았다. 따라서 A에 들어갈 질문으로 적절하다.

오답피하기 ㄷ. 스피노자는 최고의 행복이 신에 대한 직관적 인식에서 생기는 정신의 만족이라고 주장하였다. 따라서 스피노자가 긍정의 대답을 할 질문이다.
ㄹ. 스피노자는 신, 즉 자연이 유일한 실체이고 절대적으로 무한한 존재이기 때문에 신이 무한한 속성을 소유하고 있다고 주장하였다. 따라서 스피노자가 부정의 대답을 할 질문이다.

06 아우구스티누스와 스피노자의 사상적 입장 비교

문제분석 갑은 아우구스티누스, 을은 스피노자이다. 아우구스티누스는 인간이 추구해야 할 최고선을 신이라고 주장하였고, 신을 이성적 인식을 넘어 실존적으로 만나야 할 인격적 존재라고 보았다. 스피노자는 신이 자연 그 자체라고 주장하였고, 최고의 행복은 신에 대한 직관적 인식에서 생기는 정신적 만족이라고 보았다.

정답찾기 ⑤ 아우구스티누스는 신이 인간에게 자유 의지를 부여했다고 주장하였다. 스피노자는 필연성에서 벗어나 자유 의지를 가지는 것은 불가능하지만, 이성을 계발하고 이성이 인도하는 삶을 살면 정념의 속박에서 벗어나 자유로운 삶을 살 수 있다고 보았다. 따라서 아우구스티누스는 부정의 대답, 스피노자는 긍정의 대답을 할 질문이다.

오답피하기 ① 아우구스티누스가 긍정의 대답을 할 질문이다. 아우구스티누스는 최고선이 신의 은총에 의해서만 달성된다고 보았다.
② 스피노자가 부정의 대답을 할 질문이다. 스피노자에 의하면 세상의 모든 일은 원인과 결과로 필연적으로 연결되어 있기 때문에 세계에 우연성이 들어설 곳은 없다.
③ 아우구스티누스는 긍정, 스피노자는 부정의 대답을 할 질문이다. 아우구스티누스는 스피노자와 달리 인간의 참된 행복이 신에 의해 내세에서 가능하다고 보았다.
④ 아우구스티누스가 긍정의 대답을 할 질문이다. 아우구스티누스는 악이 실체로서 존재하는 것이 아니라 선이 결여된 상태라고 주장하였다.

07 플라톤과 스피노자의 사상적 입장 비교

문제분석 (가)의 갑은 플라톤, 을은 스피노자이다. 플라톤은 세계를 현상계와 이데아계로 구분하며, 이데아란 사물의 완전하고 이상적인 원형이라고 주장하였다. 스피노자는 이성을 온전히 사용하여 만물의 궁극적 원인인 신, 즉 자연과 이 원인으로부터 사물들이 발생하는 필연적인 인과 질서를 인식해야 한다고 주장하였다.

정답찾기 ③ 플라톤과 스피노자는 모두 인식의 근거가 되는 궁극적인 원인이 존재한다고 보았다. 플라톤은 모든 인식의 근거가 되는 하나의 궁극적 원인을 선의 이데아라고 보았고, 스피노자는 신, 즉 자연이라고 보았다. 따라서 B에 들어갈 입장으로 적절하다.

오답피하기 ① 플라톤은 좋음의 원형, 즉 선의 이데아는 이데아계에 존재한다고 보았다. 따라서 A에 들어갈 입장으로 적절하지 않다.
② 플라톤과 스피노자는 모두 인간이 지닌 모든 욕망을 제거해야 한다고 주장하지 않았다. 따라서 B에 들어갈 입장으로 적절하지 않다.
④ 플라톤과 스피노자는 모두 진정한 행복을 실현하려면 이성을 탁월하게 발휘해야 한다고 보았다. 따라서 C가 아니라 B에 들어갈 입장으로 적절하다.
⑤ 스피노자는 인간의 감각적 경험을 초월한 절대적인 진리가 존재한다고 보았다. 따라서 C에 들어갈 입장으로 적절하지 않다.

08 흄의 사상적 입장에 대한 이해

문제분석 제시문을 주장한 사상가는 흄이다. 흄은 선악이 이성적으로 판단되는 것이 아니라, 어떤 사람의 행위나 품성을 바라볼 때 느끼는 시인(是認)의 감정이나 부인(否認)의 감정을 표현한 것이라고 주장하였다.

정답찾기 ⑤ 흄은 덕이 감정에 의해 느껴지는 것이지만 인간이 지닌 공감 능력 때문에 보편적일 수 있다고 주장하였다.

오답피하기 ① 흄은 다른 사람의 행복과 불행을 함께 느낄 수 있는 공감 능력이 도덕성의 기초라고 주장하였다.
② 흄에 의하면 덕과 악덕은 감정에 의해 느껴지는 것이기 때문에 인간의 마음과 독립적으로 실재하는 것은 아니다.
③ 흄은 모든 종류의 쾌락이 아니라 사회적으로 유익한 것이 시인의 감정을 유발한다고 주장하였다.
④ 흄은 우리의 도덕성이 일종의 감정, 즉 도덕감으로서 발생한다고 주장하였다.

09 흄과 스피노자의 사상적 입장 비교

문제분석 가상 대화의 갑은 흄, 을은 스피노자이다. 흄은 감정이 도덕적 실천의 직접적 동기가 될 수 있지만 이성은 그렇지 못하다고 보았기 때문에, 도덕적 구별과 행위에서 더 중요한 것은 이성이 아니라 감정이라고 주장하였다. 스피노자는 정념의 속박에서 벗어나 자유로운 삶을 살기 위해서는 이성을 계발하고 이성이 인도하는 삶을 살아야 한다고 주장하였다.

정답찾기 ㄱ. 흄은 도덕적 행위를 유발하는 직접적인 동기가 이성이 아니라 감정이라고 보았다.
ㄷ. 흄은 감정 중심적 윤리 사상을, 스피노자는 이성 중심적 윤리 사상을 주장하였으나 두 사상가는 모두 이성과 감정이 도덕적 삶을 사는 데 도움을 줄 수 있다고 보았다.

오답피하기 ㄴ. 스피노자는 인간은 자기를 보존하려는 욕구를 가지고 있고, 각자 자신의 능력을 통하여 할 수 있는 한에서 자기를 보존하려고 노력해야 한다고 보았다. 따라서 스피노자에 의하면 자기를 보존하려는 인간의 욕구와 이성은 언제나 대립하는 것은 아니다.

10 에피쿠로스와 흄의 사상적 입장 비교

문제분석 제시문을 주장한 사상가는 에피쿠로스이다. 에피쿠로스는 모든 고통이 제거된 상태가 지속됨으로써 주어지는 쾌락을 추구하였다.

정답찾기 ④ 흄은 에피쿠로스와 달리 개인적 차원의 쾌락이 아니라 사회적 행복에 유용한 행위를 추구해야 한다고 보았다. 따라서 흄이

에피쿠로스에게 제기할 수 있는 비판으로 적절하다.

오답피하기 ① 에피쿠로스는 이성을 통해 욕구를 분별하고 절제하는 삶을 살아야 한다고 주장하였다. 따라서 흄이 에피쿠로스에게 제기할 수 있는 비판으로 적절하지 않다.
② 에피쿠로스는 쾌락이 그 자체로 좋은 것이지만, 모든 욕구를 적극적으로 충족해야 하는 것은 아니라고 주장하였다. 따라서 흄이 에피쿠로스에게 제기할 수 있는 비판으로 적절하지 않다.
③ 에피쿠로스에 의하면 덕은 쾌락과 무관하게 그 자체로 바람직한 가치를 지닐 수 없다. 따라서 흄이 에피쿠로스에게 제기할 수 있는 비판으로 적절하지 않다.
⑤ 흄은 덕과 악덕이 각각 시인과 부인의 감정으로 느껴지며 서로 구별된다고 보았다. 따라서 흄이 에피쿠로스에게 제기할 수 있는 비판으로 적절하지 않다.

11 흄의 사상적 입장 이해

문제분석 제시문을 주장한 사상가는 흄이다. 흄에 의하면 사회 전체의 이익이나 행복에 유용한 행위는 타인에게 시인의 감정을 불러일으키고 사람들로 하여금 도덕적 행동을 하도록 이끈다. 〈문제 상황〉 속 A는 자신이 모아 두었던 용돈을 기아 구제 단체에 기부할지에 대해 고민하고 있다.

정답찾기 ① 흄은 공감 능력이 도덕성의 기초라고 보았다. 따라서 A에게 제시할 수 있는 조언으로 적절하다.

오답피하기 ② 흄은 자신의 욕구보다는 사회적으로 유익한 것을 추구해야 한다고 보았다. 따라서 A에게 제시할 수 있는 조언으로 적절하지 않다.
③ 흄은 사람들에게 사회적 시인의 감정을 일으킬 행동을 해야 한다고 주장하였다. 따라서 A에게 제시할 수 있는 조언으로 적절하지 않다.
④ 흄은 이성의 명령보다는 타인의 어려움에 대한 동정심에 따라 행동해야 한다고 보았다. 따라서 A에게 제시할 수 있는 조언으로 적절하지 않다.
⑤ 흄은 의무 의식에서 비롯된 행위보다는 공감 능력을 바탕으로 한 행위를 해야 한다고 보았다. 따라서 A에게 제시할 수 있는 조언으로 적절하지 않다.

12 데카르트와 흄의 사상적 입장 비교

문제분석 갑은 데카르트, 을은 흄이다. 데카르트는 이성적 추론의 토대가 되는 확실한 원리를 찾기 위하여 방법적 회의를 통해 모든 것을 의심해야 한다고 주장하였다. 흄은 도덕적 구별과 행위에서 중요한 것은 이성이 아니라 감정이라고 보면서, 이성은 도덕적 실천의 직접적인 동기가 될 수 없다고 주장하였다.

정답찾기 ㄱ. 데카르트는 이성적 추론을 강조하였기 때문에 진리 탐구 과정에서 이성이 활용되어야 한다고 보았다.
ㄹ. 데카르트와 흄은 모두 인간이 지닌 이성적인 능력을 인정하였다. 즉 인간이 지닌 이성은 추론 및 참과 거짓을 판단하는 역할을 한다고 보았다.

오답피하기 ㄴ. 흄에 의하면 이성은 감정들이 근거로 삼고 있는 믿음의 타당성과 진실성을 밝혀 주는 등의 역할을 통해 정념에 봉사해야

한다.

ㄷ. 흄은 데카르트와 달리 회의주의적 인식론을 주장하였기 때문에 자명한 진리를 인식할 수 없다고 보았다.

THEME 10 옳고 그름의 기준: 의무와 결과

수능 실전 문제

본문 72~77쪽

01 ③	02 ①	03 ⑤	04 ⑤
05 ③	06 ①	07 ②	08 ②
09 ④	10 ②	11 ④	12 ④

01 칸트의 사상적 입장 이해

문제분석 제시문을 주장한 사상가는 칸트이다. 칸트는 도덕적 행위란 의무 의식이 동기가 된 행위라고 규정하고, 본능적 욕구의 저항을 극복하고 도덕 법칙을 의무로 수용할 것을 강조하였다.

정답찾기 ㄷ. 칸트에 따르면 어떠한 행위가 의무로부터 비롯되었다면 그 행위는 유용성의 증진 여부와 관계없이 도덕적 가치를 지닌다. ㄹ. 칸트는 행위의 선악을 결정하는 것은 행위의 결과가 아니라 행위의 동기인 의지라고 보았다.

오답피하기 ㄱ. 칸트는 도덕적 의무 이행과 자신의 행복의 추구는 양립 가능하다고 보았다. 다만 의무를 이행해야 할 때는 자신의 행복을 고려하지 말아야 한다고 보았다. ㄴ. 칸트는 선의지의 지배를 받는 행위가 도덕적 가치를 지닌다고 보았다.

02 흄과 칸트의 사상적 입장 이해

문제분석 (가)의 갑은 흄, 을은 칸트이다. 흄은 감정이 도덕적 실천의 직접적 동기가 될 수 있지만 이성은 그렇지 못하다고 보았다. 칸트는 도덕 법칙은 우리 안의 실천 이성이 자율적으로 수립한 법칙이며, 선의지는 도덕 법칙을 따르려는 의지라고 주장하였다.

정답찾기 ㄱ. 흄만의 입장에 해당한다. 흄은 동정심과 같은 도덕적 감정에서 비롯된 행위는 도덕적 가치를 지닐 수 있다고 보았다. 그러나 칸트는 동정심에서 비롯된 행위는 도덕적 가치를 지닐 수 없다고 보았다. ㄴ. 흄과 칸트의 공통 입장에 해당한다. 흄은 이성이 도덕적 행위의 직접적인 동기가 될 수는 없지만 도덕적 행위를 위한 최선의 수단을 알려 주는 역할을 할 수 있다고 보았다. 칸트는 실천 이성이 수립한 도덕 법칙에 대한 자발적 존중에서 비롯된 행위가 도덕적 행위라고 보았다.

오답피하기 ㄷ. 칸트에 따르면 인간은 자율적으로 수립한 도덕 법칙을 따를 수 있는 존재이므로 의지의 자율과 도덕적 의무의 이행은 양립할 수 있다. ㄹ. 칸트의 입장에 해당하지 않는다. 칸트는 행위의 결과가 아닌 동기가 행위의 도덕적 가치를 판단하는 기준이라고 보았다.

03 로스와 칸트의 사상적 입장 이해

문제분석 갑은 로스, 을은 칸트이다. 로스는 하나의 의무는 또 다른 의무와 갈등하기 전까지는 우리를 잠정적으로 구속하지만 의무 간에 갈등이 발생할 경우 상대적으로 약한 의무는 유보되고 강한 의무가 우리의 실제적인 의무가 된다고 보았다. 칸트는 의무를 도덕 법칙에 대한 존경심으로 인해 그 도덕 법칙이 명령하는 행위를 하지 않을 수 없는 필연성으로 보았다.

(정답찾기) ⑤ 로스가 칸트에게 제기할 적절한 비판이다. 칸트는 보편타당하고 절대적인 도덕적 의무를 따라야 한다는 입장이다. 그러나 조건부 의무론을 주장한 로스는 언제 어디서나 준수해야 할 절대적 의무는 존재하지 않는다는 입장이다.

(오답피하기) ① 칸트는 도덕 법칙을 따르려는 의지인 선의지만이 그 자체로 유일하게 선한 것이라고 보았다.
② 칸트는 도덕 법칙은 이성적 존재인 인간이 따라야 할 절대적인 법칙이자 인간에게 의무의 형태를 지니게 된다고 보았다.
③ 칸트는 어떤 행위가 좋은 결과를 가져오더라도 행위의 동기인 의지가 선하지 않다면 선한 행위가 아니라고 보았다.
④ 로스는 의무 간에 갈등이 발생할 경우 인간이 따라야 할 실제적 의무는 상식과 직관을 통해 파악할 수 있다고 보았다.

04 에피쿠로스와 칸트의 사상적 입장 이해

(문제분석) 갑은 에피쿠로스, 을은 칸트이다. 에피쿠로스는 참된 쾌락을 몸의 고통과 마음의 불안이 모두 소멸된 상태라고 보았다. 칸트는 도덕 법칙이 인간이 따라야 할 절대적이고 보편타당한 실천 법칙이며 정언 명령의 형식으로 나타난다고 보았다.

(정답찾기) ㄷ. 칸트는 도덕 법칙이 이성적 존재인 인간에게 의무의 형태를 지니며 도덕 법칙을 따르려는 의지를 선의지라고 보면서 인간이 따라야 할 도덕적 의무는 선의지에서 비롯된다고 주장하였다.
ㄹ. 에피쿠로스는 이성으로써 욕구를 분별하고 절제하는 검소한 삶을 살아갈 것을 강조하였다. 칸트는 우리 안의 실천 이성이 자율적으로 수립한 도덕 법칙을 따르는 삶을 강조하였다.

(오답피하기) ㄱ. 에피쿠로스는 자연적이고 필수적인 욕구를 충족하지 못하면 고통과 불안이 발생할 수 있다고 보았다.
ㄴ. 칸트는 개인의 주관적 행위 원리인 준칙이 보편화 가능하다면 도덕 법칙이 될 수 있다고 보았다.

05 칸트와 벤담의 사상적 입장 이해

(문제분석) 갑은 칸트. 을은 벤담이다. 칸트는 의무로부터 비롯되어 자신의 행복을 촉진하는 행위는 도덕적 가치가 있다고 보았다. 벤담은 양적 공리주의를 주장하면서 쾌락의 양을 계산할 수 있다고 보았다.

(정답찾기) ㄷ. 칸트가 '예'라고 대답할 질문이다. 칸트는 도덕 법칙이 우리 안의 실천 이성이 자율적으로 수립한 법칙이므로 도덕 법칙을 따르는 것은 자율적인 행위라고 보았다.
ㄹ. 벤담이 '예'라고 대답할 질문이다. 벤담은 쾌락은 선이고 고통은 악이라고 규정하고, 최대 다수의 최대 행복의 결과를 만든 행위는 행위의 동기와 관계없이 도덕적 행위라고 보았다.

(오답피하기) ㄱ. 칸트와 벤담이 모두 '예'라고 대답할 질문이다. 칸트는 자신의 행복 산출 여부와 관계없이 의무 의식에서 비롯된 행위는 도덕적 행위라고 보았다. 벤담은 자신의 행복이 산출되지 않더라도 최대 다수의 최대 행복의 실현에 기여한 행위는 도덕적 행위라고 보았다.
ㄴ. 칸트와 벤담이 모두 '예'라고 대답할 질문이다. 칸트는 절대적이고 보편타당한 실천 법칙인 도덕 법칙을 따르는 행위가 도덕적 행위라는 입장이다. 벤담은 보편적 도덕 원리인 공리의 원리를 따르는 행위가 도덕적 행위라는 입장이다.

06 밀, 칸트, 벤담의 사상적 입장 이해

(문제분석) 제시문을 주장한 사상가는 질적 공리주의를 주장한 밀이다. 밀은 벤담의 입장을 계승하면서도 쾌락에는 질적인 차이가 있으며 쾌락의 양뿐만 아니라 질적인 차이도 고려해야 함을 주장하였다.

(정답찾기) ① 칸트는 자신의 행복 추구와 의무의 이행은 양립 가능하다고 보았지만 의무를 이행해야 할 때에는 자신의 행복을 고려하지 말아야 한다고 보았다.

(오답피하기) ② 칸트는 행위의 옳고 그름은 행위의 결과가 아닌 동기를 통해 판단해야 한다는 입장이다. 반면 밀은 행위의 옳고 그름은 행위의 결과를 통해 판단해야 한다는 입장이다.
③ 벤담은 모든 쾌락은 오직 양적인 차이만 있다는 양적 공리주의를 주장하였다. 반면 밀은 쾌락에는 양적인 차이뿐만 아니라 질적인 차이도 존재한다는 질적 공리주의를 주장하였다.
④ 벤담은 쾌락을 평가하는 기준은 오직 쾌락의 양이며 쾌락의 양을 계산할 수 있다고 주장하였다. 반면 밀은 쾌락을 평가할 때 양과 질을 모두 고려해야 한다고 주장하였다.
⑤ 칸트는 타인을 위해 자신을 희생한 행위라도 의무 의식이 동기가 되지 않았다면 도덕적 가치를 지닐 수 없다는 입장이다. 벤담은 타인을 위해 자신을 희생했더라도 쾌락의 양보다 고통의 양이 더 크다면 도덕적 가치를 지닐 수 없다는 입장이다.

07 벤담과 에피쿠로스의 사상적 입장 이해

(문제분석) 갑은 벤담, 을은 에피쿠로스이다. 양적 공리주의자인 벤담은 쾌락의 양을 계산할 수 있으며, 이때 고려해야 할 기준에는 강도, 지속성, 확실성, 근접성, 다산성, 순수성, 범위가 있다고 주장하였다. 에피쿠로스는 모든 욕구를 적극적으로 충족하는 데서 오는 쾌락이 아니라 고통을 제거함으로써 주어지는 쾌락을 추구해야 한다고 주장하였다.

(정답찾기) ㄱ. 벤담은 긍정, 에피쿠로스는 부정의 대답을 할 질문이다. 벤담은 최대 다수의 최대 행복의 원리를 도덕과 입법의 원리라고 보면서 사회 전체의 행복 증진에 기여하는 행위가 도덕적 행위라고 보았다. 그러나 에피쿠로스는 공적인 삶에 참여하는 것은 고통과 불안의 원인이 된다고 보면서 평정심에 이르기 위해서는 은둔적 생활을 해야 한다고 보았다.
ㄷ. 벤담은 긍정, 에피쿠로스는 부정의 대답을 할 질문이다. 벤담은 쾌락의 양을 증진하는 행위가 옳은 행위라고 보았다. 그러나 에피쿠로스는 모든 고통이 소멸되면 쾌락은 더 이상 증가하지 않는다고 보면서 몸의 고통과 마음의 불안이 모두 소멸된 상태를 지향해야 한다

고 주장하였다.

오답피하기 ㄴ. 벤담과 에피쿠로스가 모두 부정의 대답을 할 질문이다. 벤담은 모든 쾌락은 질적인 차이가 없다는 입장이므로 감각적 쾌락의 배제를 주장하지 않았다. 에피쿠로스는 어떠한 쾌락도 그 자체로 나쁜 것은 아니라고 보았다.

ㄹ. 벤담이 부정의 대답을 할 질문이다. 벤담에 따르면 모든 쾌락은 질적인 차이는 없고 오직 양적인 차이만 있다.

08 규칙 공리주의와 행위 공리주의의 입장 이해

문제분석 (가)는 규칙 공리주의, (나)는 행위 공리주의의 입장이다. 규칙 공리주의는 행위의 옳고 그름이 최대의 공리를 산출하는 규칙과의 일치 여부에 따라 결정된다는 입장이다. 행위 공리주의는 공리의 원리를 개별 행위에 직접 적용하여 더 많은 공리를 산출하는 행위가 옳은 행위라는 입장이다.

정답찾기 ㄱ. 규칙 공리주의는 행위의 옳고 그름은 최대의 공리를 산출하는 규칙과의 일치 여부에 따라 결정된다고 본다.

ㄷ. 행위 공리주의는 쾌락은 선이고 고통은 악이며, 쾌락을 산출하고 고통을 피하는 결과를 낳는 행위가 옳은 행위라고 본다.

오답피하기 ㄴ. 행위 공리주의는 행위의 동기가 아닌 행위의 결과를 고려하여 행위의 도덕적 가치를 판단해야 한다는 입장이다.

ㄹ. 규칙 공리주의와 행위 공리주의는 행위자의 의지가 아닌 행위의 결과를 토대로 행위의 옳고 그름을 판단해야 한다는 입장이다.

09 벤담과 밀의 사상적 입장 이해

문제분석 갑은 벤담, 을은 밀이다. 벤담은 쾌락에는 양적인 차이만 존재한다는 양적 공리주의를 주장하였다. 밀은 쾌락에는 질적인 차이가 있으며, 쾌락의 양뿐만 아니라 질적 차이도 고려해야 한다는 질적 공리주의를 주장하였다.

정답찾기 ④ 벤담은 모든 쾌락은 질적인 차이가 없고 양적인 차이만 있다는 입장이다. 그러나 밀은 질적으로 높은 쾌락은 질적으로 낮은 다량의 쾌락보다 더 가치가 있다고 보았다.

오답피하기 ① 벤담과 밀은 모두 쾌락은 선이고 고통은 악이므로 쾌락을 증진하고 고통을 감소시키는 행위를 지향해야 한다는 입장이다.

② 벤담과 밀은 모두 행위의 도덕적 가치를 행위가 산출한 유용성을 토대로 판단해야 한다는 입장이다.

③ 벤담과 밀은 모두 관련된 이해 당사자들의 행복을 공평하게 고려하여 최대 행복을 가져오는 행위를 해야 한다는 입장이다.

⑤ 밀은 행복 추구의 원리가 개인이 따라야 할 도덕 원리가 될 수 있다는 입장이다.

10 칸트, 벤담, 흄의 사상적 입장 이해

문제분석 (가)의 갑은 칸트, 을은 벤담, 병은 흄이다. 칸트는 도덕 법칙을 우리 안의 실천 이성이 자율적으로 수립한 법칙이라고 보았다. 벤담은 최대 다수의 최대 행복을 추구하는 공리의 원리를 도덕과 입법의 원리로 제시하였다. 흄은 선악이 이성적으로 판단되는 것이 아

니라 어떤 사람의 행위나 품성을 바라볼 때 느끼는 시인과 부인의 감정을 표현한 것이라고 보았다.

정답찾기 ② 칸트는 행위의 사회적 유용성 여부와 관계없이 행위의 동기를 토대로 선악을 판단해야 한다고 보았다. 반면 벤담은 사회적 유용성을 증진한 행위가 도덕적 행위라고 보았다. 흄은 사회적으로 유용한 것에 대한 시인과 부인의 감정을 토대로 행위의 선악을 분별해야 한다고 보았다.

오답피하기 ① 칸트는 의무 의식이 동기가 된 행위만이 도덕적 가치를 지닐 수 있다는 입장이다.

③ 벤담은 사회가 개인들의 집합체이므로 사회 전체의 행복은 구성원 개개인의 행복의 총합이라는 입장이다.

④ 흄은 도덕적 실천의 직접적인 동기는 감정이며, 이성은 감정의 보조적인 역할만을 한다고 보았다.

⑤ 흄은 타인의 행복과 불행에 대한 공감 능력이 도덕성의 기초이며, 사회적으로 유익한 것에 시인의 감정을 갖는 것은 공감의 능력 때문이라고 보았다.

11 밀의 사상적 입장 이해

문제분석 그림의 강연자는 밀이다. 밀은 질이 높은 쾌락은 질이 낮은 쾌락보다 더 가치 있으며, 정상적인 인간이라면 누구나 쾌락의 질적 차이를 분별하고 질적으로 높고 고상한 쾌락을 추구할 것이라고 주장하였다.

정답찾기 ㄱ. 밀에 따르면 품위는 인간 행복의 필수적인 부분이다. 그래서 그는 욕구의 대상을 분별하고 질적으로 높은 쾌락을 추구하여 자신의 품위를 지켜야 한다고 주장하였다.

ㄴ. 밀은 인간에게 다른 사람의 선을 위해 자신의 최대 선을 희생할 수 있는 힘이 있다고 보았다.

ㄹ. 밀은 최대 행복을 산출해야 한다는 유용성의 원리로부터 인간이 따라야 할 도덕적 의무가 도출된다고 보았다.

오답피하기 ㄷ. 밀은 어떤 행위의 도덕적 가치는 행위 그 자체에 내재해 있는 것이 아니라 행위의 결과에 따라 달라진다고 보았다.

12 칸트와 밀의 사상적 입장 이해

문제분석 갑은 칸트, 을은 밀이다. 칸트는 선의지를 오직 어떤 행위가 옳다는 이유만으로 그 행위를 실천하려는 의지라고 규정하고, 선의지만이 무제한적으로 선하다고 주장하였다. 밀은 단순한 감각적 쾌락보다는 지성, 감정과 상상력 등 고등한 능력을 발휘하는 데서 얻을 수 있는 정신적 쾌락을 추구해야 한다고 주장하였다.

정답찾기 ④ 밀은 저급한 쾌락을 선택하기보다는 고상한 쾌락을 추구하면서 불만족한 상태가 되는 것이 바람직하다고 보았다.

오답피하기 ① 칸트는 자신의 행복 추구와 도덕적 의무 이행은 양립 가능하다고 보았다. 다만 행복과 의무가 상충할 때는 의무를 따라야 한다고 보았다.

② 칸트는 도덕이 행복이나 다른 무엇을 위한 수단이 아니라 그 자체가 목적이라고 보았다.

③ 밀은 쾌락을 측정하는 데 있어 수량에만 의존하는 것은 잘못이라

고 비판하면서 쾌락의 양뿐만 아니라 질적 차이도 고려해야 한다고 보았다.

⑤ 칸트는 행위의 동기가 선하지 않다면 타인을 돕는 행위가 도덕적 행위가 될 수 없다고 보았다. 밀은 타인을 돕는 행위라도 쾌락보다 더 큰 고통이 산출되는 결과를 초래했다면 도덕적 행위가 될 수 없다고 보았다.

현대의 윤리적 삶: 실존과 실용

수능 실전 문제
본문 80~84쪽

01 ③	02 ⑤	03 ③	04 ①
05 ①	06 ④	07 ⑤	08 ②
09 ⑤	10 ③		

01 키르케고르와 사르트르의 사상적 입장 이해

문제분석 갑은 키르케고르, 을은 사르트르이다. 키르케고르는 인간이 선택의 상황에서 불안을 느끼는데 주체적 결정을 회피하면서 빠지게 되는 절망을 죽음에 이르는 병이라고 보았다. 사르트르는 인간의 본질이나 목적을 정해 줄 신은 존재하지 않으며, 인간은 먼저 실존하고 자신을 스스로 형성해 나가는 존재라고 보았다.

정답찾기 ③ 사르트르에 따르면 인간은 자유롭도록 운명 지워진 존재로서 스스로 자신의 모든 것을 선택하고 그에 대해 책임을 져야 한다.

오답피하기 ① 키르케고르는 불안과 절망을 극복하기 위해서는 합리적 사고가 아닌 신 앞에 선 단독자로서 생각하고 행동해야 한다고 보았다.

② 키르케고르가 말하는 신은 인격신이며, 모든 것을 신에게 맡기고 살아가기로 결단할 때 참된 실존을 회복할 수 있다고 보았다.

④ 사르트르는 절망의 극복은 신앙을 통해 이루어지는 것이 아니라 인간의 주체적인 노력을 통해 이루어진다고 보았다.

⑤ 사르트르는 인간에게 미리 주어진 본질이나 삶의 목적은 없다고 보았다.

02 스피노자와 키르케고르의 사상적 입장 이해

문제분석 갑은 스피노자, 을은 키르케고르이다. 스피노자는 신, 즉 자연은 존재하는 유일한 실체이며 자연의 개별 사물은 하나의 실체가 보여 주는 여러 가지 모습인 양태라고 보았다. 키르케고르는 신 앞에 홀로 서서 모든 것을 신에게 맡기고 살아가기로 주체적으로 결단할 때 참된 실존을 회복할 수 있다고 보았다.

정답찾기 ⑤ 스피노자가 말하는 신은 인격신이나 초월적 창조자가 아니라 자연 그 자체이다.

오답피하기 ① 스피노자는 신, 즉 자연이 존재하는 유일한 실체이며 인간은 신의 양태로서의 지위를 갖는다고 보았다.

② 스피노자는 사물의 궁극적 원인과 이 원인으로부터 사물들이 발생하는 질서를 인식할 때 행복을 누릴 수 있다고 보았다.

③ 키르케고르는 인간이 윤리적 실존 단계가 아닌 종교적 실존 단계에서 참된 실존을 회복할 수 있다고 보았다.

④ 키르케고르는 '주체성이 진리'라고 하면서 실존적 상황에서 객관성이 아니라 주체성만이 답을 줄 수 있다고 보았다.

03 데카르트와 사르트르의 사상적 입장 이해

문제분석 갑은 데카르트, 을은 사르트르이다. 데카르트는 방법적 회의를 통해 절대 의심할 수 없는 명제인 "나는 생각한다. 그러므로 나는 존재한다."라는 철학의 제1원리를 발견하였다. 사르트르는 인간을 주체적인 선택을 통해 자신의 삶을 만들어 나가는 존재라고 보았다.

정답찾기 ㄴ. 사르트르는 자신의 선택에 대하여 자신뿐만 아니라 타인에 대해서도 책임져야 한다고 보았다.

ㄷ. 사르트르는 인간을 자유롭도록 운명 지워진 존재라고 주장하면서 인간은 선택할 수 있는 자유가 있지만 자유 자체는 선택할 수 없다고 보았다.

오답피하기 ㄱ. 데카르트는 관찰과 실험을 통해 얻은 지식은 단편적이고 우연한 지식이라고 보았다.

ㄹ. 사르트르는 인간에게 삶의 객관적 목적이 있다고 보지 않았다. 그에 따르면 인간은 주체적인 선택을 통해 자신의 삶을 만들어 나가야 한다.

04 사르트르의 사상적 입장 이해

문제분석 그림의 강연자는 사르트르이다. 사르트르는 '실존은 본질에 앞선다.'라고 하면서 인간은 우연히 이 세상에 내던져진 존재로서 먼저 실존한 다음 자신을 스스로 형성해 가는 존재라고 보았다.

정답찾기 ㄱ. 사르트르는 인간이 주체적인 결단을 통해 불안에서 벗어나 자신의 선택에 책임지는 삶을 살 수 있다고 보았다.

ㄴ. 사르트르는 인간이 지향해야 할 삶의 목적을 정해 줄 신은 존재하지 않기 때문에 인간은 스스로를 만들어 나가는 존재라고 보았다.

오답피하기 ㄷ. 사르트르는 인간이 아닌 사물은 목적이나 본질이 먼저 정해진 후에 존재한다고 보았다.

ㄹ. 사르트르는 인간에게 타고난 본질이나 미리 주어진 삶의 목적은 존재하지 않는다고 보았다.

05 하이데거와 야스퍼스의 사상적 입장 이해

문제분석 갑은 하이데거, 을은 야스퍼스이다. 하이데거는 죽음에 대한 자각을 통해 삶의 소중함을 깨닫고 참된 실존을 회복할 수 있다고 보았다. 야스퍼스는 한계 상황에서 개인의 주체적 결단을 통해 참된 실존을 회복할 수 있다고 보았다.

정답찾기 ㄱ. 하이데거는 인간이 죽음에 대한 불안을 안고 살아가지만 불안은 참된 실존을 회복하는 계기가 될 수 있다고 보았다.

ㄴ. 하이데거는 동물과 달리 인간은 자신의 죽음을 예견하고 존재의 의미를 물을 수 있는 존재라고 보았다.

오답피하기 ㄷ. 야스퍼스는 인간이 한계 상황을 직시하고 주체적 결단을 내릴 때 초월자의 존재를 수용할 수 있다고 보았다.

ㄹ. 하이데거와 야스퍼스는 객관적 진리 파악보다는 구체적인 삶의 문제 해결에 힘써야 한다고 보았다.

06 제임스의 사상적 입장 이해

문제분석 제시문을 주장한 사상가는 제임스이다. 제임스는 지식과 신념은 우리의 삶에 유용할 때 가치가 있다고 보면서 실생활에서 사

용할 수 있는 유용성을 지닌 가치를 현금 가치라고 불렀다.

정답찾기 ㄴ. 제임스가 긍정의 대답을 할 질문이다. 제임스는 지식은 그 자체로서 가치를 지니는 것이 아니라, 우리의 삶에 이롭고 유용할 때 비로소 가치를 지닌다고 보았다.

ㄹ. 제임스가 긍정의 대답을 할 질문이다. 제임스는 종교나 문학처럼 사람들이 의미 있는 삶을 사는 데 도움을 주는 학문은 현금 가치를 지닌다고 보았다.

오답피하기 ㄱ. 제임스가 부정의 대답을 할 질문이다. 제임스는 진리가 확고부동하고 절대적인 불변의 것이 아니라 현실 생활을 이롭게 하는 것이라고 보았다.

ㄷ. 제임스가 부정의 대답을 할 질문이다. 제임스는 어떠한 지식이나 학문이 경제적 이익을 산출하지 않아도 의미 있는 삶을 살아가는 데 도움이 된다면 현금 가치를 지닌다고 보았다.

07 듀이의 사상적 입장 이해

문제분석 제시문을 주장한 사상가는 듀이이다. 듀이는 지식은 그 자체가 목적이 아니라 인간이 직면한 문제를 해결하여 환경에 적응하는 데 유용한 수단이나 도구라고 보았다.

정답찾기 ⑤ 듀이는 인간이 직면하는 문제 상황을 해결하기 위한 대안은 다양하게 존재할 수 있으며 유용성을 기준으로 여러 대안의 가치를 판단하여 선택해야 한다고 보았다.

오답피하기 ① 듀이는 고정적이고 절대적인 도덕적 가치는 존재하지 않는다고 보았다.

② 듀이는 공동체의 전통과 관행도 상황에 맞게 끊임없이 수정하고 발전시켜 나가야 한다고 보았다.

③ 듀이는 하나의 가설이 유용한 결과를 산출했더라도 상황이 변화하면 그 가설은 다른 가설로 대체될 수 있다고 보았다.

④ 듀이는 지식이나 가치는 인간이 처한 문제 상황을 해결하기 위한 수단이라는 도구주의를 주장하였다.

08 듀이와 베이컨의 사상적 입장 이해

문제분석 (가)의 갑은 듀이, 을은 베이컨이다. 듀이는 실험적이고 창조적인 지성을 통해 문제 상황에서 올바른 선택을 할 수 있다고 보았다. 베이컨은 관찰과 실험을 통해 자연을 탐구해야 함을 강조하였다.

정답찾기 ㄴ. 듀이와 베이컨은 모두 유용한 지식을 얻기 위한 탐구 과정에서 실험과 관찰의 중요성을 강조하면서도 이성의 도움도 필요하다는 입장이다.

ㄷ. 듀이는 과학적이고 지성적인 탐구를 통해 사회가 성장하고 진보할 수 있다고 보았다. 베이컨은 자연 과학적 지식은 인간의 삶을 개선할 수 있다고 보았다.

오답피하기 ㄱ. 듀이는 고정적이고 절대적인 지식이나 가치는 존재하지 않는다고 보았다.

ㄹ. 듀이는 인간이 환경과 상호 작용하는 과정에서 문제 상황에 직면하게 되며 실험적 태도와 과학적 탐구를 통해 문제를 해결해 나가야 한다고 보았다.

09 밀과 듀이의 사상적 입장 이해

문제분석 갑은 밀, 을은 듀이이다. 밀은 공리의 원리를 도덕적 행위를 위한 근본 원리라고 보았다. 듀이는 도덕이나 윤리는 변화하는 것이며 성장 자체가 도덕의 유일한 목적이라고 보았다.

정답찾기 ㄴ. 듀이는 지식이 인간이 직면하는 문제 상황의 해결에 유용할 때 가치가 있다고 보았다.

ㄷ. 듀이는 고정적이고 절대적인 도덕이나 지식을 부정하고 지식은 시대나 상황에 따라 변화하는 것이라고 보았다.

ㄹ. 공리주의는 어떤 행위가 최대 다수의 최대 행복의 원리에 부합한다면 행위는 도덕적 가치가 있다는 입장이다. 듀이는 문제 상황에 직면하여 어떠한 행위의 결과가 유용성을 창출했다면 도덕적으로 가치가 있다는 입장이다.

오답피하기 ㄱ. 밀은 쾌락의 질적 차이는 경험을 통해 파악할 수 있다고 보았다. 그에 따르면 질적으로 높은 쾌락과 낮은 쾌락을 모두 경험한 사람이 어느 한 쾌락을 선호한다면 그 쾌락이 더 바람직한 쾌락이다.

10 칸트와 듀이의 입장 이해

문제분석 갑은 칸트, 을은 듀이이다. 칸트는 도덕 법칙은 이성적 존재가 따라야 할 절대적이고 보편타당한 실천 법칙이라고 보았다. 듀이는 도덕이 유용한 결과가 예상되는 일종의 가설이며 문제 상황을 해결하기 위한 수단이라고 보았다.

정답찾기 ③ 칸트에 비해 듀이의 입장이 갖는 상대적 특징은 '좋은 결과를 산출하는 행위를 해야 함을 강조하는 정도(X)'는 높고, '절대적 도덕 원리에 따라 행위 해야 함을 강조하는 정도(Y)'는 낮으며, '도덕은 목적이 아니라 수단임을 강조하는 정도(Z)'는 높다. 따라서 ⓒ이 정답이다.

수능실전문제

본문 87~90쪽

01 ①	02 ②	03 ⑤	04 ③
05 ③	06 ④	07 ④	08 ⑤

01 노자의 사상적 입장 이해

문제분석 그림의 강연자는 노자이다. 노자는 인위적 규범과 문명의 이기(利器)가 사회를 혼란하게 만든다고 주장하였다.

정답찾기 ① 노자는 시비를 엄격하게 분별하는 것을 부정적으로 보았다.

오답피하기 ② 노자는 겸허와 부쟁의 덕을 갖춰 무위자연의 삶을 살아야 한다고 주장하였다.

③ 노자는 국가의 규모가 작고 구성원의 수가 적은 소국 과민 사회를 바람직한 사회로 제시하였다.

④ 노자는 인위적인 규범과 사회 제도가 사회 혼란의 원인이라고 보았다.

⑤ 노자는 문명의 이기(利器)를 거부하고 자연의 이치를 따르는 소박한 삶을 지향해야 한다고 보았다.

02 플라톤의 사상적 입장 이해

문제분석 제시문을 주장한 사상가는 플라톤이다. 플라톤은 지혜의 덕을 갖춘 철학자가 통치자가 되어야 하며, 통치자는 공적 생활을 위해 재산을 공유해야 한다고 보았다.

정답찾기 ㄴ. 플라톤에 의하면 수호자들 가운데 통치자가 될 수 있는 자격은 50세 이상이면서 이데아를 인식할 수 있으며, 어떠한 덕에서도 뒤떨어지지 않아야 한다.

오답피하기 ㄱ. 플라톤은 철학자가 통치하는 철인 정치를 주장하면서 정치권력과 철학의 결합을 강조하였다.

ㄷ. 플라톤은 분쟁과 갈등을 방지하기 위해 통치자에게 사유 재산의 축적이 금지되어야 한다고 보았다.

03 공자와 노자의 사상적 입장 이해

문제분석 갑은 공자, 을은 노자이다. 공자는 통치자가 백성을 형벌로 다스리기보다는 예와 덕으로써 이끌어야 한다고 보았다. 노자는 무위지치(無爲之治), 즉 인위적인 다스림이 없는 정치를 이상적인 정치라고 보았다.

정답찾기 ⑤ 노자는 예법을 인위적이라고 보고 여기에서 벗어나 무위의 삶을 살아야 한다고 보았다.

오답피하기 ① 공자는 통치자가 백성을 경제적으로 풍요롭게 해 주고 도덕적으로 교화해야 한다고 보았다.

② 공자는 사회적 혼란을 극복하기 위해 정명(正名)을 이루어야 한다고 보았다.

③ 노자는 통치자가 인위적인 정책을 시행하기보다는 백성들이 소박한 본성대로 살도록 무위로써 통치해야 한다고 보았다.
④ 노자는 무위의 다스림을 이상적인 정치라고 보았다.

04 모어와 플라톤의 사상적 입장 이해

문제분석 갑은 모어, 을은 플라톤이다. 모어의 유토피아는 경제적으로 풍요롭고 사람들은 필요한 만큼 물품을 자유롭게 가져갈 수 있다. 플라톤의 이상 국가에서는 통치자, 방위자, 생산자의 세 계층이 조화를 이루고 있다.

정답찾기 ③ 플라톤은 통치자가 지혜뿐 아니라 용기와 절제의 덕목도 갖추어야 한다고 보았다.

오답피하기 ① 유토피아에서는 사유 재산이 존재하지 않으며 평등이 실현된다.
② 유토피아에서는 경제적으로 풍요롭고 정신적 자유를 누릴 수 있다.
④ 플라톤은 철인 정치를 주장하였으며 민주 정치를 부정적으로 보았다.
⑤ 유토피아에서는 하루 여섯 시간 동안 노동에 종사하고 나머지 시간은 여가로 활용할 수 있다.

05 마르크스와 롤스의 사상적 입장 이해

문제분석 갑은 마르크스, 을은 롤스이다. 마르크스는 공산 사회에서는 국가와 계급이 소멸된다고 보았다. 롤스는 정의로운 사회의 실현을 위해 시민들 간 장기간에 걸친 공정한 협력 체계로서 사회를 이룰 수 있게 하는 재산 소유 민주주의를 제시하였다.

정답찾기 ③ 롤스는 자본과 재화 소유의 분산을 통해 소수가 경제 및 간접적으로는 정치적 삶까지도 통제하는 것을 막는 사회를 지향하였다.

오답피하기 ① 마르크스는 공산 사회에서는 생산력이 발달하고 평등이 실현된다고 보았다.
② 마르크스는 공산 사회에서는 생산 수단이 공유되고 계급과 국가가 사라질 것이라고 보았다.
④ 롤스는 차등의 원칙 실현을 목적으로 기본권을 침해해서는 안 된다고 주장하였다.
⑤ 롤스는 사유 재산제의 폐지를 주장하지 않았다.

06 모어와 베이컨의 사상적 입장 이해

문제분석 갑은 모어, 을은 베이컨이다. 모어는 유토피아에서는 사람들이 필요 이상의 노동을 할 필요가 없고 정신적 자유를 누리며 살아갈 수 있다고 보았다. 베이컨은 과학 기술의 발전으로 물질적으로 풍요로워진 이상 사회인 뉴 아틀란티스를 제시하였다.

정답찾기 ㄱ. 모어는 유토피아의 사람들은 일정한 시간 동안 노동을 하고 나면 여가를 향유할 수 있다고 보았다.
ㄴ. 베이컨은 솔로몬 학술회 회원들은 연구 결과를 책으로 출판하여 이를 일반인에게 알리기도 한다고 보았다.
ㄷ. 베이컨은 솔로몬 학술회 회원들은 과학 기술로 자연의 진리를 탐

구하고 그 결과를 활용한다고 보았다.

오답피하기 ㄹ. 모어가 제시한 유토피아는 경제적으로 풍요롭고, 사람들이 정신적 자유를 추구하는 사회이다.

07 마르크스의 사상적 입장 이해

문제분석 제시문을 주장한 사상가는 마르크스이다. 마르크스는 프롤레타리아 혁명을 통해 자본주의를 붕괴시키고 공산 사회를 이룰 수 있다고 보았다.

정답찾기 ④ 마르크스는 각자가 능력에 따라 일하고 필요에 따라 분배받는 평등한 공산 사회를 이상 사회로 제시하였다.

오답피하기 ① 마르크스는 생산 수단이 공유된 공산 사회를 이상 사회로 제시하였다.
② 마르크스는 공산 사회에서는 계급이 더 이상 존재하지 않는다고 보았다.
③ 마르크스는 국가는 피지배 계급을 착취하기 위해 만든 수단이며 공산 사회에서 국가가 소멸된다고 보았다.
⑤ 마르크스는 생산 수단의 사적 소유를 없애야 한다고 보았다.

08 롤스와 모어의 사상적 입장 비교 이해

문제분석 (가)의 갑은 롤스, 을은 모어이다. 롤스는 정의의 원칙에 따라 구성원의 기본적 자유를 보장하며 최소 수혜자의 이익을 극대화하기 위해 노력하는 사회를 지향하였다. 모어는 유토피아의 사람들이 하루 여섯 시간을 노동에 종사하고 경제적으로 풍요를 누린다고 보았다.

정답찾기 ㄷ. 롤스는 기회균등의 원칙에 따라 경제적 불평등의 계기가 되는 직위는 누구나 접근 가능하도록 해야 한다고 보았다.
ㄹ. 모어는 유토피아에서는 정신적 쾌락이 덕의 실천과 올바른 삶에 대한 의식에서 우러난다고 보았다.

오답피하기 ㄱ. 롤스는 정의로운 사회에서 재화와 소득의 불평등이 정당화될 수 있다고 보았다.
ㄴ. 롤스는 기본적 자유에 대한 침해는 사회적·경제적 이득으로 정당화될 수 없다고 보았다.

THEME 13 국가와 시민

본문 93~97쪽

수능 실전 문제

01 ⑤ **02** ② **03** ④ **04** ①
05 ⑤ **06** ④ **07** ④ **08** ③
09 ① **10** ③

01 공자의 사상적 입장 이해

문제분석 가상 편지를 쓴 사상가는 공자이다. 공자는 정명 사상을 통해 "임금은 임금답고, 신하는 신하답고, 부모는 부모답고, 자식은 자식다워야 한다."라고 주장하였다. 공자는 위정자가 먼저 인격을 닦고 다스려야 백성들이 따르게 될 것이라고 보았다.

정답찾기 ⑤ 공자는 정치를 할 때 먼저 해야 할 것은 명분을 바로잡는 정명이라고 주장하였다. 정명은 사회 구성원 각자가 자신의 신분과 지위에 알맞은 역할을 다하도록 하는 것으로서 이를 통해 사회의 질서를 바로잡아야 한다고 보았다.

오답피하기 ① 공자는 마음을 비워서 깨끗이 하는 심재의 수양법을 강조하지 않았다. 심재의 수양을 강조한 것은 장자의 입장이다.
② 공자는 차별 없는 사랑인 겸애가 아닌 친소(親疏)를 구별하는 분별적 사랑을 해야 한다고 보았다.
③ 공자는 시비선악을 구분하는 분별적 지식을 중시하였다.
④ 공자는 사회의 규범이 무용하다고 주장하지 않았다. 공자는 사회 혼란을 바로잡기 위해 사회의 제도와 규범이 필요하다고 보았다.

02 맹자와 아리스토텔레스의 사상적 입장 이해

문제분석 갑은 맹자, 을은 아리스토텔레스이다. 맹자는 군주가 왕도 정치를 펼쳐 백성의 경제적 안정을 보장해 주어야 한다고 주장하였다. 아리스토텔레스는 인간의 정치적 본성에 따라 국가가 자연스럽게 형성되며, 국가는 완전하고 자족적인 공동체라고 주장하였다.

정답찾기 ② 맹자는 군주가 백성을 덕으로 다스리는 왕도 정치가 이상적인 정치라고 보았다.

오답피하기 ① 맹자는 백성이 일정한 생업이 없으면 도덕적인 마음을 유지하기 힘들다고 보았지만 백성의 생업을 보장하는 것으로 왕도 정치가 완성된다고 주장하지는 않았다. 맹자는 군주가 백성의 일정한 생업인 항산을 보장하여 도덕적인 마음인 항심을 실현하도록 해야 한다고 보았다.
③ 아리스토텔레스는 국가에 대한 복종의 의무가 인간의 본성에서 비롯된 것이라고 보았다.
④ 아리스토텔레스는 국가가 단순한 생존을 위해 형성되지만 훌륭한 삶을 위해 존속한다고 보았다.
⑤ 맹자와 아리스토텔레스 모두 통치자와 피치자가 구분된다고 보았다.

03 홉스의 사상적 입장 이해

문제분석 제시문을 주장한 사상가는 홉스이다. 홉스는 개인이 자연 상태인 만인의 만인에 대한 투쟁 상태에서 벗어나기 위해 자연권을 양도하기로 동의하고 국가를 이룬다고 보았다. 계약을 통해 얻은 평화는 국가 권력의 강제력이 있어야 유지될 수 있다고 주장하였다.

정답찾기 ㄱ. 홉스는 자연 상태에서는 정의와 불의의 관념이 있을 수 없다고 보았다.
ㄷ. 홉스는 국가 권력의 강제력이 있어야 계약이 잘 지켜질 수 있다고 보았다.

오답피하기 ㄴ. 홉스는 자연 상태에서 개인이 자기 보존을 위하여 자연권을 양도하는 것에 동의하는 계약을 맺어 국가를 형성한다고 보았다. 홉스는 자연권의 양도와 계약 이후의 자기 보존이 양립 가능하다고 주장하였다.

04 루소와 아리스토텔레스의 사상적 입장 비교 이해

문제분석 (가)의 갑은 루소, 을은 아리스토텔레스이다. 루소는 개인은 자유를 보장받기 위해 사회 계약을 맺어야 한다고 보았다. 아리스토텔레스는 인간의 정치적 본성에 따라 국가가 자연스럽게 형성된다고 보았다.

정답찾기 ㄱ. 아리스토텔레스는 국가에 대한 정치적 의무는 구성원의 동의가 아닌 인간의 정치적 본성에서 비롯된다고 보았다.
ㄴ. 루소는 법률이란 엄격히 말하자면 시민적 결사의 조건이므로 법률에 복종하는 국민이 법률의 제정자가 되어야 한다고 보았다.

오답피하기 ㄷ. 루소는 사회 계약을 맺어 국가를 형성함으로써 시민적 자유를 얻을 수 있다고 보았다.
ㄹ. 아리스토텔레스는 언어를 통한 인식의 공유는 인간이 가정과 국가를 형성하며 살아가게 한다고 보았다.

05 홉스와 로크의 사상적 입장 이해

문제분석 갑은 홉스, 을은 로크이다. 홉스는 자연 상태에서는 소유권도, '내 것'과 '네 것'의 구별도 존재하지 않는다고 보았다. 로크는 자연 상태에서는 개인의 생명, 자유, 재산에 대한 권리 보장이 불확실하므로 이를 안전하게 보장받기 위해 사회 계약을 통해 국가 권력을 설립하게 된다고 보았다.

정답찾기 ⑤ 홉스는 국가가 수립되기 이전의 자연 상태에서는 소유권이 존재하지 않는다고 보았다.

오답피하기 ① 홉스는 자연 상태는 만인에 대한 만인의 전쟁 상태이며, 그런 상태에서는 모든 사람이 만물에 대한 권리를 가진다고 보았다.
② 홉스는 강제력이 없는 자연 상태에서 각자가 자연권을 제한 없이 추구하면서 전쟁 상태가 초래된다고 보았다.
③ 로크는 구성원이 자신의 재산을 더욱 잘 보존하기 위해 자연법의 집행권을 사회에 양도한다고 보았다.
④ 로크는 자연 상태에서 자신이 관련된 사건에 관해 자연법의 집행자가 되는 것은 편파적이 되거나 복수심에 의해 과도하게 처벌할 수도 있기 때문에 혼란이 야기될 수 있다고 보았다.

06 루소와 로크의 사상적 입장 이해

문제분석 갑은 루소, 을은 로크이다. 루소는 일반 의지에 따라 만들어진 법을 지키는 것은 자신의 의지를 따르는 것이라고 보았다. 로크는 개인이 자신의 재산을 안전하게 보존하기 위해 자연법의 집행권을 국가에 양도한다고 보았다.

정답찾기 ④ 로크는 자연 상태에서는 공평무사한 재판관의 부재로 재산 보존이 취약해지고 이로 인해 사람들은 자연 상태에서 벗어나려고 한다고 보았다.

오답피하기 ① 루소는 인간은 자연 상태에서 자유롭고 평등하였으나 사유 재산의 발생으로 인해 불평등의 상태에 처하게 되었다고 보았다.
② 루소는 주권은 양도될 수도 없고, 분할될 수도 없는 것이라고 보았다.
③ 로크는 입법권은 신탁된 권력이므로 입법부가 신탁에 반해서 행동하는 것이 발견될 때 입법부를 폐지하거나 변경할 수 있는 최고의 권력은 여전히 시민에게 있다고 보았다.
⑤ 루소와 로크는 모두 개인들이 이성적 판단에 따라 사회 계약을 맺는다고 보았다.

07 마르크스와 아리스토텔레스의 사상적 입장 이해

문제분석 갑은 마르크스, 을은 아리스토텔레스이다. 마르크스는 생산 수단의 공유를 주장하며 공산 사회에서는 계급과 국가가 소멸할 것이라고 보았다. 아리스토텔레스는 국가를 최고선을 추구하는 최고의 공동체로 보았다.

정답찾기 ④ 아리스토텔레스는 인간의 궁극적인 목적인 행복을 실현하는 것은 국가 안에서 가능하다고 보았다.

오답피하기 ① 마르크스는 생산 수단이 공유되어 계급이 소멸하고 각자가 필요에 따라 분배받는 공산 사회를 이상 사회로 제시하였다.
② 마르크스는 프롤레타리아 계급의 폭력 혁명을 통해 자본주의가 붕괴할 것이라고 보았다.
③ 아리스토텔레스는 국가가 인간의 본성에서 비롯되어 형성된 자연적 산물이라고 보았다.
⑤ 아리스토텔레스는 인간이 본성적으로 국가를 형성한다고 보았다.

08 맹자와 로크의 사상적 입장 이해

문제분석 갑은 맹자, 을은 로크이다. 맹자는 패도 정치를 비판하고 인과 의에 기반한 왕도 정치의 실현을 주장하였으며, 인의를 해치는 통치자를 바꿀 수 있다고 보았다. 로크는 입법부가 신탁을 위반하면 시민이 저항권을 행사할 수 있다고 보았다.

정답찾기 ③ 로크는 국가가 시민의 생명, 자유, 재산을 침해하거나 보장하는 역할을 수행하지 못할 경우 시민이 저항권을 행사할 수 있다고 보았다.

오답피하기 ① 맹자는 군주와 백성이 모두 인과 의를 실천할 수 있는 본성을 타고난다고 보았다.
② 맹자는 백성들의 도덕적 삶을 위해서는 통치자가 먼저 백성들이 경제적 안정을 유지할 수 있도록 해 주어야 한다고 보았다.
④ 로크는 정치권력이 신탁을 위반하는지에 대한 판단은 통치자가 아닌 시민이 해야 한다고 보았다.
⑤ 맹자는 인의를 해치는 군주를 역성혁명으로 교체할 수 있다고 보았으며 로크는 국가가 국민의 생명과 자유, 재산을 지켜 주지 못하고 권력을 남용하면 새로운 입법부를 구성할 수 있다고 보았다.

09 비롤리의 사상적 입장 이해

문제분석 그림의 강연자는 비롤리이다. 비롤리는 공화국이 정의와 법의 지배라는 기초 위에 세워져야 한다고 보았다.

정답찾기 ① 비롤리는 법치를 통해 공화국의 자유와 공동선의 가치를 실현할 수 있다고 보았다.

오답피하기 ② 비롤리는 도덕적 일체성이 자유의 원리를 침해할 수 있다고 보았다.
③ 비롤리는 법의 지배에 대한 존중의 원칙은 정치가들에게도 예외 없이 적용되어야 한다고 보았다.
④ 비롤리는 공화국의 정치는 극악한 범죄 행위라 해도 그것에 대한 사적인 복수를 정당한 것으로 생각하지 않는다고 보았다.
⑤ 비롤리는 시민들이 비지배의 자유를 향유하기 위해 법의 지배가 실현되어야 한다고 보았다.

10 벌린과 페팃의 사상적 입장 이해

문제분석 갑은 벌린, 을은 페팃이다. 벌린은 간섭의 부재를 의미하는 소극적 자유를, 페팃은 자의적 지배가 없는 비지배로서의 자유를 강조하였다.

정답찾기 ③ 페팃은 자의적이지 않은 간섭은 비지배 자유와 양립할 수 있다고 보았다.

오답피하기 ① 벌린은 진정한 자유는 '~로부터의 자유'인 소극적 자유라고 보고 이를 실현해야 한다고 주장하였다.
② 벌린은 개인의 자유가 법에 의해 제약될 수 있는 경우를 인정하였다.
④ 페팃은 간섭이 없어도 자의적 간섭이 발생할 수 있는 지배의 존재는 진정한 자유의 상태가 아니라고 보았다.
⑤ 페팃은 시민들의 자유를 위해 법을 통한 국가의 간섭이 필요하다고 보았다.

수능 실전 문제

본문 100~104쪽

01 ②	02 ④	03 ②	04 ①
05 ⑤	06 ⑤	07 ③	08 ④
09 ③	10 ③		

01 로크의 사회 계약 사상 이해

문제분석 제시문을 주장한 사상가는 로크이다. 로크는 인간이 자연 상태에서 비교적 평화로운 삶을 누리지만 개인의 생명, 자유, 재산을 보존할 수 있는 권리를 확실하게 보장받기 어렵기 때문에 계약을 맺어 정치 공동체를 구성한다고 보았다.

정답찾기 ㄱ. 로크는 국가 권력의 견제를 위해 입법권과 집행권으로 권력 분립이 이루어져야 한다고 보았다.

ㄹ. 로크는 국가의 최고 권력은 입법부의 입법권이지만, 이 권력은 구성원들이 신탁한 권력이므로 입법부는 신탁의 목적에 어긋나는 결정을 해서는 안 된다고 보았다.

오답피하기 ㄴ. 로크에 따르면 개인은 정부의 통치권 안에 있는 어느 것이라도 소유하거나 향유하고 있다면 정부의 권위에 복종하겠다고 묵시적 동의를 한 것이며, 그것들을 향유하는 동안에는 정부의 법을 준수할 의무를 갖는다.

ㄷ. 로크는 입법권은 어떤 사람으로부터든 그의 재산의 전부 혹은 일부를 그의 동의 없이 취할 수 없다고 보았다.

02 로크와 루소의 사상적 입장 이해

문제분석 갑은 로크, 을은 루소이다. 로크에 따르면 국가는 계약의 산물이므로 국가 권력은 자의적으로 행사되어서는 안 되며, 확립되고 선포된 법률에 따라 행사되어야 한다. 루소는 정치체의 권력은 만인의 개별 의지가 아니라 일반 의지에 따라 행사되어야 한다고 보았다.

정답찾기 ④ 루소는 사회 계약을 통해 개인의 인격들이 모두 결합되어 있는 공적 인격을 공화국 또는 국가라고 부르고 그 구성원들을 주권자라고 불렀다.

오답피하기 ① 로크는 정치권력은 오직 사회의 선을 위한 것이므로 자의적이고 제멋대로 행사되어서는 안 되며 확립되고 선포된 법률에 따라 행사되어야 한다고 보았다.

② 로크는 입법부가 신탁을 지키지 않을 때 입법부를 폐지하거나 변경할 수 있는 최고의 권력은 여전히 국민에게 있다고 보았다.

③ 루소는 사회 계약을 통해 개인이 자연 상태에서 가졌던 자연적 자유와 마음이 끌리면 언제나 취할 수 있는 모든 것에 대한 권리를 상실한다고 보았다. 대신에 루소는 사회 계약을 통해 사회적 자유와 개인이 소유하는 모든 것에 대한 재산권을 얻을 수 있다고 보았다.

⑤ 로크는 입법부가 법률을 제정할 권력을 다른 사람에게 이전할 수 없다고 보았고, 루소는 입법권이 일반 의지에 속하므로 주권자 곧 국

03 슘페터의 엘리트 민주주의와 롤스의 심의 민주주의 이해

문제분석 갑은 엘리트 민주주의 이론을 주장한 슘페터이고, 을은 심의 민주주의 이론을 주장한 롤스이다. 슘페터는 민주주의를 엘리트가 대중의 승인을 얻고자 자유롭게 경쟁하는 제도적 장치로 보며, 시민의 역할을 지도자를 선출하는 투표자의 역할에 한정해야 한다고 주장하였다. 롤스는 민주주의의 기본 특징이 공적 심의라고 보고, 통치의 정당성은 시민 간 대화와 토론에 의해 부여된다고 보았다.

정답찾기 ㄱ. 슘페터는 정치적 지배는 정치 엘리트인 지도자에게 맡겨야 하며, 시민의 역할은 지도자를 선출하는 투표자의 역할에 한정되어야 한다고 보았다. 그는 유권자들과 정치인들 사이의 정치적 역할 구분이 필수적이라고 보았다.

ㄷ. 롤스는 서로 다른 이해관계를 가진 시민들이 평등하게 공적 심의에 참여하여 공익을 추구하는 정책을 만들어 낼 수 있다고 보았다.

오답피하기 ㄴ. 롤스는 민주 정치에서 의사 결정의 정당성은 다수결만으로는 확보되지 않는다고 보았다. 그에 따르면 의사 결정의 정당성은 시민들의 자유롭고 이성적인 대화와 논증 절차의 여부에 달려 있다.

ㄹ. 슘페터는 모든 사람이 동의할 수 있는 하나의 공동선을 상정할 수 없기 때문에 모든 시민의 의지가 반영된 공동선은 존재하지 않는다고 보았다.

04 하버마스의 심의 민주주의 이해

문제분석 제시문을 주장한 사상가는 하버마스이다. 하버마스는 사적인 자율성의 보장을 우선시하는 자유주의적 견해와 공적인 자율성의 확보를 우위에 두는 공화주의적 입장을 모두 포용하면서 사회 구성원들 사이의 의사소통 행위와 민주적 절차에 따른 토론과 결정에 기초한 심의 민주주의의 중요성을 강조하였다.

정답찾기 ① 하버마스는 의사소통 행위를 성취 지향적인 전략적 행위가 아니라 합리적 대화를 통해 상호 이해의 상황 및 관계에 도달하고자 하는 행위라고 보았다.

오답피하기 ② 하버마스는 일상 언어를 매개로 한 정치적 공론장이 시민들의 합리적인 의사소통과 상호 이해를 가능하게 하여 사회 통합력으로 작용한다고 보았다.

③ 하버마스에 따르면 이해 지향적인 의사소통 행위는 상대방을 대상으로 취급하지 않고, 말하는 자와 듣는 자가 인격적으로 평등한 관계 속에서 '대화'를 통해 상호 이해의 상황 및 관계에 도달하는 것을 의미한다.

④ 하버마스에 따르면 의사소통 행위자들은 상호 주관적으로 공유된 언어 상황의 사회적 공간 속에서 서로 만나게 되며, 이러한 만남은 특히 언어적으로 구성된 공적 공간인 공론장 속에서 이루어진다.

⑤ 하버마스는 민주주의의 본질을 심의 민주주의, 즉 대화와 토론의 이상적 절차에 의거한 정치적 공론장을 활성화시키는 데 있다고 보았다.

05 시민 불복종에 대한 롤스의 입장 이해

문제분석 제시문을 주장한 사상가는 롤스이다. 롤스는 시민 불복종을 사회 구성원들의 공유된 정의관을 바탕으로 불의한 법이나 정부 정책의 변혁을 가져올 목적으로 행해지는, 공공적이고 비폭력적이며 양심적이긴 하지만 법에 반하는 정치적 행위라고 보았다.

정답찾기 ⑤ 롤스가 긍정의 대답을 할 질문이다. 롤스는 거의 정의로운 사회에서는 시민 불복종에 대한 보복적인 억압이 있을 수 없으나 시민 불복종이 공동체에 대해서 효과적인 호소가 되도록 적절하게 계획되는 것이 중요하다고 보았다.

오답피하기 ① 롤스가 부정의 대답을 할 질문이다. 롤스는 불의한 법이나 정책도 그 불의가 어느 정도 이상을 넘지 않는다면 어기지 않아야 한다고 보았다.

② 롤스가 부정의 대답을 할 질문이다. 롤스에게 시민 불복종은 부정의한 정치 체제의 변혁이 목표가 아니라, 체제의 합법성을 인정하는 시민들이 부정의한 법과 정책에 대한 변화를 가져오기 위해 최후의 수단으로 고려하는 것이다.

③ 롤스가 부정의 대답을 할 질문이다. 롤스는 시민 불복종을 민주적 원칙과 질서에 저항하지 않으면서 진지하게 항의하는 행위로 보고, 부정의한 법에 대해 불복종할 때에도 그로 인한 처벌을 감수해야 한다고 보았다.

④ 롤스가 부정의 대답을 할 질문이다. 롤스는 개인 또는 집단의 이익이나 종교적 가르침 등은 시민 불복종의 정당한 근거가 될 수 없다고 보았다.

06 소로, 롤스, 하버마스의 사상적 입장 비교 이해

문제분석 (가)의 갑은 소로, 을은 롤스, 병은 하버마스이다. 소로는 시민 불복종을 개인이 옳다고 믿는 양심과 신념에 어긋나는 불의한 법에 복종하지 않는 것이라고 보았다. 롤스는 종교적 원리나 다른 어떤 원리에 기초할 수 있는 양심적 거부와 달리 시민 불복종은 사회적 다수의 공유된 정의관에 호소하는 정치적 행위라고 보았다. 하버마스는 시민 불복종을 시민들이 합리적 의사소통을 통해 합의한 원칙에 어긋나는 법이나 정책에 대한 저항으로 보고, 시민 불복종의 정당화 근거를 의사소통적 합리성에서 찾았다.

정답찾기 ⑤ 하버마스는 시민들의 합리적 의사소통과 비판적 판단을 거칠 때 시민 불복종이 정당화된다고 보았다.

오답피하기 ① 롤스는 시민 불복종은 공유된 정의관을 근거로 다수의 정의감에 호소하는 정치적 행위이지만 양심적 거부는 종교적 원리나 다른 원리에 기초할 수도 있다고 보았다.

② 소로는 개인의 양심에 따라 불의한 법에 대해 시민 불복종이 즉시 이루어져야 한다고 보았다. 이와 달리 롤스는 불의한 법을 개선하기 위한 합법적인 방법이 효과가 없을 때 최후의 수단으로 시민 불복종을 해야 한다고 보았다.

③ 롤스는 많은 집단이 동시에 시민 불복종을 행사할 경우 체제의 효율성을 침해하게 될 무질서가 따르게 될 수도 있으므로 시민 불복종에 가담할 수 있는 범위에 한계가 있다고 보았다.

④ 롤스는 정의의 원칙 중 차등의 원칙이 아니라 평등한 자유의 원칙과 공정한 기회균등의 원칙에 현저하게 위배되는 법이나 정책에 대해 시민 불복종이 이루어져야 한다고 보았다.

07 베버의 사상적 입장 이해

문제분석 제시문을 주장한 사상가는 베버이다. 베버는 칼뱅의 프로테스탄트(청교도) 윤리를 근대 자본주의 정신의 출발로 보고, 종교 개혁 이후 형성된 서구의 합리적인 이윤 추구와 금욕주의 정신이 자본주의의 기본 정신이 되었다고 주장하였다.

정답찾기 ㄴ. 베버는 프로테스탄트에게 직업은 신의 소명, 즉 신으로부터 부름받은 자기 몫의 일로 여겨졌다고 주장하였다.

ㄹ. 베버에 따르면 프로테스탄트는 윤리적으로 이윤을 창출하는 것을 직업적 의무로 규정했다.

오답피하기 ㄱ. 베버는 프로테스탄트가 신의 영광을 위해 노동한 결과로 얻은 부의 축적을 신의 은총과 구원의 징표로 여겼으며, 부의 축적을 정당한 것으로 보았다고 주장하였다.

ㄷ. 베버에 따르면 프로테스탄트의 금욕주의는 자본주의적 생활 방식의 발전에 큰 영향을 미쳤다.

08 스미스와 케인스의 사상적 입장 이해

문제분석 갑은 스미스, 을은 케인스이다. 스미스는 개인의 경제적 자율성을 최대로 보장할 때 사회 전체의 부 또한 증가하게 된다고 보았다. 그는 자유방임주의의 입장에서 국부를 증가시키는 최선의 방법은 개인이 자신의 이익을 자유롭게 추구하도록 내버려 두는 데 있다고 보았다. 이에 비해 케인스는 개인의 이익과 사회 전체의 이익이 저절로 조화를 이루지 않으므로 정부가 시장에 적극 개입하여 완전 고용의 실현을 위한 투자의 사회화를 추진해야 한다고 주장하였다.

정답찾기 ④ 케인스는 시장 경제의 결함을 극복하기 위해 투자의 사회화를 주장하였지만 사회주의 체제를 도입해야 한다고 주장하지는 않았다.

오답피하기 ① 스미스는 개개인의 자유로운 이익 추구가 보이지 않는 손에 의해 저절로 사회의 이익으로 이어진다고 보았다.

② 스미스는 자유방임주의의 입장에서 개인의 경제 활동에 대해 정부는 최대한 간섭하지 않아야 한다고 보았다.

③ 케인스는 시장의 불완전성으로 인해 야기된 시장 실패를 극복하기 위해 정부가 완전 고용에 이를 만큼의 유효 수요를 창출하기 위한 투자의 사회화를 적극 추진해야 한다고 주장하였다.

⑤ 스미스와 케인스는 모두 기본적으로 자본주의의 입장을 가지고 있으며, 정부가 시장에서의 경쟁을 허용하고 사적 소유권을 보장해야 한다고 보았다.

09 케인스와 하이에크의 사상적 입장 이해

문제분석 (가)의 갑은 수정 자본주의를 주장한 케인스, 을은 신자유주의를 주장한 하이에크이다. 케인스는 실업, 공황 등의 문제를 해결하기 위해서는 국가가 시장에 적극 개입하여 유효 수요를 늘리는 정책을 추진해야 한다고 주장하였다. 하이에크는 시장에서의 자유로운 경쟁을 강조하면서 계획 경제 체제가 사람들의 자유를 억압하여 노예의 길로 이끈다고 비판하고 자유 경쟁 체제만이 바람직한 체제라고 주장하였다.

정답찾기 ③ 케인스는 긍정, 하이에크는 부정의 대답을 할 질문이다. 케인스는 정부가 다양한 정책 및 규제를 통해 시장 실패로 인한 실업과 불황 등의 문제를 해결해야 한다고 보았다. 하이에크는 정부가 정책을 통해 실업이나 공황 등의 문제를 해결하려는 것은 치명적 자만이라고 보았다.

(오답피하기) ① 케인스가 부정의 대답을 할 질문이다. 케인스는 시장 실패를 해결하기 위해 정부가 다양한 정책 및 규제를 통해 적극적으로 시장에 개입해야 한다고 보았다. 하이에크는 정부의 시장 개입을 반대하고 정부의 기능을 축소할 것을 주장하였다.

② 케인스는 부정, 하이에크는 긍정의 대답을 할 질문이다. 케인스는 시장 경제 질서는 완전 고용을 성취하지 못하고, 부와 소득의 분배가 자의적이고 불평등하다는 결함이 있으므로 정부가 시장에 적극 개입해야 한다고 보았다. 하이에크는 시장 경제 질서를 정부의 간섭이 없어도 경제 주체들의 자율적인 행동에 의해 스스로 질서가 형성되는 자생적 질서로 보고, 정부가 주도하는 모든 계획 경제를 반대하였다.

④ 하이에크가 부정의 대답을 할 질문이다. 하이에크는 분배의 형평성보다 생산의 효율성을 중시하였다. 따라서 분배의 형평성을 위한 명분으로 생산의 효율성을 저해하는 것에 대해 반대하였다.

⑤ 하이에크가 부정의 대답을 할 질문이다. 하이에크는 정부의 시장 개입을 반대하고 정부의 기능을 축소할 것을 주장했으나 시장 경제 체제의 보호를 위한 국가의 역할은 인정하였다.

10 마르크스의 사회주의와 민주 사회주의 비교 이해

(문제분석) (가)는 마르크스의 사회주의, (나)는 민주 사회주의이다. 마르크스의 사회주의는 자본주의 사회를 자본가에 의해 노동자가 끊임없이 착취당하는 사회로 보고, 자본주의는 붕괴하고 국가도 소멸될 것이라고 주장하였다. 민주 사회주의는 민주적 방법에 의한 사회주의의 건설, 계획 경제를 통한 완전 고용, 국가에 의한 사회 보장 및 공평한 분배 등을 주장하였다.

(정답찾기) ③ 마르크스의 사회주의 입장에 비해 민주 사회주의의 입장은 '선거 제도와 의회를 통한 사회주의 실현을 강조하는 정도(X)'는 높고, '노동자의 계급 투쟁을 통한 자본주의 붕괴를 강조하는 정도(Y)'는 낮으며, '사회 보장 제도를 통한 국가의 재분배 정책을 강조하는 정도(Z)'는 높다. 따라서 마르크스의 사회주의 입장에 비해 민주 사회주의의 입장이 갖는 상대적 특징은 ⓒ이다.

평화 사상과 세계 시민 윤리

수능 실전 문제

본문 107~111쪽

01 ②	**02** ⑤	**03** ③	**04** ③
05 ⑤	**06** ⑤	**07** ①	**08** ④
09 ②	**10** ②		

01 순자와 묵자의 사상적 입장 이해

(문제분석) 갑은 순자, 을은 묵자이다. 순자는 사람이 악한 본성에 따라 멋대로 행동하면 반드시 세상이 어지럽게 된다고 보았다. 그는 성인이 제정한 예의를 배우고 익히면 사람들이 선하게 될 수 있고 세상이 평화롭게 될 수 있다고 보았다. 묵자는 사회 혼란의 원인이 유교의 인(仁)과 같은 차별적 사랑에 있다고 보고, 겸애교리(兼愛交利)를 주장하였다. 즉 나와 남, 나의 가정과 남의 가정, 나의 나라와 남의 나라를 차별 없이 사랑하고 서로가 이익을 나누어야 한다는 것이다.

(정답찾기) ② 순자는 인간의 본성을 따르게 되면 쟁탈과 폭력이 발생하게 된다고 보고, 인간의 본성을 변화시켜 인위를 일으키면 천하가 평화롭게 될 수 있다고 보았다.

(오답피하기) ① 순자는 사회 안정을 위해 제도적 규범인 예를 통해 나라를 다스려야 한다고 주장하였으며, 덕의 유무에 따라 사회적 지위를 구분해야 한다고 보았다.

③ 묵자는 전쟁이 국가와 백성에게 이롭지 않다고 보면서, 국가와 백성이 모두 이롭게 되기 위해서 차별 없는 사랑[兼愛(겸애)]을 실천해야 한다고 보았다.

④ 묵자는 전쟁을 막기 위해 국가 간의 외교를 두텁게 하여 신뢰를 쌓을 것을 강조하였다.

⑤ 순자와 묵자 모두 통치자가 무력을 앞세워 전쟁을 일삼고 부국강병만을 추구하는 것에 반대하였다.

02 맹자와 노자의 사상적 입장 이해

(문제분석) (가)의 갑은 맹자, 을은 노자이다. 맹자는 인의(仁義)에 기초한 정치와 국가 간 관계를 중시하였다. 노자는 무위지치(無爲之治)가 이루어지는 소국 과민(小國寡民) 사회를 이상 사회로 제시하였다.

(정답찾기) ⑤ 노자가 긍정의 대답을 할 질문이다. 노자는 도를 지닌 자라면 병기를 사용하지 않을 것이라고 보고, 전쟁은 도에 부합하지 않으며 전쟁에 의존하는 군주는 반드시 쇠퇴하게 된다고 보았다.

(오답피하기) ① 맹자는 긍정, 노자는 부정의 대답을 할 질문이다. 맹자는 정치와 국가 간 관계의 기초를 인의에 두어야 한다고 보았다. 노자는 인의와 같은 인위적 규범이 사회 혼란의 원인이라고 보았다.

② 맹자와 노자 모두 부정의 대답을 할 질문이다. 맹자는 군주가 인의의 덕으로 다스리는 왕도 정치를 추구해야 한다고 보았다. 노자는 군주의 절대적 권력에 대한 백성의 복종은 도(道)와는 거리가 멀다고 비판하였다.

③ 맹자와 노자 모두 긍정의 대답을 할 질문이다. 맹자와 노자는 침

략 전쟁은 백성들의 삶을 파탄시키고 공동체의 평화를 해칠 수 있으므로 옳지 않다고 보았다.
④ 노자가 부정의 대답을 할 질문이다. 노자는 이웃 나라와 왕래가 필요 없는 자급자족 사회인 소국 과민 사회를 이상 사회로 보았다.

03 석가모니와 간디의 사상적 입장 이해

문제분석 갑은 석가모니, 을은 간디이다. 석가모니는 실상을 있는 그대로 통찰하는 지혜를 가지고 고통의 원인인 삼독(三毒)을 제거하기 위해 중도(中道)를 닦아야 한다고 주장하였다. 간디는 진실과 사랑, 혹은 비폭력에서 태어나는 힘을 의미하는 '사탸그라하'를 추구해야 한다고 주장하면서 파괴와 고통을 의미하는 '힘사'에 맞서 불살생·비폭력을 의미하는 '아힘사'를 실천할 것을 강조하였다.

정답찾기 ③ 간디는 폭력의 소용돌이에서 벗어나기 위해 적에게 복수심을 가져서는 안 되고 동정심을 행위 원칙으로 삼아야 한다고 보았다.

오답피하기 ① 석가모니는 쾌락과 고행의 양극단에 빠져들지 말고 중도를 수행할 것을 강조하였다.
② 석가모니는 고통 없는 열반에 이르기 위해 탐욕과 집착, 갈애, 무명에서 벗어나야 한다고 주장하였다.
④ 간디에 따르면 비폭력은 악을 행하는 자의 의지에 온순하게 굴복한다는 뜻이 아니라 압제자의 의지에 맞서는 일에 자신의 온 영혼을 바친다는 뜻이다.
⑤ 석가모니와 간디 모두 자비를 베풀 것을 강조하면서 불살생을 실천해야 한다고 보았다.

04 에라스뮈스와 생피에르의 사상적 입장 이해

문제분석 갑은 에라스뮈스, 을은 생피에르이다. 에라스뮈스는 전쟁은 평화를 추구하는 종교 정신에 위배된다고 보고, 종교적·도덕적·경제적 측면에서 전쟁은 본성상 선보다 악을 초래한다고 주장하였다. 생피에르는 평화를 실현하기 위해 종교나 도덕성보다는 인간의 이기심과 합리적 이성을 따라야 한다고 보았다. 그는 공리적 관점에 근거하여 전쟁에 따르는 불이익과 평화에 따르는 이익을 제시하면 군주 스스로 평화를 지향할 것이라고 보았다.

정답찾기 ㄴ. 생피에르는 전쟁이 인간의 이기심 대립으로 발생하지만 인간의 이기심과 합리적 이성을 이용하면 평화를 유지할 수 있다고 보았다.
ㄹ. 에라스뮈스는 전쟁을 위한 무기 구매, 전쟁에 의한 파괴와 통상의 단절 등에 따라 발생하는 경제적 손실을 고려하면 평화를 달성하는 것의 비용이 훨씬 적고 이익이 크다고 보았다. 생피에르도 전쟁으로 얻는 이익보다 분쟁을 평화적으로 해결하여 얻는 이익이 크다고 보았다.

오답피하기 ㄱ. 에라스뮈스는 전쟁이 평화를 추구하는 종교 정신에 위배될 뿐 아니라 도덕적으로 정당하지 못하다고 보았다.
ㄷ. 생피에르는 군주들이 공리적 관점에서 전쟁에 따르는 불이익과 평화에 따르는 이익을 알고 서로 연합하게 되면 영구적 평화를 실현할 수 있다고 보았다.

05 평화에 대한 칸트의 입장 이해

문제분석 그림의 강연자는 칸트이다. 칸트는 전쟁을 예방하고 국가 간의 영원한 평화를 보장하기 위해서는 평화 연맹이 필요하다고 주장하였다.

정답찾기 ⑤ 칸트는 개별 국가의 자유를 보장하는 국제법을 실현할 수 있는 국제 연맹과 같은 국제기구가 필요하다고 보았다.

오답피하기 ① 칸트는 자유로운 국가들은 자신들의 권리를 제한하게 될 하나의 거대한 국제 국가나 세계 공화국을 원하지 않을 것으로 보았다.
② 칸트는 상비군은 항상 전쟁에 대비한 준비가 되어 있음으로써 다른 나라들을 위협하기 때문에 국가 간의 평화를 위해서는 점진적으로 완전히 폐지해야 한다고 주장하였다.
③ 칸트는 국가 간 평화 조약을 체결한다고 해도 체결 국가 간의 전쟁만이 종식될 수 있을 뿐 모든 전쟁의 완전한 종식, 즉 전쟁 상태의 완전한 종식에 도달할 수는 없다고 보았다. 칸트는 전쟁 상태가 완전히 종식되려면 국가들이 서로의 자유를 보장하며 평화를 지속시킬 수 있도록 국제 연맹을 설립해야 한다고 주장하였다.
④ 칸트는 전쟁이 일시적으로 중단된 상태와 같은 적대 행위의 중단이 평화 상태를 보증하는 것은 아니라고 보고, 모든 적대감이 제거되고 보편적인 이성의 법이 실현된 상태에서만 이루어지는 영원한 평화를 강조하였다.

06 평화에 대한 갈퉁의 입장 이해

문제분석 제시문을 주장한 사상가는 갈퉁이다. 갈퉁은 폭력을 직접적 폭력과 구조적 폭력, 문화적 폭력으로 구분하고, 직접적 폭력이 제거된 상태인 소극적 평화를 넘어 구조적 폭력과 문화적 폭력까지 제거된 적극적 평화를 진정한 평화라고 주장하였다. 또한 평화를 폭력적인 수단이 아니라 평화적인 수단으로 달성해야 한다고 주장하였다.

정답찾기 ㄴ. 갈퉁이 긍정의 대답을 할 질문이다. 갈퉁은 "폭력이란 인간의 기본적인 욕구를 모독하는 것이다. 목숨을 앗아가 생존에 대한 욕구를 모독하는 행위, 복지에 대한 욕구를 모독하는 행위, 개인을 사회로부터 소외시키며 정체성에 대한 욕구를 모독하는 행위, 억압과 같이 자유에 대한 욕구를 모독하는 행위 등은 모두 폭력에 해당한다."라는 주장을 통해 인간의 욕구 실현을 모독하고 방해하는 것을 폭력으로 규정하였다.
ㄷ. 갈퉁이 긍정의 대답을 할 질문이다. 갈퉁은 폭력을 줄이는 것도 중요하지만 폭력을 예방하는 것이 더 중요하다고 주장하면서, 폭력을 줄이는 것은 소극적 평화를 목표로 하지만, 폭력을 예방하는 것은 적극적 평화를 지향한다고 보았다.
ㄹ. 갈퉁이 긍정의 대답을 할 질문이다. 갈퉁은 인간 존엄성, 삶의 질을 중시하는 적극적 평화의 실현을 강조함으로써 평화 개념을 국가 안보 차원에서 인간 안보 차원으로 확장하였다.

오답피하기 ㄱ. 갈퉁이 부정의 대답을 할 질문이다. 갈퉁은 직접적 폭력, 구조적 폭력, 문화적 폭력 어느 곳에서든 폭력은 시작될 수 있고, 어느 곳으로든 확대될 수 있다고 보았다.

07 애피아의 세계 시민주의 이해

문제분석 제시문을 주장한 사상가는 애피아이다. 애피아는 극단적 애국주의와 극단적 세계주의에서 벗어나 지역적 정체성을 유지하면서도 세계적 문제에 관심을 기울여야 한다고 주장하였다. 즉 민족 구성원으로서의 특수한 삶과 세계 시민으로서의 보편적인 삶을 조화시키기 위해 노력해야 한다고 보았다.

정답찾기 ① 애피아는 지역적 헌신을 요구하는 세계 시민주의를 옹호하면서 보편적 가치에 대한 충성과 동시에 지역적 헌신을 요구하는 '뿌리내린 세계 시민주의'를 강조하였다.

오답피하기 ② 애피아는 특정 국가의 시민으로서 애국심을 유지하고 살아가면서도 보편적인 인류애를 중시해야 한다고 보았다.

③ 애피아는 주체와 타자를 이어 주는 인류의 공통성을 보편적인 이성이 아니라 개인성을 구성하는 다양한 경험, 공통의 삶에 대한 이야기, 지역적 관심에서 찾았다.

④ 애피아는 같은 지역에 거주하는 동료 시민에게 애착심을 갖는 일과 지구적인 책임을 다하는 일이 서로 조화를 이룰 수 있다고 보았다.

⑤ 애피아는 지역적 정체성을 유지하면서도 국경을 초월하여 다른 사람과 연대할 수 있는 세계 시민주의를 주장하였다.

08 스토아학파와 누스바움의 세계 시민주의 이해

문제분석 갑은 스토아학파 사상가인 아우렐리우스, 을은 누스바움이다. 스토아학파는 인간이 자연의 일부이며, 이성을 가진 모든 인간은 모두 평등하므로 모든 인류를 동료 시민이자 이웃으로 간주해야 한다는 세계 시민주의 사상을 강조하였다. 누스바움은 스토아학파의 세계 시민주의를 토대로 국가적 소속감이나 자국 중심의 배타주의를 극복하고 보편적 인간애를 중시해야 한다고 주장하였다.

정답찾기 ④ 누스바움은 국가주의와 같은 자국 중심의 배타주의를 극복하고 세계 시민으로서의 정체성을 가지는 것이 중요하다고 보았다.

오답피하기 ① 아우렐리우스는 모든 인류를 동료 시민이자 이웃으로 간주해야 한다는 세계 시민주의를 주장하였다.

② 아우렐리우스는 이성을 가진 모든 인간이 자연의 섭리를 파악할 수 있다고 보았다.

③ 누스바움은 가족이나 이웃에 대한 특수한 애정과 보편적 인간애는 양립 가능하다고 보았다.

⑤ 아우렐리우스는 이성을 통해 세계의 필연적 질서를 파악하고 필연적 질서에 순응해야 한다고 보았다.

09 원조에 대한 롤스의 입장 이해

문제분석 제시문을 주장한 사상가는 롤스이다. 롤스는 불리한 여건으로 고통받는 사회를 질서 정연한 사회가 되도록 돕는 것을 원조의 목적으로 보고, 원조의 목적이 성취된 이후에는 현재의 질서 정연한 사회가 여전히 상대적으로 빈곤하더라도 더 이상 원조의 의무는 요구되지 않는다고 주장하였다.

정답찾기 ㄱ. 롤스는 원조에 있어 정의의 실현이 중요하다고 보고, 질서 정연한 사회로 진입한 이후에는 그 사회가 여전히 상대적으로 빈곤할지라도 더 이상의 원조는 요구되지 않는다고 보았다.

ㄷ. 롤스는 질서 정연하지 않은 사회라도 팽창적이고 공격적인 무법

국가의 경우에는 원조의 대상이 아니라고 보았다.

오답피하기 ㄴ. 롤스에 따르면 원조를 제공하는 질서 정연한 사회는 동정심에 기반하여 고통받는 사회에 적극적으로 개입하는 온정적 간섭주의를 발휘해서는 안 되고, 원조의 목적에 위배되지 않는 방법으로 원조해야 한다.

ㄹ. 롤스는 국가 간의 불공정한 분배를 시정하기 위한 분배 정의의 차원에서 원조가 이루어져야 한다고 보지 않았다.

10 원조에 대한 롤스와 싱어의 입장 이해

문제분석 (가)의 갑은 롤스, 을은 싱어이다. 롤스는 불리한 여건으로 고통받는 사회를 질서 정연한 사회가 되도록 돕는 것을 원조의 목적으로 보았다. 싱어는 세계 시민주의 차원에서 이익 평등 고려의 원칙에 따라 세계 안의 모든 고통받는 빈민들을 원조를 통해 도와주어야 한다고 보았다.

정답찾기 ② 롤스와 싱어의 공통 입장이다. 롤스는 타인의 고통에 대한 무관심은 보편적 윤리 기준에 어긋난다고 보고, 불리한 여건으로 고통받는 사회를 원조해야 한다고 주장하였다. 싱어는 고통을 감소시키고 쾌락을 증진하는 것이 인류의 보편적 의무라고 보았다.

오답피하기 ① 롤스의 입장에 해당하지 않는다. 롤스는 한 나라가 어떻게 살아가는가의 문제를 결정하는 것은 그 나라의 정치 문화이지 자원의 수준이 아니라고 보았다. 그는 국가 간 자원 배분의 우연성은 원조와 관련하여 어떠한 곤란함도 야기하지 않는다고 보았다.

③ 싱어의 입장에 해당하지 않는다. 싱어는 원조의 대상이 되는 사회에 속한 구성원이라고 하더라도 경제적으로 여유가 있다면 원조 주체가 될 수 있다고 보았다.

④ 싱어의 입장에 해당하지 않는다. 싱어는 빈곤으로 고통받는 사람들에 대한 원조는 지리적 근접성 여부와 무관하게 이루어져야 한다고 주장하였다.

⑤ 싱어의 입장에 해당하지 않는다. 싱어는 공리주의적 관점에서 원조의 목적을 인류의 공익 증진이라고 보았다.

실전 모의고사 1회

본문 112~116쪽

1 ③	2 ⑤	3 ③	4 ③	5 ④
6 ④	7 ⑤	8 ②	9 ②	10 ②
11 ②	12 ⑤	13 ④	14 ①	15 ③
16 ①	17 ⑤	18 ④	19 ③	20 ①

1 장자가 강조한 삶의 태도 파악

문제분석 가상 대화의 스승은 장자이다. 장자는 시비(是非)의 분별에 얽매이지 말고 소요유(逍遙遊)의 경지에서 누리는 정신적 자유를 추구할 것을 주장하였다.

정답찾기 ③ 장자는 좌망(坐忘)과 심재(心齋)를 통해 마음속의 인위적인 것을 지우고 마음을 깨끗이 하면 최고의 정신적 자유의 경지에 이를 수 있다고 보았다.

오답피하기 ① 장자는 인의(仁義)의 규범에서 벗어날 것을 강조하였다.
② 장자는 무지에서 벗어나 여덟 가지 바른길을 실천할 것을 주장하지 않았다.
④ 장자는 공성(空性)을 깨달아야 한다고 보지 않았다.
⑤ 장자는 집의(集義)를 실천해야 한다고 보지 않았다.

2 에피쿠로스와 아리스토텔레스의 사상적 입장 이해

문제분석 갑은 에피쿠로스, 을은 아리스토텔레스이다. 에피쿠로스는 몸에 고통이 없고 마음에 불안이 없는 평온한 상태를 추구하였다. 아리스토텔레스는 덕에 따르는 영혼의 활동이 행복이라고 보았다.

정답찾기 ⑤ 에피쿠로스와 아리스토텔레스는 모두 행복한 삶의 실현을 위해 이성의 역할이 필요하다고 보았다.

오답피하기 ① 에피쿠로스는 쾌락이 인간의 유일한 선이라고 보았다.
② 에피쿠로스는 자연적이지만 필수적이지 않은 욕구는 충족할 필요가 없다고 보았다.
③ 아리스토텔레스는 실천적 지혜가 중용을 알려 주는 지성적 덕의 한 종류라고 보았다.
④ 아리스토텔레스는 최고의 좋음인 행복은 현실 세계에 존재하며, 이를 현실에서 실현할 수 있다고 보았다.

3 맹자와 순자의 사상적 입장 이해

문제분석 갑은 맹자, 을은 순자이다. 맹자는 인간에게 선천적으로 도덕심이 갖추어져 있다고 보아 본성의 함양을 주장하였다. 순자는 인간의 본성이 악하다고 보아 본성의 교화를 주장하였다.

정답찾기 ③ 순자는 작위를 통해 본성을 교화하여 예(禮)에 따라 욕망을 조절해야 한다고 보았다.

오답피하기 ① 맹자는 하늘이 인간이 지닌 도덕성의 근원이며 인간에게 선행을 명령한다고 보았다.
② 맹자는 인간이 의로움을 취하기 위해 자신을 희생할 수 있는 존재라고 보았다.
④ 순자는 예에 따라 사람들의 사회적 지위와 관직을 정하고 재화를 분배해야 한다고 보았다.
⑤ 맹자와 순자는 모두 인간이 인의(仁義)를 실천할 수 있는 능력을 갖추고 있다고 보았다.

4 주희와 왕수인의 사상적 입장 이해

문제분석 갑은 주희, 을은 왕수인이다. 주희는 사물에 나아가 사물의 이치를 궁구하는 것을 격물이라고 보았다. 왕수인은 마음의 뜻과 생각이 향하는 일[事]을 바로잡는 것이 격물이라고 보았다.

정답찾기 ㄱ. 주희는 사물과 인간이 모두 본연지성인 이(理)를 가진다고 보았다.
ㄴ. 왕수인은 마음의 뜻[意]이 머무는 곳이 사물[物]이라고 보아 마음 밖에는 사물이 없다고 주장하였다.

오답피하기 ㄷ. 주희는 선후를 논하면 앎[知]과 실천[行] 중 앎이 먼저라고 보았다.

5 갈퉁의 사상적 입장 이해

문제분석 그림의 강연자는 갈퉁이다. 갈퉁은 폭력을 인간의 기본적 욕구를 모독하는 것으로 정의하고 모든 형태의 폭력이 제거된 적극적 평화를 실현해야 한다고 보았다.

정답찾기 ④ 갈퉁은 평화의 개념을 국가 안보에서 인간 안보 차원으로 확장해야 한다고 보았다.

오답피하기 ① 갈퉁은 사회 제도로 인한 경제적 착취는 간접적 폭력인 구조적 폭력이라고 보았다.
② 갈퉁은 직접적 폭력, 구조적 폭력, 문화적 폭력은 모두 다른 두 폭력의 원인이 될 수 있다고 보았다. 따라서 문화적 폭력을 바탕으로 직접적 폭력이 가해질 수 있다.
③ 갈퉁은 참된 평화는 모든 형태의 폭력을 제거함으로써 실현될 수 있다고 보았다.
⑤ 갈퉁은 소극적 평화만으로 인간의 기본적 욕구에 대한 모독인 폭력을 모두 제거하기는 어렵다고 보았다.

6 케인스와 하이에크의 사상적 입장 이해

문제분석 갑은 케인스, 을은 하이에크이다. 케인스는 실업과 같은 경제 문제를 해결하려면 유효 수요를 창출하는 정부의 적극적인 정책이 필요하다고 보았다. 하이에크는 정부가 경제 계획으로 시장에 개입하면 시민의 자유가 축소될 수 있다고 보았다.

정답찾기 ㄱ. 케인스는 실업 문제의 해결을 위해 국가가 적극적으로 재정을 투입하여 유효 수요를 창출해야 한다고 보았다.
ㄴ. 하이에크는 정부 주도의 계획 경제는 시장의 자생적 질서를 방해하고 시민의 삶을 통제한다고 보았다.
ㄷ. 케인스와 하이에크는 모두 시장 경제의 원활한 운영을 위한 법적 규제는 필요하다고 보았다.

오답피하기 ㄹ. 하이에크는 자본주의 경제 체제를 바탕으로 정부 실패를 극복할 수 있다고 보았다.

7 공자와 노자의 사상적 입장 비교

문제분석 (가)의 갑은 공자, 을은 노자이다. 공자는 모든 사람이 자기의 명분에 부합하는 덕을 갖추고 자신의 역할을 온전히 수행해야 한다고 보았으며, 통치자는 덕으로써 다스려야 한다고 보았다. 노자는 통치자가 무위로 다스리면 다스려지지 않는 것이 없다고 보았다.

정답찾기 ㄱ. 공자는 긍정, 노자는 부정의 대답을 할 질문이다. 공자는 어진[仁] 마음을 바탕으로 예를 실천해야 한다고 보았다. 반면에 노자는 인이나 예와 같은 인위적 규범이 사회 혼란의 원인이라고 보았다.

ㄷ. 공자가 긍정의 대답을 할 질문이다. 공자는 자신이 하기 싫은 것을 남에게 시키지 않는 서(恕)를 실천해야 한다고 보았다.

ㄹ. 노자가 긍정의 대답을 할 질문이다. 노자는 무지(無知)와 무욕(無欲)의 삶을 통해 자연적 본성을 실현해야 한다고 보았다.

오답피하기 ㄴ. 노자가 긍정의 대답을 할 질문이다. 노자는 통치자가 무위로써 다스리면 백성이 타고난 덕을 발휘한다고 보았다.

8 칸트의 사상적 입장 이해

문제분석 제시문을 주장한 사상가는 칸트이다. 칸트는 도덕 법칙이 특정한 조건을 전제한 가언 명령이 아니라 무조건적 명령인 정언 명령의 형태로 제시되어야 한다고 보았다.

정답찾기 ② 칸트는 선의지로부터 비롯된 행위만이 도덕적 가치를 지닌다고 보았다. 칸트에 따르면 선의지로부터 비롯되지 않은 행위에는 도덕적 가치가 없다.

오답피하기 ① 칸트는 의무에 일치하는 행위가 자연적 경향성에서 비롯될 수도 있다고 보았다.

③ 칸트는 의지의 자율과 양립할 수 있는 행위만이 도덕성을 지닌다고 보았다. 칸트에 따르면 경향성을 따르는 타율적 행위는 도덕성을 지니지 않는다.

④ 칸트는 이성적 존재 중에서 신은 의지와 도덕 법칙이 일치한다고 보았다. 칸트에 따르면 신성한 의지를 지닌 신에게는 도덕 법칙이 의무로 부여되지 않는다.

⑤ 칸트는 보편화 가능한 준칙은 인간 존엄성 정식에 위배되지 않는다고 보았다.

9 원효와 지눌의 사상적 입장 이해

문제분석 갑은 원효, 을은 지눌이다. 원효는 각 종파가 강조하는 부처의 가르침이 서로 모순되지 않음을 밝혀 종파 간 갈등을 조화시키기 위해 화쟁(和諍)을 제시하였다. 지눌은 경전 공부가 선(禪) 수행에 도움이 됨을 주장하였다.

정답찾기 ② 원효는 대립하는 것처럼 보이는 있음과 없음이 결국 하나라는 실상(實相)을 깨달아야 참된 지혜에 이를 수 있다고 보았다.

오답피하기 ① 원효는 모든 존재와 현상은 마음이 만들어 내는 것이라고[一切唯心造(일체유심조)] 보았다.

③ 지눌은 단박에 깨달아도 점진적인 수행[漸修(점수)]이 필요하다고 보았다.

④ 지눌은 선정이 본체[體(체)]이고 지혜는 작용[用(용)]이므로 지혜는 선정을 떠나지 않는다고 보았다.

⑤ 원효와 지눌은 인간이 본래 불성을 지니고 있다고 보았다.

10 아우구스티누스와 아퀴나스의 사상적 입장 이해

문제분석 갑은 아우구스티누스, 을은 아퀴나스이다. 아우구스티누스는 세계를 완전한 신이 다스리는 신의 나라와 불완전한 인간이 사는 지상의 나라로 구분하였다. 아퀴나스는 신을 신앙의 대상으로 삼

으면서도 신의 존재를 이성을 통해 철학적으로 증명하려고 하였다.

정답찾기 ② 아우구스티누스는 악이 신이 창조한 실체가 아니라고 보았다. 아우구스티누스에 따르면 악은 선의 결여이며 인간이 자유 의지를 남용한 결과이다.

오답피하기 ① 아우구스티누스는 신과 하나가 되는 인간의 참된 행복은 신의 은총 없이는 실현될 수 없다고 보았다.

③ 아퀴나스는 자기 생명을 보존하려는 인간의 자연적 성향은 자연법, 즉 도덕규범의 근거라고 보았다.

④ 아퀴나스는 자연법이 이성을 통해 인식된 영원법이라고 보았으며, 실정법의 옳고 그름을 판단하는 근거가 된다고 보았다.

⑤ 아우구스티누스와 아퀴나스는 모두 신을 사랑하고 신과 하나가 되는 것이 인간이 누릴 수 있는 최고의 행복이라고 보았다.

11 비롤리와 벌린의 사상적 입장 이해

문제분석 갑은 공화주의 사상가 비롤리, 을은 자유주의 사상가 벌린이다. 비롤리는 타인의 자의적 의지에 예속되지 않은 상태인 비지배 자유를 진정한 자유로 보았다. 벌린은 간섭의 부재를 의미하는 소극적 자유를 진정한 자유로 보았다.

정답찾기 ② 비롤리는 비지배 자유를 지키기 위해서는 시민이 공화국의 정치에 참여해야 한다고 보았다.

오답피하기 ① 비롤리는 시민의 권리는 자연적으로 주어지는 천부 인권이 아니라 시민의 참여와 공화국의 법과 제도를 통해 만들어지는 것이라고 보았다.

③ 벌린은 불간섭의 영역이 확대될수록 개인 자유의 영역은 확대된다고 보았다.

④ 벌린은 개인에게 누구도 마음대로 간섭할 수 없는 영역이 있어야 한다고 보았다.

⑤ 비롤리와 벌린은 모두 정당한 법에 의한 간섭은 필요하다고 보았다.

12 이항로와 최제우가 서로에게 제기할 수 있는 비판 파악

문제분석 (가)의 갑은 위정척사 사상을 주장한 이항로, 을은 동학을 주장한 최제우이다. 이항로는 서양의 사상과 문물을 이단으로 규정하고 이를 물리쳐야 한다고 주장하였다. 최제우는 마음을 지키고 그 기운을 바르게 해야 한다[守心正氣(수심정기)]고 보았으며, 천하에 덕을 펼쳐야 한다[布德天下(포덕천하)]고 주장하였다.

정답찾기 ⑤ 최제우는 성리학적 신분 질서를 폐지하여 모든 사람이 평등한 이상 사회를 실현해야 한다고 보았다. 반면에 이항로는 성리학적 가치를 지켜야 한다고 보았다.

오답피하기 ① 최제우는 나라를 돕고 백성을 편안하게 해야 한다[輔國安民(보국안민)]고 보았다.

② 이항로는 서양의 모든 문물을 받아들여서는 안 된다고 보았다.

③ 최제우는 서양의 종교인 서학(西學)을 물리쳐야 한다고 보았다.

④ 최제우는 성(誠), 경(敬), 신(信)과 같은 유교적 가치를 배제해야 한다고 보지 않았다.

13 흄의 사상적 입장 이해

문제분석 제시문을 주장한 사상가는 흄이다. 흄은 도덕적 선악은 이성으로 판단하는 것이 아니라 감정으로 느끼는 것이라고 보았다. 흄

에 따르면 도덕적 감정이 개인의 주관성을 넘어 보편성을 지닐 수 있는 까닭은 공감 때문이다.

정답찾기 ④ 흄은 인간이 공감을 바탕으로 사적 이익과 상충하는 행위에 대해서도 시인의 감정을 지닐 수 있다고 보았다.

오답피하기 ① 흄은 시인의 감정이 도덕적 행위뿐만 아니라 아름다움이나 다른 것에 대해서도 일어날 수 있다고 보았다.

② 흄은 인간의 도덕적 감정은 자기애의 원리로는 설명할 수 없다고 보았다.

③ 흄은 이성이 행위의 동기가 될 수는 없지만 특정한 자질이나 행위가 가져올 유익한 결과를 알려 줄 수 있다고 보았다.

⑤ 흄은 도덕성이 대상의 객관적 성질로서 판단되는 것이 아니라 내적 감각으로 느껴진다고 보았다.

14 벤담과 밀의 사상적 입장 이해

문제분석 갑은 벤담, 을은 밀이다. 벤담은 모든 쾌락이 단지 양에서만 차이가 난다는 양적 공리주의를 주장하며 쾌락과 고통을 계산할 수 있는 기준을 제시하였다. 밀은 쾌락에는 질적인 차이가 있으므로 쾌락의 양만을 중시할 것이 아니라 질적인 차이도 고려해야 한다고 보았다.

정답찾기 ㄱ. 벤담과 밀은 모두 행위의 도덕적 가치는 행위가 가져오는 결과에 따라 평가되어야 한다고 보았다.

ㄴ. 벤담과 밀은 모두 인간에게 부여되는 도덕적 의무의 원천이 공리의 원리라고 보았다.

오답피하기 ㄷ. 벤담과 밀은 모두 최대의 행복을 가져오지 않는 자기희생은 도덕적 가치가 없다고 보았다.

ㄹ. 벤담은 쾌락의 질적인 차이가 있다고 보지 않았다.

15 듀이와 키르케고르의 사상적 입장 이해

문제분석 갑은 듀이, 을은 키르케고르이다. 듀이는 도덕도 지식과 마찬가지로 시대나 상황에 따라 변화하고 성장하므로 고정적이고 절대적인 가치나 원리는 존재하지 않는다고 보았다. 키르케고르는 실존적 상황에서는 오직 주체성만이 답을 줄 수 있으므로 '주체성이 진리'라고 보았다.

정답찾기 ③ 키르케고르는 죽음에 이르는 병인 절망을 극복하기 위해서는 신 앞에 선 단독자로서 신을 믿고 따르겠다고 결단해야 한다고 보았다.

오답피하기 ① 듀이는 지성적 탐구를 통해 상황에 맞게 지식이나 이론을 끊임없이 수정해야 한다고 보았다. 듀이에 따르면 절대적인 진리는 존재하지 않는다.

② 듀이는 인간이 처한 문제를 해결하는 데 유용한 지식이 참된 지식이라고 보았다.

④ 키르케고르는 진리는 주관적이므로 주체적인 결단을 통해 진정한 실존을 찾아야 한다고 보았다.

⑤ 키르케고르와 듀이는 모두 보편적 윤리 규범의 정립이 삶의 최종 목적이라고 보지 않았다. 키르케고르는 종교적 실존 단계에서 실존을 찾는 것을 삶의 목적이라고 보았고, 듀이는 삶의 최종 목적은 존재하지 않는다고 보았다.

16 석가모니의 사상적 입장 이해

문제분석 제시문을 주장한 사상가는 석가모니이다. 석가모니는 인생의 본질이 괴로움이라는 것을 자각하고 연기법(緣起法)을 깨달아야 한다고 보았다.

정답찾기 ㄱ. 석가모니는 모든 존재와 현상에는 그 원인과 조건이 있으며 괴로움의 발생과 소멸에도 그 원인과 조건이 있다고 보았다.

ㄴ. 석가모니는 사성제를 깨닫지 못한 근원적 번뇌 상태를 무명(無明)이라고 보았다.

오답피하기 ㄷ. 석가모니는 모든 존재와 현상은 원인과 조건에 의해 일시적으로 생겨났다가 소멸하므로 불변의 자아가 존재하지 않는다고 보았다.

ㄹ. 석가모니는 탐진치(貪瞋癡)의 삼독(三毒)이 중생을 해롭게 하는 독약과 같다고 보았다. 석가모니에 따르면 삼독은 인간을 윤회하게 만드는 근원이 되고, 중생의 고통을 만드는 원인이 된다.

17 마르크스와 모어의 이상 사회에 대한 입장 이해

문제분석 갑은 마르크스, 을은 모어이다. 마르크스의 공산 사회는 생산 수단이 공유되어 계급이 소멸하고 생산력이 고도로 발전한 사회이다. 모어의 유토피아는 경제적으로 풍요롭고 소유와 생산에서 완전한 평등을 이루며 도덕적으로 타락하지 않은 사회이다.

정답찾기 ⑤ 공산 사회와 유토피아는 모두 사유 재산이 허용되지 않아도 물질적으로 풍요로운 사회이다.

오답피하기 ① 공산 사회는 각자 능력에 따라 일하고 필요에 따라 분배받는 사회이다.

② 공산 사회는 계급과 국가가 소멸되고 자유로운 인간들의 공동체가 만들어진 사회이다.

③ 유토피아의 시민들은 정해진 노동 시간 이외에 자유롭게 여가를 보내거나 공개강좌를 들을 수 있다.

④ 유토피아에는 구성원을 규제하는 법률과 제도가 존재한다.

18 이황과 이이의 사상적 입장 이해

문제분석 갑은 이황, 을은 이이이다. 이황은 이(理)는 귀하고 기(氣)는 비천하며 이와 기는 모두 발할 수 있다고 보았다. 이이는 이는 통하고 기는 국한되며 기만이 발한다고 보았다.

정답찾기 ④ 이이는 천리(天理)가 기질에 들어와 이루어진 성인 기질지성이 본연지성을 포함한다고 보았다.

오답피하기 ① 이황은 군자와 소인의 본연지성은 동일하다고 보았다.

② 이황은 천리가 주재성과 운동성을 동시에 지닌다고 보았다.

③ 이이는 사단과 칠정의 연원은 모두 동일하다고 보았다.

⑤ 이황과 이이는 모두 칠정이 선악의 가능성을 함께 지닌 일반 감정이라고 보았다. 따라서 칠정은 악으로 흐를 수도 있지만 선으로 흐를 수도 있다.

19 홉스, 로크, 루소의 사상적 입장 비교 이해

문제분석 (가)의 갑은 홉스, 을은 로크, 병은 루소이다. 홉스는 개인은 만인의 만인에 대한 투쟁 상태인 자연 상태에서 벗어나기 위해 사회 계약을 맺는다고 보았다. 로크는 자연 상태에는 공정한 재판관이 없기 때문에 개인은 생명, 자유, 재산에 대한 권리를 보장받기 위해 사회 계약을 맺는다고 보았다. 루소는 사유 재산제가 생기면서 나타난 불평등과 예속에서 벗어나기 위해 개인은 주권자의 일원이 되는 계약을 맺는다고 보았다.

정답찾기 ③ 루소는 사유 재산제로 인한 불평등과 예속 때문에 사회 계약을 맺는다고 보았다. 반면에 로크는 개인이 자신의 재산권을 보장받기 위해 사회 계약을 맺는다고 보았다. 따라서 루소가 로크에게 제기할 비판으로 적절하다.

오답피하기 ① 홉스는 자연 상태에서는 소유권이나 부정의가 존재하지 않는다고 보았다.

② 홉스는 최고 권력인 주권자의 행위는 시민 본인의 행위로 간주해야 한다고 보았다.

④ 루소는 사회 계약은 자기 자신과의 계약이므로 자기 자신에게만 복종하는 것이라고 보았다.

⑤ 루소는 주권이 분할될 수도 없고 양도될 수도 없다고 보았다.

20 데카르트와 베이컨의 사상적 입장 이해

문제분석 갑은 데카르트, 을은 베이컨이다. 데카르트는 방법적 회의를 통해 모든 것을 의심하여 이성적 추론의 토대가 되는 확실한 원리인 철학의 제1원리를 발견하였다. 베이컨은 사유와 지식의 원천을 감각적 경험이라고 보아 자연을 있는 그대로 관찰하는 데 방해가 되는 선입견과 편견인 우상(偶像)을 제거해야 한다고 보았다.

정답찾기 ① 데카르트는 긍정, 베이컨은 부정의 대답을 할 질문이다. 데카르트는 확실한 원리로부터 이성적 추론을 통해 지식을 얻는 연역적 방법을 강조하였다. 반면에 베이컨은 관찰과 실험을 통해 얻은 지식을 바탕으로 일반적 원리를 얻는 귀납적 방법을 강조하였다.

오답피하기 ② 데카르트와 베이컨이 모두 긍정의 대답을 할 질문이다. 데카르트와 베이컨은 진리를 획득하는 과정에서 이성의 역할이 요구된다고 보았다.

③ 베이컨이 긍정의 대답을 할 질문이다. 베이컨은 실험을 통해서 자연에 대한 참된 지식을 획득해야 한다고 보았다.

④ 데카르트가 부정의 대답을 할 질문이다. 데카르트는 방법적 회의를 통해 확실한 지식에 도달할 수 있다고 보았다.

⑤ 베이컨이 긍정의 대답을 할 질문이다. 베이컨은 인간의 선입견과 편견인 우상이 자연을 정확하게 인식하는 데 방해가 된다고 보았다.

실전 모의고사 2회
본문 117~121쪽

1 ⑤	2 ⑤	3 ⑤	4 ③	5 ⑤
6 ④	7 ③	8 ⑤	9 ③	10 ④
11 ④	12 ④	13 ③	14 ②	15 ③
16 ②	17 ⑤	18 ②	19 ⑤	20 ③

1 밀이 강조한 삶의 태도 파악

문제분석 가상 대화의 사상가는 밀이다. 밀은 행복을 고통의 결여이자 쾌락이라고 보고, 쾌락에는 질적인 차이가 있으므로 쾌락의 양뿐만 아니라 질적인 차이도 고려해야 한다고 주장하였다.

정답찾기 ⑤ 밀은 질적으로 높은 수준의 쾌락의 경우 쾌락의 양이 적더라도 질적으로 낮은 다량의 쾌락보다 우월하다고 보았다.

오답피하기 ① 밀은 질적으로 낮은 단순한 감각적 쾌락보다 질적으로 높은 정신적 쾌락을 추구해야 한다고 보았다.

② 밀은 최대 다수의 최대 행복이라는 보편적 도덕 원리를 토대로 개인의 행복과 사회 전체의 행복을 조화시키고자 하였다.

③ 밀은 희생 그 자체가 선이 될 수 없으며 희생을 통해 행복의 총량을 증진할 수 있을 때 도덕적 가치를 지닌다고 보았다.

④ 밀은 여러 가지 쾌락을 경험한 사람이 선호하는 쾌락이 보다 바람직한 쾌락이라고 보았다.

2 플라톤과 아리스토텔레스의 사상적 입장 이해

문제분석 갑은 플라톤, 을은 아리스토텔레스이다. 플라톤에 따르면 인간의 영혼은 이성, 기개, 욕구의 세 부분으로 구성되어 있으며, 영혼의 각 부분이 서로 간섭하지 않고 자신의 기능을 다하며 전체적으로 조화를 이룰 때 영혼의 정의(正義)가 실현된다. 아리스토텔레스는 덕을 지성적 덕과 품성적 덕으로 구분하고, 지성적 덕은 주로 교육을 통해 얻어지고 길러지는 데 비해, 품성적 덕은 중용의 반복적 실천을 통해 형성된다고 보았다.

정답찾기 ⑤ 플라톤은 영혼의 세 부분에 해당하는 덕이 잘 발휘되고 전체적으로 조화를 이루어 정의로운 사람이 될 때 행복한 삶을 살 수 있다고 보았고, 아리스토텔레스는 행복을 덕에 따르는 영혼의 활동이라고 보았다.

오답피하기 ① 플라톤은 도덕적 진리의 근원이 현실 세계가 아니라 초월적인 이데아 세계에 있다고 보았다.

② 플라톤은 이성이 기개와 욕구를 잘 통제하고 조절할 때 영혼의 조화를 이룰 수 있다고 보았다.

③ 아리스토텔레스는 지나침과 모자람의 중간 상태인 중용은 산술적 중간이 아니라 각 상황에서 가장 적절한 상태를 의미한다고 보았다.

④ 아리스토텔레스는 중용을 파악하고 실천하기 위해서는 좋은 것과 나쁜 것이 무엇인지를 알 수 있게 하는 실천적 지혜가 필요하다고 보았다.

3 공자와 순자의 사상적 입장 이해

문제분석 갑은 공자, 을은 순자이다. 공자는 인(仁)을 중심으로 한 덕치(德治)를 추구하였다. 순자는 인간의 본성을 그대로 방치하면 다툼과 사회적 혼란을 피할 수 없으므로 인위(人爲)로서의 예(禮)를 바탕으로 인간의 본성을 교화해야 한다고 주장하였다.

정답찾기 ⑤ 공자와 순자는 모두 사욕(私欲)을 억제하고 예의를 밝혀 도를 실현해야 한다고 주장하였다.

오답피하기 ① 공자는 "정치에서 중요한 것은 명분[名(명)]을 바로 세우는 것이다. 명분이 바로 서지 않으면 말[言(언)]이 순조롭지 않고, 말이 순조롭지 않으면 일이 이루어지지 않는다."라고 주장하며 명분을 바로잡아야 한다고 보았다.
② 공자는 강력한 법률이나 형벌보다 덕성과 예로 백성을 교화하는 덕치(德治)를 강조하였다.
③ 순자는 하늘을 만물을 주재하는 실재나 의리(義理)의 원천이 아닌 자연 현상으로서의 하늘[自然之天(자연지천)]이라고 주장하였다.
④ 순자는 인간의 본성 안에 예(禮)가 내재되어 있다고 주장하지 않았다.

4 케인스와 하이에크의 사상적 입장 이해

문제분석 갑은 케인스, 을은 하이에크이다. 케인스는 정부가 정책을 통해 민간 부문의 유효 수요를 확대하면 경제 위기를 극복하고 완전 고용을 실현할 수 있다고 보았다. 하이에크는 국가가 개입하여 시장의 자율성을 훼손하면 사람들을 노예의 길로 이끌어 개인의 자유를 침해하게 된다고 보았다.

정답찾기 ㄱ. 케인스는 공황과 같은 문제는 투자 감소와 소비 저하로 인해 발생한다고 보고 정부가 투자 확대, 유효 수요의 창출을 위해 노력해야 한다고 주장하였다.
ㄴ. 하이에크는 시장에서의 자유로운 경쟁을 통한 이윤 추구, 사적 재산권 보장 등 시장 경제 질서를 중시하였다.

오답피하기 ㄷ. 케인스만의 입장이다. 하이에크는 정부가 시장에 개입하여 실업이나 공황 등의 문제를 해결하려는 것은 치명적 자만이라고 보았다.

5 에피쿠로스학파와 스토아학파의 사상적 입장 이해

문제분석 (가)의 갑은 에피쿠로스, 을은 스토아학파 사상가 에픽테토스이다. 에피쿠로스는 몸에 고통이 없고 마음에 불안이 없는 평정심을 참된 쾌락으로 보았다. 에픽테토스는 세계에서 일어나는 모든 일들은 필연적으로 결정되어 있으므로 이에 순응하면서 마음의 평온을 누릴 것을 주장하였다.

정답찾기 ㄴ. 에피쿠로스와 에픽테토스의 공통 입장이다. 에피쿠로스와 에픽테토스는 모두 인간의 행복한 삶을 위해서는 이성적 사고가 필요하다고 보았다.
ㄷ. 에피쿠로스와 에픽테토스의 공통 입장이다. 에피쿠로스와 에픽테토스는 모두 절제하는 삶 가운데 마음의 평온과 진정한 행복을 누릴 수 있다고 보았다.
ㄹ. 에픽테토스만의 입장이다. 에픽테토스는 자연의 섭리에 따라 주어진 운명에 순응하며 살아야 한다고 주장하였다. 이와 달리 에피쿠로스는 신, 운명, 죽음 등에 대한 잘못된 믿음을 없애야 한다고 주장하였다.

오답피하기 ㄱ. 에피쿠로스의 입장에 해당하지 않는다. 에피쿠로스는 행복하고 바람직한 삶을 위해 자연적이고 필수적인 욕구를 최소

한으로 충족시키고 자연적이지도 필수적이지도 않은 욕구는 극복해야 한다고 주장하였다.

6 석가모니의 사상적 입장 이해

문제분석 제시문을 주장한 사상가는 석가모니이다. 석가모니는 연기설에 근거하여 모든 현상은 다양한 원인과 조건을 근거로 하여 생겨나듯이 괴로움도 무명과 갈애라는 원인과 조건을 근거로 하여 생겨난다고 보았다.

정답찾기 ④ 석가모니는 갈애가 괴로움이 일어나는 원인이 된다고 보았으며 대표적인 것으로 감각적 욕망에 대한 갈애, 존재에 대한 갈애, 존재하지 않음에 대한 갈애를 들었다.

오답피하기 ① 석가모니는 해탈에 이르기 위해 쾌락과 고행의 양극단을 넘어서 올바른 수행인 중도(中道)를 실천해야 한다고 보았다.
② 석가모니는 불변하는 실체로서의 자아는 존재하지 않는다[無我(무아)]는 것을 깨달아 자신과 만물에 대한 집착에서 벗어날 것을 강조하였다.
③ 석가모니는 태어남이 소멸하면 늙음, 죽음, 근심, 탄식, 육체적 고통, 정신적 고통이 소멸하고 나아가 전체 괴로움의 무더기[五蘊(오온)]가 소멸한다고 보았다.
⑤ 석가모니는 생각, 말, 행동으로 짓는 업(業)으로 인해 고통의 세계를 윤회한다고 보았다. 그에 따르면 연기의 법을 올바르게 이해할 때 윤회의 고통에서 벗어나 해탈에 이를 수 있다.

7 이상 사회에 대한 노자와 모어의 입장 이해

문제분석 갑은 노자, 을은 모어이다. 노자는 사람들이 문명의 이기(利器)에 무관심하고 자연의 순리에 따라 물과 같은 무위(無爲)의 삶을 살아가는 소국 과민(小國寡民) 사회를 이상 사회로 제시하였다. 모어는 생산과 소유에 있어서 평등이 실현되고, 경제적으로 풍요로운 유토피아를 이상 사회로 제시하였다.

정답찾기 ③ 모어가 이상 사회로 제시한 유토피아에서는 노동 시간과 잠자는 시간을 제외한 나머지 시간은 연구나 여가 등 정신적 자유와 문화생활을 향유할 수 있다.

오답피하기 ① 노자의 소국 과민 사회는 통치자가 백성들의 삶에 인위적으로 개입하거나 통제하지 않아 백성들이 자유롭고 소박한 삶을 누리는 사회이다.
② 노자는 문명의 발달이 없는 사회에서 소박한 삶을 사는 것이 바람직하다고 보았다.
④ 모어가 이상 사회로 제시한 유토피아는 최소한의 비슷한 법률을 가진 마을들로 이루어진다는 점에서 사회 규범이 존재한다.
⑤ 노자는 무위와 무욕의 자연스럽고 소박한 삶을 살 수 있는 소국 과민 사회를 이상 사회로 보았다. 모어는 잉여 생산에 대한 욕망을 가질 필요가 없고, 필요 이상의 노동을 하지 않아도 정신적 자유와 행복을 누릴 수 있는 유토피아를 이상 사회로 보았다.

8 아우구스티누스와 아퀴나스의 사상 비교

문제분석 갑은 교부 철학자인 아우구스티누스, 을은 스콜라 철학자인 아퀴나스이다. 아우구스티누스는 신을 이성적 인식을 넘어서 실

존을 통해 만나야 할 인격적 존재로 여겼다. 아퀴나스는 신앙과 이성, 신학과 철학은 조화될 수 있음을 강조하면서 그리스도교의 교리를 철학적으로 논증하고 합리적으로 설명하고자 하였다.

(정답찾기) ⑤ 아우구스티누스와 아퀴나스는 모두 영원한 행복에 이르기 위해서는 종교적 덕을 추구해야 한다고 보았다. 특히 아퀴나스는 도덕적 덕의 추구는 현세적이고 일시적인 행복만을 가져다줄 수 있지만, 종교적 덕의 추구는 영원한 행복을 가져다준다고 강조하였다.

(오답피하기) ① 아우구스티누스에 따르면 악은 신의 창조물이 아니라 인간 행위의 결과이며, 실체로서 존재하는 것이 아니라 선이 결여된 상태이다.
② 아우구스티누스는 신을 실존적으로 만나야 할 인격적 존재로 보았다. 신을 유일한 실체이며 조화로운 자연 그 자체로 본 사상가는 스피노자이다.
③ 아퀴나스의 입장에 대한 설명이다. 아퀴나스는 인간이 자연적 성향으로 가지는 모든 것은 이성에 의해 선으로 이해되고 추구의 대상이 되며, 자연적 성향으로부터 도덕적 의무가 도출된다고 보았다.
④ 아우구스티누스와 아퀴나스는 모두 신앙을 통해서만 구원을 얻을 수 있다고 보았다.

9 이황, 이이, 정약용의 사상적 입장 비교

(문제분석) (가)의 갑은 이황, 을은 이이, 병은 정약용이다. 이황은 이기호발설의 입장에서 이와 기가 모두 발할 수 있다고 보았다. 이이는 사단과 칠정 모두 기가 발하고 이가 탄 것으로 보았고 사단은 칠정을 포함할 수 없지만 칠정은 사단을 포함하는 것이라고 여겼다. 정약용은 인의예지의 덕은 일상생활에서 사단을 확충함으로써 형성되는 것이라고 보았다.

(정답찾기) ③ 이황과 이이는 사람과 동물의 본연지성은 같고 기질지성은 다르다고 보았지만, 정약용은 사람과 동물의 기질지성은 같고 도의(道義)지성은 오직 인간에게만 있다고 보았다.

(오답피하기) ① 이황은 사단은 본연지성에서, 칠정은 기질지성에서 유래한 감정이라고 보았다.
② 이황과 이이는 사단과 칠정 모두 이와 기가 있다고 보았다.
④ 정약용은 인간이 선을 좋아하는 기호를 타고나므로 불선을 택하는 것은 성을 거스르는 것으로, 죄를 면할 수 없다고 보았다.
⑤ 이황, 이이, 정약용 모두 인간이 사단을 타고난다고 보았으나 성(性)은 아니라고 보았다. 이황과 이이는 사단을 정(情)으로 보았으며, 정약용은 사단은 심(心)이지만 성도 아니고 이(理)도 아니고 덕(德)도 아니라고 보았다.

10 벌린과 페팃의 사상적 입장 이해

(문제분석) 갑은 자유주의 사상가인 벌린, 을은 공화주의 사상가인 페팃이다. 벌린은 국가의 개입을 정당화하고 개인의 권리를 침해할 여지가 있는 적극적 자유보다 간섭의 부재를 의미하는 소극적 자유를 중시하였다. 페팃은 자유주의가 추구하는 '불간섭'으로서의 소극적 자유보다 자의적 지배가 없는 '비지배로서의 자유'를 강조하였다.

(정답찾기) ④ 페팃은 자의적 영향력에 예속되거나 잠재적으로 타인의 특수한 판단에 종속되는 상태는 자유롭지 않은 상태라고 보았다.

(오답피하기) ① 벌린은 개인에게 어느 누구도 넘을 수 없는 자유의 경계선이 확보되어야 한다고 보았다.
② 벌린은 소극적 자유가 외부의 부당한 압력이나 강제로부터 벗어난 상태이며 인간의 행동을 가로막는 장애물이 없는 상태라고 보았다.
③ 페팃은 타인의 자의적인 지배가 존재하지 않는 비지배로서의 자유를 진정한 자유라고 보았다.
⑤ 벌린과 페팃은 모두 개인의 자유가 법의 지배에 의해 제약될 수 있는 경우를 인정하였다.

11 주희와 왕수인의 사상적 입장 이해

(문제분석) (가)의 갑은 주희, 을은 왕수인이다. 주희는 마음과 개별 사물 모두에 본래부터 이치가 부여되어 있다고 보았다. 왕수인은 마음이 곧 이치[心卽理(심즉리)]라고 주장하면서 마음 밖에는 이치가 없다고 보았다.

(정답찾기) ④ 왕수인이 긍정의 대답을 할 질문이다. 왕수인은 내 마음의 본체인 양지를 각각의 사물에서 온전히 실현하면 각각의 사물이 모두 그 이치를 얻게 된다고 보았다.

(오답피하기) ① 주희는 긍정, 왕수인은 부정의 대답을 할 질문이다. 주희는 개별 사물에서의 이치가 그 사물의 성(性)이 된다고 보고, 사물에 나아가 그 이치를 탐구해야 한다고 보았다. 이에 비해 왕수인은 마음 밖에는 이치가 없고 마음과 무관한 사물도 없다고 보았다.
② 주희는 부정, 왕수인은 긍정의 대답을 할 질문이다. 주희는 격물을 사물에 나아가 그 이치를 탐구하는 것으로 해석하였다.
③ 주희와 왕수인 모두 긍정의 대답을 할 질문이다. 주희와 왕수인은 사욕을 제거하고 천리를 보존하면 누구나 성인이 될 수 있다고 보았다.
⑤ 왕수인이 부정의 대답을 할 질문이다. 왕수인은 "지는 행의 시작이고, 행은 지의 완성이다."라는 주장을 통해 지와 행이 본래 하나[知行合一(지행합일)]라고 보았다.

12 의천과 지눌의 사상적 입장 이해

(문제분석) 갑은 의천, 을은 지눌이다. 의천은 교종의 입장에서 선종을 수용하면서 경전을 읽는 교학(敎學) 수행과 참선을 하는 지관(止觀) 수행을 함께 해야 한다[敎觀兼修(교관겸수)]고 주장하였다. 지눌은 선종의 입장에서 교종을 수용하면서 단박에 깨친 뒤에도 나쁜 습기를 제거하기 위해 선정(禪定)과 지혜(智慧)를 함께 닦아야 한다[定慧雙修(정혜쌍수)]고 주장하였다.

(정답찾기) ④ 지눌은 깨달음의 능력이 높은 사람의 경우는 돈오 이후 부처의 마음 상태 그대로를 유지하는 자성정혜(自性定慧)에 의해 깨달음을 완성하고, 번뇌가 깊어 깨달음의 능력이 낮은 사람은 번뇌의 상태에 따라 대응하는 수상정혜(隨相定慧)를 통해 깨달음을 완성할 수 있다고 보았다.

(오답피하기) ① 의천은 교관겸수(敎觀兼修)를 강조하면서 교학 수행과 지관 수행을 함께 해야 한다고 주장하였다.
② 의천은 불법이 마음에서 마음으로만 전해진다고 보지 않았다. 의천은 불법을 깨닫기 위해서는 경전을 통한 교리 공부가 필요하다고 보았다.
③ 지눌은 선정을 본체, 지혜를 작용으로 해석하면서 선정과 지혜를 함께 닦아야 한다는 정혜쌍수(定慧雙修)를 주장하였다.

⑤ 의천과 지눌은 모두 대승 불교 사상가로서 중생과 함께하는 대중적 측면을 강조하였다.

13 슘페터와 롤스의 사상적 입장 비교

문제분석 갑은 엘리트 민주주의 이론을 주장한 슘페터이고, 을은 심의 민주주의 이론을 주장한 롤스이다. 슘페터는 민주주의를 정부의 지도자가 되려는 후보자들이 표를 얻기 위해 자유롭게 경쟁하는 제도적 장치라고 보고, 시민의 역할을 지도자를 선출하는 투표자의 역할에 한정해야 한다고 주장하였다. 롤스는 민주주의의 기본 특징이 공적 심의에 있다고 보고, 통치의 정당성은 시민 간 대화와 토론에 의해 부여된다고 보았다.

정답찾기 ③ 슘페터는 민주주의의 본질은 국민의 통치가 아니라 정치가의 통치라고 보고, 일반적으로 시민은 엘리트보다 비합리적인 편견을 가지거나 충동에 빠지는 경향이 있기 때문에 정치는 선거에서 선출된 엘리트들에게 맡겨야 한다고 보았다. 이에 비해 롤스는 민주주의의 본질이 심의에 있다고 보고, 시민들이 공적 심의에 참여하여 공적 담론을 통해 정책을 결정해야 한다고 보았다. 따라서 슘페터의 입장에 비해 롤스의 입장은 '정치적 문제 해결을 위한 시민 간 토론을 강조하는 정도(X)'는 높고, '시민은 엘리트보다 비합리적인 경향이 있음을 강조하는 정도(Y)'는 낮으며, '공적 담론을 통한 정책 결정의 필요성을 강조하는 정도(Z)'는 높다. 따라서 슘페터의 입장에 비해 롤스의 입장이 갖는 상대적 특징은 ⓒ이다.

14 칸트와 로스의 사상적 입장 이해

문제분석 갑은 칸트, 을은 로스이다. 칸트는 도덕 법칙을 모든 인간이 따라야 할 절대적이고 보편타당한 명령이자 의무로 보고, 의무 의식으로부터 비롯된 행위만이 도덕적 가치를 갖는다고 주장하였다. 로스는 의무들 사이에 갈등이 발생할 경우 상대적으로 약한 의무는 유보되고 강한 의무가 실제적인 의무가 된다고 주장하였다.

정답찾기 ㄱ. 칸트는 쾌락을 추구하는 경향성이나 동정심과 같은 자연적 경향성과 무관하게 도덕 법칙을 따라야 한다고 보았다.

ㄷ. 로스는 약속 지키기, 성실, 호의에 대한 감사, 선행, 정의, 자기계발, 해악 금지와 같은 일곱 가지 조건부 의무를 제시하고, 특수한 상황에서 따라야 할 실제적 의무를 직관적으로 알 수 있다고 보았다.

오답피하기 ㄴ. 로스는 하나의 의무는 또 다른 의무와 갈등하기 전까지는 우리를 잠정적으로 구속하는 조건부 의무라고 보고, 조건부 의무들 사이에 갈등이 발생할 경우 상대적으로 약한 의무는 유보되고 강한 의무가 실제적인 의무가 된다고 보았다.

ㄹ. 칸트만의 입장이다. 로스는 누구나 지켜야 할 절대적인 도덕적 의무는 존재하지 않으며, 특정한 상황에서 직관에 따라 옳고 명백한 의무를 따라야 한다고 보았다.

15 홉스와 로크의 사회 계약론 비교 이해

문제분석 갑은 홉스, 을은 로크이다. 홉스는 사람들이 만인의 만인에 대한 전쟁 상태인 자연 상태에서 벗어나기 위해 사회 계약을 맺으면서 그들 모두의 의지를 하나의 의지로 결집하여 국가가 형성된다고 보았다. 로크는 사람들이 자연 상태에서는 재산권의 향유가 불안정하기 때문에 이를 확실하게 보장받기 위해 정치권력에 자연법의

집행권을 양도한다고 주장하면서 입법부가 신탁에 반하는 경우 저항권을 행사할 수 있다고 보았다.

정답찾기 ③ 홉스는 긍정, 로크는 부정의 대답을 할 질문이다. 홉스는 국가 권력은 분리되거나 분할되지 않고 주권자인 통치자에게 독점된다고 보았다. 반면에 로크는 국가 권력이 입법권과 집행권 등으로 분리되어야 한다고 보았다.

오답피하기 ① 홉스가 부정의 대답을 할 질문이다. 홉스는 통치자는 사회 계약의 주체가 아니라고 보았다.

② 홉스가 부정의 대답을 할 질문이다. 홉스는 소유권이 국가가 형성된 이후에 생성될 수 있는 인위적 권리라고 보았다.

④ 홉스가 부정의 대답을 할 질문이다. 홉스에 따르면 국민은 국가 권력이 자기 보존을 위협할 경우 저항할 수 있다.

⑤ 홉스, 로크 모두 긍정의 대답을 할 질문이다. 홉스와 로크는 인간이 자연 상태에서 이성을 통해 합리적 선택을 할 수 있다고 보았다.

16 동학, 동도서기론, 위정척사 사상의 입장 비교 이해

문제분석 갑은 동학의 2대 교주인 최시형, 을은 동도서기론을 주장한 신기선, 병은 위정척사 사상가인 이항로이다. 동학은 모든 사람이 한울님을 모시고 있기 때문에 존귀한 존재임을 강조하면서 신분 차별, 남녀 차별, 노소 차별이 심했던 당시의 사회 질서를 거부하는 운동을 전개하였다. 동도서기론은 유교적 가치와 질서를 지키는 가운데 서양의 우수한 과학 기술과 군사 제도는 수용하자는 입장이다. 위정척사 사상은 올바른 것, 즉 유교적 가치 체계와 질서는 지키고 거짓된 것, 즉 서양의 종교와 문물은 배척해야 한다는 입장이다.

정답찾기 ② 동도서기론은 유교적 가치와 신분 질서는 지켜야 한다고 보았다. 신분 차별이 사라진 평등한 세상을 만들어야 한다고 주장한 것은 동학이다.

오답피하기 ① 동학은 성(誠), 경(敬), 신(信)의 수양을 강조하였다.

③ 위정척사 사상은 서양과 일본의 문물은 배척해야 한다고 주장하였다.

④ 동학과 위정척사 사상은 모두 서양의 통상 요구로 위기의식이 고조되던 시기에 서구 열강의 침략에 대항할 것을 강조하였다.

⑤ 동도서기론과 위정척사 사상은 모두 유교적 가치 체계와 질서를 지켜야 한다고 보았다.

17 스피노자와 흄의 사상적 입장 이해

문제분석 갑은 스피노자, 을은 흄이다. 스피노자는 자연에서 일어나는 모든 일은 원인과 결과로 필연적으로 연결되어 있다고 보았으며, 이성을 온전히 사용하여 사물들이 발생하는 필연적인 질서를 인식하게 되면 마음의 안정과 평화를 얻게 된다고 여겼다. 흄은 선악은 어떤 행위나 품성을 바라볼 때 느끼는 시인의 감정이나 부인의 감정을 표현한 것이며 이 감정은 개인의 주관적 감정이 아니라 사람들이 공통으로 느끼는 사회적 감정이라고 보았다.

정답찾기 ㄱ. 스피노자는 인간이 수동적 감정인 정념의 지배에서 벗어나는 길은 정념에 대해 객관적인 인식을 갖는 것, 즉 정념의 참된 원인을 아는 것이라고 보았다.

ㄷ. 흄은 모든 사람들이 공감의 능력을 갖고 있기 때문에 사회적으로 유용한 행위에 대해 시인의 감정을 느낄 수 있다고 보았다.

ㄹ. 스피노자는 수동적 감정인 정념에 속박되면 외부 원인에 휘둘리고 수동적인 삶을 살게 되지만 삶의 주인으로서 이성이 인도하는 삶을 사는 데 기여하는 감정도 있다고 보았다. 흄은 감정이 도덕적 실천의 직접적 동기가 된다고 보았다.

오답피하기 ㄴ. 스피노자는 자신의 존재를 보존하려는 것을 모든 자연 만물의 본질로 보았으며, 이것이 인간에게서 표현되는 특수한 방식이 욕망이라고 여겼다. 스피노자는 욕망을 억압하거나 제거해야 할 대상이 아니라 이 세계를 제대로 인식하도록 이끄는 원동력이라고 보았다.

18 누스바움과 애피아의 세계 시민주의 비교

문제분석 갑은 누스바움, 을은 애피아이다. 누스바움은 국가주의와 같은 자국 중심의 배타주의를 극복하고 세계 시민으로서의 정체성을 가지는 것이 중요하다고 보았다. 애피아는 국가 구성원으로서의 특수한 삶과 세계 시민으로서의 보편적인 삶을 조화시키기 위해 노력해야 한다고 보았다.

정답찾기 ② 누스바움은 사람들이 다른 문화에 대한 감수성과 이해력을 갖추고 세계 시민으로 활동할 수 있는 정신을 함양해야 한다고 보았다.

오답피하기 ① 누스바움은 가족, 이웃에 대한 특수한 애정과 보편적 인간애는 양립 가능하다고 보았다.
③ 애피아는 지역적 정체성을 유지하면서도 국경을 초월하여 다른 사람과 연대할 수 있는 세계 시민주의를 주장하였다.
④ 애피아는 절대적 가치를 기준으로 모든 문화를 융합해 나가는 것이 아니라 문화적 차이를 존중하는 태도를 길러야 한다고 보았다.
⑤ 애피아는 특정 국가의 시민으로서 애국심을 유지하고 살아가면서도 보편적인 인류애를 중시해야 한다고 보았다.

19 키르케고르와 사르트르의 사상적 입장 비교

문제분석 갑은 키르케고르, 을은 사르트르이다. 키르케고르는 인간이 주체적 결정을 회피하면서 빠지게 되는 절망을 '죽음에 이르는 병'이라고 보고, 불안과 절망을 극복하고 참된 실존을 회복하기 위해서 '신 앞에 선 단독자'로서 생각하고 행동할 것을 강조하였다. 사르트르는 인간의 본질을 정해 줄 신은 존재하지 않는다고 보고, 인간은 신에게 의지하지 말고 자신의 주체적인 선택을 통해 스스로를 형성해 가야 함을 강조하였다.

정답찾기 ⑤ 무신론의 입장에서 실존주의를 주장한 사르트르에게 키르케고르는 인간이 신에게 귀의할 것을 스스로 결단할 때 절망에서 벗어나 참된 실존을 회복할 수 있다는 비판을 제기할 수 있다.

오답피하기 ① 사르트르는 인간의 본질이나 목적을 정해 줄 신은 존재하지 않으므로 인간에게 마땅히 실현해야 할 미리 정해진 본질은 없다고 보았다.
② 키르케고르는 보편적인 윤리 규범을 따르는 윤리적 실존 단계에서는 자신의 유한성을 자각하면서 다시 절망에 빠지므로 참된 실존을 회복할 수 없다고 보았다.
③ 키르케고르에 따르면 이성을 통한 합리적 사유로는 모든 불안과 절망을 극복할 수 없다.
④ 키르케고르는 실존적 상황에서는 객관성이 아니라 오직 주체성만

이 답을 줄 수 있다고 보았다.

20 평화에 대한 갈퉁의 입장 이해

문제분석 그림의 강연자는 갈퉁이다. 갈퉁은 폭력을 직접적 폭력과 구조적 폭력, 문화적 폭력으로 구분하고, 직접적 폭력이 제거된 상태인 소극적 평화를 넘어 구조적 폭력과 문화적 폭력까지 제거된 적극적 평화를 진정한 평화라고 주장하였다.

정답찾기 ③ 갈퉁은 진정한 평화 실현을 위해 정치와 경제에서 나타나는 억압과 착취와 같은 구조적 폭력을 제거해야 한다고 주장하였다.

오답피하기 ① 갈퉁은 폭력에 구조적 폭력이 포함되므로 폭력의 주체는 개인만이 아니라 사회 구조가 될 수도 있다고 보았다.
② 갈퉁은 구조적 폭력이나 문화적 폭력의 경우 사회 구성원들 개개인의 선의지만으로는 해결하기 어렵다고 보았다.
④ 갈퉁은 구조적 폭력과 문화적 폭력의 경우 가해 주체가 분명하지 않고 의도가 드러나지 않지만, 이러한 폭력은 적극적 평화의 실현을 방해한다고 주장하였다.
⑤ 갈퉁은 문화적 폭력이 직접적 폭력과 구조적 폭력을 모두 정당화한다고 보았다.

1 ③	**2** ④	**3** ④	**4** ⑤	**5** ②
6 ⑤	**7** ①	**8** ④	**9** ④	**10** ②
11 ①	**12** ②	**13** ①	**14** ①	**15** ②
16 ⑤	**17** ④	**18** ①	**19** ④	**20** ②

1 공자의 사상적 입장 이해

문제분석 가상 편지를 쓴 사상가는 공자이다. 공자는 인(仁)을 인간의 내면적 도덕성으로 보았고, 인을 실현하기 위해 충서(忠恕)와 같은 덕목을 실천해야 한다고 주장하였다.

정답찾기 ③ 공자는 사랑의 정신이자 인격체의 인간다움인 인을 실현하기 위해서 이기적인 욕심을 극복하고, 자신의 마음을 미루어 남의 마음을 헤아려[恕] 한다고 보았다.

오답피하기 ① 인위적인 도덕규범에서 벗어나 자연의 이치를 따라야 한다고 주장한 사상가는 노자이다.

② 공자는 친소의 구별이 있는 사랑을 주장하였다. 친소의 구별 없이 모든 사람을 동등하게 사랑해야[兼愛] 한다고 주장한 사상가는 묵자이다.

④ 공자는 정신과 형식이 조화를 이루어야 한다고 주장하였다.

⑤ 공자는 효제(孝悌)가 윗사람에 대한 일방적인 의무가 아닌 호혜적인 성격을 지닌 것이라고 보았다.

2 석가모니의 사상적 입장 이해

문제분석 제시문을 주장한 사상가는 석가모니이다. 석가모니는 모든 존재와 현상은 무수한 원인[因]과 조건[緣]에 의해 생겨나며, 그 원인과 조건이 없으면 결과도 없다고 주장하였다.

정답찾기 첫 번째 입장. 석가모니는 오온(五蘊)을 포함한 세상의 모든 것은 불변하는 것이 아니라 끊임없이 생멸하고 변화한다고 주장하였다.

두 번째 입장. 석가모니는 색(色), 수(受), 상(想), 행(行), 식(識)이라는 오온은 인연에 의해 임시로 화합하여 존재한다고 보았다.

네 번째 입장. 석가모니는 '나'라고 주장할 만한 불변하는 실체가 존재한다는 집착을 끊어야 무명(無明)에서 벗어날 수 있다고 보았다.

오답피하기 세 번째 입장. 석가모니에 의하면 세상의 모든 것은 끊임없이 생멸하고 변화하기 때문에 궁극적 실재라는 것은 존재하지 않는다.

3 맹자와 순자의 사상적 입장 비교

문제분석 갑은 맹자, 을은 순자이다. 맹자는 성선설(性善說)을 주장하였고, 수양 방법으로 잃어버린 본심을 되찾음[求放心], 욕심을 적게 가짐[寡欲] 등을 제시하였다. 순자는 성악설(性惡說)을 주장하였고, 예(禮)를 배워 악한 본성을 변화시킬 것[化性起僞]을 강조하였다.

정답찾기 ④ 순자는 인간의 모든 욕망을 제거할 것이 아니라 적절하게 조절할 것을 주장하였다.

오답피하기 ① 맹자는 옳은 일을 반복적으로 실천하여 선한 본성을 확충해야 한다고 보았다.

② 맹자는 인간의 본성이 선하지만 이익에 대한 사사로운 욕망[私欲] 때문에 악한 행동을 할 수 있다고 보았다.

③ 순자는 인간의 본성이 악하기 때문에 부모를 공경하고 사랑하는 선한 행동은 인간의 본성과 어긋난다고 보았다.

⑤ 맹자와 순자는 모두 인간이 도덕적 행동을 할 수 있는 가능성을 인정하였으며, 인간이 선악을 구별할 수 있는 능력을 가지고 있다고 보았다.

4 노자와 장자의 사상적 입장 비교

문제분석 (가)의 갑은 노자, 을은 장자이다. 노자는 도(道)가 만물의 근원이며, 도는 무엇을 억지로 왜곡하거나 조작하지 않기 때문에 무위(無爲)라고 보았다. 장자는 도의 관점에서 만물의 평등함과 정신의 자유로움을 강조하였고, 세속을 초월하여 무엇에도 얽매이지 않는 정신적 자유의 경지를 추구하였다.

정답찾기 ㄷ. 노자와 장자는 모두 자연의 이치를 따르는 소박한 삶을 살아야 한다고 주장하였다. 따라서 B에 들어갈 진술로 적절하다.

ㄹ. 장자는 제물(齊物)을 통하여 정신의 절대적인 자유에 도달해야 한다고 주장하였다.

오답피하기 ㄱ. 노자는 하늘이 도를 본받아 인간적인 덕을 지니지 않는다고 보고, 하늘과 마찬가지로 성인(聖人)도 어질지 않다고 주장하였다. 따라서 A에 들어갈 진술로 적절하지 않다.

ㄴ. 노자와 장자는 모두 인위적인 규범을 거부하였다. 따라서 B에 들어갈 진술로 적절하지 않다.

5 소크라테스와 아리스토텔레스의 사상적 입장 비교

문제분석 갑은 소크라테스, 을은 아리스토텔레스이다. 소크라테스는 인간이 본성상 선이 무엇인지 알면서 자발적으로 악을 행할 수 없다고 주장하였다. 아리스토텔레스는 앎이 반드시 덕행으로 나타나는 것은 아니라고 보았고, 자제력이 없는 사람은 자신의 앎과 다르게 행동할 수 있다고 주장하였다.

정답찾기 ② 소크라테스는 아리스토텔레스와 달리 모든 악한 행위는 무지에 의해서만 발생한다고 주장하였다. 따라서 소크라테스가 아리스토텔레스에게 제기할 수 있는 비판으로 적절하다.

오답피하기 ① 소크라테스는 '덕이 곧 지식'이라고 주장하였다. 따라서 소크라테스가 아리스토텔레스에게 제기할 수 있는 비판으로 적절하지 않다.

③ 소크라테스와 아리스토텔레스는 모두 행복한 삶을 위하여 덕을 갖추어야 한다고 주장하였다. 따라서 소크라테스가 아리스토텔레스에게 제기할 수 있는 비판으로 적절하지 않다.

④ 소크라테스와 아리스토텔레스는 모두 도덕적 행동을 하기 위해서는 선에 대한 지식이 필요하다고 보았다. 따라서 소크라테스가 아리스토텔레스에게 제기할 수 있는 비판으로 적절하지 않다.

⑤ 소크라테스는 인간이 자신에게 해가 될 수 있는 악덕을 욕구할 수 없기 때문에 자발적으로 악을 행할 수 없다고 주장하였다. 따라서 소크라테스가 아리스토텔레스에게 제기할 수 있는 비판으로 적절하지 않다.

6 홉스, 로크, 루소의 사상적 입장 비교

문제분석 (가)의 갑은 홉스, 을은 로크, 병은 루소이다. 홉스는 만인에 대한 만인의 투쟁 상태인 자연 상태에서 벗어나기 위해 사회 계약을 맺으면서 국가가 발생한다고 보았다. 로크는 자연 상태에서 비교적 평화로운 삶을 누리지만 개인의 기본권을 더 확실하게 보장받기위해 사회 계약을 통해 국가를 구성한다고 보았다. 루소는 자연 상태에서 인간은 자유롭고 평화로운 삶을 누리지만 사회 상태로 옮겨 가면서 사유 재산의 발생과 함께 불평등과 예속의 불행한 상태에 처하게 되고, 여기에서 벗어나기 위해 사회 계약을 맺어 국가를 만든다고보았다.

정답찾기 ⑤ 홉스는 루소와 달리 주권이 사회 계약의 주체인 인민이아니라 통치자인 리바이어던에게 있다고 주장하였다. 따라서 홉스가루소에게 제기할 수 있는 비판으로 적절하다.

오답피하기 ① 로크에 의하면 자연 상태는 자연법이 지배하는 상태로서, 로크는 자연 상태에서 인간이 누리는 완전한 자유에 대한 유일한제한은 자연법이라고 보았다. 따라서 홉스가 로크에게 제기할 수 있는 비판으로 적절하지 않다.

② 로크와 홉스는 모두 인간이 이성을 지니고 있기 때문에, 자연 상태에서도 이성에 따라 합리적으로 행동할 수 있다고 보았다. 따라서로크가 홉스에게 제기할 수 있는 비판으로 적절하지 않다.

③ 루소, 홉스, 로크는 모두 사회 계약론을 주장한 사상가이며, 국가를 형성하기 위해서는 구성원들의 동의나 합의가 필요하다고 주장하였다. 따라서 루소가 홉스와 로크에게 제기할 수 있는 비판으로 적절하지 않다.

④ 루소는 인민 스스로가 주권자이기 때문에 결국 자신과 사회 계약을 맺는다고 보았다. 따라서 로크가 루소에게 제기할 수 있는 비판으로 적절하지 않다.

7 플라톤과 아우구스티누스의 사상적 입장 비교

문제분석 갑은 플라톤, 을은 아우구스티누스이다. 플라톤은 통치자, 방위자, 생산자 세 계층의 사람들이 각자의 직분을 충실히 수행하여전체적으로 조화를 이룬 상태를 추구하였다. 아우구스티누스는 신을사랑하는 자들에 의해 천상의 국가가, 자신을 사랑하는 자들에 의해지상의 국가가 이루어진다고 주장하였다.

정답찾기 ㄱ. 플라톤과 아우구스티누스는 모두 세계를 완전한 세계와 불완전한 세계로 구분하였다. 플라톤은 세계를 완전한 세계인 이데아계와 불완전한 세계인 현상계로 구분하였고, 아우구스티누스는완전한 세계인 천상의 국가와 불완전한 세계인 지상의 국가로 구분하였다.

ㄴ. 플라톤과 아우구스티누스는 모두 만물이 하나의 궁극적 원인으로부터 발생한다고 보았다. 플라톤은 하나의 궁극적 원인을 선의 이데아로 보았고, 아우구스티누스는 신이라고 보았다.

오답피하기 ㄷ. 아우구스티누스는 플라톤과 달리 지혜나 용기, 절제와 같은 덕은 사랑의 다른 형태라고 보았다.

ㄹ. 아우구스티누스에 의하면 완전한 행복은 신의 은총을 통해서 현세가 아닌 내세에서 실현된다.

8 주희와 왕수인의 사상적 입장 비교

문제분석 갑은 주희, 을은 왕수인이다. 주희는 만물에 이치가 부여되어 있다고 보고, 격물치지(格物致知)를 '사물에 나아가 그 이치를탐구하여 나의 앎을 극진히 하는 것'이라고 주장하였다. 왕수인은 마음 밖에는 이치가 없다고 보고, 격물치지를 '내 마음의 양지를 개별사물에서 실현하는 것'이라고 주장하였다.

정답찾기 ㄱ. 주희는 격물치지를 주장하면서, 사물의 이치를 탐구하여 앎을 지극히 해야 한다고 보았다.

ㄴ. 왕수인은 지행합일(知行合一)을 주장하면서, 양지와 실천[行]이본래 하나라고 보았다.

ㄹ. 주희는 만물에 담긴 하늘의 이치를 탐구하여 지극한 앎에 이르는 것을 격물치지로, 왕수인은 자신의 의념[意]이 머무는 사물에서바르지 못함을 바르게 하여 천리를 보존하는 것을 격물치지로 해석하였다.

오답피하기 ㄷ. 왕수인은 인간의 마음[心]이 곧 하늘의 이치라고 주장하였다.

9 이황과 이이의 사상적 입장 비교

문제분석 가상 대화의 갑은 이황, 을은 이이이다. 이황은 이기호발설(理氣互發說)을 주장하면서, 이와 기는 모두 발할 수 있다고 주장하였다. 이이는 기발이승일도설(氣發理乘一途說)을 주장하면서, 이는 발하는 까닭이고, 기는 발하는 것이라고 주장하였다.

정답찾기 ④ 이황은 사단이 기에 가려지면 불선(不善)이 발생할 수있다고 주장하였다.

오답피하기 ① 이황은 이기호발설(理氣互發說)을 통해 기는 물론이고 이도 작용성을 지니고 있다고 주장하였다.

② 이이는 이와 기는 서로 떨어져 있을 수 없다는 이기불상리(理氣不相離)에 주목하였다.

③ 이황은 이이와 달리 사단이 칠정의 선한 부분보다 도덕적으로 우위에 있다고 보았다.

⑤ 이황과 이이는 모두 주희가 주장한 이일분수(理一分殊)에 대한 입장을 긍정하였다. 이일분수란 이는 본래 하나의 태극(太極)이고 만물도 각각 동일한 이인 태극을 지니고 있다는 주장이다.

10 지눌의 사상적 입장 이해

문제분석 제시문을 주장한 사상가는 지눌이다. 지눌은 단박에 진리를 깨친 뒤에 나쁜 습기(習氣)를 차차 소멸시켜 나가기 위한 수행 방법으로 정혜쌍수(定慧雙修)를 강조하였다.

정답찾기 ㄱ. 지눌에 의하면 습기가 쌓여 있는 상태에서도 돈오(頓悟)는 가능하며, 돈오 이후에도 습기가 남아 있을 수 있다.

ㄷ. 지눌은 선종의 깨달음을 추구하면서도 교종이 중시하는 경전 공부의 중요성도 인정하여 선종과 교종의 공존을 추구하였다.

오답피하기 ㄴ. 지눌은 대승 불교의 입장에서 개인의 수행뿐 아니라중생의 구제 또한 중시하였다.

ㄹ. 지눌에 의하면 정혜쌍수는 점수(漸修)의 구체적인 실천 내용으로, 선정과 지혜를 함께 닦아 나가는 것이다.

11 벤담과 흄의 사상적 입장 비교

문제분석 갑은 벤담, 을은 흄이다. 벤담은 양적 공리주의를 주장하며, 모든 쾌락에는 질적인 차이가 없고 양적인 차이만 있다고 보았다. 흄은 감정 중심의 윤리 사상을 주장하며, 우리의 도덕성이 일종의 감정, 즉 도덕감으로서 발생한다고 보았다.

정답찾기 ① 벤담과 흄이 모두 부정의 대답을 할 질문이다. 벤담은 '최대 다수의 최대 행복'이라는 공리의 원리가 도덕의 원리라고 보았다. 한편 흄은 시인과 부인의 모든 감정이 아니라 우리가 공통적으로 느끼는 사회적 차원의 시인과 부인의 감정이 도덕적 분별의 원천이라고 보았다.

오답피하기 ② 벤담과 흄이 모두 긍정의 대답을 할 질문이다.
③ 흄이 긍정의 대답을 할 질문이다. 흄은 감정이 도덕적 실천의 직접적인 동기가 될 수 있다고 보았다.
④ 벤담이 긍정의 대답을 할 질문이다. 벤담에 의하면 인간은 누구나 쾌락을 추구하고 고통을 피하려는 존재이므로, 쾌락은 행위의 목적일 뿐만 아니라 행위의 원인이 되기도 한다.
⑤ 벤담이 긍정의 대답을 할 질문이다. 벤담은 행위와 관련된 이해 당사자들의 행복을 공평하게 고려하라고 요구함으로써 개인의 행복과 사회 전체의 행복을 조화해야 한다고 주장하였다. 따라서 벤담에 의하면 개인의 쾌락을 증진하는 행위도 도덕적으로 정당화될 수 있다.

12 동도서기론과 위정척사 사상의 사상적 입장 비교

문제분석 (가)의 갑은 동도서기론을 주장한 신기선, 을은 위정척사 사상가인 이항로이다. 동도서기론은 유교적 가치와 질서는 지키면서 서양의 우수한 과학 기술은 수용하자고 주장한다. 위정척사 사상은 유교적 가치 체계와 질서는 지키고, 서양의 문물은 배척해야 한다고 본다.

정답찾기 ② 동도서기론은 위정척사 사상과 달리 성리학적 질서 유지와 서양의 기술 수용이 양립할 수 있다고 주장한다. 따라서 동도서기론에서 위정척사 사상에 제기할 수 있는 비판으로 적절하다.

오답피하기 ① 동도서기론과 위정척사 사상은 모두 유교적 가치 체계 및 질서를 언제 어디서든 변하지 않는 도(道)라고 본다. 따라서 동도서기론에서 위정척사 사상에 제기할 수 있는 비판으로 적절하지 않다.
③ 동도서기론과 위정척사 사상은 모두 서구식 민주 정부를 세우는 것에 반대한다. 따라서 동도서기론에서 위정척사 사상에 제기할 수 있는 비판으로 적절하지 않다.
④ 위정척사 사상과 동도서기론은 모두 유교적 가치를 고수해야 국난을 극복할 수 있다고 본다. 따라서 위정척사 사상에서 동도서기론에 제기할 수 있는 비판으로 적절하지 않다.
⑤ 위정척사 사상은 화친(和親)의 이익을 도모하는 것에 대해 반대한다. 따라서 위정척사 사상에서 동도서기론에 제기할 수 있는 비판으로 적절하지 않다.

13 정약용의 사상적 입장 이해

문제분석 그림의 강연자는 정약용이다. 정약용은 종래의 성리학자들과 달리 인간의 성(性)은 선을 좋아하고 악을 싫어하는 마음의 기호라고 보았다.

정답찾기 ㄱ. 정약용은 선을 좋아하고 악을 싫어하는 영지(靈知)의 기호가 인간만이 가지고 있는 것으로서 하늘이 부여한 것이라고 보았다.
ㄴ. 정약용은 인간이 선이나 악을 스스로 선택할 수 있는 자주지권(自主之權)을 가지고 있기 때문에, 선행의 공적은 그 행위자에게 주어질 수 있다고 보았다.

오답피하기 ㄷ. 정약용에 의하면 인간과 동물이 모두 가지고 있는 기호는 영지의 기호가 아니라 형구(形軀)의 기호이다.
ㄹ. 정약용에 의하면 악을 싫어하는 것은 인간의 본성이기 때문에 교정할 필요가 없다.

14 이상 사회에 대한 모어와 마르크스의 입장 비교

문제분석 갑은 모어, 을은 마르크스이다. 모어는 경제적으로 풍요롭고 소유와 생산에서 평등을 이루며 도덕적으로 타락하지 않은 사회인 유토피아를 이상 사회로 제시하였다. 마르크스는 사유 재산과 계급이 소멸하고 생산력이 고도로 발전되어 경제적으로 안정된 사회인 공산 사회를 이상 사회로 제시하였다.

정답찾기 ① 모어의 유토피아는 도덕적으로 타락하지 않고, 정신적 자유와 문화생활을 누리며 행복을 영위할 수 있는 사회이다.

오답피하기 ② 마르크스의 공산 사회는 능력에 따라 생산하고 필요에 따라 분배되는 사회이다.
③ 모어의 유토피아와 마르크스의 공산 사회는 모두 사유 재산이 인정되지 않는 사회이다.
④ 모어의 유토피아는 생산과 소유에서 평등이 실현된 사회이다.
⑤ 마르크스의 공산 사회는 계급과 국가가 사라져 어떠한 억압과 착취, 소외도 발생하지 않는 사회이다.

15 밀과 에피쿠로스의 사상적 입장 비교

문제분석 (가)의 갑은 밀, 을은 에피쿠로스이다. 밀은 질적 공리주의를 주장하며, 쾌락에는 질적인 차이가 있기 때문에 쾌락을 계산할 때 양뿐만 아니라 질적인 차이도 고려해야 한다고 보았다. 에피쿠로스는 적극적인 욕망의 충족에 따른 쾌락이 아니라 고통을 제거함으로써 주어지는 쾌락을 추구하였다.

정답찾기 ㄴ. 밀은 긍정의 대답, 에피쿠로스는 부정의 대답을 할 질문이다. 밀은 공리주의를 주장하며, 사회 전체의 쾌락을 증진하는 행위만이 도덕적 가치를 지닌다고 보았다. 에피쿠로스는 사회적 차원의 쾌락이 아닌 개인적 차원에서의 쾌락을 추구하였다.
ㄷ. 밀이 긍정의 대답을 할 질문이다. 밀은 질적 공리주의를 주장하며, 질적으로 높은 쾌락은 낮은 쾌락보다 양과 무관하게 더 가치가 있다고 주장하였다. 따라서 밀은 쾌락의 질이 높아지더라도 쾌락의 양이 증가하지 않는 경우가 있다고 보았다.

오답피하기 ㄱ. 밀과 에피쿠로스 모두 긍정의 대답을 할 질문이다. 밀과 에피쿠로스는 감각적인 쾌락보다 정신적인 쾌락을 중시하였다.
ㄹ. 에피쿠로스가 부정의 대답을 할 질문이다. 에피쿠로스는 적극적인 욕망의 충족에 따른 쾌락이 아니라 고통을 제거함으로써 주어지는 쾌락을 강조하였다.

16 칸트의 사상적 입장 이해

문제분석 제시문을 주장한 사상가는 칸트이다. 칸트는 유한한 인간에게 도덕 법칙은 의무의 형태를 지니게 되고, 도덕 법칙이란 우리 안의 실천 이성이 자율적으로 수립한 법칙으로, 정언 명령의 형식으로 나타난다고 주장하였다.

정답찾기 ⑤ 칸트가 긍정의 대답을 할 질문이다. 칸트는 오로지 의무에서 비롯된 행위, 즉 의무 의식이 동기가 된 행위만이 도덕적 가치를 지닌다고 주장하였다.

오답피하기 ① 칸트가 부정의 대답을 할 질문이다. 칸트는 도덕적 의무는 모두 선의지에서 비롯되었다고 보았다.

② 칸트가 부정의 대답을 할 질문이다. 칸트에 의하면 보편화 가능한 준칙과 인간 존엄성 정신은 양립 가능하다.

③ 칸트가 부정의 대답을 할 질문이다. 칸트는 도덕 법칙이 우리 안의 실천 이성이 자율적으로 수립한 법칙이라고 보았다.

④ 칸트가 부정의 대답을 할 질문이다. 칸트에 의하면 신은 의지를 지녔지만 경향성을 지니지 않기 때문에, 신에게는 선의지가 의무로 인식되지 않는다.

17 아퀴나스, 스피노자, 키르케고르의 사상적 입장 비교

문제분석 갑은 아퀴나스, 을은 스피노자, 병은 키르케고르이다. 아퀴나스는 인간에게 최고의 행복은 신과 하나가 되는 것이며, 이것은 신의 은총에 의해 내세에서 가능하다고 보았다. 스피노자는 이성을 온전히 사용하여 만물의 궁극적 원인인 신, 즉 자연과 이 원인으로부터 사물들이 발생하는 필연적인 인과 질서를 인식함으로써 최고의 행복에 도달할 수 있다고 보았다. 키르케고르는 인간이 불안과 절망을 극복하고 참된 실존을 회복하기 위해 '신 앞에 선 단독자'로서 생각하고 행동할 것을 강조하였다.

정답찾기 ④ 아퀴나스와 키르케고르는 모두 인격신에 귀의해야 참된 진리를 발견할 수 있다고 보았다.

오답피하기 ① 아퀴나스는 신의 은총에 의해 참된 행복에 이를 수 있다고 보았다.

② 스피노자는 신을 자연 밖에 존재하는 초월적 창조자가 아니라 자연 그 자체라고 보았다.

③ 키르케고르는 실존적 상황에서는 이성에 의한 객관성이 아니라 오직 주체성만이 답을 줄 수 있으며, 진리는 개별적이고 주관적이라고 보았다.

⑤ 키르케고르는 윤리적 실존 단계가 아닌 종교적 실존 단계에서 참된 실존을 회복하게 된다고 보았다.

18 듀이의 사상적 입장 이해

문제분석 가상 대화의 선생님은 듀이이다. 듀이는 도덕이나 윤리도 시대나 상황에 따라 변화하고 성장하기 때문에, 도덕적 인간이란 도덕적으로 성장하는 과정에 있는 사람이라고 보았다.

정답찾기 ① 듀이는 도덕적 지식은 유용한 결과가 예상되는 일종의 가설이기 때문에 그 타당성이 상황에 따라 변한다고 보았다.

오답피하기 ② 듀이에 의하면 인간은 본래적 선보다는 인간이 직면한 문제를 해결하거나 개선하기 위한 도구로서의 지식을 추구하기 위해

노력해야 한다.

③ 듀이는 인간이 공동체의 전통적인 가치와 규범을 항상 고수하는 것은 바람직하지 못하다고 보았다. 듀이는 삶을 개선하고 사회가 진보하는 데 도움이 되도록 그것을 개정하고 변경할 수 있어야 한다고 주장하였다.

④ 듀이는 실용주의 사상을 주장하며, 어떤 것이 도덕적으로 가치가 있으려면 현실적인 삶의 문제를 해결하는 데 도움을 주어야 한다고 보았다.

⑤ 듀이는 최고선과 같은 고정적이고 절대적인 가치는 존재하지 않는다고 보았다.

19 칸트의 영구 평화론 이해

문제분석 제시문을 주장한 사상가는 칸트이다. 칸트는 전쟁을 예방하고 국가 간의 영구 평화를 보장하기 위해 국제 연맹의 창설과 세계 시민법의 조건 등을 담은 확정 조항을 제시하였다.

정답찾기 ㄴ. 칸트는 영원한 평화를 실현하기 위해서는 모든 국가가 공화정이어야 한다고 주장하였다.

ㄷ. 칸트는 영원한 평화를 실현하기 위해서는 각 국가의 독립적인 주권을 인정하는 국제 연맹을 중심으로 국가 간 연방 체제의 수립이 필요하다고 보았다.

오답피하기 ㄱ. 칸트는 어떤 이방인이 다른 나라의 영토에 도착했을 때 이 사람이 평화적으로 행동하는 한 적대적으로 대우받지 않을 권리를 지닌다고 보았다.

20 벌린과 페팃의 사상적 입장 비교

문제분석 갑은 벌린, 을은 페팃이다. 벌린은 외부의 간섭을 받지 않고 스스로 하고 싶은 일을 선택하여 실행할 수 있는 소극적 자유를 주장하였다. 페팃은 누구도 다른 사람의 지배에 예속되지 않고, 공동체 전체에 지배적 영향력을 행사하는 개인이나 집단이 없는 상태인 비지배 자유를 주장하였다.

정답찾기 ② 벌린은 법의 지배가 늘어날수록 개인의 자유는 축소된다고 보았다.

오답피하기 ① 벌린은 간섭의 부재를 의미하는 소극적 자유가 진정한 의미의 자유라고 보았다.

③ 페팃은 외부의 간섭과 방해가 없는 소극적 자유만으로는 진정한 자유를 누릴 수 없다고 보고 자의적 지배가 없는 '비지배로서의 자유'를 실현할 것을 강조하였다.

④ 페팃은 법치를 강조하며, 시민은 자신의 참여로 만든 법에 복종함으로써 자유를 누릴 수 있다고 보았다.

⑤ 벌린과 페팃은 모두 시민의 자유를 보장하기 위하여 사회적 통제가 필요한 경우가 있다고 보았다.

실전 모의고사 4회

본문 127~131쪽

1 ⑤	2 ①	3 ③	4 ④	5 ③
6 ④	7 ④	8 ④	9 ⑤	10 ①
11 ①	12 ④	13 ④	14 ⑤	15 ②
16 ③	17 ⑤	18 ③	19 ③	20 ④

1 노자가 강조한 삶의 태도 파악

문제분석 가상 편지를 쓴 사상가는 노자이다. 노자는 무위의 다스림을 통해 백성들의 평화롭고 소박한 삶이 실현될 수 있다고 보았다.

정답찾기 ⑤ 노자는 스스로 자신을 낮추는 겸허한 자세로 무위자연의 삶을 살아야 함을 강조하였다.

오답피하기 ① 존비친소(尊卑親疏)를 구별하는 사랑은 유교에서 강조하는 태도이다.
② 노자는 인의(仁義)의 도덕에서 벗어나 자연의 순리에 따라 살아갈 것을 강조하였다.
③ 노자는 인간이 소박하고 순수한 덕을 타고난 존재라고 보았기 때문에 타고난 본성을 변화시켜야 한다고 보지 않았다.
④ 의로운 일을 부단히 실천하는 집의를 통해 호연지기라는 도덕적 기개를 갖출 것을 강조한 사상가는 맹자이다.

2 아리스토텔레스와 플라톤의 사상적 입장 이해

문제분석 갑은 아리스토텔레스, 을은 플라톤이다. 아리스토텔레스는 덕을 인간의 고유한 기능인 이성이 탁월하게 발휘되는 영혼의 상태라고 보았다. 플라톤은 영혼의 정의(正義)란 영혼의 각 부분이 각자의 덕을 갖추어 전체적으로 조화를 이룬 상태라고 보았다.

정답찾기 ㄱ. 아리스토텔레스에 따르면 자제력 없는 사람은 선을 알더라도 악을 행할 수 있기 때문에 선을 행하기 위해서는 품성적인 덕을 갖추기 위해 노력해야 한다고 보았다.
ㄴ. 플라톤에 따르면 절제는 지배하는 부분과 지배받는 두 부분 사이에 반목하지 않는 덕이며, 영혼의 세 부분이 모두 갖추어야 할 덕이다.

오답피하기 ㄷ. 플라톤은 용기의 덕을 갖춘 사람은 두려워할 것과 두려워하지 않을 것을 구분한다고 보았다.
ㄹ. 플라톤은 선 자체가 감각으로 지각되는 세계가 아닌 오직 이성에 의해서만 인식될 수 있는 이데아 세계에 존재한다고 보았다.

3 지눌과 원효의 사상적 입장 이해

문제분석 갑은 지눌, 을은 원효이다. 지눌은 단박에 진리를 깨친 뒤에도 나쁜 습기(習氣)를 차차 소멸시켜 나가는 수행이 필요하다고 보았다. 원효는 일심이 깨끗함과 더러움, 참과 거짓, 나와 너 등 일체의 이원적 대립을 초월하는 절대불이(絕對不二)한 것이라고 보았다.

정답찾기 ㄴ. 지눌은 자기 마음이 본래 부처의 마음임을 단박에 깨치는 돈오를 주장하였다.
ㄷ. 원효는 보다 높은 차원에서 여러 종파의 주장을 화합할 수 있다는 화쟁 사상을 주장하였다.

오답피하기 ㄱ. 지눌은 돈오점수(頓悟漸修)를 주장하면서 점수의 구체적인 실천 내용으로 정혜쌍수(定慧雙修)를 제시하였다.
ㄹ. 지눌과 원효는 인간이 불성(佛性)을 지닌 존재라고 보았다.

4 사르트르의 사상적 입장 파악

문제분석 그림의 강연자는 사르트르이다. 사르트르에 따르면 인간은 미리 정해진 목적이나 본질 없이 먼저 존재하며, 인간 스스로 자신의 본질이나 목적을 만들어 나간다.

정답찾기 ④ 사르트르는 인간이 주체적인 선택을 통해 스스로 자신을 형성해 나가는 존재라고 주장하였다.

오답피하기 ① 사르트르는 자유에 따른 선택에는 자신뿐 아니라 타인도 포함되므로 적극적인 사회 참여가 필요하다고 보았다.
② 사르트르는 보편적인 도덕 법칙에 순응하는 삶이 아니라 자신에게 주어진 자유를 통해 스스로 자신의 모든 것을 선택하는 삶을 살아야 한다고 주장하였다.
③ 사르트르에 따르면 인간은 자유롭도록 운명 지워진 존재이기 때문에 자유롭지 않음을 선택할 수 없다.
⑤ 사르트르는 인간의 본질이나 목적을 정해 줄 신은 존재하지 않는다고 보았다.

5 밀, 벤담, 칸트의 사상적 입장 비교 이해

문제분석 (가)의 갑은 밀, 을은 벤담, 병은 칸트이다. 밀은 쾌락에는 질적 차이가 있다는 질적 공리주의를 주장하였다. 벤담은 쾌락에는 양적인 차이만 존재한다는 양적 공리주의를 주장하였다. 칸트는 도덕 법칙에 대한 자발적 존중에서 비롯된 행위를 실천해야 함을 주장하였다.

정답찾기 ③ 칸트가 밀과 벤담에게 제기할 수 있는 적절한 비판이다. 벤담과 밀은 도덕의 목적이 행복 증진이라고 보았기 때문에 도덕이 행복을 위한 수단이라고 보았다. 그러나 칸트는 도덕이 행복이나 다른 무엇을 실현하기 위한 수단이 아니라 그 자체가 목적이라고 보았다.

오답피하기 ① 벤담과 밀은 모두 사회가 개인들의 집합체이므로 개개인의 행복의 총합은 사회 전체의 행복과 같다고 보았다.
② 벤담과 밀은 모두 공리의 원리를 옳고 그름을 판단하는 보편적 도덕 원리라고 보았다.
④ 칸트는 행위의 도덕적 가치가 행위의 결과에 상관없이 도덕 법칙이나 의무를 따르려는 동기에 따라 달라질 수 있다고 보았다.
⑤ 칸트는 자신의 행복 추구와 도덕적 의무 이행은 양립 가능하다고 보았다. 다만 칸트는 의무를 이행해야 할 때에는 자신의 행복을 고려하지 말아야 한다고 보았다.

6 소크라테스와 듀이의 사상적 입장 이해

문제분석 갑은 소크라테스, 을은 듀이이다. 소크라테스는 참된 앎이 곧 덕임을 강조하고 무지의 자각을 강조하였다. 듀이는 지식은 그 자체가 목적이 아니라 인간이 직면한 문제를 해결하는 데 유용한 수단이나 도구라고 보았다.

정답찾기 ④ 듀이가 소크라테스에게 제기할 적절한 비판이다. 소크라테스는 이성을 통해 절대적이고 보편적인 진리를 파악할 수 있다고 보았다. 반면 듀이는 불변하는 고정된 진리나 지식은 존재하지 않는다고 보았다.

오답피하기 ① 소크라테스는 덕이 무엇인지 알면 유덕하게 행동할 수 있으며, 악행의 원인은 무지라고 보았다.

② 소크라테스는 참된 앎이 곧 덕이며 유덕한 사람은 행복한 삶을 살 수 있다고 보았다.

③ 소크라테스는 각자의 영혼을 최상의 상태로 가꾸어야 하며, 자신에 대한 도덕적 성찰이 필요하다고 보았다.

⑤ 소크라테스는 유덕하게 행동하기 위해서는 이성을 통해 덕이 무엇인지 알아야 하며, 덕이 무엇인지 알게 되면 유덕하게 행동할 수 있다고 주장하였다.

7 증산교, 동학, 원불교의 사상적 입장 이해

문제분석 갑은 증산교의 강일순, 을은 동학의 최시형, 병은 원불교의 박중빈이다. 증산교는 맺힌 원한을 풀고 서로 살리며 함께 살아갈 것을 강조한다. 동학은 사람 대하기를 하늘 섬기듯 할 것을 강조한다. 원불교는 우주의 근본 원리인 일원상의 진리를 신앙과 수행의 표본으로 삼는다.

정답찾기 ④ 동학은 보국안민을 강조하면서 서학을 반대하는 반외세 이념을 강조한다.

오답피하기 ① 증산교는 후천 개벽 이후에는 불평등이 사라지고 사랑과 정의가 실현된 이상 사회가 도래한다고 본다.

② 동학은 신분, 남녀, 노소의 차별이 심했던 당시 사회를 비판하고 평등한 사회를 지향한다.

③ 원불교는 정신문명의 주체성을 확립해서 물질문명을 올바른 방향으로 활용하여 정신문명과 물질문명이 원만하게 발전되는 새로운 세계를 지향한다.

⑤ 동학과 원불교는 내세가 아닌 현세에서 이상 사회가 실현될 수 있다고 주장한다.

8 데카르트와 베이컨의 사상적 입장 이해

문제분석 가상 대화 속 갑은 데카르트, 을은 베이컨이다. 데카르트는 모든 것을 의심할 수 있지만 의심하고 있는 내가 존재한다는 사실은 의심할 수 없다고 주장하였다. 베이컨은 자연에 대한 참된 인식을 방해하는 선입견과 편견을 타파해야 한다고 주장하였다.

정답찾기 ㄱ. 데카르트는 확실한 지식을 연역하기 위해서는 의심할 수 없는 명제를 토대로 지식을 탐구해야 한다고 보았다.

ㄴ. 베이컨은 인간의 정신은 표면이 고르지 못한 거울과 같아 자연을 그대로 비추지 못하고 왜곡할 수 있기 때문에 지성적인 탐구가 필요하다고 보았다.

ㄷ. 베이컨은 참된 인식을 방해하는 선입견과 편견, 즉 우상을 타파해야 함을 강조하였다.

오답피하기 ㄹ. 베이컨만의 입장이다. 데카르트는 관찰과 실험을 통해 얻은 경험적 지식은 단편적이고 우연한 것에 불과하다고 보았다.

9 이이와 이황의 사상적 입장 이해

문제분석 갑은 이이, 을은 이황이다. 이이는 사단과 칠정을 모두 기가 발하고 이가 탄 것이라고 주장하였다. 이황은 사단은 이가 발하고 기가 이를 따른 것이며, 칠정은 기가 발하고 이가 기를 탄 것이라고 주장하였다.

정답찾기 ㄴ. 이이가 긍정의 대답을 할 질문이다. 이이는 사단은 칠정을 포함할 수 없지만 칠정은 사단을 포함하는 것이라고 주장하면서 사단은 칠정의 선한 측면이라고 보았다.

ㄷ. 이이가 긍정의 대답을 할 질문이다. 이이는 사단과 칠정을 모두 기가 발하고 이가 탄 것으로 보았기 때문에 사단과 칠정의 연원이 같다는 입장이다.

ㄹ. 이황이 긍정의 대답을 할 질문이다. 이황은 사단을 이가 발한 것으로 순선무악한 도덕 감정이라고 보았으며, 칠정은 기가 발한 것으로 악으로 흐를 가능성이 있는 일반 감정이라고 보았다.

오답피하기 ㄱ. 이이는 부정, 이황은 긍정의 대답을 할 질문이다. 이이는 측은지심을 포함한 사단은 기가 발한 정이라는 입장이다. 반면 이황은 사단이 이가 발한 정이라는 입장이다.

10 이이, 이황, 정약용의 사상적 입장 이해

문제분석 제시문을 주장한 사상가는 정약용이다. 정약용은 이(理)를 본성으로 보는 성리학을 비판하고 인간의 성은 선을 좋아하고 악을 싫어하는 마음의 기호라는 성기호설을 주장하였다.

정답찾기 ① 이이와 이황은 사덕을 인간의 타고난 본성이라고 보았다. 그러나 정약용은 사덕은 인간의 본성에 선천적으로 내재하는 것이 아니라 실천을 통해 형성되는 것이라고 보았다.

오답피하기 ② 정약용은 형구(形軀)의 기호가 인간과 동물 모두가 가지고 있는 기호라고 보았다.

③ 이이와 이황은 사단이 사덕의 존재를 알려 주는 실마리[緒]라고 보았다.

④ 정약용은 인간의 욕구가 생존과 도덕적 삶을 위해 필요한 것이라고 보았으며, 인간은 선천적으로 사단을 가지고 태어난다고 보았다.

⑤ 정약용에 따르면 자주지권은 하늘이 인간에게 부여한 것이다.

11 키르케고르와 스피노자의 사상적 입장 이해

문제분석 갑은 키르케고르, 을은 스피노자이다. 키르케고르는 주체적 결정을 회피하면서 빠지게 되는 절망을 '죽음에 이르는 병'이라고 불렀다. 스피노자는 신, 즉 자연은 유일한 실체(實體)이고, 자연의 개별 사물은 양태(樣態)라고 보았다.

정답찾기 ㄱ. 키르케고르는 실존적 상황에서는 객관성이 아니라 오직 주체성만이 답을 줄 수 있다고 보았다.

ㄴ. 스피노자에 따르면 최고의 행복은 신에 대한 직관적 인식에서 생기는 정신적 만족이다.

오답피하기 ㄷ. 스피노자는 필연성에서 벗어나 자유 의지를 가지는 것은 불가능하다고 보았다.

ㄹ. 스피노자가 말하는 신은 인격신이 아니라 자연 그 자체이다.

12 맹자와 순자의 사상적 입장 이해

문제분석 갑은 맹자, 을은 순자이다. 맹자는 도덕적 수양 방법으로 잃어버린 선한 본심을 되찾는 구방심(求放心)을 제시하였다. 순자는 인간이 태어날 때부터 악하고 이기적인 본성을 지닌 존재라고 보았다.

정답찾기 ㄱ. 맹자는 선한 본성을 함양하기 위해 욕구를 절제해야 한다고 보았으며, 순자는 예를 통해 욕구를 절제해야 한다고 보았다.
ㄷ. 맹자와 순자의 인간의 본성에 대한 견해는 다르지만 인간이라면 누구나 수양을 통해 도덕적으로 완성된 존재가 될 수 있다고 보았다.
ㄹ. 맹자는 군자와 소인이 모두 선한 본성을 타고난다고 보았으며, 순자는 군자와 소인이 모두 악한 본성을 타고난다고 보았다.

오답피하기 ㄴ. 맹자는 긍정, 순자는 부정의 대답을 할 질문이다. 맹자는 인의예지의 사덕이 인간에게 선천적으로 주어진 것이라고 보았다. 그러나 순자는 예가 고대의 성왕(聖王)이 인위적으로 제정한 규범이라고 보았다.

13 주희와 왕수인의 사상적 입장 이해

문제분석 (가)의 갑은 주희, 을은 왕수인이다. 주희는 마음이 성과 정을 통괄한다는 심통성정(心統性情)을 주장하였다. 왕수인은 인간의 마음이 곧 하늘의 이치라는 심즉리설을 주장하였다.

정답찾기 ㄱ. 주희만의 입장에 해당한다. 주희는 각각의 사물에 내재된 이치를 탐구하여 앎을 확충해야 한다고 보았다. 그러나 왕수인은 마음 밖에는 이치도 없고 사물도 없다고 주장하였다.
ㄴ. 주희와 왕수인의 공통 입장에 해당한다. 주희와 왕수인은 모두 천리를 보존하고 인욕을 제거하는 존천리거인욕(存天理去人欲)의 수양을 강조하였다.
ㄹ. 왕수인만의 입장이다. 왕수인은 격물의 '격(格)'을 '바로잡다[正(정)]'로, '물(物)'을 '마음의 일[事(사)]'로 해석하여 격물을 마음의 바르지 못함을 없앰으로써 마음을 바로잡는 것이라고 보았다. 반면 주희는 격물을 사물에 나아가 이치를 탐구하는 것이라고 보았다.

오답피하기 ㄷ. 주희와 왕수인 모두 양지는 인간이 본래부터 지니고 있는 것이라고 보았다.

14 하이에크와 케인스의 사상적 입장 이해

문제분석 갑은 신자유주의 사상가 하이에크, 을은 수정 자본주의 사상가 케인스이다. 하이에크는 정부의 시장 개입을 반대하면서 정부의 기능 축소와 시장의 자유 확대를 강조하였다. 케인스는 시장 실패 문제 해결을 위해 정부의 적극적인 시장 개입이 필요하다고 보았다.

정답찾기 ㄷ. 케인스는 불황 및 실업 극복과 완전 고용 달성을 위해 정부의 적극적인 시장 개입이 필요하다는 입장이다.
ㄹ. 하이에크와 케인스는 모두 자본주의 사상가로서 사적 이익을 위한 경제적 자유가 보장되어야 한다는 입장이다.

오답피하기 ㄱ. 하이에크는 계획 경제는 비효율적일 뿐만 아니라 개인의 자유를 심각하게 억압한다고 보았다.
ㄴ. 하이에크는 정부의 시장 개입을 축소하고 개인의 자유와 시장 경제를 확대해야 한다고 보았다.

15 흄의 사상적 입장 이해

문제분석 제시문을 주장한 사상가는 흄이다. 흄은 선악이 이성적으로 판단되는 것이 아니라, 어떤 사람의 행위나 품성을 바라볼 때 느끼는 시인과 부인의 감정을 표현한 것이라는 입장이다.

정답찾기 ② 흄은 감정이 도덕적 실천의 직접적 동기이며 이성은 도덕적 실천의 직접적인 동기가 될 수 없다고 보았다.

오답피하기 ① 흄은 도덕적으로 시인하고 부인하는 감정은 개인의 주관적 감정이 아니라 사람들이 공통으로 느끼는 사회적 감정이므로 덕과 부덕의 구별은 보편성을 지닐 수 있다고 보았다.
③ 흄에 따르면 덕과 악덕은 인간의 정서와 독립하여 외부 세계에 실재하는 것이 아니라 인간이 느끼는 시인과 부인의 감정을 통해 구별된다.
④ 흄에 따르면 도덕성의 기초는 다른 사람의 행복과 불행을 함께 느낄 수 있는 공감(共感)의 능력에서 찾아야 한다.
⑤ 흄에 따르면 인간은 공감의 능력이 있기 때문에 자신의 이익과 무관하더라도 사회적으로 유익한 것에 대해 시인의 감정을 느낄 수 있다.

16 공자와 장자의 사상적 입장 이해

문제분석 갑은 공자, 을은 장자이다. 공자는 이기적인 욕심을 극복하고 예를 따르는 것을 인이라고 보았다. 장자는 세속의 모든 구속에서 벗어나 자연의 섭리에 따라 살아갈 것을 강조하였다.

정답찾기 ③ 장자는 좌망과 심재의 수양을 통해 외물에 얽매이지 않는 정신적 자유의 경지를 추구해야 한다고 보았다.

오답피하기 ① 차별 없는 사랑[兼愛]을 강조한 사상가는 묵자이며, 공자는 존비친소를 구별하는 사랑을 강조하였다.
② 공자는 통치자가 덕으로 백성을 다스려야 한다고 보았다.
④ 장자는 인과 예와 같은 인위적인 규범을 통한 교화를 반대한다. 백성을 인과 예로 교화할 것을 강조하는 것은 유교의 입장이다.
⑤ 장자는 시비와 선악은 상대적인 것에 불과하며, 도의 관점에서 모든 분별과 차별에서 벗어나 만물을 평등하게 인식할 것을 강조하였다.

17 위정척사 사상과 동도서기론의 사상적 입장 비교

문제분석 (가)의 갑은 위정척사 사상가인 이항로, 을은 동도서기론을 주장한 신기선이다. 위정척사 사상은 유교적 질서는 지키고 서양 문물은 배척해야 한다고 주장하였다. 동도서기론은 유교적 질서는 지키면서도 서양의 과학 기술은 수용해야 한다고 주장하였다.

정답찾기 ⑤ 위정척사 사상은 서양 문물의 수용을 반대한다. 그러나 동도서기론의 입장은 서양의 기술을 수용하여 이용후생을 도모해야 한다고 주장한다.

오답피하기 ① 위정척사 사상은 인의의 도덕을 지키고 서양 문물은 배척해야 한다는 입장이다.
② 위정척사 사상과 동도서기론은 모두 유교적 가치와 질서를 유지해야 한다는 입장이다.
③ 동도서기론은 유교적 가치와 질서의 유지를 강조하기 때문에 만민 평등을 주장하지는 않는다.

④ 동도서기론은 유교 질서를 유지해야 한다는 입장이다.

18 홉스와 로크의 사상적 입장 이해

문제분석 갑은 홉스, 을은 로크이다. 홉스는 만인에 대한 만인의 투쟁 상태인 자연 상태에서 벗어나기 위해 사회 계약을 맺으면서 국가가 발생했다고 주장하였다. 로크는 인간이 자연 상태에서 비교적 평화로운 삶을 누리지만 개인의 기본권을 더 확실하게 보장받기 위해 사회 계약을 통해 국가를 구성했다고 주장하였다.

정답찾기 ③ 로크는 각 개인이 자연법을 위반한 사람에 대한 처벌권을 국가에 양도하여 자신의 생명, 자유, 재산을 보장받게 된다고 보면서, 국가는 사회 계약을 위반한 사람에 대한 처벌권을 갖는다는 입장이다.

오답피하기 ① 홉스는 자연 상태에서 인간은 자연권을 지닌다고 보았다.
② 홉스에 따르면 자연 상태에는 모든 사람의 행위를 규제할 수 있는 공통의 규범이 존재하지 않으므로 정의도 부정의도 존재하지 않는다.
④ 로크는 입법부가 시민의 재산을 자의적으로 다룰 권한을 갖지 않으며 시민의 재산을 자의적으로 다룰 경우 저항권을 행사할 수 있다고 보았다.
⑤ 홉스와 로크는 모두 국가가 계약을 통해 생겨난 인위적인 산물이라는 입장이다.

19 마르크스와 모어의 사상적 입장 이해

문제분석 갑은 마르크스, 을은 모어이다. 마르크스는 국가를 지배 계급이 피지배 계급을 통제할 목적으로 만든 것이라고 보았다. 모어는 유토피아에 대해 생산과 소유에서 평등이 실현되고 도덕적으로 타락하지 않은 사회라고 주장하였다.

정답찾기 ③ 마르크스와 모어가 모두 긍정의 대답을 할 질문이다. 마르크스는 생산 수단이 공유되고 노동이 사유 재산에 예속되지 않는 공산 사회가 이상 사회라고 보았다. 모어는 유토피아에서 사유 재산은 인정되지 않기 때문에 사람들은 잉여 생산에 대한 욕망을 가질 필요가 없다고 보았다.

오답피하기 ① 마르크스에 따르면 자본주의 사회에서는 노동 분업으로 인해 노동 소외가 발생한다.
② 마르크스는 국가를 지배 계급이 피지배 계급을 착취하기 위한 수단이라고 규정하고, 계급이 소멸된 이상 사회를 실현해야 한다고 보았다.
④ 마르크스에 따르면 공산 사회는 노동의 성과에 따른 분배가 아닌 필요에 따른 분배가 이루어진다.
⑤ 마르크스에 따르면 공산 사회는 국가의 역할이 확대된 사회가 아니라 계급과 국가가 소멸하고 개인의 참된 자아가 실현되는 사회이다.

20 묵자와 칸트의 사상적 입장 이해

문제분석 갑은 묵자, 을은 칸트이다. 묵자는 천하의 혼란을 막기 위해 모든 사람을 똑같이 사랑해야 한다는 겸애(兼愛)를 주장하였다. 칸트는 영구 평화가 실현되려면 모든 국가의 정치 체제는 공화 정체이어야 한다고 주장하였다.

정답찾기 ㄱ. 묵자는 침략 전쟁이 침략하는 나라와 침략당하는 나라 모두에게 손해를 유발하므로 하지 말아야 한다고 보았다.
ㄴ. 묵자는 존비친소를 구별하지 않고 모든 사람을 똑같이 사랑하는 겸애를 실천해야 평화가 실현될 수 있다고 보았다.
ㄷ. 칸트는 영구 평화를 위해 모든 국가의 시민적 정치 체제는 공화 정체이어야 한다고 보았다.

오답피하기 ㄹ. 묵자와 칸트는 모두 자국의 이익을 위한 침략 전쟁을 반대하였다.

실전 모의고사 5회 본문 132~136쪽

1 ③	2 ⑤	3 ③	4 ④	5 ③
6 ①	7 ③	8 ③	9 ④	10 ①
11 ①	12 ①	13 ④	14 ⑤	15 ③
16 ②	17 ④	18 ③	19 ④	20 ②

1 사르트르의 사상적 입장 이해

문제분석 그림의 강연자는 사르트르이다. 사르트르는 인간은 먼저 실존한 다음에 주체적인 선택을 통해 스스로를 형성해 간다고 보았으며 이에 따르는 선택과 책임을 강조하였다.

정답찾기 ③ 사르트르는 인간은 자신의 도덕을 선택하면서 스스로 만들어 가는 존재라고 보았다.

오답피하기 ① 사르트르는 인간이 선택할 수 있는 자유를 지니지만 자유 자체에 대한 선택권을 갖는 것은 아니라고 보았다.

② 사르트르는 사물은 먼저 본질이 정해지고 그 후에 존재하는 것이라고 보았다.

④ 사르트르는 인간의 본질을 정해 줄 신이 존재하지 않는다고 보았다.

⑤ 사르트르는 보편적인 도덕규범으로는 개인이 경험하는 실존적인 문제를 해결하기 어렵다고 보았다.

2 석가모니의 사상적 입장 이해

문제분석 제시문을 주장한 사상가는 석가모니이다. 석가모니는 이 세상의 모든 것이 무상과 무아임을 통찰해야 깨달음에 이를 수 있다고 보았다.

정답찾기 ㄷ. 석가모니에 따르면 고통의 발생과 소멸에는 반드시 원인이 존재한다.

ㄹ. 석가모니는 연기의 법칙을 깨달아 자비를 베풀며 살아야 한다고 주장하였다.

오답피하기 ㄱ. 석가모니는 인간을 구성하는 오온(五蘊)은 인과 연에 의해 생겨난 것이며 무상하다고 보았다.

ㄴ. 석가모니는 무명은 근원적인 무지이므로 벗어나야 할 상태라고 보았다.

3 아우구스티누스와 스피노자의 사상적 입장 이해

문제분석 갑은 아우구스티누스, 을은 스피노자이다. 아우구스티누스는 인간이 신의 은총을 통하여 지상의 나라에서 신의 나라로 갈 수 있다고 보았다. 스피노자는 신, 즉 자연을 유일한 실체로 보고 정신이 도달할 수 있는 최고의 선은 신을 인식하는 것이라고 보았다.

정답찾기 ③ 스피노자는 이성을 사용하여 자연의 필연적 질서를 인식함으로써 진정한 자유를 얻을 수 있다고 보았다.

오답피하기 ① 아우구스티누스는 악은 신이 창조한 것이 아니며 인간 행위의 결과라고 주장하였다.

② 아우구스티누스에 따르면 인간은 신에게서 자유 의지를 부여받았지만 신의 은총을 통해서만 지복(至福)에 이를 수 있다.

④ 스피노자는 신, 즉 자연이 유일한 실체이며 인간은 하나의 실체가 보여 주는 여러 가지 모습인 양태라고 주장하였다.

⑤ 스피노자는 자연에서 일어나는 일은 신적 이성에 의해 결정된 것이므로 운명에 순응해야 한다고 보았다.

4 벤담과 밀의 사상적 입장 비교 이해

문제분석 (가)의 갑은 벤담, 을은 밀이다. 벤담은 쾌락의 양을 계산할 수 있다고 보았으며, 강도, 지속성, 확실성, 근접성 등을 기준으로 제시하였다. 밀은 쾌락에는 질적인 차이가 있으므로 양뿐만 아니라 질적인 차이도 고려해야 한다고 주장하였다.

정답찾기 ④ 벤담은 쾌락에는 질적 차이가 없고 양적인 차이만 있다고 본 반면, 밀은 쾌락에는 질적인 차이가 있고 정상적인 사람이라면 누구나 질적으로 높고 고상한 쾌락을 선호할 것이라고 주장하였다.

오답피하기 ① 벤담은 모든 쾌락에는 질적인 차이가 없고 양적인 차이만 있다고 주장하였다.

② 벤담은 '최대 다수의 최대 행복'을 추구하는 공리의 원리를 도덕과 입법의 원리로 제시하였다.

③ 밀은 쾌락주의를 토대로 한 벤담의 공리주의적 입장을 계승하였다.

⑤ 벤담과 밀 모두 개인들의 행복의 총합이 사회 전체 행복의 총합이라고 보았다.

5 에피쿠로스와 에픽테토스의 사상적 입장 이해

문제분석 갑은 에피쿠로스, 을은 에픽테토스이다. 에피쿠로스는 쾌락을 모든 가치를 평가하는 최고선으로 보고 쾌락이 행복한 삶의 시작이자 끝이라고 주장하였다. 에픽테토스에 따르면 이 세계에서 일어나는 모든 일들은 필연적으로 운명 지어진 것으로 이를 받아들여야 한다고 보았다.

정답찾기 ③ 에픽테토스는 모든 일이 필연적으로 일어나기 때문에 자신에게 달려 있지 않은 것을 원해서는 안 되며, 통제할 수 있는 유일한 것은 일어난 사건에 대한 우리의 태도뿐이라고 보았다.

오답피하기 ① 에피쿠로스에 따르면 참된 쾌락을 누리기 위해 사려 깊고 고상하며 정의롭게 살아야 한다.

② 에피쿠로스는 필수적이지 않은 욕구를 충족하려면 고통이 생기기 때문에 자연적이고 필수적인 욕구만을 최소한으로 충족하는 소박한 삶을 추구해야 한다고 보았다.

④ 에픽테토스에게 신은 초월적인 인격신을 의미하는 것이 아니다. 평온한 삶을 위해서는 이성을 통해 자연의 질서에 따라 살아야 한다.

⑤ 에피쿠로스는 죽음, 운명에 대한 잘못된 믿음을 제거함으로써 마음의 불안을 없애야 한다고 보았다. 에픽테토스는 운명을 개척하는 것은 그럴 수도 없고 그럴 필요도 없으며 사건에 대한 자신의 내적 태도를 변화시켜야 한다고 보았다.

6 베이컨과 모어의 사상적 입장 이해

문제분석 갑은 베이컨, 을은 모어이다. 베이컨은 과학 기술의 발달로 인간의 풍요로운 삶을 이룬 뉴 아틀란티스를 이상 사회로 제시하였다. 모어는 유토피아가 사유 재산이 없고 경제적으로 풍요로우며 도덕적으로 타락하지 않은 사회라고 주장하였다.

정답찾기 ① 베이컨은 자연을 연구하고 새롭게 얻은 자연 과학적 지식으로 인간이 처한 문제 상황을 해결할 수 있다고 보았다.

오답피하기 ② 베이컨은 과학 기술의 발전으로 인간의 복지를 향상시오답피하기 ㄷ. 이황과 이이에 따르면 사단은 성(性)이 아닌 정(情)이다.

10 정약용의 사상적 입장 이해

문제분석 제시문을 주장한 사상가는 정약용이다. 정약용은 인간의 성은 마음의 기호라고 보았으며, 인의예지를 실천으로 얻게 되는 덕이라고 주장하였다.

정답찾기 ① 정약용은 인간의 본성을 선을 좋아하고 악을 싫어하는 마음의 기호라고 주장하였다.

오답피하기 ② 정약용은 사단은 인간이 타고난 선한 마음이며 사단을 실천함으로써 사덕이 형성된다고 보았다.

③ 정약용은 사덕이 인간의 본성에 내재한 것이 아니라 실천을 통해 형성되는 것이라고 보았다.

④ 정약용은 선을 좋아하고 악을 싫어하는 마음의 기호인 영지의 기호를 지니고 있기 때문에 선을 행할 수 있다고 보았다.

⑤ 정약용은 인간이 선이나 악을 스스로 선택할 수 있는 자주지권을 부여받았다고 보았다.

11 칸트와 갈퉁의 사상적 입장 이해

문제분석 갑은 칸트, 을은 갈퉁이다. 칸트는 영구 평화를 실현하기 위하여 개별 국가의 주권을 인정하면서도 국가 간 연맹을 확대해야 한다고 보았다. 갈퉁은 폭력의 종류를 언어나 신체적 폭력과 같은 직접적 폭력과 구조적 폭력, 문화적 폭력으로 나누어 설명하였다. 갈퉁은 진정한 평화의 실현을 위해서는 직접적 폭력뿐만 아니라 구조적 폭력과 문화적 폭력까지 제거되어야 한다고 주장하였다.

정답찾기 ① 칸트는 평화 연맹은 모든 전쟁의 영구적 종식을 추구한다고 보았다.

오답피하기 ② 칸트는 공화정에서는 전쟁 선포를 결정할 때 국민들의 동의를 필요로 한다고 보았다.

③ 갈퉁은 사회 제도에서 생기는 간접적이고 의도되지 않은 폭력이 존재한다고 보았다.

④ 갈퉁은 문화적 폭력이 구조적 폭력뿐 아니라 직접적 폭력을 정당화할 수 있다고 보았다.

⑤ 칸트와 갈퉁은 전쟁을 통한 평화 실현을 주장하지 않았다.

12 동도서기론과 위정척사 사상의 입장 비교 이해

문제분석 (가)의 갑은 동도서기(東道西器)론을 주장한 신기선, 을은 위정척사(衛正斥邪) 사상을 주장한 이항로이다. 동도서기론은 동양의 도, 즉 유교적 가치와 질서를 기반으로 서양의 기, 즉 서양의 발달된 과학 기술을 수용하자는 입장이다. 위정척사 사상은 올바른 것, 즉 유교적 가치 체계와 질서는 지키고 사악한 것, 즉 서양의 문물은 배척해야 한다는 입장이다.

정답찾기 ① 동도서기론은 유교적 가치를 기반으로 서양의 발달된 과학 기술을 수용하자는 입장이다.

오답피하기 ② 동도서기론은 유교적 가치와 질서를 근본으로 해야 한다고 주장하였다.

③ 동도서기론과 위정척사 사상은 현세에서의 이상 세계 건설을 주장하는 후천 개벽을 주장하지 않았다.

④ 위정척사 사상은 서양의 종교와 사상을 수용하는 것에 대해 반대

킬 수 있다고 보았다.

③ 모어는 유토피아 사람들은 경제적으로 풍요를 누린다고 보았다.

④ 모어는 유토피아에서는 사유 재산이 없어 소유의 평등이 실현된다고 보았다.

⑤ 모어는 유토피아 사람들은 하루 여섯 시간 동안 노동에 종사하고 나머지 시간은 정신적 자유를 향유하는 데 쓸 수 있다고 보았다.

7 아리스토텔레스, 로크, 홉스의 입장 비교 이해

문제분석 (가)의 갑은 아리스토텔레스, 을은 로크, 병은 홉스이다. 아리스토텔레스는 국가를 인간의 정치적 본성에 의해 자연스럽게 형성된 공동체라고 보았다. 이와 달리 로크와 홉스는 국가가 계약을 통해 형성되었다고 보았다.

정답찾기 ㄷ. 로크는 자연 상태의 개인은 자연법을 집행할 권리를 지니고 있다고 보았다.

ㄹ. 홉스는 공통 권력이 없는 자연 상태에서는 정의와 불의의 관념이 존재하지 않는다고 주장하였다.

오답피하기 ㄱ. 아리스토텔레스는 정치적 의무의 근거가 인간의 본성에 있다고 보았다. 이와 달리 로크와 홉스에 따르면 사회 계약을 통해 국가가 성립하므로 정치적 의무는 구성원의 동의에서 비롯된다.

ㄴ. 로크는 권력이 집중되는 것을 막기 위한 권력 분립을 주장하였다.

8 흄과 칸트의 사상적 입장 이해

문제분석 갑은 흄, 을은 칸트이다. 흄은 도덕적 선악은 이성적으로 판단되는 것이 아니라, 어떤 사람의 행위나 품성을 바라볼 때 느끼는 시인의 감정이나 부인의 감정을 표현한 것이라고 보았다. 칸트는 의무를 도덕 법칙에 대한 존경심으로 인해 그 도덕 법칙이 명령하는 행위를 하지 않을 수 없는 필연성이라고 보았다.

정답찾기 ③ 칸트는 도덕 법칙은 무조건적이고 절대적인 정언 명령이며, 실천 이성이 자신에게 부과한 자율적인 명령이라고 보았다.

오답피하기 ① 흄에 따르면 감정은 도덕적 실천의 직접적 동기가 될 수 있지만 이성은 그렇지 못하다.

② 흄은 공감의 능력이 있기 때문에 개인은 자신에게 유용하지 않더라도 사회적으로 유용한 것에 대해 시인의 감정을 가질 수 있다고 보았다.

④ 칸트는 경향성을 따르는 행위는 도덕적 행위가 아니라고 보았다.

⑤ 칸트는 도덕과 행복은 양립할 수 있다고 보지만 도덕 원리를 추구하는 것이 필연적으로 행복으로 귀결된다고 보지는 않았다.

9 이황과 이이의 사상적 입장 이해

문제분석 갑은 이황, 을은 이이이다. 이황은 이와 기가 모두 발할 수 있다고 보았다. 기뿐 아니라 이도 작용성을 지니고 있기 때문이다. 이와 달리 이이는 이는 발할 수 없고 기만 발할 수 있다고 주장하였다.

정답찾기 ㄱ. 이황과 이이는 모두 이와 기가 사물에 함께 있다고 보았다.

ㄴ. 이이는 이는 발하는 까닭이고, 기는 발하는 것이라고 보았다.

ㄹ. 이이는 사단과 칠정은 모두 기가 발하고 이가 탄 것이며, 칠정은 사단을 포함한다고 주장하였다.

****

하였다.

⑤ 위정척사 사상은 유교적 신분 질서를 옹호하였다.

13 페리클레스와 루소의 사상적 입장 이해

문제분석 갑은 고대 그리스 아테네 정치가인 페리클레스, 을은 사회 계약론자인 루소이다. 페리클레스는 연설을 통해 아테네 시민은 능력에 따라 공직에서 일할 수 있고 가난 때문에 배제되지 않는다고 주장하였다. 루소는 정부가 공동선을 지향하는 일반 의지에 근거하여 운영되어야 한다고 보았다.

정답찾기 ④ 루소는 주권이 일반 의지의 행사이므로 양도될 수도 없고 분할될 수도 없다고 보았다.

오답피하기 ① 고대 그리스 아테네에서는 노예, 외국인 등의 정치 참여가 제한되었다.

② 페리클레스는 공무를 수행하는 대표자가 모든 일을 합리적으로 결정한다고 주장하지 않았다.

③ 루소는 통치자의 권력이 국가 설립의 목적, 즉 공동선의 추구를 위하여 제한될 수 있으며, 일반 의지를 초월한 자의적 지배가 허용되지 않는다고 보았다.

⑤ 루소는 주권자가 법률을 제정할 권한을 지녀야 한다고 보았다.

14 맹자, 순자, 노자의 입장 비교 이해

문제분석 (가)의 갑은 맹자, 을은 순자, 병은 노자이다. 맹자는 인간은 누구나 인의예지(仁義禮智)의 덕을 갖추고 있다고 보았다. 순자는 맹자와 달리 인간의 본성을 악하다고 보았다. 노자는 상선약수(上善若水)의 삶을 이상으로 제시하였다.

정답찾기 ⑤ 맹자는 잃어버린 본심[放心]을 되찾아야 한다고 주장하였다.

오답피하기 ① 순자는 인간에게 도덕적 인식 능력과 실천 능력이 있기 때문에 악한 본성을 교화할 수 있다고 보았다.

② 노자는 본성의 변화를 추구하지 않았으며 소박한 본성에 따라 살아가야 한다고 보았다.

③ 노자는 자연스러운 덕은 상덕(上德)이라고 보았으며 도를 온전히 체득하여 상덕을 지닌 사람은 무위를 실천할 수 있다고 주장하였다.

④ 순자는 성인이 제정한 예를 통해 타고난 본성을 극복해야 한다고 보았다.

15 데카르트와 베이컨의 사상적 입장 이해

문제분석 갑은 데카르트, 을은 베이컨이다. 데카르트는 방법적 회의를 통해 절대 의심할 수 없는 명제인 "나는 생각한다. 그러므로 나는 존재한다."라는 철학의 제1원리를 발견할 수 있다고 주장하였다. 베이컨은 실험과 지성을 중시하는 참된 귀납법을 통하여 우상을 타파하고 유용한 지식을 얻어야 한다고 주장하였다.

정답찾기 ③ 베이컨은 자연에 대한 참된 인식을 방해하는 우상 타파를 주장하며 참된 귀납법을 강조하였다.

오답피하기 ① 데카르트는 지식의 근원이 이성에 있다고 보았다.

② 데카르트는 방법적 회의를 통해 철학의 제1원리를 찾을 수 있다고 보았다.

④ 베이컨은 자연에 대한 지식을 통해 자연을 정복하여 지배하고 인

간의 삶을 풍요롭게 할 수 있다고 보았다.

⑤ 데카르트는 진리를 찾기 위한 방법으로 연역적 방법을 강조하였다.

16 주희와 왕수인의 사상적 입장 이해

문제분석 갑은 주희, 을은 왕수인이다. 주희는 성즉리(性卽理)를, 왕수인은 심즉리(心卽理)를 주장하였다.

정답찾기 ② 주희와 왕수인은 모두 성인이 되기 위한 수양으로 존천리거인욕(存天理去人欲)을 강조하였다.

오답피하기 ① 주희와 달리 왕수인은 인식으로서의 지(知)와 실천으로서의 행(行)은 본래 하나라고 보았다.

③ 왕수인은 마음 밖에는 어떠한 이치도 없다고 주장하였다.

④ 주희와 왕수인은 모두 사람의 양지는 선천적으로 지니고 있는 것으로 보았다.

⑤ 주희는 도덕적 실천을 위하여 사물의 이치를 탐구하여 앎을 극진히 할 것을 주장하였다.

17 플라톤과 아리스토텔레스의 사상적 입장 이해

문제분석 갑은 플라톤, 을은 아리스토텔레스이다. 플라톤에 따르면 정의로운 국가는 통치자, 방위자, 생산자의 계층이 각자의 직분을 충실히 수행하여 전체적으로 조화를 이룬 상태이다. 아리스토텔레스에 따르면 덕에는 지성적 덕과 품성적 덕이 있는데 지성적 덕은 교육을 통해 얻어지고 길러지며, 품성적 덕은 중용에 해당하는 행동의 반복적 실천을 통해 형성된다.

정답찾기 ④ 아리스토텔레스에 따르면 중용을 습관화할 때 형성되는 절제와 같은 덕은 품성적 덕이며, 실천적 지혜는 품성적 덕을 갖추기 위해 필요한 지성적 덕이다.

오답피하기 ① 플라톤은 선의 이데아를 비롯하여 이데아계는 이성을 통해서만 파악할 수 있다고 보았다.

② 플라톤은 국가의 세 계층이 모두 절제의 덕을 갖추어야 한다고 보았다.

③ 아리스토텔레스는 모든 감정이 중용의 상태를 가질 수 있다고 생각하지 않았으며 질투와 같이 그 자체로 이미 나쁜 감정에는 중용이 없다고 보았다.

⑤ 아리스토텔레스는 행복을 실현하기 위해서는 이성을 발휘해야 한다고 보았다.

18 하이에크와 케인스의 사상적 입장 이해

문제분석 갑은 신자유주의를 주장한 하이에크, 을은 수정 자본주의를 주장한 케인스이다. 하이에크는 정부의 기능을 축소하고 개인의 자유와 시장 경제를 확대해야 한다고 주장하였다. 케인스는 정부의 적극적인 시장 개입으로 불황과 실업의 문제를 해결할 수 있다고 보았다.

정답찾기 ③ 하이에크의 입장에 비해 케인스의 입장은 '완전 고용을 위해 정부 기능의 확대를 강조하는 정도(X)'는 높고, '시장의 자율적 질서에 대한 정부의 개입에 비판적인 정도(Y)'는 낮으며, '경제 불황 해결을 위해 정부의 개입을 강조하는 정도(Z)'는 높다. 따라서 하이에크의 입장에 비해 케인스의 입장이 갖는 상대적 특징은 ©이다.

19 지눌의 사상적 입장 이해

문제분석 제시문을 주장한 사상가는 지눌이다. 지눌은 단박에 깨친 후에도 오랫동안 쌓아 온 나쁜 습기(習氣)를 제거하는 점수(漸修)가 필요하다고 주장하였다.

정답찾기 ㄴ. 지눌은 모든 중생이 불성을 지니고 있음을 깨달아야 한다고 보았다.

ㄹ. 지눌은 점수의 구체적인 방법으로 선정과 지혜를 함께 닦아 나가야 한다고 보았다.

오답피하기 ㄱ. 지눌은 돈오 이후에 습기를 제거하기 위해 점수를 해야 한다고 보았다.

ㄷ. 지눌은 정(定)은 마음의 본체이고, 혜(慧)는 마음의 작용이라고 주장하였다.

20 페팃과 벌린의 사상적 입장 이해

문제분석 갑은 페팃, 을은 벌린이다. 페팃은 비지배로서의 자유를, 벌린은 불간섭으로서의 자유를 진정한 자유라고 주장하였다.

정답찾기 ② 페팃은 실제적 간섭이 없어도 지배가 존재한다면 자유가 상실된다고 보았다.

오답피하기 ① 페팃은 타인에 의한 지배가 존재하지 않는 비지배로서의 자유를 진정한 자유라고 보았다.

③ 벌린은 적극적 자유가 국가의 개입을 정당화하고 개인의 권리를 침해할 여지가 있다고 보았다.

④ 벌린은 무제한적인 개인의 자유를 주장하지 않았으며 법으로 개인의 자유를 제한할 수 있다고 보았다.

⑤ 페팃은 자의적이지 않은 법의 간섭은 자의적 지배로부터 시민의 자유를 보호한다고 보았다.

THE
기대돼!
한기대!
FUTURE
HAS
BEGUN
AT KOREATECH.

내일의 내 일에 대한 설렘,
그것은 이미 시작됐어!
가슴 뛰게 만드는 한기대에서.

KOREATECH
한국기술교육대학교

1위 2023	80.3%	4,358만원	공학 238 만원 사회 166	입학문의
중앙일보 대학평가 '학생교육우수대학'	우수한 취업률, 전국 2위	학생 1인당 교육비(연간)	저렴한 등록금	041) 560-1234

* 모두의 요강(mdipsi.com)을 통해 한국기술교육대학교의 입시정보를 확인할 수 있습니다.
* 본 교재 광고의 수익금은 콘텐츠 품질개선과 공익사업에 사용됩니다.

연세대학교
미래캠퍼스

나의 미래를 위한
새로운 도전,
연세 미래캠퍼스!

YONSEI UNIVERSITY · 연세대학교 · 1885

연세미래의 경쟁력
최고수준의
취업률

생활과 교육을 하나로,
RC프로그램

미래가치를 창조하는
자율융합대학

YONSEI
MIRAE
CAMPUS

연세대학교 미래캠퍼스
2025학년도 수시모집

입학 문의 | 입학홍보처
033-760-2828
ysmirae@yonsei.ac.kr

원서 접수
2024.9.9.(월)~9.13.(금)
admission.yonsei.ac.kr/mirae

청주사범대학 전통 그대로
서원대학교

재능을 유능으로
2025학년도 신입생 모집 학과

사범대학
국어 영어 교육학 유아 윤리 사회 역사 수학 생물 체육 음악

글로컬공공서비스
경영 항공 경찰 소방 응급구조 복지 아동 상담심리

바이오헬스
조리 식품 환경 화장품 뷰티 제약 헬스케어 컴퓨터 AI소프트웨어

문화예술체육
미디어 웹툰 디자인 건축 광고 패션 레저스포츠

교원 양성의 요람!
서원대학교 임용 합격 현황

✚ 교원임용시험 합격자 **5년간**(2020-2024) **613명** 배출

✚ 전국 사립 사범대학 중 **최상위권**

본 교재 광고의 수익금은 콘텐츠 품질개선과 공익사업에 사용됩니다. 모두의 요강(mdipsi.com)을 통해 서원대학교의 입시정보를 확인할 수 있습니다.

원서접수
수시모집 | 2024.9.9(월) - 9.13(금) 21:00
정시모집 | 2024.12.31(화) - 2025.1.3(금) 21:00

입학상담
주소 | 충북 청주시 서원구 무심서로 377-3
전화 | (043)299-8803~5(입학관리팀)

전공선택
고민돼?

 전공자율선택제 운영

진로학습코디네이터, 교수, 선배와
AI기반으로 전공선택까지
꼼꼼하고 체계적으로 설계

수시모집 원서접수
2024. 9. 9.(월)~13.(금)

경험하고
결정해!

 **인제대학교**
INJE UNIVERSITY